D1301202

KRAUS · LITERATUR UND LÜGE

KARL KRAUS

LITERATUR
UND LÜGE

———

IM KÖSEL-VERLAG ZU MÜNCHEN

SECHSTER BAND DER WERKE VON KARL KRAUS
HERAUSGEGEBEN VON HEINRICH FISCHER

© 1958 by Kösel-Verlag KG München. Printed in Germany
Satz und Druck in der Buchdruckerei AG Passavia in Passau
Einband in den Graphischen Werkstätten Kösel in Kempten

INHALT

DIE BÜCHSE DER PANDORA[1]

> ... Die Liebe der Frauen enthält wie die Büchse
> der Pandora alle Schmerzen des Lebens, aber sie
> sind eingehüllt in goldene Blätter und sind so
> voller Farben und Düfte, daß man nie klagen
> darf, die Büchse geöffnet zu haben. Die Düfte hal-
> ten das Alter fern und bewahren noch in ihrem
> Letzten die eingeborene Kraft. Jedes Glück macht
> sich bezahlt, und ich sterbe ein wenig an diesen
> süßen und feinen Düften, die der schlimmen
> Büchse entsteigen, und trotzdem findet meine
> Hand, die das Alter schon zittern macht, noch die
> Kraft, verbotene Schlüssel zu drehn. Was ist Le-
> ben, Ruhm, Kunst! Ich gebe alles das für die be-
> nedeiten Stunden, die mein Kopf in Sommer-
> nächten auf Brüsten lag, geformt unter dem Be-
> cher des Königs von Thule, – nun wie dieser
> dahin und verschwunden ...
>
> Félicien Rops.

»Eine Seele, die sich im Jenseits den Schlaf aus den Augen
reibt.« Ein Dichter und Liebender, zwischen Liebe und
künstlerischer Gestaltung der Frauenschönheit schwankend,
hält Lulus Hand in der seinen und spricht die Worte, die
der Schlüssel sind zu diesem Irrgarten der Weiblichkeit, zu
dem Labyrinth, in dem manch ein Mann die Spur seines
Verstandes verlor. Es ist der letzte Akt des »Erdgeist«. Alle
Typen der Mannheit hat die Herrin der Liebe um sich versammelt, damit sie ihr dienen, indem sie nehmen, was sie zu
spenden hat. Alwa, der Sohn ihres Gatten, spricht es aus.
Und dann, wenn er sich an diesem süßen Quell des Ver-
derbens vollberauscht, wenn sich sein Schicksal erfüllt haben
wird, im letzten Akt der »Büchse der Pandora«, wird er, vor
dem Bilde Lulus delirierend die Worte finden: »Diesem
Porträt gegenüber gewinne ich meine Selbstachtung wieder.
Es macht mir mein Verhängnis begreiflich. Alles wird so natürlich, so selbstverständlich, so sonnenklar, was wir erlebt

---

[1] Gesprochen als Einleitung zur ersten, von mir veranstalteten Aufführung am 29. Mai 1905.

haben. Wer sich diesen blühenden, schwellenden Lippen, diesen großen unschuldsvollen Kinderaugen, diesem rosig weißen, strotzenden Körper gegenüber in seiner bürgerlichen Stellung sicher fühlt, der werfe den ersten Stein auf uns.« Diese Worte, vor dem Bilde des Weibes gesprochen, das zur Allzerstörerin wurde, weil es von allen zerstört ward, umspannen die Welt des Dichters Frank Wedekind. Eine Welt, in der die Frau, soll sie ihrer ästhetischen Vollendung reifen, nicht verflucht ist, dem Mann das Kreuz sittlicher Verantwortung abzunehmen. Die Erkenntnis, welche die tragische Kluft zwischen blühenden Lippen und bürgerlichen Stellungen begreift, mag heute vielleicht die einzige sein, die eines Dramatikers wert ist. Wer die »Büchse der Pandora«, die im »Erdgeist« zwar ihre stoffliche Voraussetzung hat, aber das gedankliche Verständnis des Ganzen erst erschließt, wer diese Tragödie Lulu begriffen hat, wird der gesamten deutschen Literatur, so da am Weibe schmarotzt und aus den »Beziehungen der Geschlechter« psychologischen Profit zieht, mit dem Gefühle gegenüberstehen, das der Erwachsene hat, wenn ihm das Einmaleins beigebracht werden soll. Ich würde mich nicht scheuen, diese große Revue psychologischer Kindereien mit manchem Klassiker zu eröffnen. Die tiefsten Erforscher männlichen Gefühlslebens haben vor dem Augenaufschlag ihrer eigenen Heldinnen zu stammeln begonnen, und die unsägliche Tragik, der sie Worte liehen, war durch alle Zeiten die Tragik der verlorenen Virginität. Ein »Werde du zur Dirne«, oft auch bloß ein verschämtes »Werde du zur –«, von irgendeinem Knasterbart gemurmelt, wir hören es durch alle dramatischen Entwicklungen bis in unsere Tage: immer wieder sehen wir den dramatischen Knoten aus einem Jungfernhäutchen geschürzt. Nie haben sich hier die Dichter als Erlöser der Menschheit gefühlt, sondern sich mit ihr unter das Damoklesschwert gebeugt, das sie in christlicher Demut freiwillig über sich aufgehängt hat. Den Irrwahn, daß die Ehre der Welt vermindert wird, wenn sie ihre Freude vermehrt, haben sie gläubig nachgebetet. Und sie schrieben Tragödien über das, »worüber kein Mann wegkann«. Daß man über die knorrigen Plattheiten eines denkenden Tischlermeisters viel weniger wegkönnen sollte als über das Abenteuer seiner Maria Magdalena, ist ja eine literarische Angelegenheit für sich. Aber dem dramatischen Gejammer über die Verminderung des weiblichen Marktwertes hat erst Frank Wedekind entsagt und abgesagt. In seiner Bekenntnisdichtung »Hidalla« erhebt sich Fanny turmhoch über den Freier, der sie verschmäht hat, weil ihr »der Vorzug« mangelt, der ihre Geschlechtsgenossinnen erst preiswert macht: »Deswegen also bin ich jetzt nichts mehr?! Das also war die Hauptsache an mir?! Läßt sich eine schmachvollere Beschimpfung für ein menschliches Wesen ersinnen? – als deswegen, um eines solchen – Vorzugs willen geliebt zu werden?! – – Als wäre man ein Stück Vieh!« . . . Und dann die gewaltige Doppeltragödie, deren zweiten Teil Sie heute schauen werden, die Tragödie von der gehetzten, ewig mißverstandenen Frauenanmut, der eine armselige Welt bloß in das Prokrustesbett ihrer Moralbegriffe zu steigen erlaubt. Ein Spießrutenlauf der Frau, die vom Schöpferwillen dem Egoismus des Besitzers zu dienen nicht bestimmt ist, die nur in der Freiheit zu ihren höheren Werten emporsteigen kann. Daß die flüchtige Schönheit des Tropenvogels mehr beseligt als der sichere Besitz, bei dem die Enge des Bauers die Pracht des Gefieders verwundet, hat sich noch kein Vogelsteller gesagt. Sei die Hetäre ein Traum des Mannes. Aber die Wirklichkeit soll sie ihm zur Hörigen – Hausfrau oder Maitresse – machen, weil das soziale Ehrbedürfnis ihm selbst über den Traum geht. So will auch jeder, der die polyandrische Frau will, diese für sich. Solchen Wunsch, nichts weiter, hat man als den Urquell aller Tragödien der Liebe zu betrachten. Der Erwählte sein wollen, ohne der Frau das Wahlrecht zu gewähren. Und daß vollends Titania auch einen Esel herzen könne, das wollen die Oberone nie begreifen, weil sie gemäß ihrer höheren Besinnungsfähigkeit und ihrer geringeren Geschlechtsfähigkeit nicht imstande wären, eine Eselin zu herzen. Darum werden sie in der Liebe selbst zu Eseln. Ohne ein vollgerüttelt Maß von sozialer Ehre können sie nicht leben: und darum Räuber und Mörder! Zwischen den Leichen aber schreitet eine Nachtwandlerin der Liebe dahin. Sie, in der alle Vorzüge der Frau eine in sozialen Vorstellungen befangene Welt zu »Lastern« werden ließ. Einer der dramatischen Konflikte zwischen der weiblichen Natur und einem männlichen Dummkopf hat Lulu der irdischen Gerechtigkeit ausgeliefert, und sie müßte in neunjähriger Kerkerhaft darüber nachdenken, daß Schönheit eine Strafe Gottes sei, wenn nicht die ihr ergebenen Sklaven der Liebe einen romantischen Plan zu ihrer Befreiung ausheckten, einen, der in der realen Welt nicht einmal in fanatisierten Gehirnen reifen, auch fanatischem Willen nicht gelingen kann. Mit Lulus Befreiung aber – durch das Gelingen des Unmöglichen zeichnet der Dichter die Opferfähigkeit der Liebessklaverei besser als durch die Einführung eines glaubhafteren Motivs – hebt die »Büchse der Pandora« an. Lulu, die Trägerin der Handlung im »Erdgeist«, ist jetzt die Getragene. Mehr als früher zeigt sich, daß ihre Anmut die eigentliche leidende Heldin des Dramas ist; ihr Porträt, das Bild ihrer schönen Tage, spielt eine größere Rolle als sie selbst, und waren es früher ihre aktiven Reize, die die Handlung schoben, so ist jetzt auf jeder Station des Leidensweges der Abstand zwischen einstiger Pracht und heutigem Jammer der Gefühlserreger. Die große Vergeltung hat begonnen, die Revanche einer Männerwelt, die die eigene Schuld zu rächen sich erkühnt. »Die Frau«, sagt Alwa, »hat in diesem Zimmer meinen Vater erschossen; trotzdem kann ich in dem Morde wie in der Strafe nichts anderes als ein entsetzliches Unglück sehen, das sie betroffen hat. Ich glaube auch, mein Vater hätte, wäre er mit dem Leben davongekommen, seine Hand nicht vollständig von ihr abgezogen.« In dieser Empfindensfähigkeit gesellt sich dem überlebenden Sohn der Knabe Alfred Hugenberg, dessen rührendes Schwärmen im Selbstmord endet. Aber zu einem Bündnis, das ergreifender nie erfunden wurde, treten Alwa und die opferfreudige, seelenstarke Freundin Geschwitz zusammen, zum Bündnis einer heterogenen Geschlechtlichkeit, die sie doch beide dem Zauber der allgeschlechtlichen Frau erliegen läßt. Das sind die wahren Gefangenen ihrer Liebe. Alle Enttäuschung, alle Qual, die von einem geliebten Wesen ausgeht, das nicht zu seelischer Dankbarkeit erschaffen ist, scheinen sie als Wonnen einzuschlürfen, an allen Abgründen noch Werte bejahend. Ihre Gedankenwelt ist, mag er sie auch noch so sehr in einzelnen Zügen von der seinen absondern, die Gedankenwelt des Dichters, jene, die schon in dem Shakespeareschen Sonett zu tönen anhebt:

> Wie lieblich und wie süß machst Du die Schande,
> Die wie ein Wurm in duftiger Rose steckt
> Und Deiner Schönheit Knospenruf befleckt –
> Du hüllst die Schuld in wonnige Gewande!
> Die Zunge, die wohl Deinen Wandel tadelt,
> Wenn sie leichtfertig deutend, von Dir spricht,
> Läßt ohne Lob doch selbst den Tadel nicht,
> Weil schon Dein Name bösen Leumund adelt.
> O welche Wohnung ward den Fehlern, die
> Zu ihrem Aufenthalt Dich auserlesen!
> Die reinste Schönheit überschleiert sie
> Und tadellos erscheint Dein ganzes Wesen.

Man kanns auch – mit dem albernen Roman-Medizinerwort – Masochismus nennen. Aber der ist vielleicht der Boden künstlerischen Empfindens. Der »Besitz« der Frau, die Sicherheit des beatus possidens ist es, ohne was Phantasiearmut nicht glücklich sein kann. Realpolitik der Liebe! Rodrigo Quast, der Athlet, hat sich eine Nilpferdpeitsche angeschafft. Mit der wird er sie nicht nur zur »zukünftigen pompösesten Luftgymnastikerin der Jetztzeit« machen, sondern auch zum treuen Eheweib, das bloß jene Kavaliere bei sich zu empfangen hat, die er selbst bestimmt. Mit diesem unvergleichlichen Philosophen der Zuhältermoral beginnt der Zug der Peiniger: nun werden die Männer an Lulu durch Gemeinheit vergelten, was sie durch Torheit an ihr gesündigt haben. Die Reihe der verliebten Alleinbesitzer wird naturnotwendig von der Reihe der Praktiker der Liebe abgelöst. In ihr folgt auf Rodrigo, der leider die Fähigkeit verlernt hat, »zwei gesattelte Kavalleriepferde auf seinem Brustkorb zu balancieren«, Casti Piani, dessen Schurkengesicht eine bösere sadistische Gewalt über Lulus Sexualwillen erlangte. Um dem einen Erpresser zu entrinnen, muß sie sich dem andern an den Hals werfen, jedermanns Opfer, jeden opfernd, bis der Erschöpften als der letzte und summarische Rächer des Mannsgeschlechts – Jack the Ripper in den Weg tritt. Von Hugenberg, dem seelischesten, führt der Weg bis zu Jack, dem sexuellsten Manne, dem sie zufliegt wie die Motte dem Licht – dem extremsten Sadisten in der Reihe ihrer Peiniger, dessen Messeramt ein Symbol ist: er nimmt ihr, womit sie an den Männern gesündigt hat. –

Aus einer losen Reihe von Vorgängen, die eine Kolportageromanphantasie hätte erfinden können, baut sich dem helleren Auge eine Welt der Perspektiven, der Stimmungen und Erschütterungen auf, und die Hintertreppenpoesie wird zur Poesie der Hintertreppe, die nur jener offizielle Schwachsinn verdammen kann, dem ein schlecht gemalter Palast lieber ist als ein gut gemalter Rinnstein. Aber nicht auf solcher Szene liegt hier die Wahrheit, sondern noch hinter ihr. Wie wenig Platz fände in Wedekinds Welt, in der die Menschen um der Gedanken willen leben, ein Realismus der Zustände! Er ist der erste deutsche Dramatiker, der wieder dem Gedanken den langentbehrten Zutritt auf die Bühne verschafft hat. Alle Natürlichkeitsschrullen sind wie weggeblasen. Was über und unter den Menschen liegt, ist wichtiger, als welchen Dialekt sie sprechen. Sie halten sogar wieder – man wagt es kaum für sich auszusprechen – Monologe. Auch wenn sie miteinander auf der Szene stehen. Der Vorhang geht auf, und ein gedunsener Athlet spinnt seine Zukunftsträume von fetten Gagen und Zuhältergewinsten, ein Dichter zetert wie Karl Moor über das tintenklecksende Säkulum, und eine leidende Frau träumt von der Rettung ihrer abgöttisch geliebten Freundin. Drei Menschen, die aneinander vorbeisprechen. Drei Welten. Eine dramatische Technik, die mit einer Hand drei Kugeln schiebt. Man kommt dahinter, daß es eine höhere Natürlichkeit gibt als die der kleinen Realität, mit deren Vorführung uns die deutsche Literatur durch zwei Jahrzehnte im Schweiße ihres Angesichtes dürftige Identitätsbeweise geliefert hat. Eine Sprache, die die verblüffendste Verbindung von Charakteristik und aphoristischer Erhöhung darstellt. Jedes Wort zugleich der Figur und ihrem Gedanken, ihrer Bestimmung angepaßt: Gesprächswendung und Motto. Der Zuhälter spricht: »Bei ihrer praktischen Einrichtung kostet es die Frau nicht halb so viel Mühe, ihren Mann zu ernähren, wie umgekehrt. Wenn ihr der Mann nur die geistige Arbeit besorgt und den Familiensinn nicht in die Binsen gehen läßt.« Wie hätte das ein sogenannter Realist ausgedrückt? Szenen wie die zwischen Alwa und Lulu im ersten, zwischen Casti Piani und Lulu im zweiten und vor allem jene im letzten Akt, in der die Geschwitz mit Lulus Porträt in das Londoner Elend hineinplatzt, hat ein anderer deutscher Dramatiker mit kunstvollster Stimmungstechnik nicht zustande gebracht, und keine andere Hand hätte heute Mut und Kraft zu solchem Griff in das Menscheninnerste. Shakespearisch grotesk wie das Leben selbst ist diese Abwechslung clownhafter und tragischer Wirkungen bis zu der Möglichkeit, beim Stiefelanziehen von stärkster Erschütterung durchwühlt zu sein. Diese visionär gewendete Moritat, diese vertiefte Melodramatik des »Von Stufe zu Stufe« ist außen Lebensbild, innen Bild des Lebens. Wie ein Fiebertraum – der Traum eines an Lulu erkrankten Dichters – jagen diese Vorgänge. Alwa könnte am Schluß sich über die Augen fahren und in den Armen einer erwachen, die sich erst im Jenseits den Schlaf aus den Augen reibt. Dieser zweite, der Pariser Akt, mit seinen matten Farben eines schäbigen Freudenlebens: alles wie hinter einem Schleier, bloß eine Etappe auf den parallelen Leidenswegen Lulus und Alwas. Sie, vorne, das Blatt eines Erpressers zerknitternd, er hinten im Spielzimmer, ein schwindelhaftes Wertpapier in der Hand. Im Taumel der Verlumpung hastet er über die Szene. Alles drängt dem Abgrund zu. Ein Gewirr von Spielern und Kokotten, die ein gaunerischer Bankier betrügt. Alles schemenhaft und in einer Sprache gehalten, die einen absichtlich konventionellen Ton muffiger Romandialoge hat: »Und nun kommen Sie, mein Freund! Jetzt wollen wir unser Glück im Baccarat versuchen!« Der »Marquis Casti Piani« – nicht als die Charge eines Mädchenhändlers, sondern als die leibhaftige Mission des Mädchenhandels auf die Bühne gestellt. In zwei Sätzen soziale Schlaglichter von einer Grelligkeit, die nur der Schleier der Vorgänge dämpft, ein Ironiegehalt, der hundert Pamphlete gegen die Lügnerin Gesellschaft und gegen den Heuchler Staat überflüssig macht. Ein Mensch, der Polizeispion und Mädchenhändler zugleich ist: »Die Staatsanwaltschaft bezahlt demjenigen, der die Mörderin des Dr. Schön der Polizei in die Hand liefert, 1000 Mark. Ich brauche nur den Polizisten heraufzupfeifen, der unten an der Ecke steht, dann habe ich 1000 Mark verdient. Dagegen bietet das Etablissement Oikonomopulos in Kairo 60 Pfund für Dich. Das sind 1200 Mark, also 200 Mark mehr als der Staatsanwalt bezahlt.« Und, da ihn Lulu mit Aktien abfertigen will: »Ich habe mich nie mit Aktien abgegeben. Der Staatsanwalt bezahlt in deutscher Reichswährung und Oikonomopulos zahlt in englischem Gold.« Die unmittelbarste Exekutive staatlicher Sittlichkeit und die Vertretung des Hauses Oikonomopulos in einer und derselben Hand vereinigt . . . . Ein gespenstisches Huschen und Hasten, ein Grad dramatischer Andeutung, den Offenbach festgehalten hat, da er die Stimmungen E. T. A. Hoffmanns vertonte. Olympia-Akt. Wie Spalanzani, der Adoptivvater eines Automaten, beschwindelt dieser Puntschu mit seinen falschen Papierwerten die Gesellschaft. Seine dämonische Verschmitztheit findet in ein paar Monologsätzen einen philosophischen Ausdruck, der den Unterschied der Geschlechter tiefer erfaßt als alle Wissenschaft der Neurologen. Er kommt aus dem Spielsaal und freut sich diebisch, daß seine Judenmoral um soviel einträglicher ist als die Moral der Huren, die dort um ihn versammelt waren. Sie müssen ihr Geschlecht, ihr »Josaphat«, vermieten – er kann sich mit seinem Verstand helfen. Die armen Frauenzimmer

setzen das Kapital ihres Körpers zu; der Verstand des Spitzbuben erhält sich frisch: »braucht er sich nicht zu baden in
Eau de Cologne!« So triumphiert die Unmoral des Mannes
über die Nichtmoral der Frau. Der dritte Akt. Hier, wo
Knüppel, Revolver und Schlächtermesser spielen, aus diesen Abgründen einer rohen Tatsachenwelt klingen die rein-
sten Töne. Das Unerhörte, das sich hier begibt, mag den ab-
stoßen, der von der Kunst nichts weiter verlangt als Erholung oder daß sie doch nicht die Grenze seiner eigenen
Leidensmöglichkeit überschreite. Aber sein Urteil müßte so
schwach sein wie seine Nerven, wollte er die Großartigkeit
dieser Gestaltung leugnen. Mit realistischen Erwartungen
freilich darf man diese Fiebervision in einer Londoner Dach-
kammer so wenig miterleben wollen, wie die »unwahrschein-
liche« Befreiungsgeschichte im ersten Akt und die Beseiti-
gung Rodrigos im zweiten. Und wer in diesem Nacheinander
von vier Liebeskunden der als Straßenmädchen verenden-
den Lulu eine rohe Pikanterie und nicht in diesem Wechsel
grotesker und tragischer Eindrücke, in dieser Anhäufung
schrecklicher Gesichte den Einfall eines Dichters sieht, darf
sich über die niedrige Schätzung seiner eigenen Erlebnis-
fähigkeit nicht beklagen. Er verdient es, Zeitgenosse jener
dramatischen Literatur zu sein, über die Frank Wedekind
durch den Mund seines Alwa so bitter abspricht. Aber man
kann im Ernst nicht glauben, daß einer so kurzsichtig sein
könnte, über der »Peinlichkeit« des Stoffes die Größe seiner
Behandlung und die innere Notwendigkeit seiner Wahl zu
verkennen. Vor Knüppel, Revolver und Messer zu übersehen, daß sich dieser Lustmord wie ein aus den tiefsten
Tiefen der Frauennatur geholtes Verhängnis vollzieht; über
der lesbischen Verfassung dieser Gräfin Geschwitz zu vergessen, daß sie Größe hat und kein pathologisches Dutzend-
geschöpf vorstellt, sondern wie ein Dämon der Unfreude
durch die Tragödie schreitet. Zwar, die unendlichen Fein-
heiten dieser groben Dichtung erschließen sich dem Leser
erst bei genauerer Bekanntschaft: Lulus Vorahnung ihres
Endes, das schon auf den ersten Akt seine Schatten wirft,

dieses Dahinschweben unter einem Bann und dieses Vor-
übergleiten an den Schicksalen der Männer, die ihr verfallen
sind: auf die Nachricht vom Tode des kleinen Hugenberg im
Gefängnis fragt sie, ob denn »der auch im Gefängnis ist«,
und Alwas Leichnam macht ihr die Stube bloß unbehag-
licher. Dann die blitzartige Erkenntnis des extremsten Mannes, Jacks, der dem unweiblichsten Weibe »wie einem Hunde
den Kopf streichelt« und sofort die Beziehung dieser Geschwitz zu Lulu und damit ihre Nichteignung für sein fürch-
terliches Bedürfnis mitleidig wahrnimmt. »Dies Ungeheuer
ist ganz sicher vor mir«, sagt er, nachdem er sie niedergesto-
chen hat. Sie hat er nicht zur Lust gemordet, bloß als Hindernis beseitigt. Zu seiner Befriedigung könnte er ihr höchstens
das Gehirn herausschneiden. –
Nicht eindringlich genug kann davor gewarnt werden, das
Wesen der Dichtung in ihrer stofflichen Sonderbarkeit zu
suchen. Eine Kritik, deren hausbackene Gesundheit sich über
Dinge der Liebe den Kopf nicht zerbricht, hat schon im »Erdgeist« nichts weiter als ein Boulevard-Drama sehen wollen,
in dem der Autor »Krasses mit Zotigem gemengt« habe. Ein
führender Berliner Geist hat die Ahnungslosigkeit, mit der
er der Welt des Doppeldramas gegenübersteht, durch den
Rat bewiesen, der begabte Autor möge nur schnell ein anderes Stoffgebiet wählen. Als ob der Dichter »Stoffe wählen«
könnte, wie der Tailleur oder der Wochenjournalist, der
auch fremden Meinungen sein stilistisches Kleid borgt. Von
der Urkraft, die hier Stoff und Form zugleich gebar, hat
heute die deutsche Kritik noch keine Ahnung. Daß die offizielle Theaterwelt ihr Modernitätsideal im jährlichen Pen-
sum ihrer geschickten Ziseleure erfüllt wähnt, daß der Tan-
tièmensegen immerzu die Mittelmäßigkeit befruchtet und
die Persönlichkeit die einzige Auszeichnung genießt, keinen
Schiller-, Grillparzer- oder Bauernfeldpreis (oder wie die
Belohnung für Fleiß, gute Sitten und Talentlosigkeit sonst
heißen mag) zu bekommen – man ist gewohnt, es als etwas
Selbstverständliches hinzunehmen. Aber nachgerade muß
es erbittern, einen Dramatiker, der keine Zeile geschrieben

18

hat, die nicht Weltanschauung und Theateranschauung zu absoluter Kongruenz brächte, und dessen perspektivische Gedankenreihen endlich über das armselige Milieugeschäft emporweisen, von der offiziellen Kunstwelt als ein Kuriosum behandelt zu sehen. Er ist »grotesk«. Und damit glauben die Gerechten, die in der Literatur immer zwei Fliegen mit einem Schlagwort treffen, ihn abgestempelt zu haben. Als ob das Groteske immer Selbstzweck einer Artistenlaune wäre! Sie verwechseln die Maske mit dem Gesicht und keiner ahnt, daß der groteske Vorwand hier nichts geringeres bedeuten könnte, als das Schamgefühl des Idealisten. Der auch Idealist bleibt, wenn er in einem Gedichte bekennt, daß er lieber eine Hure wäre, »als an Ruhm und Glück der reichste Mann«, und dessen Schamgefühl in viel tiefere Sphären langt, als das Schamgefühl derer, die an Stoffen Anstoß nehmen.

Der Vorwurf, daß man in eine Dichtung etwas »hineingelegt« habe, wäre ihr stärkstes Lob. Denn nur in jene Dramen, deren Boden knapp unter ihrem Deckel liegt, läßt sich beim besten Willen nichts hineinlegen. Aber in das wahre Kunstwerk, in dem ein Dichter seine Welt gestaltet hat, können eben alle alles hineintun. Was in der »Büchse der Pandora« geschieht, kann für die ästhetische wie – hört, hört – für die moralistische Betrachtung der Frau herangezogen werden. Die Frage, ob es dem Dichter mehr um die Freude an ihrem Blühen oder mehr um die Betrachtung ihres ruinösen Waltens zu tun ist, kann jeder wie er will beantworten. So kommt bei diesem Werke schließlich auch der Sittenrichter auf seine Rechnung, der die Schrecknisse der Zuchtlosigkeit mit exemplarischer Deutlichkeit geschildert sieht und der in dem blutdampfenden Messer Jacks mehr die befreiende Tat erkennt als in Lulu das Opfer. So hat sich ein Publikum, dem der Stoff mißfällt, wenigstens nicht über die Gesinnung zu entrüsten. Leider. Denn i c h halte die Gesinnung für arg genug. Ich sehe in der Gestaltung der Frau, die die Männer zu »haben« glauben, während sie von ihr gehabt werden, der Frau, die Jedem eine andere ist, Jedem ein anderes Gesicht zuwendet und darum seltener betrügt und jungfräulicher ist als das Püppchen domestiker Gemütsart, ich sehe darin eine vollendete Ehrenrettung der Unmoral. In der Zeichnung des Vollweibes mit der genialen Fähigkeit, sich nicht erinnern zu können, der Frau, die ohne Hemmung, aber auch ohne die Gefahren fortwährender seelischer Konzeption lebt und jedes Erlebnis im Vergessen wegspült. Begehrende, nicht Gebärende; nicht Genus-Erhalterin, aber Genuß-Spenderin. Nicht das erbrochene Schloß der Weiblichkeit; doch stets geöffnet, stets wieder geschlossen. Dem Gattungswillen entrückt, aber durch jeden Geschlechtsakt selbst neu geboren. Eine Nachtwandlerin der Liebe, die erst »fällt«, wenn sie angerufen wird, ewige Geberin, ewige Verliererin – von der ein philosophischer Strolch im Drama sagt: »Die kann von der Liebe nicht leben, weil ihr Leben die Liebe ist.« Daß der Freudenquell in dieser engen Welt zur Pandorabüchse werden muß: diesem unendlichen Bedauern scheint mir die Dichtung zu entstammen. »Der nächste Freiheitskampf der Menschheit«, sagt Wedekind in seinem programmatischeren Werke »Hidalla«, »wird gegen den Feudalismus der Liebe gerichtet sein! Die Scheu, die der Mensch seinen eigenen Gefühlen gegenüber hegt, gehört in die Zeit der Hexenprozesse und der Alchymie. Ist eine Menschheit nicht lächerlich, die Geheimnisse vor sich selber hat?! Oder glauben Sie vielleicht an den Pöbelwahn, das Liebesleben werde verschleiert, weil es h ä ß l i c h sei?! Im Gegenteil, der Mensch wagt ihm nicht in die Augen zu sehen, so wie er vor seinem Fürsten, vor seiner Gottheit den Blick nicht zu heben wagt! Wünschen Sie einen Beweis? Was bei der Gottheit der Fluch, das ist bei der Liebe die Zote! Jahrtausende alter Aberglaube aus den Zeiten tiefster Barbarei hält die Vernunft im Bann. Auf diesem Aberglauben aber beruhen die d r e i b a r b a r i s c h e n L e b e n s f o r m e n, von denen ich sprach: Die wie ein wildes Tier aus der menschlichen Gemeinschaft hinausgehetzte Dirne; das zu körperlicher und geistiger Krüppelhaftigkeit verurteilte, um sein ganzes Liebesleben betrogene alte Mädchen; und die zum Zweck möglichst günstiger Verheiratung bewahrte Unberührtheit des jungen Weibes. Durch dieses Axiom hoffte ich den Stolz des Weibes zu entflammen und zum Kampfgenossen zu gewinnen. Denn von Frauen solcher Erkenntnis erhoffte ich, da mit Wohlleben und Sorglosigkeit einmal abgerechnet war, eine frenetische Begeisterung für mein Reich der Schönheit.«

Nichts ist billiger als sittliche Entrüstung. Ein kultiviertes Publikum – nicht nur die Vorsicht der Polizeibehörde, auch der Geschmack der Veranstalter sorgte für seine Zusammensetzung – verschmäht billige Mittel der Abwehr. Es verzichtet auf die Gelegenheit, seiner eigenen Wohlanständigkeit applaudieren zu können. Das Gefühl dieser Wohlanständigkeit, das Gefühl, den auf der Bühne versammelten Spitzbuben und Sirenen moralisch überlegen zu sein, ist ein gefesteter Besitz, den nur der Protz betonen zu müssen glaubt. Bloß e r möchte auch dem Dichter seine Überlegenheit zeigen. Dies aber könnte uns nie abhalten, auf die fast übermenschliche Mühe stolz zu sein, die wir daran wandten, dem starken und kühnen Dramatiker unsere Achtung zu beweisen. Denn keinem haben sich wie ihm die Striemen, die seelisches Erleben schlug, zu Ackerfurchen dichterischer Saat gewandelt.

Zwischen Ibsen-Essays von Karl Hauer
und Frank Wedekind

Dieser Entlarvung eines berühmten Spiritisten stimme ich
durchaus zu. Nur daß ich ausdrücklicher meine tiefste Verehrung bekunden möchte für den Dichter, der »Kaiser und
Galiläer« und »Die Kronprätendenten«, »Brand« und »Peer
Gynt«, »Frau Inger« und »Die nordische Heerfahrt« geschaffen hat – und dann hinging, um ein Rationalist des
Wunderbaren zu werden, doch aus der nüchternsten Sache
von der Welt, der Gesellschaftskritik, ein dramatisches Abra-
cadabra zu machen. In jenen Zustand von Nichtberauscht-
heit zu verfallen, in dem man bereits weiße Pferde sieht,
und als genialer Proktophantasmist ein Zeitalter zu schrek-
ken. In faustischen Nebel, den eine seltene Wortkunst erzeugte, vermag die Phantasie des Betrachters ihre Gestalten
zu stellen. Der Nebel eines modernen Ibsen-Dialogs ist un-
einnehmbar, einer kahlen Gedankenprosa antwortet kein
Echo jener Fjordwand, die einst des großen Dramatikers
Ibsen große Kulisse war. »Und dann ist sie (die Wildente)
auf dem Meeresgrund gewesen.« »Warum sagen Sie Meeresgrund?« »Was sollt' ich sonst sagen?« »Sie könnten sagen:
Boden des Meeres – oder Meeresboden.« »Kann ich nicht
ebenso gut Meeresgrund sagen?« »Ja, aber für mich klingt
es immer so seltsam, wenn andere Leute Meeresgrund
sagen.« Goethe: »Die Mütter sind es!« »Mütter!« »Schau-
dert's dich?« »Die Mütter! Mütter! – 's klingt so wunder-
lich!« Und doch wie anders!... Aber ist's nicht auch wunder-
lich, zu sehen, wie sich das Vernunftgesindel der Tageskritik,
wie sich alte Literaturprofessoren, deren psychologisches
Verständnis gestern noch bis zur Enträtselung von Raupach
und deren Modernität bis zur Genehmigung von Richard
Voss reichte, plötzlich verständnisvoll um Ibsen bemühen?
Da dürfen wir Jüngeren ehrlicher bekennen, daß wir vom
Ibsen des bürgerlichen Dramas nicht viel mehr begreifen, als

daß er der Apostel der Lehramtskandidatinnen geworden ist. Ein lebertraniger Moralist hat, soweit wir Zauberformeln verstehen, den Fortschritt der Menschheit in der geistig-sittlichen Belastung des Weibes erblickt und dem gedrückten »Weibchen« (Elvsted, Maja), in dem der echte Naturwille seine Erfüllung findet, jene Homuncula, die nur mehr der Trieb zu übersinnlichen Freuden gefährdet, gegenübergestellt; hat den Zwang, Puppe zu sein, als ein Problem der Frau erfaßt und nicht das Recht, Puppe zu sein. Er steht am Ende einer langen Reihe von Dramatikern, für die »Mann und Weib eins« sind und die, wenn sich ein Konflikt ergibt, den dramatischen Knoten aus dem verlorenen Jungfernhäutchen knüpfen. Er ist einer, der den Unterschied der Geschlechter so begreift, daß er die männlichen Eigenschaften auf die Frau überträgt. »Worauf es ankommt, das ist die Revolutionierung des Menschengeistes.« Aus dem Germanisch-Christlichen etwa ins Christlich-Germanische. Mit Wahrheit, Freiheit und Lebertran! Es gilt »Adelsmenschen« zu erschaffen. Hoffentlich werden sie auf das Ordensband des Herzogs von Meiningen nicht wenig stolz sein.

Herr Harden, der Zitatenreiche, druckt unter einem Essay von Hedwig Dohm über Frauenlyrik einige Sätze von Luther, Rousseau, Goethe und Jean Paul ab, die das Lob weiblicher Handarbeit in der Dichtkunst in nicht unpassender Weise entwerten. Luthers starkes Wort: »Wenn Weiber wohlberedt sind, das ist an ihnen nicht zu loben; es steht ihnen an, daß sie stammeln und nicht wohlreden können. Das zieret sie viel besser«, macht eigentlich auch alle Beredsamkeit der Männer über das Weib überflüssig. In unklar zusammengestellten Zitaten aus Eckermanns Gesprächen mit Goethe verblüfft eine Bemerkung, die Goethes Arzt, Hofrat Rehbein, fallen läßt und die wie eine Ahnung modernster Erkenntnisse vom Uterus anmutet. Herr Harden zitiert sie unvollständig, weil er die Bedeutung solcher Erkenntnisse geringer einschätzt als die Bedeutung der Marokko-Konferenz. Die Stelle lautet vollständig: »Das Gespräch kam nun auf die Dichterinnen im allgemeinen, und der Hofrat Rehbein bemerkte, daß das poetische Talent der Frauenzimmer ihm oft als eine Art von geistigem Geschlechtstrieb vorkomme. ›Da hören Sie nur‹, sagte Goethe lachend, indem er mich ansah, ›geistigen Geschlechtstrieb! – wie der Arzt das zurechtlegt!‹ – ›Ich weiß nicht, ob ich mich recht ausdrücke‹, fuhr dieser fort, ›aber es ist so etwas. Gewöhnlich haben diese Wesen das Glück der Liebe nicht genossen, und sie suchen nun in geistigen Richtungen Ersatz. Wären sie zu rechter Zeit verheiratet und hätten sie Kinder geboren, sie würden an poetische Produktionen nicht gedacht haben!‹« Goethe sagt dann: »Ich will nicht untersuchen, inwiefern Sie in diesem Fall (Therese von Jakob, Übersetzerin serbischer Volkslieder) recht haben; aber bei Frauenzimmertalenten anderer Art habe ich immer gefunden, daß sie mit der Ehe aufhörten. Ich habe Mädchen gekannt, die vortrefflich zeichneten, aber sobald sie Frauen und Mütter wurden, war es aus; sie hatten mit den Kindern zu tun und nahmen keinen Griffel mehr in die Hand.« Freilich, nie sollte man ein der Frauenrechtlerei feindliches Bekenntnis durch Goethes prächtige Absage an die Männer auszugleichen versäumen: »Man hatte die gelehrten Weiber lächerlich gemacht und wollte auch die unterrichteten nicht leiden, wahrscheinlich, weil man es für unhöflich hielt, so viele unwissende Männer beschämen zu lassen.« Und – in der Ausführung des Rehbein'schen Gesprächs –: »Doch unsere Dichterinnen mögen immer dichten und schreiben so viel sie wollen, wenn nur unsere Männer nicht wie die Weiber schrieben! Das ist es, was mir nicht gefällt. Man sehe doch nur unsere Zeitschriften, wie das alles so schwach ist und immer schwächer wird!« Zum Beispiel die ›Zukunft‹. Dilettanten nämlich und Frauen, sagt Goethe, haben »von der Poesie sehr schwache Begriffe. Sie glauben gewöhnlich, wenn sie nur das Technische los hätten, so hätten sie das Wesen und wären gemachte Leute; allein sie sind sehr in der Irre.« Sie haben »von der Wichtigkeit der Motive in einem Gedicht keine Ahnung«. Und machen Gedichte, die »bloß durch Empfindungen und klingende Verse eine Art von Existenz vorspiegeln«. Der lyrische Hausarzt der ›Zukunft‹ ist Herr Dr. Salus, und die Rechtsanwälte des Herrn Harden, Suse und Sello, dichten bekanntlich gleichfalls. Und in derselben Nummer der ›Zukunft‹, in der Goethes Verurteilung der Frauenlyrik zitiert wird, ist eine Probe männlicher Verskunst enthalten: nicht weniger als vier Seiten Verse eines der beiden dichtenden Rechtsanwälte, und siehe, im Inventar dieser Poesie finden wir: Lothos, Narzissen, Jasmin und Orchideen, Elfenhände und Engelsschwingen, glühende Pokale und Weihrauchkessel, Altar und Orgel, einen Silberflor und ein blütenweiches Kissen und – beinahe hätte ich ihn vergessen – einen Sarkophag. Harden, der Unerschrockene, hat wohl nicht gefürchtet, daß seine Leser ihm die Absicht zutrauen könnten, Goethes Wort von den Männern, die wie die Weiber schreiben, in derselben Nummer zu erweisen.

DIE MAISONNE EINES SEPTEMBERLEBENS

I

Es ist bekanntlich eine Todsünde, an Ibsens Unsterblichkeit zu rühren, und wehe dem, der in annähernd so respektlosem Ton von ihm zu reden wagte, wie etwa Heine von Goethe: »Goethes Abneigung, sich dem Enthusiasmus hinzugeben, ist ebenso widerwärtig wie kindisch.« (Nebenbei: Wehe dem vor allem, der so respektlos von Heine spräche.) Aber gegen den geräuschvollen Versuch, den Lebensabend Ibsens durch eine Ulrike Löwyzow verklären zu lassen, muß doch Einspruch erhoben werden. Die Briefe, die das Fräulein Emilie Bardach an Ibsen geschrieben hat, werden hoffentlich nie zum Vorschein kommen; die Briefe, die er ihr geschrieben und die die Kommissionsfirma für Nachruhm Georg Cohen Brandeis in Kopenhagen in der Sterbestunde Ibsens an ihre journalistischen Geschäftsfreunde geliefert hat, sind so nichtssagend, daß ihnen das Interesse künftiger Literarhistoriker gesichert ist. Man müßte also für alle Fälle warten und den Zeitgenossen des Fräuleins Bardach die Verkoppelung der Ibsenwelt mit dem Geiste der Wiener Jours ersparen können. Nach hundert Jahren werden nämlich auch die Gebräuche jener Gesellschaftskreise, in denen man auf die Frage: »Kennen Sie Ibsen?« bis vor kurzem noch antwortete: »Wie macht man das?« ehrwürdig sein, während die allzuplötzliche Einführung des Fräuleins Bardach in die Nachwelt nur unseren Respekt vor dem tiefsten Frauenverkenner zu mindern vermöchte. Der ganze Rummel macht den Eindruck, daß eine Wiener Familie, die in Gossensaß den Sommer verbrachte, ins Unglück gestürzt wurde, weil die Tochter, »eine gute Partie, wenn auch etwas überspannt«, dem jungen, gesunden Konzipienten mit reellen Absichten einen symbolistischen Dichtergreis vorgezogen hat. Aber Dichtergreise annoncieren nicht in der Neuen Freien Presse: »Lebensabend zu verklären gesucht«, und so dürfte die hastige Publikation der Briefe darauf schließen lassen, daß das Fräulein Bardach schon bei der Annäherung an Ibsen, von dem Wunsche, sich literarhistorisch zu versorgen, beseelt gewesen ist. Wenn Ibsen seine Hilde Wangel wirklich »aus dem Leben« geholt hat – ein Rückschluß auf die Fülle dieses Lebens wäre für Fräulein Bardach nicht eben schmeichelhaft. Wie wir sie heute sehen und die Rapidität bewundern, mit der sie ihre Beziehungen zu den Johannistrieben einer Berühmtheit nachweist, sich als »Maisonne eines Septemberlebens« legitimiert, scheint sie uns mehr ein Strindberg-, als ein Ibsenstoff zu sein. Daß der Norweger den Schweden für »verrückt« gehalten hat, wird uns von den Anekdotenerzählern jetzt bis zum Überdruß versichert. Wenn wir Toten erwachen und sehen könnten, wie es sich weist, daß eines Weibes Stärke unsere Schwäche ist, wir hielten den Strindberg nicht mehr für ganz so verrückt und anerkennten das Gebot der Klugheit, rechtzeitig die Frauen nicht zu überschätzen.

Selten noch hat das Wort »Nachlaß« so sehr nach einem Ausverkauf gerochen wie diesmal. Und der fixe Kommis in der Neuen Freien Presse arrangierte Ibsens Liebesbriefe in der Auslage eines zwölfspaltigen Feuilletons. Herr Sil Vara ist unter den jungen Kräften des Wiener Journalismus, die erborgte Sentiments in eigenes Deutsch kleiden, der bedenklichsten eine. An derselben Stelle, an der einst Ludwig Speidel eine Mesalliance zwischen der deutschen Sprache und der Neuen Freien Presse glücklich zustande gebracht hat, schnäbelt die alte Schneppe mit frisierten Judenknaben, die sich auf Psychologie verstehen. Hier wurde am 3. August die Geburt einer »Zwillingsschwester der Ulrike von Levetzow« angezeigt. Herr Sil Vara beschrieb sie nach dem Bilde, das Herr Brandes seiner Publikation vorangestellt hat. »Mit diesen Augen hat sie ihn angesehen, als er im großen Saal des Wieland-Hofes speiste.« Die Frage, die der Schottenring stets frei hat an das Schicksal: »Was hat sie angehabt?« beantwortet Herr Sil Vara in einer Weise, die allerdings Ibsens Interesse für die Dame zu erklären vermöchte: »Wie eine Schlange ringelt eine überlange Federboa sich über eine

Schulter und d u r c h einen Arm h i n d u r c h.« Herr Sil Vara meint, daß »nur Jahre vergehen müssen«, und der rätselhafte Blick des Fräuleins Bardach könne »dem Lächeln der Mona Lisa ebenbürtig werden«. Wir können warten. Fräulein Bardach konnte es nicht. Herr Sil Vara selbst gibt zu, daß die Annäherung der Dame an Ibsen eine vorbereitete Sache war, findet aber gerade diesen Zug aus dem Leben des Fräuleins Bardach gewinnend. Er malt sich das ungeheure Erstaunen des mürrischen Dichters aus, der das Mädchen gefragt haben muß, »ob sie nicht gefürchtet hätte, auf ihre Anfrage barsch zurückgewiesen zu werden«. Sie aber, mit dem Stil und der Dialektik seiner weiblichen Gestalten wohl vertraut, dürfte schwärmerisch geantwortet haben: »O nein, ich habe es ja in Schönheit getan.« Auf diese ungeheure Schmockerei hin kann sich Ibsen nicht mehr zurückhalten und muß im Deutsch und in der Gesinnung des Herrn Sil Vara reagieren. Unter anderem also denkt er: »Sie hat recht, d a r a n hatte ich schon lange vergessen; u n d ü b r i g e n s s c h e i n t s i e a l l e m e i n e W e r k e g e l e s e n z u h a - b e n.« Was Ibsen mit dem Fräulein Bardach gesprochen hat, weiß niemand. Nur Herr Sil Vara vermutet, daß es ein Dialog aus »Baumeister Solneß« war und schreibt ihn darum ab. Mit kleinen, neckischen Abweichungen. Ibsen im Bann einer höheren Tochter, Solneß auf der Spitze jenes Kirchturms, der gegenüber dem Institut Jeiteles steht. So für das Publikum einer Volkstheaterpremière appretiert, wird sich der »Magus« auch bei uns durchsetzen, und wenn er einmal nach Wien kommt, geben sich Bardachs gewiß die Ehre. Vorläufig geht die Familie von Gossensaß nach Ischl, wo auch der Konzipient sein wird ... Ibsen ist bei der Kommentierung der Stelle von den Teufelchen angelangt. »Dann schwieg er wieder«, erzählt Herr Sil Vara, »vergaß a n seine Nachbarin und versank in Grübeleien.« Und bei der Erinnerung an die Wikinger, die ein robustes Gewissen hatten und Weiber annektieren konnten, seien sie einig geworden. Aber Fräulein Bardach habe dennoch vergebens »auf das Wunderbare gewartet« ... Dieser Ibsen hat nämlich immer entsagt. Schon in seiner Jugend, als ihn auf einem Balle »e i n p a a r s c h ö n e A u g e n« – wie viel, gibt Herr Sil Vara nicht an, nur, daß sie e i n e m Mädchen gehörten – gefesselt hatten. Ibsen entsagte auch diesmal. Und Herr Sil Vara fürchtet, die »Maisonne eines Septemberlebens« könnte »in dunklen Wolken des Lebens untergegangen« sein. Immerhin nahm sie noch rasch Gelegenheit, in Buchform mit Porträt und Vorwort zu erscheinen.

Alles in allem: wir verdanken Herrn Brandes eine seltsame Schaustellung. Der Eisbär trägt ein blaues Mascherl, und durch die Nase wurde ihm der Schottenring gezogen. Ibsenfanatiker, die selbst auf der Kirchturmspitze des »Baumeister Solneß« kein symbolistischer Schwindel erfaßt, mögen es als schmerzliche Enttäuschung empfinden, daß seine Maisonne Bardach geheißen hat. Andere werden den Dichter, der dadurch endlich auch dem Verständnis weiterer Kreise nähergerückt ist, gegen die Vertraulichkeiten des Wiener Feuilletongeistes schützen wollen, der dem Alten heute mit der Anrede »Septemberleben« auf die Schulter klopft.

II

Über die Maisonne eines Septemberlebens haben sich schwere biographische Wolken gelagert. Die Dezember-Nummer der ›Neuen Rundschau‹ zeigt an, daß sich die Beziehung Ibsen-Bardach im Aprilwetter des Nachruhms nicht als standhaft bewährt hat. Schon aus dem fälschenden Auszug der Neuen Freien Presse war dies zu entnehmen. Wer aber erst den ganzen Bericht liest, den der Ibsen-Herausgeber Elias über seine Unterredung mit der Witwe des Dichters veröffentlicht hat, der wird finden, daß ich den Nagel auf den Kopf des Herrn Brandes getroffen habe, als ich schrieb, die hastige Publikation der Briefe Ibsens lasse darauf schließen, daß das Fräulein Bardach schon bei der Annäherung an Ibsen von dem Wunsche, sich literarhistorisch zu versorgen, beseelt gewesen sei. Viele Originale des Dichters, meint Elias,

»bewahren über ihre Bekanntschaft mit Henrik Ibsen vorderhand noch die Zurückhaltung, die gewissen anderen fehlt« .. »Betrachtungen solcher Art wurden zwischen Frau Ibsen und mir angeregt durch das Thema des kleinen Solneß-Fräuleins, das gerade nur den Tod Ibsens abgewartet hat, um ihre Harmlosigkeiten unter elektrische Beleuchtung zu stellen, damit sie den Schein biographischer Wichtigkeit empfingen. Dieses Hilde-Muster war für den Dichter nur ein ›Fall‹ wie andere mehr. Frau Ibsen sprach davon ohne Pathos, mit humoristischer Gleichgültigkeit (die Neue Freie Presse nennt es »Unbefangenheit«) – sie hatte alle die Briefe zu lesen bekommen, auf deren Antwort die Schreiberin oft so lange hatte warten müssen, hatte alle die Photographien gesammelt und noch das letzte Bild, worauf die Dame sich als ›Prinzessin von Apfelsinia« selbst glorifiziert, auf Ibsens Geheiß in den Papierkorb werfen müssen: so sehr war die Begegnung dem Dichter gleichgültig geworden, nachdem er ›ein Kunstwerk daraus gemacht hatte‹. Die Frau stand ebenso über diesen Dingen, wie der Mann über ihnen gestanden hatte. Nicht ins Kapitel der ›Dichterliebesleben‹ gehören sie – –« Glaubt Herr Sil Vara noch immer, daß nur Jahre vergehen müssen, damit der rätselhafte Blick des Fräuleins Bardach dem Lächeln der Mona Lisa ebenbürtig werde? Er dürfte ein alter Mitarbeiter der Neuen Freien Presse werden, ehe er das erlebt. Die Sippschaft hat sich ein Reklamestückchen geleistet, das nun in seiner ganzen Dreistigkeit von zuständiger Seite enthüllt wird. Sogar der junge, gesunde Konzipient mit reellen Absichten, den ich in die Farce einführte und dem nach meiner Erfindung das Fräulein Bardach den symbolistischen Dichtergreis vorgezogen hat, scheint zu stimmen. Man könnte die Äußerungen der Gattin mit einigem Mißtrauen aufnehmen, wenn nicht Elias sich einer Unterredung entsänne, die er mit Ibsen selbst über die Wienerin von Gossensaß geführt hat. »Die habe ihm gleich Bekenntnisse gemacht. Die Hauptsache: sie lege gar keinen Wert darauf, einmal einen wohlerzogenen jungen Mann zu

30

heiraten, – sie werde gewiß gar nicht heiraten.« Ibsen erzählt, er habe die Dame studiert. » A b e r s o n s t h a b e s i e n i c h t v i e l G l ü c k m i t i h m g e h a b t.« Als ihren Ehrgeiz habe sie es bezeichnet, anderen Frauen Männer wegzunehmen. »Sie nahm mich nicht, aber ich nahm sie für eine Dichtung. Sie hat (hier kicherte er wieder) sich dann wohl mit einem andern getröstet«. »Frau Susanna«, erzählt Elias, »gerät bei diesem Kapitel in die Stimmung von H e i t e r - k e i t : ›Ibsen, habe ich manchmal zu ihm gesagt, I b s e n , h a l t e d i r d i e v i e l e n ü b e r s p a n n t e n F r a u e n z i m - m e r v o m L e i b e ‹«. Das hat er nun davon, daß er den Rat nicht befolgt hat! Schon Nestroy sagt: Wie ich damals von einer Liebe, die ich nicht ausmärzen konnte, im April mich losgerissen, war meines Lebens Mai vorbei; aber nie hätt' ich mir gedacht, daß ich nach acht Jahren im Juni meine Juli usw.«

Im geistigen Ghetto, das auf die umliegende Welt strenge
Sperre gelegt hat, gab's neulich großen Lärm. Fräulein
Emilie Bardach, die Maisonne, suchte noch einmal im Wege
der Zeitung Anschluß an ein Septemberleben. Ohne Erfolg.
So zuversichtlich der Titel »Meine Freundschaft mit Ibsen«
klang, der Artikel, den die Neue Freie Presse gedruckt hat,
dürfte vergebens geschrieben sein. Die Dame bleibt dabei,
den Lebensabend Ibsens verschönert zu haben. Aber wenn
nicht die grammatikalische Verwahrlosung, die ihr Artikel
zeigt, für einen Rest von Weiblichkeit spräche, man würde
ihr die Leistung, die sie vollbracht haben will, nicht glauben.
Eine Maisonne, die auf ihrem Schein besteht: gegen solche
Beharrlichkeit schirmt kein Unglaube. Es ist fatal, daß die
Nachwelt Ibsens zugleich die Mitwelt des Fräuleins Bardach
ist. Aber schließlich ist sie jene Welt, die für die falsche Erziehung ihrer jungen Mädchen selbst verantwortlich ist, und
so muß sie auch für den literarhysterischen Ruhm sorgen, nach
dem es die Frauen gelüstet, die mit ihren Trieben auf natür-
lichere Art nicht fertig werden durften. Da pocht eines Tages
die Hilde Wangel an die Tür und präsentiert ihre Forderung. Scheußlich. Und man möchte brutal werden, wenn man
sich nicht immer wieder sagte, daß man es mit einer Patien-
tin zu tun hat. Nur die liberale Intelligenz spürt nicht, wie
ärgerlich es ist, wenn die Muse krampfhaft darauf besteht,
den Dichter angeregt zu haben; wenn sie ihre Dokumente
ausbreitet, um nachzuweisen, daß sie Ibsen in Stimmung gebracht hat, – um also einen Vorwurf gegen einen Menschen
zu erheben, der sich nicht mehr verteidigen kann. »Es konnte
niemandem entgehen, daß er mich mit besonderem Interesse
beobachtete.« Das ist eine jener tatsächlichen Feststellungen,
durch die sich heutzutage eine höhere Tochter selbst für eine
verminderte Heiratsfähigkeit schadlos hält. Aber wie wurde
dieses Interesse geweckt? Fräulein Bardach entwickelt ihr
Programm. »Ich lernte ihn am Schluß einer Ibsen-Feier kennen – ich glaube, sein Monument wurde eingeweiht. Dann
war Konzert – dann drängte sich alles an ihn heran.

Ich stand nicht weit . . .« Und so hat es die Dame erreicht, daß sie heute auch bei der Enthüllung ihres eigenen Denkmals zugegen ist, und noch dazu eines Denkmals, das sie selbst geschaffen hat und dessen Hülle sie selbst fallen läßt. Sie darf sich darum nicht beklagen, daß man ihrer Offenheit mit Aufrichtigkeit begegnet und ein Privatleben, das in die Literatur eingegriffen hat, wieder auf sich selbst zurückführt. Von den Gesprächen mit Ibsen hat sie sich bloß das eine gemerkt, das er mit ihr über die »Eröffnung des Suez-Kanals« führte. Wäre dieses Gespräch ein Traum, wahrlich, der Professor Freud, der die Wünschelrute des Geschlechts an die verschütteten Quellen der Hysterie führt, wüßte ihn zu deuten. Und bei der bekannten Neigung des Traumes, schlechte Wortwitze zu machen, würde der Neurologe die Wiederholung eines bestimmten Wortes in den Bekenntnissen des Fräuleins Bardach: »ganz Anfang Mai« habe sie Herr Brandes besucht, im Sommer sei sie »in einem Schloß ganz im schottischen Hochland« gewesen, die sensationelle Wirkung der Publikation sei »ganz gegen ihr Gefühl« gegangen und Frau Ibsen sei ihr »mit ganz besonderer Liebenswürdigkeit entgegengekommen«, verdächtig finden. Und er käme vielleicht sogar hinter die wahre Stimmung Ibsens, der die Bekanntschaft mit dem Fräulein Bardach jenem Konzert verdankte, nach dem sich alles an ihn herangedrängt hat; er brauchte nur auch das schlechte Deutsch der Dame als eine jener versunkenen Glocken zu deuten, die aus dem Unterbewußtsein herauftönen, und auf den Satz zu verweisen: »Auf einem unserer Spaziergänge bückte er [Ibsen] sich plötzlich in seiner ganzen Schwerfälligkeit, und als ich ihn nach der Ursache fragte – meinte er – er hätte nur einen Stein vom Boden entfernt, denn er könnte mich verletzen«. Er, nämlich der Stein, nicht Ibsen.

Fräulein Bardach gibt aber auch mit vollem Bewußtsein zu, daß Ibsen sie später aus dem Auge verloren hat. Freilich war sie selbst daran schuld. »Er hatte keine Adresse und wußte nicht, was aus mir geworden.« Sie schrieb ihm nicht, um einem Mißbrauch ihrer Briefe vorzubeugen. Ibsen hätte

33

sich vielleicht mit Herrn Brandes in Verbindung gesetzt, um vor der literarischen Welt mit dem Abenteuer von Gossensaß zu renommieren und am Ende gar seinen Anteil an der Gestalt der Hilde Wangel zu behaupten. Aber es wäre interessant, zu erfahren, ob Ibsen die Trostlosigkeit jenes Zustandes, in dem sich nach Nestroy ein »Liebhaber ohne Adress'« befindet, auch voll empfunden hat. Von der belebenden Wirkung, die die Briefe des Fräuleins Bardach auf ihn übten, können wir uns eine Vorstellung machen. Ein einziges Mal noch hatte sie ihm geschrieben. Und was war die Folge? Ein neues Drama. Es war das letzte, denn ihr Brief war der letzte Brief. Hören wir Fräulein Bardach: »Wie Baumeister Solneß manche zusammen verbrachte Stunden berührt – so blieb wohl auch mein Gratulationsbrief zu seinem siebzigsten Geburtstag nach so langer Trennung nicht ohne Einfluß auf ›Wenn wir Toten erwachen‹«. Wenngleich Fräulein Bardach in übertriebener Bescheidenheit hinzufügt: »Es war nicht meine Persönlichkeit, die es vollbracht – es war der Blick und Geist, mit denen Ibsen diese Persönlichkeit erfaßt«, so wissen wir, was wir davon zu halten haben. Es war doch ihre Persönlichkeit! Denn einer Persönlichkeit, die es vermocht hat, den Zweifeln an ihrer Mitwirkung beim Schaffen des »Baumeister Solneß« mit der Erklärung zu begegnen, sie habe auch »Wenn wir Toten erwachen« angeregt, ist alles mögliche zuzutrauen.

Der Einfluß des Fräuleins Bardach auf Ibsen bleibt unbestreitbar. Was will es dagegen besagen, daß am andern Tag Herr von Hornstein die Dame, die sich auf seinen Rat in der Sache der Brief-Publikation beruft, Lügen straft und sich mit aller Entschiedenheit gegen den Verdacht wehrt, als ob er ihr je einen andern Rat erteilt hätte, als den, die Briefe Ibsens nicht zu publizieren! Kommt es denn überhaupt noch auf die Briefe Ibsens an? Längst überwiegt das Interesse an den Briefen des Fräuleins Bardach. Wir wollen sie kennen lernen. Wenn Ibsens Witwe vor der Literaturgeschichte die Quellen des dramatischen Schaffens ihres Gatten nicht verbergen will, winke sie eiligst den Brandes herbei!

›Simplicissimus‹ heißt der artige Schoßhund, der noch immer die Träume des deutschen Philisters in der roten Maske des gefährlichen Bullenbeißers schreckt. Im Leben ist er für jeden Bissen dankbar, den ihm die Firma Albert Langen zuwirft; er ist nicht weniger harmlos, aber weniger ehrlich, als der Dackel, dem die Verleger der ›Fliegenden Blätter‹ zurufen: Waldl, gehst her oder net! – denn er geht immer her. Es ist hier schon öfter das Thema der Scheinheiligkeit dieser Teufelei berührt worden, mit der der ›Simplicissimus‹ das Geistesleben des deutschen Bürgertums zu gefährden vorgibt. All dies Getue einer literarischen Modernität, das die zeichnerischen Gaben einiger außerordentlicher Könner begleitet, ist die purste Mischung aus Impotenz und Heuchelei. Es kommt im Lauf eines Jahres nicht selten vor, daß sich junge deutsche Autoren an mich mit Beiträgen wenden, die ihnen die freiesten Diener des deutschen Philisteriums, die Herausgeber der ›Zukunft‹ und der Redakteur des ›Simplicissimus‹, unter ausdrücklicher Anerkennung des künstlerischen Niveaus, aber mit dem Bedauern, daß es Rücksichten auf die Sittlichkeit gebe, abgelehnt haben. Ein in jeder Beziehung vortrefflicher Kenner der Langen'schen Verlegerseele, Frank Wedekind, hat mir einmal gesagt, der ›Simplicissimus‹ habe es bloß deshalb auf die Klerikalen so scharf, weil er die Institution der Pfarrersköchinnen für unmoralisch halte; und ich erinnere mich noch des schönen Tages, da Liliencron mir sein Gedicht »Die alte Hure im Heimatdorf« rezitierte und dessen Erscheinen im ›Simplicissimus‹ in Aussicht stellte, und des andern schönen Tags, da es unter dem Titel »Im Heimatdorf« im ›Simplicissimus‹ erschien. Daß ein herzhafter Griff in Webers Demokritos oder in einen alten Band der ›Fliegenden Blätter‹ ein Witzblatt frischer erhält, als der Abdruck der gesammelten Anekdoten des Herrn Roda Roda, hat die Redaktion des ›Simplicissimus‹ endlich eingesehen und zu ihren sonstigen Tugenden auch die der literarischen Bescheidenheit gesellt. Noch scheint sie vor dem endgültigen Verzicht auf das Raffinement einiger Mitarbeiter, die es durchaus mit der Psychologie und mit der Stimmungskunst halten wollen, zu zaudern; noch ist sie zum Rückzug in die Heimat der Schwipse und Pumpversuche, die ein deutscher Humorist nie ungestraft verläßt, nicht endgültig entschlossen. Aber die Zeit ist nicht mehr fern, wo man die »Bilder aus dem deutschen Familienleben« nur mehr unter den Titeln suchen wird, die dem Weinreisenden so angenehm im Ohre klingen: »Abgeblitzt«, »Ein Schwerenöter«, »Gut gegeben«, »Übertrumpft«, »Schlechte Ausrede«, »Immer derselbe«, »Schlagfertig«, »So, so!«, »Ein Praktikus«, »Durch die Blume« usw.

Die Revolution war lange genug ein gutes Geschäft des Herrn Langen. Aber in der Geschichte des Zeitschriftenwesens ist noch jede Revolution einer zielbewußten Administration gewichen. Die Auswahl der menschlichen Schwächen, die die Satiriker geißeln, besorgen die Verleger, und kein gesellschaftlicher Übelstand könnte heute Ungnade vor den Augen des ›Simplicissimus‹ finden, den Herr Albert Langen pardonniert hätte. Wenn der ›Simplicissimus‹ eine »Automobil-Nummer« vorbereitet, so wird zuerst gebremst und dann gefahren. Wenn Herr Albert Langen seine Mitarbeiter zu einer Herkomerkonkurrenz des Witzes vereinigt, so heißt das: er hat mit einer bestimmten Automobilfirma ein Abkommen getroffen, wonach er den ganzen zeichnerischen und textlichen Witz einer Nummer des ›Simplicissimus‹ in den Dienst dieser Firma stellt. Nun verschlägt es gewiß nichts, daß selbst Künstler, wie Heine und Gulbransson, einem Industriellen Plakate oder auch illustrierte Annoncen in dem Blatte liefern, in dem sie sonst als freie Satiriker wirksam sind. Aber böse ist es, wenn diese Annoncen zugleich den Zweck illustrieren, dem der redaktionelle Inhalt des Blattes dient. Wer beim Anblick der Zeichnungen und bei der Lektüre der Novellen den Kopf schüttelt und dennoch zweifelt, ist plötzlich eingeweiht, wenn er die an sich durchaus erlaubten Annoncen mit den redaktionellen Beiträgen vergleicht. Von hier und dort springt ihm der Name »Züst« in die

Augen. Der Name einer neuen Automobilfirma, der Herr Albert Langen die Marke seines Hundes, der das Bellen wie das Beißen verlernen soll, für ein Weilchen geliehen hat. Ein Inserat Th. Th. Heines, das die Erzeugnisse der Firma Züst verherrlicht, wäre an und für sich nur nach seinem künstlerischen Wert zu beurteilen. Daß die Front eines Züst'-schen Kraftwagens der bekannte rote Bullenkopf bildet und daß ein Heine'scher Teufel den Chauffeur macht, ist schon eine traurige Symbolik. Vielleicht eine absichtliche: Wir sind ausgeliehen! scheint die Satire des Th. Th. Heine, die sich gegen den Herrn kehrt, der sie abrichten will, zu sagen. Aber siehe da, aus einer süßen Zeichnung des Herrn Reznicek, die das Hauptblatt schmückt, winkt dir der Name der einen und einzigen Automobilfirma entgegen: Hochzeitsreisende fahren nur mit Züst! Und selbst Herr Meyrink hat nicht umhin können, in eine seiner novellistischen Skizzen, in denen entweder die Wissenschaft mit der Phantasie oder der Buddhismus mit der Infanterie im Streite liegt, die neue Automobilmarke einzuführen. In der folgenden Nummer wird nur noch im Inseratenteil gefahren. Herr Gulbransson ist ein tüchtiger Chauffeur. Aber der Charakter jener Eingebungen künstlerischer Schöpferlaune, die den redaktionellen Inhalt der Automobil-Nummer gebildet haben, wird nachträglich durch ihre wortlose Übernahme in den Annoncenteil unterstrichen. Das Hochzeitsreisendenpaar des Herrn Reznicek sieht jetzt bloß auf die Strecke. Ehedem hat der Gatte ihr den Vorwurf machen müssen, daß sie immer mit ihren Füßen zu ihm herüberkomme, so daß er Gefahr laufe, die Bremse zu verlieren. Im Annoncenteil geht's wie geschmiert . . . Nun, wer die Entwicklung des Herrn Albert Langen kennt, wird es begreiflich finden, daß gerade er mit einem Sport sympathisiert, der ein rasches Verschwinden mit Zurücklassung von Gestank ermöglicht. Aber sonst bellen die Bulldogge nur, wenn ein Automobil vorüberfährt. Dieser springt auf.

In einer Zeitungsspalte fällt mein Blick auf die Bemerkung,
daß die »zwei ersten« Akte gefallen haben, so daß ich glauben muß, der Rezensent sei gleichzeitig in zwei Theatern gewesen und er stelle nun fest, daß hier und dort der erste Akt
gefallen hat. Das ist journalistischer Sprachgebrauch, aber
da eine Zeitung auch das Richtige treffen kann, so finde ich
schon in der benachbarten Spalte eine Nachricht über die
»nächsten zwei« Veranstaltungen eines Vereines. Und hier
wieder zeigt sich, wie nichtig alle Form ist, wenn der Inhalt
von übel. Denn mein splitterrichterisches Wohlgefallen
wurde sogleich erledigt durch die Enthüllung, daß die erste
der nächsten zwei Veranstaltungen ein »Servaes-Abend«
sei. Um Himmelswillen, was ist das? fragte ich. Was haben
die Leute mit uns vor? Servaes-Abend – es kann nicht sein!
Gibts denn so etwas? Kann es so etwas geben?
Aber es stand schwarz auf weiß, ein Verein, der den guten
Geschmack hat, sich einen Verein für Kultur zu nennen, versprach uns einen Servaes-Abend. Wenn man mir die Frage
vorlegte, was denn überhaupt ein Verein sei, so würde ich
antworten, ein Verein sei ein Verein gegen die Kultur. Dieser hier aber möchte mich durch die Angabe irreführen, er
sei ein Verein für die Kultur. Das gelingt ihm nicht, denn die
Rechnung geht schließlich doch glatt auf, indem ein Verein
gegen die Kultur für die Kultur sich folgerichtig als ein Verein herausstellt. Da ich nun dem Vereinsleben durchaus fern
stehe, da die bloße Vorstellung, daß es einen Männergesang-
Verein gibt, mir den Schlaf raubt und noch kein Turnverein
zur Erhöhung meines Lebensmutes beigetragen hat, so kann
ich darüber nicht urteilen, ob der Verein, um den es sich hier
handelt, seinen statutenmäßigen Verpflichtungen betreffs
der Kultur gerecht wird. Aber ein boshaftes Luder, wie ich
bin, habe ich natürlich keine Anerkennung dafür, daß sich
in dieser Wüste allgemeiner Kulturlosigkeit eine Oase des
Snobtums gebildet hat, daß sich endlich wenigstens ein paar
opfermutige Männer zusammengefunden haben, um die

Kultur für eröffnet zu erklären, – vielmehr nähre ich meine teuflische Lust an dem Gedanken, daß alles verruinieret sein müsse. Es ist in der Tat schon nicht mehr mit mir auszuhalten. Jetzt hasse ich die Oasen in der Wüste, weil sie mir meine fata morgana verstellen! Publikum in jeder Form macht mir Verdruß, ich meide die Konzertsäle, und wenn sich in einem solchen wirklich einmal Leute drängen, denen man an der schwergebeugten Nase ansieht, daß sie den Hingang der Kultur betrauern, Männer, deren Bart noch die Linse von vorgestern trägt, deren Gilet aber aus Sammet und Sehnsuchten komponiert ist, Weiber, denen man das Haupt des Jochanaan unter der Bedingung geben möchte, daß sie nicht tanzen, – dann bin ichs auch nicht zufrieden! Ja, ich hasse die Häßlichkeit einer genießenden Menge, die nach dem stickigen Geschäftstag die verschlossenen Jalousien des Gemütes öffnet, um Kunstluft hereinzulassen. Aber der ästhetische Mißwachs, der sich an den Pforten der Kultur drängt, treibt mich in die Flucht. Wird mir schon totenübel, wenn ich um elf Uhr abends durch die Augustinerstraße gehe und die Nachklänge einer Wagneroper aus dem Wigelaweia des Ganges und der Hände einer zum Fraß strömenden Begeisterung heraushöre, was steht mir erst bevor, wenn dereinst Herr Richard Strauß seine Versteher findet? Man glaubt gar nicht, wie viele Häßlichkeit die angestrengte Beschäftigung mit der Schönheit erzeugt! Und ihre Art ist in allen Städten dieselbe. Überall, wo nur ein findiger Impresario einen Tempel der Schönheit errichtet, tauchen jetzt rudelweise diese undefinierbaren Gestalten auf, die man in früheren Zeiten dann und wann im Fiebertraum sah, aber nunmehr bei Reinhardt, in den Münchener Künstlerkneipen und in Wiener Kabaretts. Plötzlich steht ein Kerl neben dir, dem Kravatte und Barttracht zu einem seltsamen Ornament verwoben sind, das Motive aus Altwien und Ninive vereinigt, eine Kreuzung aus Biedermeier und dem echten Kambyses. Er sieht Klänge, weil er sie nicht hören kann, er hört Farben, weil er sie nicht sehen kann, er spricht durch die Nase und riecht aus dem Mund, seine Seele ist ein Kammerspiel und man hat nur den Wunsch, daß ihn so bald als möglich ein Bierbrauer totschlage. Denn vor diesem kann sich die Kunst retten, vor jenem nicht! Das Aufgebot verquollener Scheußlichkeit, das seit Jahren hinter den programmatischen Mißverständnissen her ist, macht ein Entrinnen unmöglich. Was sich da im Berliner Westen unter allen möglichen Marken als neue Gemeinschaft von Assyriern, Griechen, guten Europäern und Schmarotzern schlechtweg zusammengetan hat, dieses Gewimmel von einsamen Gemeinsamen, die Theaterreporter von Beruf und Baalspriester aus Neigung sind, bildet ein so unflätiges Hindernis im Kampf gegen den Philister, daß man das Ende aller Kunst und ein Verbot aller Freiheit ersehnt, um nur reines Terrain zu schaffen. Lieber allgemeine Blindheit als die Herrschaft eines Gesindels, das mit den Ohren blinzeln kann! Ein Wiener Greisler für zehn Berliner Satanisten! Das Udelquartett gegen einen Verein für Kultur! Selbst wenn er uns einen Servaes-Abend bringt.

Denn wir wissen ja nicht einmal, was das für ein Abend ist. Wir in Wien schätzen die Institution der Hopfnertage und der Riedlnächte, aber wir glauben nicht, daß sich die Servaes-Abende einbürgern werden. Was bedeutet das ungebräuchliche Wort Servaes? Ich erinnere mich dunkel, daß es einst ein Merkwort war, wenn man an das drollige Quiproquo eines Kunstkritikers der Neuen Freien Presse erinnern wollte. Da hatte einer in der Beschreibung des Guttenberg-Denkmals eine Buchdruckerpresse mit einem Fauteuil verwechselt oder umgekehrt, – das weiß ich nicht genau, da ich das Denkmal aus Antipathie gegen den dargestellten Mann und weil es eine Prostituiertengasse verschandelt, nie angesehen habe. Aber ich weiß genau, daß der Kunstkritiker, der zur aufmerksamen Betrachtung verpflichtet war, irgend etwas verwechselt hat. Ein anderesmal hat er in der Beschreibung eines ausgestellten Bildes Wüstensand mit Schnee verwechselt, was doch so bald keinem Kamel passieren dürfte. Infolgedessen wurde der Mann nur noch dazu verwendet, Berichte über Wohnungseinrichtungen zu stilisieren, die die

Firmen der Administration bezahlten und in denen die Fauteuils genau bezeichnet waren. Da aber, wie erzählt wird, eine Verwechslung zwischen Portois und Fix vorkam, so sei nichts übrig geblieben, als dem Mann die Literaturkritik zu überantworten.

Denn hier kann einer machen, was er will, niemand wird daran Anstoß nehmen. Hier, in der Literatur, ist jede Verwechslung von Wüstensand und Schnee, von Fauteuil und Presse, von Portois und Fix erlaubt. Hier kann ein Mensch, der keine blasse Ahnung von Stil hat, über Werke der Sprache in einem impertinenten Ton aburteilen, für den man ihm in jeder besseren Gesellschaft auf den Mund schlüge. Hier dünkt sich ein Reporter, dem man keinen Gerichtssaalbericht anvertraute, einen Gott. Es soll vorkommen, daß solche Leute an auswärtige Revuen Beiträge schicken und wenn sie ihnen abgelehnt werden, mit den Waffen ihrer kritischen Hausmacht zu spielen beginnen. Daß sie dann in ihrem Gehege sich für alle Zurücksetzungen, die ihrer Talentlosigkeit widerfahren, für alle Enttäuschungen ihres Ehrgeizes, für alle Verbitterung schadlos halten, ist nur zu begreiflich. »Servaes«, das ist die Chiffre, die man überall dort findet, wo sich Mangel an Temperament austoben und Ledernheit sprudeln möchte. Da erscheint zum Beispiel ein Roman, zu dessen Empfehlung ich nicht mehr sagen kann, als daß ich ihn ausgelesen habe: »Sonjas letzter Name«, eine Schelmengeschichte von Otto Stoessl. Aber die besten kritischen Köpfe Deutschlands haben ihn nicht nur gelesen, sondern auch erhoben. Stünde ich der epischen Kunstform nicht wie einem mir Unfaßbaren gegenüber, ich fühlte mich wohl versucht, über die vielerlei seltenen Schönheiten in Sprache und Gestaltung, die ich mir dort angemerkt habe, zu sprechen; über einen ideenvollen Humor, der sich meinem Gefühl nur in den reflektierenden Pausen entrückt, in denen er sich nach sich selbst umsieht; und über jene herzhafte Entdeckung romantischer Gegenden in konventioneller Welt, von der dem kritischen Flegel nur die »Unwahrscheinlichkeit« in Händen bleibt. Darüber würde ich etwas sagen, und nicht verschwei-

gen, daß es ein Mitarbeiter der Fackel ist, dem ich solche
Freude verdanke. So aber obliegt mir bloß die traurige Pflicht,
zu sagen, daß die Mitarbeit an der Fackel einem Künstler
bei der Borniertheit geschadet hat. Es wäre ein beruhigender
Gedanke, daß kritischer Unverstand keine Ranküne braucht,
um sich lästig zu machen. Einem Autor, der in Deutschland
geachtet wird, kann es ohnedies leicht zustoßen, daß ihm in
Wien ein Ziegelstein auf den Kopf fällt; denn in Wien är-
gern sich die Ziegelsteine darüber, daß die Passanten ihren
Weg gehen. Ich bin der einzige, dem es nicht geschehen kann,
weil bekanntlich der Dachdecker den Auftrag gegeben hat,
mich mit stiller Verachtung zu strafen. Aber es könnte immerhin möglich sein, daß es die Dummheit auf jene abgesehen hat, die mit mir gehen. Und damit der nächste auch
nicht stolpere, muß man solch einen Ziegelstein mit einem
Fußtritt aus dem Wege räumen. Und wieder habe ich an
ihm das Zeichen »Servaes« gefunden. Was soll das bedeuten? Ich komme schließlich dahinter, daß es die Signatur
einer Geistlosigkeit ist, die stets verneint. Dafür kann sie im
allgemeinen nichts. Daß sie aber im besondern Falle die
Schöpfung eines Autors als »Anregung« für die Sudler feilbietet, daß sie einem Schriftsteller, der jenseits der feuille-
tonistischen Gangbarkeit produziert, seine Werte entwin-
den möchte und die »leichte Hand« der Literaturdiebe her-
beiwinkt, auf daß eine vorrätige Idee nach dem Geschmack
des Gesindels zubereitet werde, ist beinahe dolos. Als ob
man heutzutage die Diebe rufen müßte! Freilich, um diesem
Verleiter zu folgen, dazu werden sie sich zu vornehm dün-
ken. Kein Nachahmer hat es nötig, sich von solchem Geist
beraten zu lassen, und ich wette hundert Schelmenromane
gegen einen, daß jeder Rudolph Lothar, der auf sich hält, es
verschmähen wird, eine Quelle zu benützen, die ihm schon
im Voraus nachgewiesen wurde. Immerhin ist diese Art
öffentlicher Hehlerei ein Novum in der Literaturkritik, diese
Manier, am lichten Sonntag, wo sich die jungen Literaten
auf dem Marktplatz drängen, den Ruf auszustoßen: Haltet
den Bestohlenen! Solche Gesinnung ist schlimmer als Un-

verstand, der nur die äußere Stofflichkeit benagt. Diesem
kann man das Recht, lästig zu sein, so wenig absprechen wie
jedem andern Zufall. Mein Gott, es gibt eben Literatur-
kritiker, die den Wert eines Kunstwerkes deshalb mit Vorliebe vom stofflichen Gesichtspunkt beurteilen, weil sie nach
den harten Zeiten der Tapezierer-Reklame endlich einmal
freie Hand haben, die Echtheit von Stoffen anzuzweifeln.
Ihre kunstkritische Herkunft verleugnen sie auch in der Literaturkritik nicht: sie prüfen die Leinwand, wenn sie über
ein Gemälde urteilen sollen. Aber sie sind nicht einmal in
diesem Punkte sachverständig.
Glaubt man nach all dem, daß unsere Kritik im Argen liegt?
Dafür gedeiht unsere Produktion. Denn unter dem Namen
Servaes wird nicht nur gerichtet, sondern auch bewiesen, daß
man es selber besser machen kann. Nur so ist die Gründung
von Vereinen für Kultur und die Institution der Servaes-
Abende zu erklären, an denen ja nicht Inserate, sondern
Dichtungen vorgelesen werden. Wir haben einen Peter Altenberg, der fünfzig Jahre alt wird, die deutsche Literaturkritik
leistet allerorten den Salut, doch unser Intelligenzblatt bringt
Feuilletons und Romane eines schlechtgefärbten Blau-
strumpfs und unser Kulturverein veranstaltet einen Servaes-
Abend. Nein, es will mir nicht stimmen, daß dieses wunder-
volle Wort »Abend«, welches Zeitenende und Sonnenunter-
gang, Fest und Weihe bedeutet und in dem ein Hauch aller
Dichtung atmet, jene sonderbare Verbindung eingehen
konnte. Ein schlechtes Beispiel mag einmal die guten Sitten
des Wortes verdorben haben. Denn:

> Eines Abends noch sehr spöte
> Gingen Wassermaus und Kröte
> Einen steilen Berg hinan.

Und wenn der geistige Unflat des neuen Deutschland eimer-
weise auf den Markt geschüttet wird, man befaßt sich doch
immer wieder gern mit jenen seltenen Büchern, die nicht erscheinen. Wie steht's, so fragt man, mit den gesammelten
Schriften Ludwig Speidels? Es ist, als ob der Journalismus
die wertvollste Beute, die er je errafft hat, nie mehr heraus-
geben wollte. Grauenhaft, zu denken, daß es für einen Künstler, den der Tag als Geisel der Unsterblichkeit gefangen
hielt, auch nach dem Tod keine Befreiung geben soll. Er
starb, aber aus dem Sarg der Zeitlichkeit, in dem er gelebt
hatte, durfte er nicht auferstehen. Und kein deutscher Verleger findet sich, der den Journalisten den Schatz entrisse,
den sie so sorglich hüten, weil er ihre angestammte Armut
verraten könnte. Nie zuvor und nie seither hat die Sprach-
kunst eine ähnliche Gastrolle auf den Schmieren des Geistes
gespielt. Das Leben Speidels mag die Presse als einen Zwi-
schenfall empfinden, der störend in das von Heine begonnene
Spiel trat. Er schien es mit dem leibhaftigen Sprachgeist zu
halten; er lud ihn an Feiertagen auf die Stätte der schmutzigsten Unterhaltung, damit er sehe, wie sie's treiben. Nie
war ein Kollege bedenklicher als dieser. Wohl konnte man
mit ihm Parade machen; aber sein Lebenswerk, führte man
es heute vor, es brächte jene Demütigung, die man damals
eßlöffelweise als Stolz einnahm. Man hat ihm die Unster-
lichkeit des Tages, wie er sein Feuilleton nannte, gegönnt;
aber eine Sammlung seiner Feuilletons könnte den Tag der
Unsterblichkeit einläuten. Und die Journalisten handeln
pietätvoll, berufen sich auf seine Bescheidenheit, die ihm
eine Buchausgabe versagte, und gehen hin und schenken uns
ihre eigenen Bücher.

*

Denn es ist das böse Zeichen dieser Krise: der Journalismus,
der die Geister in seinen Stall getrieben hat, erobert ihre
Weide. Markierte Personen, die jahrelang unter dem Strich

gelebt haben, drängen sich in die gute Gesellschaft. Tagschreiber möchten Autoren sein. Es erscheinen Feuilletonsammlungen, an denen man nichts so sehr bestaunt, als daß dem Buchbinder die Arbeit nicht in der Hand zerfallen ist. Brot wird aus Brosamen gebacken. Was ist es, das ihnen Hoffnung auf die Fortdauer macht? Das fortdauernde Interesse an dem Stoff, den sie sich »wählen«. Wenn einer über die Ewigkeit schwätzt, sollte er da nicht gehört werden, solange die Ewigkeit dauert? Von diesem Trugschluß lebt der Journalismus. Er hat immer die größten Themen und unter seinen Händen kann die Ewigkeit aktuell werden; aber sie wird ihm auch ebenso leicht wieder inaktuell. Der Künstler aber gestaltet den Tag, die Stunde, die Minute. Sein Anlaß kann zeitlich und lokal noch so begrenzt und bedingt sein, sein Werk wächst um so grenzenloser und freier, je weiter es dem Anlaß entrückt ist. Es veralte im Augenblick: es verjüngt sich in Jahrzehnten. Was vom Stoff lebt, stirbt vor dem Stoff. Was in der Sprache lebt, lebt mit der Sprache. Wie leicht lasen wir jenes Geplauder am Sonntag, und nun, da wirs aus der Leihbibliothek beziehen können, vermögen wir uns kaum durchzuwinden. Wie schwer lasen wir die Sätze der ›Fackel‹, selbst wenn uns das Ereignis half, an das sie anknüpften. Nein, weil es uns half! Je weiter wir davon entfernt sind, desto verständlicher wird uns, was darüber gesagt war. Wie geschah dies? Der Fall war nah und die Perspektive war weit. Es war alles vorausgeschrieben. Es war verschleiert, damit ihm der neugierige Tag nichts anhabe. Nun heben sich die Schleier.

*

Dawider vermag die wertverschiebende Tendenz des Journalismus nichts auszurichten. Er kann den Uhren, die er aufzieht, Garantiescheine für ein Säkulum mitgeben: sie stehen schon, wenn der Käufer den Laden verlassen hat. Der Uhrmacher sagt, die Zeit sei schuld, nicht die Uhr, und möchte jene zum Stehen bringen, um den Ruf der Uhr zu retten. Er macht die Stunde schlecht oder schweigt sie tot. Aber ihr

Genius zieht weiter und macht hell und dunkel, obschon das
Zifferblatt es anders will. Wenn es zehn schlägt und elf
zeigt, können wir im Mittag halten, und die Sonne lacht über
die gekränkten Uhrmacher.

*

Daß doch alle Überhebung der Mechanik, die sich mit dem
Ruhm sozialer Nützlichkeit nicht bescheiden will, die Natur-
notwendigkeiten nicht zu »richten« vermag! Die Journalisten
versichern einander, ihre Werke seien unsterblich, aber nicht
einmal die Versicherung bleibt erhalten, wiewohl sie wahrlich Anspruch darauf hätte. Daneben hat ein Geheimnis die
Kraft, sich selbst in aller Mund zu bringen. Österreich ist
das Land, wo am lautesten gesprochen wird und wo die Geheimnisse am strengsten gewahrt werden. Es ist das Land,
in dem Festzüge veranstaltet und Tropfsteinhöhlen entdeckt
werden. »Dabei stellte es sich heraus, daß man es nicht mit
einer der vielen unbedeutenden Höhlen, wie sie im Kalk-
gebirge häufig vorkommen, sondern mit gewaltigen unter-
irdischen Räumen, die sich stundenweit ins Innere des Berges erstrecken, zu tun habe. Die Höhle führt zunächst so regel-
mäßig wie ein Eisenbahntunnel durch festes Gestein hori-
zontal in den Berg und kann bis zur Tiefe von dreihundert
Meter ohne jede Gefahr von jedermann begangen werden.
Auch weiterhin sind die Schwierigkeiten des Eindringens
nicht erheblich und stehen gar nicht im Verhältnis zu dem
wunderbaren Anblick, der sich dem Beschauer bietet. Ein
Spitzbogengewölbe von unabsehbarer Höhe umschließt herr-
liche Tropfsteinbildungen. Auf dem Boden liegen ganz ab-
sonderlich geformte Gebilde aus Kalzit und noch nicht er-
starrter Bergmilch. An den Seitenwänden finden sich zarte
Figuren von weißer und blauer Struktur, Bergkristall und
Eisenblüte. Die Forscher drangen stundenweit gegen die
Mitte des Berges vor und konnten in den Gängen und Stol-
len kein Ende finden ...« Ist dies die Sprache der Höhlen-
kunde oder der Literaturforschung? Wir sind andere
Sehenswürdigkeiten gewohnt: Festzüge, die das Auge der

46

Zeitgenossen blenden wie ein Gebilde aus Wunder und Krida.

*

Kein Zweifel, Herr Felix Salten besitzt das riesigste Sortiment der Monarchie. Er ist wohl schon Kommerzialrat. Bedeutet das nicht die Unsterblichkeit in diesen Kreisen? Oder bedeutet die Unsterblichkeit in diesen Kreisen etwas anderes? In einer Berliner Revue, der ›Schaubühne‹, war davon zu lesen. Ich habe mir's gemerkt, denn es ist mein Fluch, mich mit den Kleinigkeiten abzugeben, die diese Zeit zu Größen macht. Herr Salten hat eine Feuilletonsammlung erscheinen lassen und der Kritiker erweist Ludwig Speidel die Ehre, seiner bei diesem Anlaß zu gedenken. Man kann sagen, daß Speidel gut bei dem Vergleich wegkommt, denn es wird ihm eine Ähnlichkeit mit einem Teil Saltenscher Wesensfülle zugeschrieben, die auch noch den ganzen Sarcey nebst den Herren Bahr und Muther in sich schließe und durch welche die Formel der Madame de Staël: c'est un esprit neuf et hardi . . ., für »einen andern Dichter-Kritiker«, nämlich Lessing, erdacht, erst »lebendige Wahrheit geworden« sei. Ich sehe die ›Schaubühne‹ gern. Nicht nur, weil mir – die Ausschließlichkeit des Theaterinteresses und die Verwissenschaftlichung des Tinterltums vorausgesetzt – mancher Beitrag Freude gemacht hat, sondern auch weil ihr Notizenteil eine gute Handhabe bietet, sich jeweils über den Stand des psychologischen Schmocktums in Deutschland zu informieren. Dabei lassen sich namentlich die Fortschritte überblicken, welche die subtilen Persönlichkeiten, die in den Wiener Redaktionen nicht recht reüssieren konnten, auf Berliner Boden machen. Der Journalismus in Wien bringt's über den Geschichtenträger und Gebärdenspäher nicht hinaus. Er ist Amüseur oder Beobachter. In Berlin darf er's mit der Psychologie halten. Nun ist es das Verhängnis allen Geistes aus zweiter Hand, daß sein Unwert dort leichter in die Augen springt, wo er sich der schwereren Leistung vermessen möchte. Der Plauderer ist gewiß eine der schalsten Kreaturen, die in unserem geistigen Klima fortkommen. Aber er hängt immer noch eher mit dem schöpferischen Wesen zusammen als der Beobachter und vollends der Psychologe, die bloß den Hausrat der Chuzpe benützen müssen, den die technische Entwicklung des Geisteslebens ihnen in die Hand gespielt hat. Der Amüseur sticht durch eine wertlose Begabung von der Geschicklichkeit des Beobachters ab, so wie sich dieser wieder von der wertlosen Bildung des Psychologen vorteilhaft abhebt. Das sind so die Grundtypen des geistigen Elends, zwischen denen natürlich ebensoviele Varietäten Platz haben, als die organische Welt des Geistes Gelegenheiten zum Abklatsch bietet. Nah dem Beobachter steht der Ästhet, der durch Liebe zur Farbe und Sinn für die Nuance ausgezeichnet ist und an den Dingen der Erscheinungswelt so viel noch wahrnimmt, als Schwarz unter den Fingernagel geht. Er kann aber auch mit dem Psychologen zu einer besonderen Art von feierlichem Reportertum verschmelzen, zu jenem zwischen Wien und Berlin, also etwa in Prag beliebten Typus, der aus Zusammenhängen und Möglichkeiten zu neuen Sehnsuchten gelangt und der in schwelgerischen Adjektiven einbringt, was ihm die Natur an Hauptworten versagt hat. Bei dem jähen Übergang, den gerade dieser Typus von der kaufmännischen Karriere in die Literatur durchmacht, wäre ein Dialog wie der folgende nicht bloß kein Zufall, sondern geradezu die Formel für die Komplikationen eines fein differenzierten Seelenlebens: »Hat Pollak aus Gaya bezahlt?« »Das nicht, aber er hat hieratische Gesten.«

*

Oder zum Beispiel: »Es gibt Tagesschriftsteller, deren expansiver Wille die aktuelle Einfallslinie in die Sphäre des Unendlichen und Ewigen schwingt«. Und diesen scheint, wenn ich den Text richtig verstehe, Herr Salten zuzugehören. Soweit es in solchen Dingen auf den expansiven Willen ankommt, dürfte der Mann in der ›Schaubühne‹ recht haben. Der expansive Wille, der die Persönlichkeit von Westungarn nach Wien oder direkt nach Berlin schleudert, vermag man-

ches. In Wien sichert er einem ungemein anstelligen Beobachter, der vor ein paar Jahren noch von der »Erfindung des
Dampfes und der Elektrizität« gesprochen hat und heute bereits für die Luftschiffahrt schwärmt, sein »unsterblich Teil«,
macht ihn zum Rekommandeur der modernen Kultur, läßt
seine Seele, ja wahrhaftig seine Seele, »scharf gespannt unter
den leisesten Vibrationen der Strömungen unsrer Gegenwart erbeben« und macht sie zur »willigen Resonanz für alles
Große und Schöne der neuzeitlichen Promethiden«. In Berlin selbst macht er – der expansive Wille – einen schlauen
Theaterkassier zu »einem unserer feinsten Kulturmenschen«.
Es ist gar kein übler Zufall, daß die zweispaltige ›Schaubühne‹ just neben der Entdeckung des Herrn Salten auch
für die Offenbarung der Wesensechtheit des Herrn Reinhardt Platz hat. Nein, es genügt eben nicht, den Dampf und
die Elektrizität zu erfinden, man muß sie auch entdecken,
wenn anders die Menschheit den Glauben an sie nicht verlieren soll. Herr Reinhardt ist kein Literat, sondern ein
Theaterdirektor. Aber der expansive Wille hätte ihn ebenso
zum Literaten machen können, und er hätte auch als solcher
seinen Mann gestellt und sich auch in dieser Karriere einen
Koch für sechstausend »Em« halten können. Dies lediglich
als Beispiel für eine gelungene Willensexpansion; aber durch
solches Gastmahl des Trimalchio hat sich jetzt die Berliner
Dramaturgie durchzufressen. Ganz Deutschland macht lange
Zähne, und ich muß warten, bis die ›Fackel‹ in ganz Deutschland gelesen wird, um zu sagen, was nur jene angeht, die es
heute nicht hören würden.

*

In diesen Tagen, da Herr Bahr nicht nur Dalmatien erobert,
sondern auch die Erneuerung Österreichs durchgesetzt hat,
da gegenüber den Forderungen des Verlags S. Fischer
(Willensexpansion Budapest–Berlin) Nachgiebigkeit ein
Gebot der Klugheit war und am Wiener Hofe die Friedens-
partei siegte, in diesen Tagen ist es von nicht zu unterschät-
zender Wichtigkeit, der vermittelnden Mission des Herrn

Salten zu gedenken. Ist er doch wie kein zweiter Feuilletonist in Österreich mit der habsburgischen Tradition verwachsen. Die Intimität, die ihn an allen Geschicken des Erzhauses teilnehmen läßt, so daß die ›Zeit‹ als das erste Blatt in der Lage war, Leopold Wölflings Vorgeschichten zu publizieren und seine Photographie im Depeschensaal auszustellen, diese hohe Kennerschaft hat ihn auch dazu befähigt, über die Rangserhöhung der Fürstin Hohenberg ein kompetentes Wort zu sagen. Erstaunlich war da vor allem die Vorurteilslosigkeit, die einen in der höfischen Sphäre heimischen Feuilletonisten sein bedingungsloses Ja zu der Eheschließung des Thronfolgers sprechen ließ:»Wir unterscheiden nicht so genau, rechnen nicht nach, daß die Choteks kaum zweihundert Jahre lang die Grafenkrone tragen, wägen die Vorrechte der Ebenbürtigkeit nicht allzu sorgfältig ab«. Bereit, das Familieninteresse den staatlichen Rücksichten unterzuordnen, erkennt er, daß »diese Ehe andauernd ein Ereignis bleibt« und daß sie »wichtig bleibt für uns in Österreich, für unsere Gegenwart wie für unsere Zukunft«. Freilich mußte er erkennen, daß eine Komtesse Chotek nicht Erzherzogin von Österreich werden kann und warum sie es nicht werden kann. Aber mit ehrlicher Teilnahme hat er »den Weg gemessen, den sie seit ihrem Hochzeitstag zurückgelegt hat: Fürstliche Gnaden . . . Durchlaucht . . . Herzogin . . . Hoheit . . .«, und kann heute, zurückblickend, von den Schwierigkeiten sprechen, von dem »unendlichen Aufwand an Takt und Taktik, an Energie und Widerstandskraft«, den es gekostet haben mag. »Wir haben's nicht gewußt; aber jetzt erkennen wir's«, sagt er schlicht, mit verhaltener Empfindung, um sich dann erst in erschöpfender Aufzählung das Herz einer Herzogin zu erleichtern. Wir haben's nicht gewußt.»Merken jetzt erst, daß es keineswegs etwas Selbstverständliches war, wenn usw.« »Erinnern uns jetzt erst, was es zu bedeuten hatte, daß der Erzherzog mit seiner Frau jahrelang im Burgtheater nur eine gewöhnliche Loge einnahm, und was es bedeutet, daß er jetzt mit ihr in der Hofloge Platz nimmt.« Rose Bernd durfte bekanntlich überhaupt nicht mehr ins Burgtheater, aber der Seufzer »Was muß die gelitten haben!« liegt uns auch im vorliegenden Fall nahe. »Es hat neun Jahre gedauert«, sagt Salten nicht ohne Bitterkeit; »es mag schon nicht leicht gewesen sein.« Nu juju, – nu neenee . . . Und dabei weiß man nicht einmal, »wie das Wesen dieser Frau ist«, kann »nur vermuten, daß sie ungewöhnliche Eigenschaften besitzt, eine starke und eigenartige Persönlichkeit ist.« Und in den Grenzen der Vermutung kann man wieder nur raten. »Hinter all dem mag eine große Kraft des Wollens sein, eine eiserne Festigkeit des Charakters, oder eine unwiderstehliche Güte, oder eine tausendfältige Weisheit des Lebens, oder eine geniale Feinheit der Instinkte, oder auch Urwüchsigkeit, oder selbst völlige Passivität, Zielbewußtsein oder gelassenes Vertrauen auf das Glück. Wir wissen es nicht.« Der suchende Geist resigniert vor den letzten Dingen. Wer löst das Problem der Herzogin von Hohenberg? »Das berechtigte Interesse ist dieser Frau stürmisch zugewendet«: wird sie hervortreten, wird sie nicht hervortreten? Wir wissen es nicht. »Vielleicht ist jetzt der Kampf vorüber. Wir vermögen ja auch das nicht zu beurteilen; wissen nicht, was noch geschehen muß, damit die Frau des Thronfolgers auch äußerlich all die Rechte üben darf, die sie, menschlich genommen usw.« Mit einem Wort, wir sehen, daß wir nichts wissen können. Also hoffen wir! »Sie wird und sie muß den größten Einfluß und die erste Stimme haben, dereinst beim Kaiser.« Und wenn sie auch nicht seinen Titel teilen wird, »die Kinder, die zu unserem künftigen Monarchen Vater sagen, nennen sie: Mutter«. So entläßt uns der pessimistische Denker doch mit einem tröstlichen Hinweis auf die Entwicklung. Freilich nicht ohne mit einer aus seiner Weltanschauung geholten Maxime zu schließen: »Der Herzogin von Hohenberg gehört die Zukunft Österreichs an. Aber kein Mensch weiß, was die Zukunft bringt.« . . . Dieses ist Herr Felix Salten. Man sagt, seine Seele sei eine willige Resonanz für alles Große und Schöne der neuzeitlichen Promethiden.

*

Aber tun wir einem tüchtigen Menschen nicht Unrecht. Ziehen wir ihn aus der Unsterblichkeit zurück und lassen wir ihn hienieden sich nützlich machen. Scheiden wir endlich die soziale Funktion des Journalismus von den Müßigkeiten der Literatur. Kein besseres Beispiel kann uns solche Einsicht empfehlen. Der beste Journalist Wiens weiß über die Karriere einer Gräfin wie über den Aufstieg eines Luftballons, über eine Parlamentssitzung wie über einen Hofball zu jeder Stunde das Wissenswerte auszusagen. In Westungarn kann man nachts Wetten abschließen, daß der Zigeunerprimas binnen einer halben Stunde mit seinem ganzen Orchester zur Stelle sein wird; man läßt ihn wecken, er tastet nach der Fiedel, weckt den Cymbalschläger, alles springt aus den Betten, in den Wagen, und in einer halben Stunde geht's hoch her, fidel, melancholisch, ausgelassen, dämonisch und was es sonst noch gibt. Das sind unerhörte praktische Vorteile, die nur der zu unterschätzen vermag, der die Bedürfnisse der Welt nicht kennt oder nicht teilt. In Bereitschaft sein ist alles. Wenn nur die Welt selbst nicht ungerecht wäre! Sie sagt, einer sei der beste Journalist am Platz, und er ist es zweifellos. Sie sagt aber nie, einer sei der bedeutendste Bankdisponent. Und doch dient er ihr so gut wie jener, und steht den Müßigkeiten der Literatur genau so fern.

*

Mit den perfekten Feuilletonisten ließe sich leben, wenn sie es nicht auf die Unsterblichkeit abgesehen hätten. Sie wissen fremde Werte zu plazieren, haben alles bei der Hand, was sie nicht im Kopf haben, und sind häufig geschmackvoll. Wenn man ein Schaufenster dekoriert haben will, ruft man nicht den Lyriker. Er könnte es vielleicht auch, aber er tut's nicht. Der Auslagenarrangeur tut's. Das schafft ihm seine soziale Position, um die ihn der Lyriker mit Recht beneidet. Auch ein Auslagenarrangeur kann auf die Nachwelt kommen. Freilich nur, wenn der Lyriker ein Gedicht auf ihn macht.

*

Die Grenzen der Persönlichkeit scheint indes auch der Berliner Psychologe zu spüren. Salten führe »nie über das Sicht- und Hörbare hinaus in das Reich der Mütter«. Ein Mangel, den man zum Beispiel Willi Handl nicht nachsagen könne. Ein andermal weiß man aber in Berlin auch wieder die Spannweite der Persönlichkeit zu erfassen. Jede künstlerische Äußerung trage von selbst – wie wahr! – das Zeichen der innern Eigenart, »durch das der Kunstsinnige trotz mancher Gemeinschaft einen vollgültigen Teniers von einem anerkannten Breughel und einen guten Salten von einem echten Polgar unterscheidet«. Ins Reich der Mütter aber führen Handl und etwa noch Willi Shakespeare. Jenem bin ich bereits in einer Würdigung begegnet, die unser Psycholog dem Lebenswerk des Feuilletonisten Hevesi angedeihen ließ. Damals hob Ferdinand Kürnberger viel Ehre auf, denn es hieß, zwischen Kürnberger und Handl könne man noch »Stammbäume legen«. Um ihn aber, Hevesi, »ist die große Stille; er trägt seinen Anfang und Ausgang in sich«. Dies nun möchte ich nicht so ganz unterschreiben. Herr Hevesi ist ein älterer Herr, der vom jüngeren Nachwuchs abstammt und sich immer weiter entwickelt. Er hat mehr Einfälle, als seinen Jahren ziemt, was entschieden ein Vorzug wäre, wenn er nicht auch mehr Eindrücke hätte, als er verarbeiten kann. So muß er manchmal einen Kalauer unterdrücken, sehr zum Schaden der augenblicklichen Wirkung des Feuilletons und ohne durch solche Abgeklärtheit seinen Büchern zu nützen. Denn sein Stil ist zwar prickelnd, aber obschon Sodawasser bekanntlich den Vorteil bietet, daß man es auch stehen lassen kann, so schmeckt es darum doch nicht, wenn man es nach Jahren wieder trinkt. Ein Flaneur älteren Stils, den die Muse über und über mit Konfetti beworfen hat und der sich nun schüttelt und mit kurzem Atem die Freude hervorpustet, daß er bei solchen Unterhaltungen noch mittun darf, wobei er der Losen eine ganze Menge von Fremdwörtern, griechischen Zitaten und Fachausdrücken nachwirft. Denn er ist kein Spielverderber, wohl aber ein Polyhistor. Sein Humor ist von einer Frische der Senilität, die wieder auf den Nachwuchs ansteckend wirkt, und seine Weisheit ist eine fröhliche Wissenschaft, die schon hüpft. Wenn wir aber dem Berliner Psychologen glauben wollen, so liegt der Kernpunkt seines Wesens in dem »Vagieren zwischen den Zwielichtgierden des Bluts und den Zwitterstimmungen der Seele«. »Sein Assozion« – ein Fremdwort, das selbst Herrn Hevesi unbekannt sein dürfte – werfe seltsame Schnörkel. »Sonnensystem und Bazillus« seien in seinem Hirn »bloß zwei Gedanken verschiedener Stärke, aber nicht verschiedener Art. Auf überirdischer Höhe schwinden die Unterschiede zwischen Welt und Spinne, Stern und Sternchen auf einem Stern, und beide werden nur Spielball einer göttlichen Phantasie. Er hat das große Gelächter über Leben und Tod, Jehovah und Menschlein ...« So sah ich unsern Hevesi nie. Nicht einmal damals, als er einer verstorbenen Ballberichterstatterin die Charakteristik nachrief: »Dämonische Automatik des modernen Reportertums, in einer das Aparte streifenden, oft im Exklusiven sich bewegenden Sondersphäre« ...

*

Der ihn hauptsächlich auf dem Gewissen hat, ist der Hermann Bahr, der hierzulande noch die Jugend jeden Alters verdorben hat. Die »dampfenden Jünglinge« aber, die er seinerzeit entdeckte, sind längst Journalisten geworden, die überall Kritiken über Bahrs Bücher unterbringen können, und das neue Österreich ist fertig. »So viele Stimmen im Staate sein mögen, aus allen dringt nur ein Ruf: der Jugend werde Kraft, Mut, Freiheit! Nur ein Gefühl pulst in unserem Österreich: eine freie, starke, ehrliche Jugend erstehe unserer Zukunft!« Der Starke, der es zur Einführung des Bahrschen »Buchs der Jugend« sagt, ist jener Zeuge, der bei meiner Verurteilung im Prozeß Bahr-Bukovics ohnmächtig wurde. Zuerst verließ ihn die Erinnerung, später auch die Besinnung. Ich hatte mich, ohne ihn zu kennen, seiner angenommen und sein Autorenerlebnis als typischen Fall besprochen. Ich hatte behauptet, ihm sei vom Theaterdirektor ein Ehrenwort nicht gehalten worden. Drei Zeugen, die es aus seinem Mund gehört haben wollten, stützten die Behauptung. Er sagte, er könne sich nicht erinnern. (Noch im Gerichtssaal wurde vom beeideten Kläger die Aufführung des Stückes versprochen. Es ist bis heute nicht aufgeführt worden. Fast zehn Jahre sind es her. Er wird sich nicht erinnern können.) Aber er will ein neues Österreich und eine Jugend, die Kraft und Mut hat. Das sind berechtigte Ansprüche. Wie sich Herr Bahr ihre Erfüllung denkt, zeigt er in dem Buch, das eben jenen typischen Vertreter des neuen Österreich begeistert hat. Es enthält eine Vorrede, die an ein zweiundeinhalbjähriges Kind gerichtet ist und ihm bestätigt, daß es sich von den österreichischen Mächten noch nicht habe kirre machen lassen. Der kleine Karli hätte nämlich vor Herrn Bahr, als er auf Besuch kam, einen »schönen Diener« machen sollen. Er aber wollte nicht (aha!) und seine »Nänä« war bös darüber. Bahr war begeistert. »Mach keinen Diener! Nie sollst du und niemandem den Diener machen!« Natürlich, meint Bahr, sind darüber die Nänäs alle sehr bös, denn die Nänäs glauben ja noch, die Macht in Österreich zu haben. »Aber die Nänäs werden vertrieben werden, und keiner wird einen schönen Diener machen, dann werden aus euch Menschen werden. Auf diese warte ich. Und mein ganzes Sein und Tun ist immer nur ein solches Warten auf die menschlichen Menschen in Österreich. Beeilt euch doch ein bißchen, beeilt euch heranzuwachsen! Ich möchte so gern erleben, daß eine Jugend kommt, die mich erkennt und spricht: Seht, das ist der, der auf Österreich gewartet hat! Denn, wenn dir die Nänäs sagen, daß ich ein schlechter Österreicher sei, ist das eine Lüge«. Nachdem er nun noch dem kleinen Karli – dem Sohn des Gründers der »Wiener Werkstätte« – erzählt hat, daß Österreich in den Künsten stark genug sei, es mit allen Völkern aufzunehmen, schließt er: »Habt den Mut zu Österreich! Seit Jahren rufe ich hinaus: Habt den Mut zu Österreich!« So steigt diese Anrede von einer herzigen Symbolik zu den erschütternden Tönen eines ganz alten Attinghausen empor. Was werden aber die Nänäs dazu sagen, daß man die zweieinhalbjährigen Kinder auffordert, sich ans Vaterland, ans teure anzuschließen? Man mag begierig sein, wie sie sich daraufhin entwickeln. Oh, ich sehe es kommen. Mit drei Jahren fangen sie an, Feuilletons zu schmieren. Mit vier bringen sie ihre ersten Stücke an. Zehn Jahre warten sie auf die Aufführung. Mit zwanzig fallen sie im Gerichtssaal um. Dann aber gehen sie hin und haben den Mut – zu Österreich. Karli! Karli! Ich kenne dich nicht mehr.

DER ALTE TEPP

Der Abgeordnete Bielohlawek hat Tolstoi einen »alten Teppen« genannt. Das ist nicht zu entschuldigen. Denn der Abgeordnete Bielohlawek hat von Tolstoi keine Ahnung, zu solchem Urteil aber könnte einer nur auf Grund genauer Kenntnis des Tolstoischen Wirkens gelangen. Und auch dann wäre der Ausdruck unziemlich. Es geht nicht an, und widerspricht auch durchaus den parlamentarischen Sitten, dem Altersschwachsinn einer Persönlichkeit von europäischem Ruf so respektlos zu begegnen und eine die Kultur umfassende dementia mit einem so rüden Wort abzutun. Herr Bielohlawek kennt von Tolstoi wahrscheinlich nicht mehr als den einen Ausspruch, den Herr Pernerstorfer zitiert hat. Und gerade dieser Ausspruch ist bei weitem nicht das Unsinnigste, was Tolstoi in den letzten Jahrzehnten verkündet hat. Auch in der allgemeinen Fassung, und nicht bloß auf Rußland bezogen, hat die Sentenz, daß die Wohnung der anständigen Menschen das Gefängnis sei, eine gewisse Berechtigung. Man muß nur von der härenen Kittel-Ergebenheit, die im Besitz von Millionen nach einem Martyrium lechzt, ein wenig absehen, dann könnte Tolstois Wort immerhin die Wahrheit erschließen, daß weniger unanständige Menschen im Gefängnis sind, als auf freiem Fuß. Es war also mindestens leichtfertig, auf diesen einen Ausspruch ein Urteil zu gründen, zu dem gewiß nur ein gewiegter Kenner dessen, was uns der russische Heiland etwa seit der Kreuzersonate offenbart hat, berufen wäre. Herr Bielohlawek, der es sich sonst trotz allen liberalen Dünkelmännern zum Vorzug anrechnen darf, vom Mutterwitz statt von der Bildung seine Urteile zu beziehen, hat sich ausnahmsweise auf ein Gebiet begeben, auf dem nur den Eingeweihten eine Meinung zusteht. Die Schützer der Bildung durfte es empören, daß über einen Weltweisen, an dem man mit dem Hut in der Hand eine respektable Abschwächung der Gehirntätigkeit feststellen muß, ein vulgäres Kraftwort gebraucht wurde. Als vor ein paar Jahren Tolstoi seine Enthüllungen über

Shakespeare erscheinen ließ, durch die es auch dem letzten
Zweifler offenbar wurde, daß Shakespeare ein alter Tepp
sei, hätte kein gebildeter Europäer es gewagt, die Ehrfurcht
vor Tolstoi durch ein rohes Wort zu verletzen. Keiner hätte
sich dazu hergegeben, einem schon an der Schwelle der Unsterblichkeit stehenden Alten, der der Welt noch das Evan-
gelium von der Nichtigkeit Shakespeares und anderer irdischen Genies brachte, auf den Mund zu schlagen. Ich selbst
habe damals den Verdacht unterdrückt, daß ein alter Tepp
das Wort ergriffen habe, den das Urchristentum allem Erfassen fremder künstlerischer Welten wie auch längst der
eigenen Künstlerschaft entrückt hat. Ich war so zurückhaltend,
ihn bloß einen alten Schwätzer zu nennen. Aber ich bin mir
jetzt dessen bewußt, wie frivol auch diese Wertung eines
urchristlichen Schänders meines Shakespeare-Heiligtums
war, und aus Furcht, eine Ungerechtigkeit zu begehen, würde
ich mir's heute dreimal überlegen, ehe ich ein Bekenntnis des
Grafen Tolstoi ausschließlich von der pathologischen Seite
nähme. Die Behauptung, daß er ein alter Tepp sei, ist nicht
nur eine herzlose Ungebühr gegenüber einem Alten, nicht
nur eine Dreistigkeit gegenüber einem Weltweisen, sie
könnte auch eine Unbilligkeit gegenüber einem alten Weltweisen sein, von dem man ja doch nicht wissen kann und den
noch keiner darauf untersucht hat, ob er nicht am Ende ein
alter Mogler ist. Einer, der sich zu gern den »tribus magnis
impostoribus« gesellen möchte, ohne an ihre Suggestivkraft
heranzureichen. Man könnte schließlich auch aus der geistigen Verfassung derer, die eine Heilsbotschaft empfangen,
auf den Ernst des Evangelisten schließen. Eine Welt, die
zu nichts besserem geboren scheint als zum Betrogenwerden,
harrt des Erlösers; und wer in den Ideenmischmasch dieser
Zeit nur mit der Anweisung hineinfährt, Gras zu fressen
und Shakespeare für einen Kretin zu halten, müßte wirklich schon ein ausgesuchtes Pech haben, um nicht als Heiliger
verehrt zu werden. Wer aber der Armee seines Landes keine
schöneren Siege wünscht als die Niederlagen, da dem Mu-
tigen zwar die Welt, aber dem Feigen das Himmelreich ge-

hört[1], und wer sich dazu im Büßergewand unter tennis-
spielenden Enkeln photographieren läßt, der müßte schon
ein abgefeimter Schwindler sein, wenn er nicht eine göttliche
Mission zu vollenden hätte. Aber der Heiligenschein trügt
nicht, ein mit allen Salben Geweihter stößt auf ein günstiges
Vorurteil, und es ist ein wahres Glück, daß die Betriebsmittel
dieser eitlen Zivilisation jede Bitte um ein Martyrium in
ein paar Stunden um die Welt verbreiten können, so daß,
wenn es einst vollbracht sein sollte, ein Golgatha von Tele-
graphenstangen dafür zeugen wird.

Jetzt frage ich aber: Ist die Möglichkeit, daß der alte Tolstoi
in vollster geistiger Frische ein bißchen mogelt, ausreichend,
ihm die Sympathien einer organisierten Betrügerbande, wie
sie der Intellektualismus darstellt, zu gewinnen? Genügt es
ihr wirklich schon, daß einer nicht glaubt, was er sagt?
Kommt es denn nicht darauf an, was er sagt? Ist jede Tendenz, auch die feindlichste, dem Liberalismus wohlgefällig,
wenn nur Aussicht besteht, daß sie unecht ist? Wenn Tolstoi
insgeheim wirklich der unwiderruflich letzte Christ wäre,
und er predigte das Zinsennehmen, man könnte die fana-
tische Parteinahme des Herrn Benedikt für ihn begreifen.
Ob aber sein Urchristentum eine fixe Idee oder eine Pose
ist, an welchen Punkten, frage ich, berührt es die Kreise der
Neuen Freien Presse? Warum ereifern sich die Händler und
Wechsler für Christi Sendung? Wenn Herr Benedikt an
Tolstoi glaubt, so müßte er sich ausnahmsweise dreimal be-
kreuzigen, sobald nur der Name in seiner Gegenwart ausgesprochen wird. Revolutionär sind die Ideenrichtungen beider.
Aber was hat das Zerknirschungsideal des russischen Knechts,
der das Väterchen im Himmel anwinselt, mit der Herrsch-
sucht des liberalen Geistes zu tun, der der Menschheit den
Zinsfuß auf den Nacken setzt? Die Sympathie wäre noch
verständlich, wenn unter den Entsagungsvorschriften Tolstois

---

[1] Der Verfasser bekennt hier unumwunden, daß er der alten Auffassung von kriegerischer
Tapferkeit, der diese Wendung entstammte, in dem Augenblick entsagt hat, als die blutige
Wirklichkeit des Maschinenmordes ihr zu widersprechen anhub, also am 1. August 1914,
bis zu welchem Zeitpunkt selbst der pazifistische Gedanke nicht voll geahnt hat, wie berechtigt er war.

auch die strikte Anweisung zu finden wäre: Wenn Dir die
rechte Tasche ausgeraubt wurde, so halte auch die linke hin!
So geistlos kann die Bildung doch nicht sein, daß sie sich
wirklich verpflichtet fühlte, in allen Fällen bloß die Retour-
kutsche der Unbildung abzugeben. Denn schließlich steht
diese den Verkündungen des Grafen Tolstoi näher als jene,
steht Bielohlawek dem Urchristentum näher als Benedikt.
Den Anfeindungen, die die Wissenschaft im niederöster-
reichischen Landtag erfährt, klatscht Tolstoi Beifall. Daß
man Bazillen zu Versuchszwecken züchtet, erscheint ihm
ebenso unbegreiflich wie irgendeinem christlich-sozialen
Agitator, den die Neue Freie Presse darob verhöhnt. Er
hält's mit den Dürrkräutlerinnen und verwirft die Wissenschaft, weil sie noch nie an nützliche Dinge gedacht hat, zum
Beispiel, »wie Beil und Besenstiel am besten anzufertigen
sind, wie eine gute Säge beschaffen sein muß, wie man gutes
Brot backen kann, welche Mehlgattung sich dazu am besten
eignet usw.« Ungefähr sagt das der Bielohlawek auch, nur
mit ein bißchen andern Worten, und er tut beinahe so unrecht, Tolstoi einen alten Teppen zu nennen, wie der Benedikt, ihn in Schutz zu nehmen. Ich habe die unbestimmte
Empfindung, daß Tolstoi in allen entscheidenden Fragen
die Neue Freie Presse im Stich ließe; er hätte ihr höchstens
als Nichtraucher sekundiert, aber sie schon als Impfgegner
enttäuscht, denn es ist klar, daß das erste, was man bei einer
ausbrechenden Epidemie zu veranlassen hat, die strenge Beachtung der Vorschrift ist, dem Übel nicht zu wehren. Wie
kommt Sau bengel[1] unter die Propheten? Der Liberalismus
ist weitherzig, er tanzt um das goldene Kalb und pflügt mit
dem fremden.
Wenn man – nach der Methode, die Herr Benedikt einmal
empfahl – »einen Querschnitt durch Tolstoi machen könnte«,
so würde man vielleicht weniger Christentum finden, als
man erwarten durfte, aber doch noch immer genug, um die
Sympathiekundgebungen des Liberalismus für einen faux
pas zu halten. So selig die Armen im Geiste sein mögen, sie

---

[1] »Saubengels«: damals vielzitierter Ausdruck eines deutschen Politikers für die Preßleute.

müßten die Lächerlichkeit dieses Bündnisses erkennen. Was in aller Welt – in jener, von der auch Tolstois Reich ist – hat der Fortschritt, der des Schwindelgeistes und der der Kultur, mit dem Urchristentum, dem gefühlten oder dem gepredigten, zu schaffen? Ein Ragout aus Mystik und Mystifikation könnte ja auch einem raffinierten Geschmack behagen, und es mag den Psychologen fesseln, daß einer zugleich ein Besitzender und ein Besessener sein kann. Alle Hochachtung vor einem tanzenden Derwisch, ha welche Lust Fakir zu sein, und selbst das Amok-Laufen ist eine schöne Beschäftigung. Aber unter allen die Zurechnungsfähigkeit ausschließenden Betätigungen scheint mir doch die Propaganda des Urchristentums – ein Amok-Laufen gegen den Sinn des Lebens – die allerbedenklichste, und so wahr es ist, daß die Kultur unseres Geistes von der Maschine verdrängt wird, so wahr ist es, daß der letzte Handlanger der sogenannten Zivilisation der Allgottheit näher steht als die Sorte von Fanatikern, die zuerst eine Panik der Geister erzeugen und dann als Notausgang die »Rückkehr zur Natur« offen lassen. Die Fegefeuerassekuranten, die die Kirche entsendet und die ohnehin oft zudringlicher sind, als es sich ziemt, erleichtern einem wenigstens die Lasten des Diesseits, indem sie sie in eine Versicherungsgebühr umwandeln. Aber die Tolstoische Lehre erhöht diese nicht nur, sondern läßt sie zugleich die Prämie bedeuten. Sie schlägt einem die Himmelstür vor der Nase zu, wer sein eigenes Weib ansieht, ihrer zu begehren, hat schon mit ihr die Ehe gebrochen, und es ist wahrhaft trostlos, daß man sich bereits bei Lebzeiten in den Höllenrachen stürzen soll, um der ewigen Seligkeit zu entgehen. Und welche Tantalusqualen, durch einen Altvaterbart, der uns das Dasein mit der Erinnerung an eine Likörmarke verschönert, zur Enthaltsamkeit gemahnt zu werden! Man hat ohnehin sein liebes Kreuz mit den Gottsuchern sowohl, wie mit jenen, die ihn schon gefunden haben; aber mit den Gottsuchern, die ihn leugnen, auszukommen ist verdammt schwer. Am besten, man sagt sich, daß sie achtzig Jahre alt sind, und daß wir, um mit Shakespeare, der ein alter Tepp war, zu sprechen,

von ihren Jahren »nicht nur die Unvollkommenheiten längst
eingewurzelter Gewohnheiten erwarten müssen, sondern
außerdem noch den störrischen Eigensinn, den gebrechliches
und reizbares Alter mit sich bringt«. Und daß sie »nicht
hätten alt werden sollen, ehe sie klug geworden sind.«
Nur der Liberalismus ist anderer Meinung. Ihm scheint nichts
natürlicher, als daß sich die Todeszuckungen der europä-
ischen Kultur unter dem harmonischen Gliederzucken eines
alten Quäkers vollziehen. Aber diese Anpassung an die
Tolstoische Gedankenwelt ist mehr, als man dem Fortschritt
zugetraut hätte. Nicht die Parteinahme, nur die urchristliche
Opferfähigkeit, die sich in ihr ausdrückt, müßte den Groß-
grundbesitzer von Jasnaja Poljana zu Tränen rühren. Das
hat er nicht erwartet. Zwar hätte er seit der Exkommunizie-
rung, die immer eine Aufnahme in den Schoß der allein
seligmachenden Presse bedeutet, darauf gefaßt sein können,
und wenngleich er in Bann getan wurde, weil ihm die Kirche
zu wenig christlich war, so wirkte das Ereignis doch so ani-
mierend, daß damals der liberale Kursbericht mit dem Ausruf begann: »Tolstoi hat sich angeklagt!« Aber jetzt hat es
nur des Zufalls bedurft, daß ein Sozialdemokrat ein Tolstoi-
sches Wort zitierte und ein Christlichsozialer infolgedessen
von Tolstoi abfiel, um Herrn Moritz Benedikt zu einem un-
umwundenen Bekenntnis seiner nazarenischen Weltanschauung zu bestimmen. Der Sektierergeist der österreichischen
Politik tut seine Wunder. Längst wird kein Soldat mehr im
Kaukasus oder in Przemysl den Fahneneid verweigern, so
wird man noch die sinnverwirrenden Folgen der urchristlichen Propaganda im Leitartikel der Neuen Freien Presse
zu spüren bekommen. Wenn sich die Gracchen über Aufruhr
beklagen, so ist das nicht grotesker, als wenn die Aufklärung
die Tolstoische Weltanschauung lobt. Im österreichischen Par-
lament wird jetzt – dank dem Herrn Hlibowitzki, dessen
Namen man sich zu merken versuchen wird – zwischen Zola
unterschieden, der bloß der gesamten Kulturwelt bekannt
sei, und Tolstoi, »dessen Werke nicht bloß von den auf der
höchsten Kulturstufe Stehenden hoch gepriesen werden, son-

dern selbst in die Hütten jener Volksstämme Afrikas und Amerikas ihren Eingang bereits gefunden haben, denen erst seit Kurzem das Licht der Zivilisation zu erblicken beschieden wurde«. Was blieb demnach dem Präsidenten anderes übrig, als sein Bedauern über den Zwischenruf des Herrn Bielohlawek auszusprechen? Er hätte höchstens noch hinzufügen können, daß in den Hütten jener Volksstämme Afrikas und Amerikas die Tolstoische Weltansicht eines wahren Verständnisses noch sicherer sei als bei den auf der höchsten Kulturstufe Stehenden, und zwar trotz der Zivilisation, deren Licht sie übrigens erst vor Kurzem erblickt haben. Aber der Vergleich Tolstois mit Zola entbehrt nicht eines gewissen Hintergrunds. Zola hat sich in den Augen der liberalen Welt von dem Makel seines künstlerischen Wertes durch sein Eintreten für Dreyfuß gereinigt, und die Bedeutung Tolstois als Romanschriftsteller müßte keine unbestrittene sein, der Schimpf, den ihm Herr Bielohlawek angetan hat, erhöbe ihn hoch über Dostojewski, dem so etwas noch nicht passiert ist. Zola galt der liberalen Kritik als Schweinkerl, aber wer »j'accuse« sagt, s'excuse. Und wer galt Herrn Max Nordau nicht als Schweinkerl? Nicht als Entarteter? Als Idiot, als Halbnarr, Faselhans oder alter Tepp? Welcher Große blieb vor Verkleinerung bewahrt, welcher Alte vor Ehrfurchtsverletzung, welcher Tote vor Grabschändung? Wo lebte oder starb ein Nietzsche, ein Flaubert, ein Ibsen, ein Baudelaire, ein Puvis de Chavanne, ein Rodin, ein Oscar Wilde, der es nicht zu spüren bekam, daß selbst die Distanz, die ihn von einem Nordau trennt, überspuckt werden kann? Tolstoi einen alten Teppen zu nennen ist ein Unterfangen, das den Freisinn zur Abwehr herausfordert. Er hat vor der Zeiten Ungunst längst die Retirade bezogen; aber wenn er hört, daß die Bildung in Gefahr ist, gerät er aus dem Häuschen, in dem er sonst das Ende seiner Tage abgewartet hätte – der alte Tepp! Hält noch den Schlüssel zur wahren Erkenntnis in der Hand und das Zeitungspapier, dessen er sich bedient, und läuft auf die Gasse. Mit Prügeln wollen wir ihn zurückjagen. Denn wir brauchen seine Aufklärung nicht.

Wir wissen schon, daß Herr Bielohlawek nicht berechtigt war, Tolstoi mit einem Wort abzutun. Herr Nordau hat das ausführlicher besorgt. Tolstoi ist kein alter Tepp, sondern: »Tolstois Weltanschauung, die Frucht der verzweiflungsvollen Denkarbeit seines ganzen Lebens, ist nichts als Nebel, Unverständnis seiner eigenen Fragen und Antworten und hohler Wortschwall« (»Entartung« Bd. I, S. 275). Tolstoi ein alter Tepp? Nein, er läßt bloß durch eine seiner Figuren eine »delirierende Theorie vom Lebensgesetz« entwickeln (S. 286). Diese ist dem gesunden Menschenverstand des Herrn Nordau »sofort als das erkennbar, was sie ist: als Wahnsinn« (S. 287). »Kindisch sind seine Beschwerden und Spöttereien. Er spricht von der Wissenschaft wie der Blinde von den Farben ... Er gleicht Bouvard und Pécuchet, den beiden I d i o t e n Flauberts, die gänzlich unwissend, ohne Lehrer und Führer, wahllos eine Anzahl Bücher durchblättern, selbstverständlich eine haarsträubende Dummheit nach der andern begehen und sich dann berechtigt glauben, auf die Wissenschaft zu schimpfen... Der Entartete Flaubert und der Entartete Tolstoi begegnen sich hier in demselben Delirium« (S. 288). Ein alter Tepp? Nein, sage ich! Denn als Philosophie gibt der Tolstoismus »über Welt und Leben mit einigen sinnlosen oder widerspruchsvollen Umschreibungen absichtlich mißverstandener Bibelverse Aufschluß« (S. 291). Ein alter Tepp? Mehr Respekt, wenn ich bitten darf! Tolstois Mystizismus ist »eine von Emotivität begleitete krankhafte Dunkelheit und Zusammenhanglosigkeit des Denkens« (S. 293). Wie, ein alter Tepp? Er, der »der bloße Abklatsch einer Menschengattung ist, die in jedem Zeitalter Vertreter gehabt hat« und als deren Beispiel »Lombroso einen Verrückten anführt, der um 1680 in Schleswig lebte und behauptete, daß es weder Gott noch Hölle gebe, daß Priester und Richter unnütz und schädlich seien und die Ehe eine Unsittlichkeit usw.« (S. 294). Ein alter Tepp? Hol' die Pest alle Grobiane! Aber »der geistesklare, gesunde Turgeniew hat, ohne die Erfahrungen der Irrenärzte zu kennen, aus seiner natürlichen Empfindung heraus die innige Liebe Tol-

stois zu dem bedrückten Volke eine hysterische genannt . . .
Im Gegensatze zum selbstsüchtigen Geistesschwachen, lehrt
Legrain, haben wir den Geistesschwachen, der menschen-
liebend ist, der tausend absurde Systeme aufbaut, um das
Glück der Menschheit herbeizuführen« (S. 297). Und Legrain
und Turgeniew haben Recht und weiß Gott, selbst Herr
Nordau hat ausnahmsweise Recht! Und nur Herr Bielohla-
wek hat Unrecht. Er wird es sich künftig überlegen, mit solchen Worten herumzuwerfen. Nicht vergebens soll die Neue
Freie Presse für die geistige Unversehrtheit Tolstois zweimal täglich jene Lanze gebrochen haben, die Gottfried von
Bouillon, der bekanntlich gesagt hat, daß der Zinsfuß mit
uns ist, in ihrem Lager zurückgelassen hat. Denn zwischen
Bielohlawek und Nordau ist doch ein gewaltiger Unterschied: der eine spricht im Dialekt, der andere im Jargon.
Wenn nun aber jemand einwenden sollte, daß die Ehr-
furchtsbezeigungen des Herrn Nordau für Tolstoi bloß in
einem Buch stehen und daß die Neue Freie Presse noch nicht
dafür gesorgt hat, in ihren eigenen Spalten das Opfer des
Herrn Bielohlawek dem Schutz des Herrn Nordau zu überantworten, so ist er ein unaufmerksamer Leser der Neuen
Freien Presse. Denn wahrlich, ich sage euch, Herr Nordau
hat auch hier schon das Seine getan, und Herr Bielohlawek
hätte sich ein Beispiel daran nehmen können, wie respekt-
voll der gesunde Menschenverstand der ehrwürdigen Erscheinung eines großen Denkers gegenübersteht, von dem
der Journalismus erwartet, daß er demnächst in vollster
geistiger und körperlicher Frische seinen achtzigsten Geburtstag feiern wird. Denn es geschah im Jahre 1901 im
zwölften Monat, am 28. des Monates, da redete Nordau zu
den über die ganze Welt zerstreuten Lesern der Neuen
Freien Presse und sprach: daß Tolstoi für »Millionen hoch-
gebildeter Russen« nichts ist als ein »absurder Konfusions-
rat, der nur lächerlich wäre, wenn sein mystisch-anarchisti-
sches Geschwätz Schwachköpfen nicht gefährlich werden
könnte«.

Herr Kainz hat den schlechten Geschmack, in der Stadt, in
der Girardi den Valentin gespielt hat, in den Tagen da
Girardi in Wien wieder auftritt, den Valentin zu spielen. Daß Herr Kainz es jetzt wieder wagen konnte, mit
seinen Kopftönen in dies friedlichste Heiligtum gemütvoller
Darstellung einzudringen, daß er dazu eine Bühne, eine
Galerie und eine Presse fand, zeigt, auf welchem Punkt die
Echtheit im Kunstempfinden dieser Stadt angelangt ist. Ein
Kritiker benützt die Gelegenheit, zu versichern, der Mann
sei zwar »immer schlicht und gemütstief«, aber speziell »bei
der Entfaltung von Valentins Dienertreue« finde er »Töne,
die tief ins Herz dringen«. Was muß das für ein Herz sein!
Ein anderer will gar eine »bezwingende und berückende
Fülle« von Gemüt und Seele entdeckt haben. Das hat Herrn
Kainz bis heute noch niemand nachgesagt. Aber Kunstverstand besitzt er hinreichend, um sich für den Rezensenten zu
schämen, der von ihm gesagt hat, er habe in manchen Szenen
Girardi »überragt«. Solche Bereitwilligkeit, mit dem Mangel
zu völlern und vor der Fülle zu hungern, ist auf dem weiten
Erdenrund nur in dieser Stadt anzutreffen. Ich wünsche es
ihr von Herzen, daß sie den reichsten theatralischen Schöpfer
ihrer verwahrlosten Gemütszone an ein kälteres Klima verliert. Er hat es nicht notwendig, sich von Reportern den
Mangel literarischen Ehrgeizes vorwerfen zu lassen. Er darf
sich auch vor Ungezogenheiten schützen, die im Dienste der
journalistischen Kulissenpolitik begangen werden. In Berlin,
der Zentrale des literarischen Snobismus, hat man vielleicht
Verständnis für die Eigenberechtigung eines schöpferischen
Schauspielers. Mit dem Trottelgerede von dem niedrigen
literarischen Niveau, auf dem Girardi siegt, verschont man
ihn dort, weil man weiß, wie spärlich die geeigneten dramatischen Gelegenheiten sind, die auf der Höhe der Kunst
dieses Darstellers stünden. Wenn er sich von einem Buchbinder den Pappendeckel liefern läßt, so bleibt er ungebun-
den; nie vermöchte ein großer Künstler sich selbst aus-

zuschöpfen, wenn er zugleich der anderen künstlerischen Persönlichkeit diente. Soll die Literatur auf die Bühne gehören, dann dient ihr im besten Fall der Regisseur, der ein mittelmäßiges Ensemble in der Hand hält, aber nie die darstellerische Individualität. Neunzehntel Shakespeare wird an dem größten Schauspieler zuschanden. Das hat Goethe erkannt, aber ein Wiener Reporter würde es nicht zugeben. Herr Reinhardt, heißt es, habe eigens für Girardi einen Nestroy-Zyklus arrangieren wollen, und Girardi zog einen Buchbinder-Zyklus vor. Wer die Anklage liest, muß davon überzeugt sein, daß Girardis literarisches Urteil die Wahl getroffen hat. Daß er Herrn Buchbinder für eine bedeutendere Erscheinung hält als Nestroy, wird über allen Zweifel gestellt. Ich halte nun jenen für einen szenischen Handlungsgehilfen und diesen für den tiefsten satirischen Denker, den die Deutschen nach Lichtenberg gehabt haben und in dessen Nähe den Namen Heine zu nennen, ich als Blasphemie empfinde. Wie hat dieser außerordentliche Geist auf der Bühne geschaltet? Er stellte sich an die Rampe einer gleichgültigen französischen Possenszene und ließ an ihr seine Lichter aufflammen. Trotzdem blieb es noch dunkel. Denn seine Blitze zwingen den Leser zur Bewunderung, im Theater wird – durch die Nestroy ähnlichste Darstellung – kaum mehr als das Ergötzen an der lustigen Situation lebendig. Philosophischer Witz, aphoristisch erhöhter Humor – ich kann mir nicht denken, daß selbst das aufnahmsfähigere Publikum des Schauspielers Nestroy auf der Höhe gestanden hat, die für ein Erfassen solcher Geistigkeit vorausgesetzt wird. Wie gestaltet Girardi? Er ist Schauspieler. Er nimmt eine gleichgültige Possenhandlung und zeigt an ihr seine Wunder. Sie sind anderer Art als die Nestroys, unvergleichlich bühnenhafter. Er spielt an einem Schund sich selbst. Es ist die törichteste Meinung, daß er mehr böte, wenn er Nestroy spielte, weil er dann weder Nestroy spielte noch sich selbst. Girardi ist ein wienerischer Typus für sich, der vielleicht von der Raimundseite kommt und sich kaum an einem Punkt mit der Welt Nestroys berührt. Daß er die Aphorismenkette des

komischen Raisonneurs, der aus dem ureigenen Nestroy'-
schen Geist redet, nicht abhaspeln könnte, versteht sich; aber
er wurzelt auch außerhalb der breiten Komik der zweiten
Figur der Nestroy-Welt, des Scholzischen Typus. Er ist eben
Girardi selbst, der am Anfang einer Reihe von Komikern
steht. Da er nicht Possen schreibt, muß er sie sich liefern lassen. Notwendig hätte er es nicht; er schafft ja doch aus dem
Stegreif. Aber es gehört der ganze literarische Snobismus
der Reinhardt-Gesellschaft und ihr ganzes Nichtverständnis
für theatralische Individualitäten dazu, Girardi einen
Nestroy-Zyklus zuzumuten. Ein vollkommener Routinier
wie Herr Thaller, der die überkommene Form des dünnen
Sprechkomikers beherrscht, ist als Weinberl oder Kampl
durchaus glaubhaft. Was sollte einer, der ein Eigener ist und
ein Anderer als Nestroy, mit diesen Gestalten anfangen?
Die Theaterfremdheit hätte Recht, wenn Sie Herrn Thaller
in solchen Rollen über Girardi stellte, ganz so wie sie einst
Schweighofer gegen ihn ausgespielt hat, der auch nicht mehr
war als der gewandte Faiseur einer gegebenen Tradition.
Girardis Popularität ist auf den ersten Blick unbegreiflich.
Die Eigenen sind sonst immer im Nachteil; besonders in der
Literatur, wo sie sich selbst statt der »Sache« dienen. Daß
Girardi trotz seiner unerreichten Feinheit und Selbstherr-
lichkeit beliebt werden konnte, beweist, daß zu den Dingen
der Theaterkunst das Publikum immerhin noch jene Beziehung hat, die ihm zu den anderen Künsten fehlt. Die Journalisten haben zu nichts Künstlerischem eine Beziehung.
Darum ist es möglich, daß sie Girardi zu einem Nestroy-
Zyklus zureden, und Herrn Kainz in einer Raimund-Rolle
protegieren. Einen Valentin Girardis, in dem ausnahmsweise die schauspielerische und die dichterische Persönlichkeit zusammenfließen, können wir leider nicht an jedem Tag
sehen. Hat er ihn aber einmal gespielt, so bleiben uns die
Tränen für ein Jahr in den Augen, und unvergeßlich hallt
die Aufforderung des Todes in uns weiter. Springt Herr
Kainz ein, dann leg' ich meinen Hobel hin und sag' der Welt
ade!

AUS DER BRANCHE

Herr v. Hofmannsthal

der vom Rausch bei goldenen Bechern, in denen kein Wein
ist, längst ernüchtert dahinlebt, macht sich nichts mehr daraus, daß man ihm daraufgekommen ist, wie er hinter dem
Rücken der Unsterblichkeit mit dem Tag und dem Theater
gepackelt hat. Nur die Schwäche ist ihm geblieben, feierlich
zu begründen, was klug ersonnen war. Wenn man ein ganzes Goetheleben – Italienreise, Verpflegung mit inbegriffen –
in relativ kurzer Zeit durchgemacht hat, so ist es nicht unbegreiflich, daß etwas im Ton zurückbleibt, was der Verteidigung nüchterner Theaterpläne zugutekommt. Man denkt
dann nicht geradezu ans Repertoire und an Herrn Reinhardt, sondern spricht vom »Repertorium der deutschen
Bühne«, das auch andere, etwa Tieck und Immermann, »in
einem weltbürgerlichen Sinne ausbauten«. Sie seien sich bewußt gewesen, für das Theater und nicht für die Literaturgeschichte zu arbeiten. Der sich aber auf jene beruft, arbeitet
selbst bei dieser Gelegenheit für die Literaturgeschichte. Er
glaubt, ihr näher zu sein, wenn er so gestikuliert wie die, die
zu ihr gehören. »Indem ich das Spiel von ›Jedermann‹ auf
die Bühne brachte, meine ich dem deutschen Repertorium
nicht so sehr etwas gegeben als ihm etwas zurückgegeben zu
haben . . .« »Denn die englische Form des Gedichtes ist die
lyrische Urform und weist auf einen späteren Bearbeiter hin,
der mit so herrlichen Gaben Hans Sachs sehr wohl hätte sein
mögen, aber dennoch nicht geworden ist.« »Gibt man sich
mit dem Theater ab, es bleibt immer ein Politikum.« »Nicht
das Gedicht, sondern der Raum, den wir wählten, die Menge,
vor die wir es brachten, war hier der Gegenstand einiger
Kritik.« »Man sprach vereinzelt von einem gelehrten Experiment. . .« »Ich habe Herrn Reinhardt nie schematisch
handeln sehen, und ich glaube nicht, daß er etwas Geringes
gegen das Gefühl des Dichters, für den er arbeitet, unternehmen würde, geschweige denn etwas so Großes.« »Ich

nehme also mit besonderem Vergnügen die Verantwortung
dafür auf mich, daß wir dieses Gedicht vor eine große, sehr
große Menge brachten...« Wäre es itzt nicht an der Zeit,
daß der ehrwürdige Rodauner sich einmal in seiner Loge erhöbe und den Lachern ein »Man lache nicht!« zuriefe? Die
große Menge hatte doch schon bei der Geburt des Herrn von
Hofmannsthal gehofft, daß er einmal in den Schlafrock des
alten Goethe hineinwachsen werde. Jetzt sollte er einmal
ernstlich dazu schauen. Die Allüren sind da, die Beschäftigung mit dem Theater gleichfalls, gelegentliche Feuilletons
zum Lobe schmieriger Kompilatoren können als Gelegen-
heitsdichtungen aufgefaßt werden – kurz, es ist alles da: nur
der dritte Teil des Faust bleibt unvollendet.

Mein Gutachten

Ein Gedicht ist aufgefunden worden, man schreibt darüber,
man glaubt, es sei von Heine, aber man traut sich nicht recht,
es könnte auch von einem Nachahmer sein, man zweifelt,
und so. Es enthält die folgenden Strophen:

> Eine Jungfrau war einst die Erde,
> Eine holde, brünette Maid;
> Der hatte ein blonder Jüngling,
> Der Mond, seine Liebe geweiht.
>
> Sie liebten sich beide herzinnig
> Und hätten so gern sich vereint;
> Der Vater aber, der strenge,
> War ihrer Liebe gar feind,
> — — — — — — — — — —
> Drum drehet sich um die Erde
> Der Mond als ihr treuer Trabant;
> In stiller Trauer die Blicke
> Zur fernen Geliebten gewandt.
>
> Er umschwebt sie auf all' ihren Pfaden,
> Wohin sie auch wandeln mag,
> Und schaut in schmerzlicher Sehnsucht
> Mit bleichem Antlitz ihr nach.
> — — — — — — — — — —

Er sendet Liebesboten
Allnächtlich zu ihr hin;
Das sind die Strahlen, die heimlich
Durchs Dunkel der Bäume ziehn.

Die nächtlich duftenden Blumen
Betrauern der Herrin Geschick,
Und senden dem Freund ihre Antwort
In süßen Düften zurück.

Auf ihrem Wellenbusen,
Zum Zeichen ihrer Treu,
An einer Sternenkette,
Trägt sie sein Konterfey.

— — — — — — — — — —

Ich als Sachverständiger erkläre mit aller Bestimmtheit, daß gar kein Zweifel bestehen kann, sondern daß dieses Gedicht entweder von Heine oder von einem Nachahmer ist. Also jedenfalls von Heine, indem es wahrscheinlich von diesem und sicher von einem Nachahmer ist. Auf unklare Annahmen wie: Dieses Gedicht ist von Heine, oder: Dieses Gedicht kann nur von einem Nachahmer sein, lasse ich mich nicht ein. Es ist von Heine.

Eine Rundfrage

In Berlin wurde rundgefragt, welche Arbeiten wir im kommenden Jahre von unseren Lieblingen zu erwarten haben. Die Lieblinge zögerten nicht, dem Publikum Einblick in den Zeugungsakt zu gewähren, und plauderten »aus der Werkstatt«. Einer bedankte sich noch für die Aufmerksamkeit und teilte mit:

... daß ich an einer großen modernen Komödie arbeite und an einem umfangreichen Roman, welcher in der Fischer-von-Erlach-Zeit zu Wien und Florenz spielt; ferner arbeite ich an drei modernen Einaktern und an einer großen modernen Pantomime.

Der Mann nennt sich natürlich Salten. Wenn's über ihn kommt, wird es schwer sein. Man denke, die vielen modernen

Stoffe, und dann erst noch das à la Fischer von Erlach. Roth-
schild mit den vielen Hemden – zieht an zieht aus, zieht an
zieht aus – hat's leichter gehabt. Es gehört schon eine ge-
hörige Umsicht und Versiertheit in der Kunst dazu, die Zeu-
gungsakte nicht zu verwechseln.

NOTIZEN

Kokoschka und der andere

Der deutsche Kunstverstand wird jetzt, wie sichs gebührt, von einem hineingelegt, der das Talent hat, sich mit dem Blute eines Genies die Finger zu bemalen. Das ist immer so. Hier hockt eine Persönlichkeit, und draußen bildet sich sofort die Konjunktur, die der andere ausnützt, der laufen kann: die Cassirer der Kunst können es nicht erwarten, dem unrechten Mann die Quittung auszustellen. Das Talent weiß, daß es durch eben das anzieht, wodurch das Genie abstößt. Dieses ist der Schwindler, jenem glaubt man's. Und es versteht sich fast von selbst, daß über einen, der nicht Hand und Fuß hat, aber gestikulieren und laufen kann, eine Monographie geschrieben wird, in der der Satz steht: »Die farbige Ausdeutung der Erscheinung ist von erlauchter Nachdenklichkeit«. Das war immer so. Den Künstler beirrt es nicht und darf es nicht kränken, daß von eben dem Haß und dem Unverstand, der seines Wertes Spur verrät, der Nachmacher sich bezahlt macht. Aber freuen darf es ihn, daß Else Lasker-Schüler – der man auch noch lange die vielen vorziehen wird, die's von ihr haben werden – den folgenden Brief, an den andern, veröffentlicht hat:

»Ihre ostentative Kleidung hat mir Freude gemacht dem eingefleischten Publikum gegenüber. Es lag nicht nur Mut, auch Geschmack darin. Ich ging doppelt gerne mit Ihnen nach München in Ihre Bilderausstellung, aber es hingen nicht Ihre Bilder an den Wänden, sondern lauter Oskar Kokoschkas. Und da mußten Sie gerade mich mitnehmen, die Ihr Original kennt. Hielten Sie mich für so kritiklos – oder gehören Sie zu den Menschen, die Worte, Gebärden des Zweiten anzunehmen pflegen, darin sie verliebt sind? Sie sind, nehme ich an, in Kokoschka verliebt und Ihre Bilder sind abgepflückte Werke, darum fehlt ihnen die Wurzel. Das Bild Heinrich Manns hat mir ausnehmend gefallen wie eine glänzende Kopie und ich sah in seinen Farben und Rhythmen außer dem Schriftsteller auch den Maler Oskar Kokoschka, nicht Sie . . . Man kopiert doch ehrlich in den Museen die alten Meister und setzt nicht seinen Namen darunter. Kokoschka ist ein alter Meister, später geboren, ein furchtbares Wunder. Und ich kenne keine Rücksicht in Ewigkeitsdingen. Sie sollten auch pietätvoller der Zeit gegenüber sein . . .«

Das sehe ich nicht ein. Die Zeit, die die Originale verschmäht, hat es nicht besser verdient, als von den Kopisten beschlafen zu werden. Ich verstehe wahrscheinlich von Malerei weniger als jeder einzelne von jenen, die das Zeug haben, sich von berufswegen täuschen zu lassen; aber von der Kunst sicher mehr als sie alle zusammen. Hier fühle ich, sehe, was geboren ist, und kenne meine Oppenheimer.

Zwei Bücher

Wer der Fackel glaubt, möge Karl H a u e r nicht vergessen, dem der Vorsprung der beweglichen Unfähigkeit noch immer den Platz weggenommen hat, auf den ihn die Lebenssorge anwies. Da im weiten Gebiet literarischer Existenzen alles besetzt und bestellt war und zwischen Redakteuren, Dramaturgen und Lektoren nicht mehr ein Fingerbreit Aussicht, blieb jenem nur noch übrig, in schwere Krankheit zu verfallen. Mit der Sicherheit aber, die die Not verschafft, soll sich das Gewissen dieser stellenvermittelnden Zeit nicht abfinden. Das wollen wir ihr versalzen. Mindestens hat sie die Pflicht, die Gelegenheit zu benützen, die es erlaubt, einem Schriftsteller auf die würdigste Art zu helfen: die Gelegenheit, sein Buch zu kaufen. Karl Hauers Essays » V o n d e n f r ö h l i c h e n u n d u n f r ö h l i c h e n M e n s c h e n «[1] sind erschienen, sie wiederholen und vermehren im Buche den Genuß, den die durchklärende Kraft und Meisterschaft dem Leser gewährt hat. Sie machen nicht zuletzt deutlich, worin sich dieser Denker von jenen, die am meisten über die Habilitation des Menschen nachgedacht haben, unterscheidet: er ist tiefer in dem, was er erkennt, als in dem, was er vertritt; er sucht nur, was er gefunden hat, und darum ist er auch dort tief, wo andere nicht einmal wahr sind. Sollte diese unerbittliche Güte, die kein Wort verschwendet, noch auf ein

---

[1] Verlag Jahoda & Siegel, Wien und Leipzig.

formwürdiges Leben treffen, so beweise es sich durch die Bereitschaft, einen Außerordentlichen zu hören, zu entschädigen und die Forderung der Fröhlichkeit, die es ihm nur zu stellen gewährte, ihn auch erfüllen zu lassen.

*

Albert Ehrenstein, dessen »Tubutsch«[1], mit zwölf Zeichnungen von Oskar Kokoschka, außer dem neuen Hauptstück die in der Fackel veröffentlichten Arbeiten »Ritter Johann des Todes« und »Wanderers Lied« enthält, stellt den merkwürdigen Fall vor, daß in Wien eine dichterische Kraft auflebt, die mit dem ersten Wort sich einer Region entrückt, in welcher die Kunst eben noch zum beliebten Nebenbei einer wertlosen Hauptsache, Leben genannt, sich eignet. Hier aber ist ein Unteilbares; und wie einer sich das Leben schafft, der es ablehnt und dem es gut genug ist, als sein Stiefelknecht zu ihm zu sprechen, und wie einer sich von der Unscheinbarkeit die Visionen brockt, als stünde er vor des Lebens goldnem Baum: das ist zumal in dieser Gegend, in der die Plauderer und Psychologen das fertige Material bearbeiten, neu und ergreifend. Die reale Linzerstraße hat für diesen Karl Tubutsch mehr Himmel und Erde als ein weites Land, das jenen vorschwebt, die das Können können. Ihm sterben bloß zwei Fliegen, und er glaubt, daß sie Pollak heißen. Ich kann ihm darin nur recht geben. Nicht worauf so ein Kurioser kommt, sondern wovon er ausgeht, bestimmt das Maß seiner Phantasie. Er ist von jenen, die ein zu trauriges Gesicht haben, um das Leben nicht mit lachendem Rücken anzuschauen. Er hat viel gegen die Welt, die nicht viel für ihn hat; aber wie er sie hinter sich sieht und schafft, ist reicher Ersatz für beide. Er kommt auf langem Weg in die Literatur daher, fast von Lawrence Sterne, seine Reise ist gefühlloser und doch an Enttäuschungen reicher. Wenn er geht, läßt er einen wohltuenden Schwefelgestank zurück. Zuweilen tritt

---

[1] Verlag Jahoda & Siegel, Wien und Leipzig.

sich sein Humor selbst auf die Füße: so sieht er noch immer durch ein Hühnerauge eine ganze Welt. Manchmal spricht ihm der Intellekt in Witz und Vision hinein, manchmal kommen alle drei ins Wortgemenge. Aber sein Geist ist ohnedies anders erschaffen, als es gewohnt, erlaubt und den andern gesund ist. Als er zur Welt kam, mochte er gerade Wichtigeres zu tun haben, und hätte jenes unterlassen, wenn er sich nicht in die Nabelschnur einen Knopf gemacht hätte; er hätte sich sonst an ihr erhängt. Nun, da er hier ist, gefällt es ihm nicht. Wenn's brennt, hat er noch die Geistesgegenwart, das Sprungtuch in die Flamme zu werfen. Er ist einer von dem viel bemerkenswertern Stamme jener Asra, welche sterben, wenn sie leben.

Erklärung

Absichtlichkeit und Zudringlichkeit von Mißverständnissen, die sich um das Eindringen der Fackel in Berliner literarische Interessen gebildet haben, legen mir die Pflicht auf, das Folgende zu erklären: Das Eindringen der Fackel in Berliner literarische Interessen ist mir peinlich. Jeder Anhänger, den ich in Berlin verliere, ein Gewinn. Ich habe nie von irgend jemand Förderung, Verbreitung, Eintreten, Wohlwollen oder Begeisterung erwartet, verlangt oder auch nur – wie nachgewiesen werden kann – stillschweigend geduldet. Wer in Kneipen oder Kneipzeitungen das Gegenteil behauptet, ist ein Schmierfink, auch wenn er nicht zufällig die »fünf Frankfurter« verfaßt hat. Ich habe mit Berliner literaturpolitischen Bestrebungen, mit Futuristen, Neopathetikern, Neoklassizisten und sonstigen Inhabern von Titeln ebensowenig zu schaffen wie mit Wiener Kommerzial- oder Sangräten. Ich hasse das Publikum; und ich zähle die Schmarotzer an seinen Mißverständnissen zum Publikum. Ich stehe nicht auf dem Standpunkt, daß jeder Gymnasiast, dem die in unserer Zeit vorhandenen Süchte und Dränge und sonstigen ekelhaften Plurale zu einem »Niveau«

verholfen haben, mehr taugt als Mörike und Eichendorff. Ich bin n i c h t der Meinung, daß die Meinung in der Kunst genügt, glaube, daß das bloße Rechthaben gegen den Journalismus mit ihm identisch ist, und sage, daß jeder, der ernsthaft behauptet, daß Rudolph Lothar ein Übel sei, sich einer Verdoppelung des Rudolph Lothar schuldig macht. Ich sage, daß Polemik vor jeder anderen Art von schriftlicher Äußerung durch Humor legitimiert sein muß, damit nicht die Null zum Übel werde, sondern das Übel nullifiziert sei. Polemik ist eine unbefugte Handlung, die ausnahmsweise durch Persönlichkeit zum Gebot wird. Lyrik ohne Berechtigung greift nur den Täter an; der schlechte Angriff auch alle Unbeteiligten. Ich halte Polemik, die nicht Kunst ist, für eine Angelegenheit des schlechten gesellschaftlichen Tons, die dem schlechten Objekt Sympathien wirbt. Ich halte das Manifest der Futuristen für den Protest einer rabiaten Geistesarmut, die tief unter dem Philister steht, der die Kunst mit dem Verstand beschmutzt. Ich halte das Manifest der futuristischen Frau, der ich jede perfekte Köchin vorziehe, für eine Handlung, der ein paar lustlose Rutenhiebe zu gönnen wären. Ich halte Else Lasker-Schüler für eine große Dichterin. Ich halte alles, was um sie herum neugetönt wird, für eine Frechheit. Ich achte und beklage einen Fanatismus, der nicht sieht, daß unter den Opfern, die er der Kunst bringt, diese selbst ist. Ich verfluche eine Zeit, die den Künstler nicht hört; aber sie zwingt ihn nicht, ihr das zuzuschreien, was er ihr nicht zu sagen hat. Ich weiß, daß die schonungsloseste Wahrheit über diesen Punkt noch immer so viel Ehre übrig läßt, daß das Gesindel ringsherum keinen Anlaß zur Freude haben kann. Überhaupt möchte ich jedem einzelnen in dieser Hunnenhorde, aus der kein Attila ersteht, jedem einzelnen dieser Literaturhamster, die kein Fell geben, den Rat erteilen, nichts von meiner Mißbilligung polemischer Minderwertigkeit oder lyrischen Dilettantismus auf den anandern zu beziehen, sondern alles auf alle. Auch möchte ich bitten, den Verkehr mit mir in jeder Form abzubrechen und im Pendel zwischen Verehrung und Büberei es definitiv bei dieser zu belassen, aber so, daß kein Aufsehen entsteht. Man soll mir keine Drucksorten und keine Briefe schicken. Ich weiß Bescheid. Es wäre mir peinlich, wenn ich genötigt wäre, Berlins kulturelle Mission als einer straßenreinen Stadt gegen den Schönheitsdreck zu verteidigen und nachzuweisen, daß der übelste Abhub der Wiener Geistigkeit sich jetzt dort vor den Betrieb stellt. Ich bin für Asphalt und gegen Gallert. Ich bin für Berlin: nämlich für die Chauffeure und gegen die Neutöner, für das Reviersystem und gegen die Weltanschauung, für die Kellner und gegen die Gäste.

ÜBERSETZUNG AUS HARDEN

Seit Jahren gehen die deutschen Leser der ›Zukunft‹ des eigentlichen Genusses verlustig. Sie haben das Gefühl, daß hier die wertvollsten Gedanken in einer fremden Sprache vorgetragen werden, von der sie nur ahnen können, daß sie viel schöner ist als die ihnen geläufige. Wiederholt ist deshalb die dringende Bitte an mich ergangen, ein Lexikon anzulegen, welches, wenngleich mit Preisgabe des dichterischen Moments, das gerade für den politischen Leitartikel unentbehrlich ist, über den Sinn der einzelnen Sätze trockenen Aufschluß gibt. Ich habe dem allgemeinen Drängen nachgegeben und will die Arbeit durchführen, soweit es mir bei dem Stand meiner Bildung möglich ist und soweit neugriechische und hyperboräische Sprachelemente, die den deutschen Satzbau erst zu seiner ornamentalen Geltung bringen, mir nicht unüberwindliche Hindernisse in den Weg legen. Ich muß mindestens für den ersten Versuch um Nachsicht bitten. Mancher Stelle konnte ich nur mit einiger Freiheit der Auffassung beikommen; manche blieb unübersetzbar. Anderseits glaube ich nicht fehl zu gehen, wenn ich gewisse Bezeichnungen, die der Autor anzuwenden liebt, wie z. B. »Fritzenstaat« oder »Reussenkaiser« als Telegrammadressen auffasse und in solchen Fällen die Klarheit der Kürze vorziehe. Durchwegs aber möchte ich die Verantwortung ablehnen, wenn etwa mit der Fremdartigkeit auch der aparte Reiz einer Wendung verloren ginge.

Der vom württembergischen Wahlkreis Biberach Abgeordnete	Der Abgeordnete von Biberach
Der meininger Müller	Der Abgeordnete Müller-Meiningen
Der Heilbronner	Der Abgeordnete von Heilbronn
Freisinnshäuflein	Die Freisinnigen
Genossenfraktion	Die Sozialdemokraten

79

Wallotbräu	Deutscher Reichstag
Herr Gröber runzelt über dem Bartdickicht die Stirn	Herr Gröber, der einen dichten Bart hat, runzelt die Stirn
Wahrscheinlich, daß nur jähe Wut den schwäbischen Tort gebar	Wahrscheinlich, daß der schwäbische Abgeordnete nur im Zorn Unrecht tat
Wie Herr Landgerichtsrat Gröber, wenn er in Kätchens Heimat auf der Sella säße, darüber urteilen würde	Wie Herr Gröber als Richter in Heilbronn darüber urteilen würde
Die denunciatio des Herrn Müller	Die Denunziation des Herrn Müller
Korypho	Korfu
Die Stadt Konstantins	Konstantinopel
Den Sitz Konstantins erklettern	Den byzantinischen Thron besteigen
Die Beute des geflügelten Markuslöwen werden	Von Venedig besiegt werden
Johannes Zimiskes, der im cubiculum die brünstige Theophano umarmt, wehrt dem Romäerreich die Slavengefahr ab	?
Unter den Kalimafkon, dem prächtig wallenden Trauerschleier, verwest der Leib des von großen Kriegern und Organisatoren geschaffenen Staates	? ?
Von dem Basileus erbt der Zar der Moskowiter, der die Palaeologentochter freit, den Stirnreif des Konstantinos Monomachos	? ? ?
Der Kongreß der von Bonapartes Tatze zerstückten Europa	Der Wiener Kongreß

Ein vom deutschen Volk Abgeordneter	Ein deutscher Abgeordneter
Der vom Sultan Gesandte	Der türkische Gesandte
Das Tier mit den zwei Pigmentschichten unter der Chagrinhaut	Das Chamäleon
Die für den Kaiser gedeckte Tafel wird mit allen Wundern südlichen Lenzes geschmückt	An der Hoftafel wird junges Gemüse serviert

*

Unterm Wonnemond ein borussisches Sodom bezetern	Im Mai über preußische Sittenverderbtheit klagen
Onans Schatten schleicht durch Schulen und Internate	In Schulen und Internaten gehts zu
Schnellschreiber	Reporter
Der oft gebüttelte Milchmann Riedel	Der Milchhändler Riedel, der oft mit der Polizei zu tun hatte
Schritt vor Schritt	Schritt für Schritt
Die Kränkelnden	Die Päderasten
Der Skalde, Fasanenjäger und Krückensimulant wird mit seinem Girren dem Reich nicht mehr schaden	Fürst Eulenburg wird mit seinem süßlichen Wesen keinen Schaden mehr stiften
Vier Häupter sanken bleichend vom Rumpf	Vier Personen sind unmöglich gemacht
Unterm Sonnensegel den Lehren alter Geschichte nachträumen	Vor einem Zettelkasten seekrank werden

*

Auf dem Gerichtstisch der Kruzifixus	Auf dem Gerichtstisch das Kruzifix

Ein Wort den Hirnzentren einprägen	Ein Wort sich merken
Hundertmal ist aus keuchender Brust auf Eissprossen die Furcht in den Kopf geklettert, nicht zu dauern, bis all dies Grausig-Skurrile den Mitlebenden erzählt ist	?
In dem rotwangigen Weißkopf zitterts vor verhaltener Erregung	Bernstein ist aufgeregt
Der Antaios, der wieder auf heimischen Boden ringt	Bernstein plaidiert wieder in München
Ein gutmütiger Oberbayer, der Zunge und Faust nicht gern feiern läßt, wenn ihm ein Läuslein über die Leber gelaufen ist	Der resolute Milchhändler Riedel, der die Wahrheit sagen muß, wenn ihm Herr Harden über eine tiefer unten liegende Partie gelaufen ist
Ein Vergnügen, dem Mann zu lauschen. Hold wuchs ihm der Schnabel nicht; aber er ziert sich auch nicht und jedes Wort hat den Schmack des Erlebten	Er ist ein Grobian; aber wenn er erzählt, was er vor fünfundzwanzig Jahren erlebt hat, so lauscht jeder Schmock mit Vergnügen
Unser Richter sucht bei der Übertragung ins Hochdeutsche dem Wort seinen Wesensruch zu wahren	Mayer sucht bei der Übertragung ins Hochdeutsche dem Wort seinen wesentlichen Gestank zu wahren, was schwerer ist als bei der Übertragung ins Desperanto
Ungefähr dreißigmal haben Polizei und Gerichte ihn gepönt	Der Riedel ist leider vorbestraft
Nicht für schlimm makelnde Tat	Nicht für entehrende Handlungen (z. B. sexuelle)
Des Sexualtriebes Befriedigung hat die junge Seele schon gekitzelt	Der Riedel war keine Unschuld mehr

Er ging ins Zivile	Er quittierte
Der Zeigfinger	Der Zeigefinger
Der Feldafinger	Der Riedel
Seit diesen Vorgängen ist viel Wasser durchs Würmbett gelaufen	Lang, lang ist's her
Der in der Thurmstraße Gebietende	Isenbiel
»Was gings Dich an, Tropf, damischer?« fragt Frau Riedel	(Überaus seltene Dialektwendung der Grunewaldbauern, ähnlich nur noch bei den Kuhmägden von Mürzzuschlag, die bekanntlich seinerzeit über den Bezirkshauptmann Hervay sagten: »Der kann in der Brautnacht ein Mensch nicht von einer Jungfer unterscheiden und will im Mürzbezirk hier der Höchste sein!«)
Die Augen mühen sich, dem Ausfrager zu sagen: »Redst damisch daher, Tropf Du, eiskalter«	(Siehe oben)
Das Gehirn assoziiert im Gangliondunkel die Möglichkeiten	Der Fischerjackl hofft doch noch, daß nichts herauskommen wird
Wer scharf hinschaut, ahnt in dem ganglion ciliare die Furcht, hinter dem pupillarischen Spottversuch die bange Frage, was die nächste Minute wohl bringen könne	Dem Fischerjackl wird entrisch zu Mut
Die Herren, die vom Mann heischen, was dem Normalen das Weib gewährt	Die Homosexuellen
Vor Gericht die Spinatgartenschande ausspreiten	Als päderastischer Zeuge von Herrn Harden geführt werden

83

Das Ohr läßt von außen her keine Schallwelle durch das ovale Fenster ins knöcherne Labyrinth	Man hört nichts
Die Magennerven langen nach Futter	Man ist hungrig
Das Gefäß, dem ein Kindlein entbunden werden kann, mag Eifersucht bewachen	Auf eine Frau kann man eifersüchtig sein
Die im Pflichtbett lieblos gezeugte Brut	Die Kinder verheirateter Homosexueller
Die Gefühlsdominante bergen	Seine Anlage verheimlichen
Die weit von der Norm abbiegende Wesenskurve verhüllen	Den homosexuellen Trieb verbergen
Küsse, die von Gethsemane her unter Männern in Verruf sind	Judasküsse nach § 175
Im Hagestolzenheim, das dem Tarifeden einer Luxusdirne ähnelt, neben dem breiten Himmelbett das neuste Buch des just in die Mode gelotsten Sexualmystagogen haben	In seiner eleganten Junggesellenwohnung sich auch geistig beschäftigten (Tarifeden lies Tarif-Eden)
Soll der Schoß deutscher Frauen aus edel gezüchtetem, unerschöpftem Stamm verdorren, weil dem Herrn Gemahl Ephebenfleisch besser schmeckt?	Sollen die deutschen Hausfrauen unbefriedigt ausgehen, weil sie einem kultivierten Geschmack zu langweilig sind?
Der Ruch der Männerminne	Der Verdacht der Homosexualität
Der Justizrat fältelt die Wange	Bernstein wird nachdenklich
Britenfräuleinromane	Gouvernantenromane
Zwei Interviews aus der ersten Maidekade	Zwei Interviews vom Anfang Mai

Der Schänder ehrlich reifender Mannheit	Eulenburg
Die zurückgestaute Wahrheit stürzt über die Beinpfosten der Mundschleuße	Einer beeilt sich, auszusprechen was ist

DER PATRIOT [1]

Dies ist ein Bursch,
Der, einst gelobt um Gradheit, sich befleißt
Jetzt plumper Unverschämtheit und sein Wesen
Zu fremdem Schein zwängt: der kann nicht schmeicheln, der! –
Ein ehrlich, grad Gemüt – spricht nur die Wahrheit! –
Will man es sich gefallen lassen, gut; –
Wo nicht, so ist er grade. – Diese Art
Von Schelmen kenn' ich, die in solcher Gradheit
Mehr Arglist hüllen und verschmitzte Zwecke,
Als zwanzig fügsam untertän'ge Schranzen,
Die schmeichelnd ihre Pflicht noch überbieten.

Shakespeare.

In den bangen Tagen, die jüngst das deutsche Vaterland
durchlebt hat, weil die Lust zum Fabulieren die Fähigkeit
zum Regieren ernstlich in Frage zu stellen schien, ist es doch
einer Beruhigung froh geworden: Fest steht und treu Herr
Maximilian Harden. Denn wenn auch Deutschlands Gewissen nicht mehr zwischen den Wipfeln des Sachsenwaldes
webt, so macht es dafür den Grunewald zur Sehenswürdig-
keit, und wenn Deutschlands politische Weisheit nicht mehr
einer Schöpferkraft entstammt, so ist sie doch eine jener An-
lagen, die dem Schutze des Publikums empfohlen sind. Uns

[1] Herr Maximilian Harden hatte nach der Affäre des englischen Interviews in Berlin einen
Vortrag gehalten, in welchem er nebenbei auch gegen den ›Simplicissimus‹ auftrat und die
Tendenzlüge von dessen »französischer Ausgabe« weitergab. Ludwig Thoma antwortete im
›Berliner Tageblatt‹ und erbot sich, als Herr Harden dabei blieb, zu einem dokumenta-
rischen Gegenbeweis. Die Berliner ›Zeit am Morgen‹ (23. November) schrieb: »In seinem
Antwortartikel gegen Ludwig Thoma versichert Harden treuherzig, daß er ›das Blatt nicht
mehr ganz so gern wie früher sehe‹. Woran mag das liegen? Man revidiert ein wenig den
Zettelkasten des Gedächtnisses und entsinnt sich des Umstandes, daß der ›Simplicissimus‹
seit geraumer Zeit einen Mann zum Mitarbeiter hat, den Max partout nicht leiden mag.
Es ist dies der Österreicher Karl Kraus, der in Wien die ›Fackel‹ herausgibt und in diesem Organ sowohl wie in einigen Sonderschriften die publizistische Persönlichkeit Herrn
Hardens, den er sehr genau kennt, mit den Röntgenstrahlen eines scharfen Kritikergeistes
nach jeder Richtung hin durchleuchtete. So kam es, daß Herr Harden vor weiteren Kreisen
in erbarmungswürdiger Blöße erschien. Als nun Karl Kraus diese Kreise noch weiter zu
ziehen begann, und Ludwig Thoma ihm den ›Simplicissimus‹ und auch den ›März‹ er-
schloß, da begann sich in Herrn Harden jener geheimnisvolle Prozeß vorzubereiten, den er
in seiner Erwiderung an Thoma mit den treuherzigen Worten kennzeichnet, daß er das
Blatt ›nicht mehr ganz so gern sehe, wie früher‹. Man kanns begreifen!« Diese Deutung
eines patriotischen Grolls ließ mich das Vergnügen eines Eintretens in die Sache zugleich
als Pflicht empfinden.

lebt ein eiserner Journalist. Das ist einer, der wie Lassalle ausspricht, was ist, und wie Bismarck, was sein soll. Der Einfachheit halber aber läßt er gleich Bismarck selbst sprechen, und weil es keine Möglichkeit einer politischen Situation gibt, über welche sich dieser mit ihm nicht beraten hätte, so gewöhnen sich die Deutschen an einen Zustand, wo sie den Hingang des eisernen Kanzlers überhaupt nicht mehr spüren. Ob freilich Bismarck, als er die Flasche Steinberger Kabinet mit Herrn Harden teilte, mehr den Gast ehren oder den Spender kränken wollte, ist bis heute nicht festgestellt, und es ist nur sicher, daß er mit der Verabreichung der Tasse »Vanilleneis« eine demonstrative Auszeichnung der publizistischen Eigenart des Herrn Harden im Sinne hatte. Diese Gelegenheiten böten aber für die Fülle politischer Vertraulichkeit, die der Hausherr dem schüchternen Gast aufgenötigt hat, keinen Raum, und so bleibt nichts übrig als die Vermutung, daß Fürst Bismarck nach dem Hausverbot, welches aus dem Sachsenwald an Herrn Harden ergangen war, ihn im Grunewald aufgesucht und ihm jene Bismarck-Worte zugetragen hat, deren Echtheit uns im Zeitalter der Surrogate immer von neuem frappiert. Da aber Bismarck viel mehr gesprochen haben muß, als Herr Harden verrät, und die letzten Lebensjahre des Fürsten kaum ausgereicht hätten, auch nur so viel zu sagen, als Herr Harden gehört haben will, so muß man zu der Erklärung greifen, daß selbst der Tod den Kanzler nicht davon abgehalten hat, mit dem Altreichsjournalisten jene trauliche Zwiesprach zu pflegen, die ihm nun einmal zur Gepflogenheit geworden war. Und so erleben wir Deutschen, die Gott, aber sonst nichts in der Welt fürchten, das grausige Schauspiel, wie ein Toter die Ruhe eines Lebendigen stört, glauben zuweilen, daß der Tote im Grunewald sitzt und der Lebende im Sachsenwald liegt, und aus der Verwirrung der Sinne hilft uns nur die Anwendung eines weisen Spruches: Wenn ein Sarg und ein Zettelkasten zusammenstoßen, und es klingt hohl, so muß nicht immer der Sarg daran schuld sein.

Trotz alledem wird es dem Andenken Bismarcks, der bloß

ein Mißvergnügter war, nicht gelingen, die Taten des Herrn
Harden, der ein Patriot ist, zu kompromittieren. Denn es
gibt gottseidank noch einen Fürsten, der der Lebensanschauung des Herausgebers der ›Zukunft‹ näher steht als Bismarck, und das ist der Fürst Eulenburg. Man kann es ja
heute sagen, daß die Kränklichkeit dieses Staatsmannes der
Individualität des Herrn Maximilian Harden einen weit
größeren Dienst erwiesen hat als der Tod Bismarcks. Nur
ein Jahr lang stand Herr Harden im Banne der Normwidrigkeit jenes Mannes, dem er bis dahin nichts weiter vorzuwerfen hatte, als daß er in den Zeiten politischer Not beinahe so schlechte Gedichte gemacht hat wie die lyrischen
Mitarbeiter der ›Zukunft‹. Aber wir wissen, was dann weiter
geschah, wie die Wahrheit nach fünfundzwanzig Jahren an
den Tag kam, und wie die deutsche Nation sich freute, weil
sie zwei solche Kerle wie den Riedel und den Fischerjackl
hatte. Durch alle diese Aktionen, zu deren geistiger Deckung
die Inspiration eines Bismarck nicht ausgereicht hätte und
darum ein Detektivbureau herangezogen werden mußte,
zieht sich wie ein schwarz-weiß-roter Faden der Patriotismus des Herrn Maximilian Harden. Nicht um ein erotisches
Privatvergnügen oder gar die Sensationslust unbeteiligter
Abonnenten zu befriedigen, nein, für das Vaterland hat er
sich unter den Betten der Adlervillen und der Starnberger
Hotels gewälzt. Ein Commis Voyeur ist durch Deutschland
gezogen, aber er hat das Erlebte, Erlauschte, Erlogene mit
staatsretterischer Gebärde offeriert. Wer sollte glauben, daß
es ihm darauf ankam, dem Skandal zu opfern, ihm, der den
Skandal nicht scheute, um dem Vaterland zu opfern, und
der um der Ehre willen sogar einen Mehrgewinn seines
Blattes nicht gescheut hat? Daß ihm der Skandal nicht Selbstzweck war, sondern bloß die Mittel zum Zweck hereinbrachte,
beweist er gerade jetzt, da er der Politik der offenen Hosen-
tür endlich entsagt hat und den Fürsten Eulenburg einen
lahmen Mann sein läßt. Und in der Tat, seit dem Augenblick, da dieser den Diener Dandl – Herr Harden verzichtet
heute auf solche Alliterationen – ans Bein faßte, hat kein

politisches Ereignis so sehr die Wachsamkeit des Vater-
landsfreundes herausgefordert und so dringend an die Pflicht,
auszusprechen, was ist, gemahnt als das kaiserliche Inter-
view. Wenn man den Opfermut, mit dem er sich auf ein
steuerloses Schiff stellt, unbefangen betrachtet, muß man sogar zu der Meinung neigen, daß für Herrn Harden heute
die Frage, ob der Wille eines Monarchen auf die bekannten
ministeriellen Bekleidungsstücke verzichten darf, eine wichtigere Sorge bedeutet als selbst die Frage, ob Graf Moltke
mit Unterhosen sich ins Ehebett gelegt hat. Ja, hol mich der
Teufel, Herr Harden scheint überzeugt zu sein, daß ein
Eigenwille dem Reiche größeren Schaden zufügt als eine
Willfährigkeit, die den Einfluß einer normwidrigen Hof-
gesellschaft duldet. Das ist nur konsequent. Herr Harden
hat den Kaiser von seinem Umgang befreit, jetzt ist es an
ihm, den Kaiser vor den Gefahren des Alleinseins zu war-
nen. Was immer er aber für das Wohl des Landes unternehmen mag, er ist mit der gleichen Ehrlichkeit eines Kent
bei der Sache. Der kann nicht schmeicheln, der! Ob er nach
Schranzen sticht oder königlichem Zorn die Brust darbietet,
ob er Männerstolz vor Königsthronen offeriert oder Königs-
stolz vor Männerliebe behütet, er handelt stets in Wahrnehmung berechtigter Interessen. Und nicht etwa solcher, wie
sie das Reichsgericht in wiederholten Entscheidungen anerkannt hat, indem es sagte, die einzig berechtigten Interessen
eines Publizisten seien die seines geschäftlichen Vorteils.
Was aber ist ein Patriot? Wir wollen eine Entscheidung der
allerhöchsten Instanz provozieren: des kulturellen Scham-
gefühls. Diese Instanz hatte mit Herrn Harden noch nichts
zu schaffen, sie ist unbefangen. Sie sagt: So wie das religiöse
Gefühl der meisten Frommen sich erst bekundet, wenn es
verletzt wird, so liegt auch der Patriotismus der meisten Patrioten auf der Lauer der Gelegenheit, gekränkt zu sein. Der
Sprachgebrauch, der davon spricht, daß einer, der leicht zu
beleidigen ist, »gern« beleidigt ist, hat Recht. Das religiöse
und das patriotische Gefühl lieben nichts so sehr wie ihre
Kränkung. Will nun Herr Maximilian Harden als ein echter

Patriot dastehen, von dem die schwarz-weiß-rote Farbe auch dann nicht heruntergeht, wenn man ihn in seine eigene schmutzige Wäsche nimmt, so muß er vor allem die Gelegenheit suchen, die Verletzung seines patriotischen Gefühls durch andere zu beklagen. Der wahre Patriot liebt zwar das Vaterland, aber er würde selbst das Vaterland opfern, um jene hassen zu dürfen, die das Vaterland nicht lieben oder nicht auf dieselbe Art lieben wie er. Der wahre Patriot ist immer ein Denunziant der Vaterlandslosen, wie der wahre Christ ein Denunziant der Gottlosen ist. Den Hut vor der Monstranz zu ziehen, ist bei weitem kein so schönes Verdienst wie ihn jenen vom Kopfe zu schlagen, die kurzsichtig oder andersgläubig sind. Zwischen Monstranz und Monstration liegt ein Spielraum für populäre Möglichkeiten, den kein Demagoge des Glaubens und kein Pfaffe der Politik je ungenützt ließ. Herr Harden hat das wirksamste Mittel gefunden, um seinen Patriotismus vor allen gläubigen Gemütern zu legitimieren. Denn es waren Zweifel aufgetaucht. Die Normwidrigkeit deutscher Höflinge in Ehren, aber man hatte sich öfter gefragt, ob ein Patriotismus sich in der Wahl seiner Mittel nicht doch vergriffen habe, der dem Blick der schadenfrohen Nachbarn eine so abscheuliche Perspektive durch das Loch der Vogesen eröffnet hat. Da besteigt Herr Harden mit einem unwiderleglichen Argument zum Beweise seiner vaterlandsfreundlichen Gesinnung die Tribüne: Der ›Simplicissimus‹, ruft er, hat eine französische Ausgabe! Und durch sie könnte der Erbfeind ein ungünstiges Bild von dem Geistesleben deutscher Offiziere bekommen. Das sei der bare Landesverrat. Denn so notwendig es war, Europa über die Geschlechtssitten der deutschen Armee reinen Wein einzuschenken, so indiskret ist es, über das Bildungsniveau des Reserveleutnants Mitteilungen ins Ausland gelangen zu lassen.

Als ich dieses Argument für die Echtheit eines Patriotismus, dem auch ich bis dahin mißtraut hatte, vernahm, war meine Freude groß. Schon deshalb, weil Herr Maximilian Harden, der der Rede mächtiger ist als der Schrift, es vorgezogen hatte, den Beweis seiner patriotischen Leistungsfähigkeit einem Auditorium statt einer Leserschar zuzumuten. Denn wäre dieser Beweis in der ›Zukunft‹ geführt worden, so hätte ich die Mühe der Übersetzung in eine Herrn Harden fremde Sprache gehabt, und von dieser Aufgabe könnte ich nur sagen, daß ich es mir immerhin leichter und dankbarer vorstelle, den Text des ›Simplicissimus‹ ins Französische zu übersetzen. Geschähe es doch! Ich bin ein schlechter Verteidiger gegen den Vorwurf, daß einer Landesverrat begehe, wenn er Humor verbreitet oder wenn er eine künstlerische Sprachleistung Lesern zugänglich macht, deren Sprache für künstlerische Leistungen eigens erschaffen ist. Ich kann das Pathos nicht aufbringen, Herrn Harden einer Verleumdung zu beschuldigen, wenn er fälschlich behauptet hat, der ›Simplicissimus‹ veranstalte eine französische Ausgabe. Ich habe weder für die Ausfuhrverbote des Geistes noch für die Zollschranken der Kultur jenes Verständnis, das notwendig wäre, um die Behauptungen des Herrn Harden als ehrverletzend zu empfinden. Ich müßte seine Entrüstung teilen, um ihre Ursache mit Vehemenz zu bestreiten, und ich müßte einen vaterländischen Stolz begreifen, der seinen Manschettenknöpfen einen Siegeslauf um die Welt ersehnt, aber seinen Satiren das »made in Germany« verübelt. Sie sollen im Lande bleiben, wenn sie sich redlich von den Übelständen der Heimat nähren. Aber das ist schließlich der Mahnruf aller kritischen Nachtwächter, die es noch nie verstanden haben, daß man von der Kunst auch etwas anderes beziehen könne als Tendenzen und stoffliche Reize. Und ich sehe nicht ein, warum ich einem eine Unwahrheit nachweisen soll, wenn ich ihn einer Unwahrhaftigkeit beschuldigen kann. Ich würde Herrn Maximilian Harden die kitschige Gemeinheit seines Arguments mit demselben Hochmut vor die Füße werfen, wenn die französische Ausgabe des ›Simplicissimus‹ bestünde, wenn sie sich nicht auf die Übersetzung der paar Illustrationswitze reduzierte, mit der deutsche Satiriker ihren französischen Kunstgenossen gefällig sein wollten und die auf 650 Exemplaren einer angeklebten Schleife das deutsche Ansehen im Ausland gefährdet. Gäb's eine richtige französische Ausgabe, ich würde trotzdem die äußerste Geringschätzung für einen Agitator übrig haben, der den Blick der Weinreisenden von seiner eigenen politischen Schande abzulenken sucht, indem er vor ihnen die künstlerische Ehre des Andern in eine politische Schande verwandelt. In den Kehricht des deutschen Geistes mit ihm! Und daß er nie wieder mit vorgeschützten Kulturinteressen uns belästige, uns, denen vor Europa eine Produzierung zeichnerischer Kunstwerke wahrlich besser anstünde als die literarischen Offenbarungen sexueller Spionage. Hätten wir die Wahl, einer kultivierten Welt die Satiren der Heine und Gulbransson oder den speckigen Ernst eines Leitartikels zu unterbreiten, die Lumpenhülle der Kunst eines Rudolf Wilke oder den stilistischen Prunk, in dem die schäbigsten Wahrheiten einer deutschen Publizistik einherstolzieren, einen Thönyschen Leutnant oder einen Harden'schen Flügeladjutanten –: ich wüßte bei solcher Wahl, welches Erzeugnis deutschen Geistes ich getrost ins Ausland schicken wollte, um dessen Achtung zu gewinnen, und ich wüßte, in welchem Falle ich ein Patriot wäre!

Beklagen wir es, daß solche Entscheidung nie ermöglicht wurde. Der ›Simplicissimus‹ hat, wie wir durch die Aufklärung Ludwig Thomas gehört haben, die geschäftlich verlockendsten Anerbietungen abgelehnt, und so erfahren die Franzosen, die uns ihre Witzblätter in hunderttausenden Exemplaren herüberschicken, aus unserem Geistesleben leider nur dann etwas, wenn Herr Harden in einem seiner Sexualprozesse beweisen will, was er nicht behauptet hat, oder behauptet, was er nicht beweisen kann. So bleibt es ausschließlich Herrn Harden vergönnt, zu tun, was er dem ›Simplicissimus‹ nachsagt: die Scham seines Volkes zu entblößen, um seine Einnahmsmöglichkeit zu vergrößern. So bleibt es Herrn Harden vorbehalten, seine Angriffe auf die hintere Linie der deutschen Schlachtordnung im Angesicht des Auslandes zu verüben und den Interviewern des ›Matin‹ in spaltenlanger Rede zu versichern, daß er Material gehabt habe, Material habe und Material noch haben werde, bis der Termin des jüngsten Gerichtes anbricht. Er mag sich für einen deutschen Patrioten halten, weil die Franzosen bloß seine Reden und nicht auch seine Schriften zu übersetzen vermocht haben, und wir wiederum wüßten nichts von der unpatriotischen Gesinnung des ›Simplicissimus‹, wenn Herr Harden es vorgezogen hätte, darüber zu schreiben, statt darüber zu sprechen. Aber er wollte verstanden werden, er wollte jene Instinkte gewinnen, zu denen man auf stilistischen Stelzen nicht gelangen kann. Unpopulär zu sein, dieses Schicksal teilt der Umworter aller Worte mit jenen, die die Menge mit Gedanken in Versuchung führen. Will Herr Harden lügen, wie ihm der Schnabel gewachsen ist, dann steigt er auf das Podium und heimst für den Verzicht auf die höhere Bildung und auf das Recht, den November Nebelmond und den König von England King zu nennen, jene Lorbeern ein, die er seit den Tagen von Moabit so schwer entbehrt hat. Hätte er in seiner ›Zukunft‹ etwa beteuert, daß der ›Simplicissimus‹ Mariannens lüsternem Blick die Scham germanischen Wesens, des vom Dünkel der Gewaffneten mählich nur in die Zucht des Fritzenstaates gekirrten, mit flinkem Finger entblößt habe . . . ach, ich hätte mich erbarmen und wieder einmal aussprechen müssen, was ist. Ich freue mich also, daß Herr Harden es uns diesmal so leicht gemacht hat, die Schwäche seiner moralischen Hemmungen zu empfinden. Wenn er erweislich Wahres sagt, kommen wir ihm nur schwer darauf; wenn er lügt, verstehen wir ihn sofort. Aber wer einmal lügt, glaubt einem andern nicht, und wenn der auch die Wahrheit spricht. Was Herr Harden vorgebracht hatte, wurde von Thoma glatt in Abrede gestellt, er hätte also etwa zugeben müssen, daß »der Stank schnell verflog«. Aber man müßte »seines Wesens Ruch« nicht kennen, wenn man es verwunderlich fände, daß er nun erst mit der Festigkeit eines Galilei an seiner Entdeckung festzuhalten begann. Und es gibt doch eine französische Ausgabe! Er hat eine gesehen! Waren nicht hundert Lügen gegen eine Wahrheit zu wetten, daß Herr Harden sich auf die Friedensnummer, die unter dem Titel »Paix à la France« im Jahre 1905 erschien, berufen würde? Thoma war abgeführt; denn: »die Behauptung, es habe nie eine französische Ausgabe des ›Simplicissimus‹ gegeben, ist also unrichtig«. Ist sie's?, muß man sofort im feinpolemischen Fragestil des Herrn Harden hinzusetzen. Die Entblößung der deutschen Armee vor dem Ausland beweist er folgerichtig durch jene Publikation des ›Simplicissimus‹, die eine Propaganda der Abrüstung bezweckt hat. Einer behauptet, daß ich meine Hausfrau verraten habe, weil ich meiner Nachbarin erzählte, daß sie Wanzen beherberge, und meint, es gehe nicht an, die eigene Hausfrau in den Augen der Nachbarin herabzusetzen. Ich antworte, daß ich dergleichen nie getan habe. So?, sagt er, zufällig kann ich beweisen, daß du einmal bei der Nachbarin warst und mit ihr über deine Teppiche gesprochen hast. Und das stimmt wirklich, denn das war damals, als ich sie für eine gemeinsame Aktion zur Teppichreinigung gewinnen wollte . . . Herr Harden ist ein Ehrenmann mit logischen Unterbrechungen. Und er wird so lange bei seinem Argument bleiben, als dessen Billigkeit ihn mit dessen Nichtigkeit versöhnt und in den Augen deutscher Spießer zum ehrlichen Manne macht. Denn es muß ein verflucht angenehmes Gefühl sein, das Odium eines Polizeihundes, der auf homosexuelle Tiergartenabenteuer geht, mit dem Ruf eines Wächters am Rhein vertauschen zu dürfen, der anschlägt, wenn ein Satiriker vorbei will.

Zum heuchlerischen Alarm ist da und dort Gelegenheit; aber so sehr es der Bürger liebt, wenn ihm die Moral gerettet wird, noch mehr staunt er die Bravour des Tapferen an, der ihm das Vaterland rettet. Und das zweite Problem ist umso interessanter, als es neben der politischen Spannung auch wieder Gelegenheit für eine moralische Kunstfertigkeit bietet. Die ahnungslosen Deutschen sitzen in einem Biergarten, da steigt Herr Harden auf einen Sessel und wird seine Leistungsfähigkeit zeigen; vorerst aber bittet er die Herrschaften »um ein kleines Trinkgeld oder Douceur«; – die französische Übersetzung ist bei der Ansprache der Trapezkünstler üblich und wird ihnen nicht als unpatriotisch ausgelegt. Und Herr Harden versichert den angenehm überraschten Biertrinkern, daß ihn die »Tat« des ›Simplicissimus‹, der den 650 Exemplaren eine Schleife mit fünf französischen Zeilen beigeheftet hat, »unverzeihlich dünkt, so unverzeihlich wie das Handeln eines, der eine schmähliche oder lächerliche Familiengeschichte in die Zeitung bringt . . . Süd oder Nord: die Deutschen sollen sich als einer Familie angehörig fühlen und die Darstellung der traurigen oder lächerlichen Mißstände, die im Familienhaus leider noch fühlbar sind, nicht selbst den Fremden zum Kauf anbieten«. Die Besucher sind entzückt, geben ein Trinkgeld und kein Douceur, und alle stehen im Bann einer erstklassigen akrobatischen Leistung, die den patriotischen Bauchaufschwung mit dem großen salto morale vereinigt. Nur einer im Hintergrund ruft: Eulenburg! . . Er will damit sagen, daß er den Artisten schon von früher her kennt und daß ihm die Methode, mit der Moral Politik zu machen, schon damals Übelkeit erregt hat, als die Moral noch kein Gleichnis, sondern die Sphäre selbst bedeutet hat. Herr Harden, der sonst Familiengeschichten um ihrer selbst willen preisgibt, macht diesmal mit der Politik Moral. Der Besucher mit Gedächtnis will sein Mißbehagen ausdrükken, daß Herr Harden die Erinnerung an eine Produktion heraufbeschwöre, die ihm beinahe den Hals gekostet hätte. Denn daß einer ein Jahr lang nichts anderes tat, als die Geheimnisse fremder Betten zu lüften und den Familienfrieden derer von Sokrates bis Lynar zu zerstören, war eine stärkere Gesinnungsprobe, als ein durchschnittlicher Moralheuchler eigentlich nötig hat. Aber daß er es dann als eine unverzeihliche Handlung brandmarkt, schmähliche oder lächerliche Familiengeschichten in die Zeitung zu bringen, ist bereits eine Fleißaufgabe der Scheinheiligkeit. Freilich verwahrt er sich dagegen, daß man die sittlichen Wirkungen seiner Aktion mit der Erschütterung des deutschen Ansehens durch die Übersetzung der Simplicissimus-Witze vergleiche. Hat denn Herr Harden »sein Beweismaterial in einer Weltverkehrssprache veröffentlicht«? Das hat er, wenn man von den Interviews in der französischen Presse absieht, weiß Gott nicht getan, er hat es nur auf Desperanto getan, und trotzdem ist »durch sein Reinigungswerk das deutsche Ansehen wesentlich gebessert« worden. Die Welt hat also davon erfahren, es hat ihr imponiert, und es kommt offenbar auf den Kredit dessen an, der ein Reinigungswerk vornimmt. Der ›Simplicissimus‹ kann sich gewiß nicht auf die Anerkennung des deutschen Botschafters in den Vereinigten Staaten, des Barons Speck v. Sternburg berufen, gleich Herrn Harden, dem dieser bestätigt hat, daß alle führenden Männer in Amerika des Lobes voll waren. Er ist tot, er starb, nachdem er Herrn Harden seine Anerkennung ausgesprochen hatte. Er teilte das Schicksal aller bedeutenden Männer, die sich auf ihre Vertraulichkeit mit Herrn Harden etwas zugute taten. Qui mange du pape, en meurt. Aber essen die Leser von diesem Speck? Möglich, daß der tote Botschafter Herrn Harden anerkannt hat, aber es fehlt uns eben der Glaube. Denn es kommt auch beim Ansehen des Herrn Harden im Ausland, wie in allen Lebensproblemen, weniger auf das erweislich Wahre, als auf die innere Wahrscheinlichkeit an.

Wie umständlich muß heute ein deutscher Patriot seine Ehrlichkeit beweisen, damit sie die Welt nicht glaubt! Man verdächtigt die Motive des Herrn Harden, die ihre Ursprünglichkeit an der Stirn tragen. Man ist nicht einmal vorweg davon überzeugt, daß er in die Volksversammlung kam, um den künstlerischen Wert des ›Simplicissimus‹ zu loben, und daß ihm »erst während er sprach, einfiel, daß dieses Lob als ein auch der Geschäftspolitik des Blattes geltendes gedeutet werden könnte«. Weil ihm dies erst während er sprach, zufällig einfiel, deshalb, nur deshalb sagte er, »daß er das Blatt nicht mehr ganz so gern wie früher sehe«, und brachte auch die französische Ausgabe zur Sprache. Anstatt daß man nun der spontanen Natur des Herrn Harden, deren Unberechenbarkeit heute nur noch im Wesen einer einzigen Persönlichkeit in Deutschland ihresgleichen hat, Gerechtigkeit widerfahren läßt, anstatt daß man zugleich eine Besonnenheit anerkennt, durch die sich wieder ein Temperament im letzten

Augenblick Zügel anzulegen vermag, behaupten die Feinde, der Tadel des ›Simplicissimus‹ sei nicht von der Gerechtigkeit der Liebe, sondern das Lob sei von der Taktik des Hasses diktiert worden, und der Wandel in der Ansicht des Herrn Harden sei nicht dem verletzten patriotischen Gefühl zuzuschreiben, sondern der verletzten Eitelkeit. Daß die Welt das Strahlende zu schwärzen liebt, ist bekannt, aber es ist besonders undankbar von der Welt, wenn sie diese Praxis gegenüber einem Manne betätigt, der sich so gern an die Welt wendet. Müssen solche Erlebnisse nicht schließlich zur Vereinsamung der Demagogen führen? Mit ungerechter Rauheit sehen wir da ein Berliner Blatt in ein naives Seelenleben greifen, wenn es dreist behauptet, der Wandel in der Ansicht des Herrn Harden über den ›Simplicissimus‹ sei auf meine Mitarbeit am ›Simplicissimus‹ zurückzuführen. Wärs möglich? Wäre ich wirklich schuld? Aber da es behauptet wird, so fühlt mein Magen auch noch eine moralische Verpflichtung, sich bei der patriotischen Zubereitung einer aufgewärmten Ranküne mit allen anderen deutschen Magen umzudrehen.

Wenn ich schuld bin, muß ichs auf mich nehmen, und tue es vor der ganzen Öffentlichkeit mit jener freudigen Bereitschaft, die Herr Harden an mir schon gewohnt ist. Daß ich bloß als Mitarbeiter des von ihm beschimpften ›Simplicissimus‹ das Wort führe, mag er behaupten, wenn er sich seinerseits darauf verlegen will, die Motive einer Aussprache zu verdächtigen. Ich würde mich zu meiner Konsequenz so gut bekennen, wie zu jenem Widerspruch, dessen die aufrechten Männer mich damals beschuldigt haben, als ich nach einer Polemik gegen den ›Simplicissimus‹ mich durch Mitarbeit zu ihm bekannte. Was ich einmal – mit höherer Achtung vor dessen künstlerischem Wert als Herr Harden – gegen den ›Simplicissimus‹ einzuwenden hatte, das hat meine Subjektivität eingewendet, die von Zugeständnissen an den Geschmack des Publikums nichts wissen will und deren luxuriöses Recht ich nur mir selbst zugestehen darf. Keinen besseren Beweis seines Verständnisses für solch unerbittliche

Kunstauffassung konnte der ›Simplicissimus‹ erbringen, als durch Einladung eines Autors, dessen Beiträge sicherlich kein Zugeständnis an den Geschmack des Publikums bedeuten; und in keinem ehrlicheren Krieg der Meinungen ist je ein ehrlicherer Friede geschlossen worden. Wenn er aber den unehrlichen Krieg des Herrn Maximilian Harden gegen den ›Simplicissimus‹ eröffnet hat, so lasse ich es mir gefallen, daß man meinen Angriff auf den Angreifer als die Erfüllung einer Bündnispflicht deutet. Ich habe oft genug bewiesen, daß ich keines anderen Winks bedarf, um gegen diese publizistische Macht mobil zu sein, als eines Blickes in die ›Zukunft‹, und wer mich kennt, wird mir glauben, daß ein patriotisches Bekenntnis des Herrn Maximilian Harden durchaus genügt hat, um mich in den alten Zustand der Feindseligkeit zu versetzen. Vollends im Angesicht des Versuchs, die Tribüne zu erobern und zum Paradeplatz für eine Gesinnung zu machen, deren populäres Verständnis die Sprache des Literaten so lange gehemmt hat. Daß Herr Harden die Zeit für solche Veränderung seiner Operationsbasis gekommen sieht und daß er so verpönte Hilfsmittel nicht verschmäht, ist ein Beweis, wie hoch er den Verlust an publizistischer Ehre einschätzt, den er erlitten, und wie sehr die Eulenburg-Kampagne sein Ansehen im Inland herabgesetzt hat. Wahrlich, groß ist der Schaden, der sich auf allen Seiten ergibt. Und wenn wir an Frankreich fünf Milliarden Simplicissimus-Witze bezahlten, die Niederlage könnte nicht größer sein. Deutschland steht vor der Welt als ein Staat da, dessen Mannschaft durch Selbstmord dezimiert und infolge gewisser Schwierigkeiten der Fortpflanzung nicht ergänzt wird. Dem Riedel, dem »aufrechten Milchmann«, haben die besseren Leute die Milch abbestellt. Und einem aufrechten Publizisten bleibt nichts übrig, als Patriot zu werden.

In der Reihe der Übersetzungen, durch die man die Meister-
werke der fremdsprachigen Literatur dem deutschen Leser-
publikum zugänglich zu machen sucht, hat bis heute eine
verständnisvolle Bearbeitung der Prosa Maximilian Hardens gefehlt. Immer war es nur ein kleiner Kreis von Lieb-
habern, der die Arbeiten dieses interessanten Schriftstellers,
der wie kein zweiter den Ziergarten einer tropischen Kultur
von Stilblüten und Lesefrüchten gepflegt hat, durchaus zu
genießen imstande war. Die Schwierigkeiten des sprachlichen Erfassens mußten sich hier um so schmerzlicher fühlbar machen, je populärer die Gegenstände wurden, die unserem Autor am Herzen liegen, und je weiter sich das Gebiet
eines vielseitigen Wissens auszudehnen begann, dem heute,
wie man ohne Übertreibung behaupten kann, zwischen der
Homosexualität und der Luftschiffahrt nichts Menschliches
fremd ist. Die Erkenntnis, daß heutigen Tages jeder, der nur
deutsch schreiben kann, seinen Zulauf findet, während hier
eine wahre Fülle geistiger Schätze ungehoben liegen muß,
brachte mich zu dem Entschlusse, ein Lexikon anzulegen, das
deutschen Lesern als ein Führer auf den verschlungenen
Pfaden einer Prosa dienen soll, deren Schönheiten sie bis
heute gewiß öfter geahnt als genossen haben. Es ist hohe
Zeit, daß solche, die von der geistigen und kulturellen Potenz des Autors bisher nur überzeugt waren, sich von ihr
auch angeheimelt fühlen. Gerne wird man mir eine Nachsicht gewähren, die einem Versuche auf unerforschtem Gebiet unter allen Umständen zugute kommen muß. In der
Übersetzungsprobe, die ich gebe, dürfen selbst Lücken nicht
allzu rigoros beurteilt werden. Mancher Stelle konnte ich
nur mit einiger Freiheit der Auffassung beikommen; manche blieb unübersetzbar. Vorweg aber möchte ich die Verantwortung für die Möglichkeit ablehnen, daß hier und dort
mit der Fremdartigkeit einer Wendung auch deren künstlerische Schönheit genommen wäre. Eine Übersetzung aus
dieser Sprache wird wohl ihren Zweck erfüllt haben, wenn

es ihr, selbst unter Preisgabe des dichterischen Momentes, gelungen ist, den Sinn der Darstellung für das Verständnis zu retten. Daß meine Übersetzung die in Deutschland einzig autorisierte ist, brauche ich wohl nicht erst hervorzuheben.

Der Fahrenheidzögling	Eulenburg
Der Adlerritter	Eulenburg
Der von den alten Feinden aus der Holzpapierwelt plötzlich Gehätschelte	Eulenburg, für den sich plötzlich lich die Presse wieder einsetzt
Die Legende der Grotta Azzurra	Die Gerüchte über Krupp
Ein Thronender	Ein Monarch
Iphigeniens Schöpfer, der in langem Erleben nicht oft einen Freund gefunden hat	Goethe, der in einem langen Leben nicht viel Freunde gehabt hat
Der brave Bill	Shakespeare
Der wilde Georg	Riedel
Er hat auf einem Bau gefront	Er war Bauarbeiter
Der Stank verfliegt schnell	Das Gerücht erweist sich als haltlos
Wer dem verführten Mädchen aus voller Kasse des Lebens Notdurft bezahlt	Der Aushälter
Noch wissen zwei zum Wahrspruch berufene Männer nicht, was in der Isarau geschehen ist	Zwei Geschworenen scheint die Starnberger Geschichte noch immer nicht glaubhaft
Eine, die sich dem Herd verlobt hat	Eine Hausfrau
Sie küßt ihn, dem Angstschweiß die Haarwurzeln feuchtet, mit heißer Lippe rasch, wie einst, aufs Ohr, während der Eheherr Zigarren aus dem Rauchzimmer holt	Charakterbild einer Buhlerin

Der Klavierträger Schömmer, den ein Herrn Phili eng befreundeter Graf in einem starnberger Hotel zu Homosexualbefriedigung verführt hat und der durchs Guckloch einer verschlossenen Tür die beiden Grafen dann gepaart sah	Ein Kampfgenosse des Herrn Harden
Als er den Diener Dandl ans Bein faßte	Datum in der preußischen Geschichte
Der verirrte Geschlechtstrieb scheut so ängstlich das Licht, daß selbst in die Polizeiakten meist nur Gerüchte sickern	Alles menschliche Wissen ist begrenzt
Der schwache Widerhall seines Leugnens kann die dröhnende Stimme der Wahrheit nicht übertönen	Er hat den Diener Dandl doch ans Bein gefaßt!
Niemand hat den Fischermeister bedrängt; der Richter ihm väterlich zugesprochen und Zeit zur Sammlung angeboten; der Anwalt nicht eindringlicher gemahnt, als jeden Tag hundert Ankläger und Verteidiger tun; einmal nur, mit leiser Stimme, ihn aufgefordert, nicht durch Verschweigen des Wesentlichsten sich selbst ins Zuchthaus zu bringen (Seite 169) Doch Philipp kennt seinen Jakob. Den kranken, schwerhörigen, scheuen Menschen, dem die Zeugenpflicht ein Martyrium ist, der immer noch der so lange angestaunten Macht des Herrn zu erliegen fürchtet und keine Silbe, keine Vorgangs-	Der Fischerjackl hat unter Daumschrauben freiwillig die Wahrheit gesagt

schilderung herausbringt, die nicht mit den Zangen der Inquisition aus seinem dunklen Hirn geholt ward (Seite 170)	
Unter dem Heumond	Im Juli
Der Phrasenspuk, der so lange schon das Ohr täubt	Das Gerede, das so lange schon das Ohr betäubt
Als Bismarck ins Sachsenwaldhaus geschickt war	Als Bismarck demissioniert hatte
Den Überbleibseln des Memalik-iOsmanijeeineVerfassung gewähren	?
Padischahim tschock jascha	Vergleiche Polyglott - Kuntze, Türkisch
Der King	Eduard VII.
Der liebste Kömmling	Der willkommenste Besuch
Er wird in Ischl den Geschäftsführer der austro-ungarischen Monarchie sehen	Er wird in Ischl den Kaiser Franz Joseph sehen
Den Makedonenknäuel entwirren	Die macedonischen Wirren beenden
Die Scherifenenttäuschung	Die Enttäuschung der Türkei
Der Greis, der im Glanz hockt	Der Sultan
Menschen, deren Lebensflamme gestern ein Wink seiner müden Hände erlöschen ließ	Menschen, die er gestern noch töten lassen konnte
Musulmanen	Muselmanen
Abd ul Aziz	Abdul Aziz
Abd ul Hamid	Abdul Hamid
Abd ul Kerim	Abdul Kerim
Der schwache Prasser	Der genußsüchtige Schwächling

Die Stadt Konstantins	Konstantinopel
Die Osmanenflanke zerstücken	Albanien teilen
Der Mähre	Philipp Langmann
Der wiener Ungar	Schlechtes Kompliment für Herrn Felix Salten, der sich als Zionist lieber einen Pester Juden genannt hörte
Über der Löwenbucht verglüht der fünfte Augusttag	Marseille, 5. August
Auf dem Cornicheweg ists leerer als sonst beim Dämmern eines Sommerabends	Ich bin zum erstenmal in Marseille, aber so leer war's noch nie
Das immer hastige Leben der Phokäerstadt scheint in die Herzkammer zurückgedrängt	Marseille ist wie ausgestorben
Zwischen der Rue Honorat und der Cannebière regt sich	Meine Lokalkenntnis ist verblüffend
Der Fremde merkt bald, daß im Sinus Gallicus das Blut heute besonders schnell kreist	(Unverständliche Stelle, aus der nicht hervorgeht, ob das Blut im Meerbusen oder das Wasser im Busen der Marseiller aufgeregt war)
Die mit Bouillabaisse und Südwein Genährten	Die Bewohner von Marseille
Der konstanzer Graf Graf Ferdinand Der alte Reitersmann Ikaros, den eines Gottes Eifersucht empfinden lehrt, daß nur Wachs, in der Sonnennähe zertropfendes, ihm die Flügel an den Rumpf geklebt hat Der Krieger und Wolkenthronwerber Der Luftbeherrscher Der deutsche Graf	Verschiedene Bezeichnungen für den Grafen Zeppelin

Die Patres Lana und Guzman . . . Die Brüder Montgolfier, Etienne und Michel . . . Mémoires sur la machine aérostatique . . . Pilâtre de Rozier . . . Nach den Erfahrungen der Charlière ergänzt . . . Charles aus Beaugency, Pilâtre aus Metz, Blanchard aus dem Departement Eure . . . Biot, Gay-Lussac, Sivel, Tissandier, Hermite, Renard, Giffard; bis zu Santos-Dumont und Lebaudy . . . Der Fallschirm . . . Zigarrenformat . . . Starres System . . . Halbstarr oder unstarr . . . De la Vaulx, Berson und Elias . . . Giffard ersann, um die Widerstandsfläche zu verkleinern, das längliche Format und führte den Dampfmotor ein; Dupuy de Lôme das Ballonett; Wölfert den Daimler-Motor; Schwarz die Aluminiumhülle; Renard und Krebs . . . Parseval und Groß . . . Von André, dem Nordpolsucher, kam uns nie eine Kunde; die Patrie ließ in Irland eine Riesenschraube mit Zubehör fallen; der britische Nulli secundus zerbröckelte über der Paulskathedrale

Ich kenn mich in der Luftschiffahrt aus

Unter den Lebenden haben Edison, Koch, Van't Hoff, Behring, Röntgen und mancher Andere der Menschheit Nützlicheres geleistet. Für die moderne Kriegführung waren die Erfindungen und Kombinationen der Nordenfelt,

Ich kenne mich auch sonst aus

Zédé, Romazotti, Laubeuf vielleicht wichtiger als eine Erleichterung der Aeronautik	
Zeppelins haben unter Fritz, unter Melas bei Marengo und im deutschen Befreiungskrieg mitgefochten	Ich weiß überhaupt alles
Man wird im Ballon, statt auf stählernem Gleis über Zossen und Elsterwerda, ins Paradies der Weihnachtstollen reisen	Ein Bild der »Zukunft«
Das stürmende Temperament der großen Persönlichkeit sacht ins Schreibstubentempo zügeln	Dem Grafen Zeppelin eine Kommission beistellen
Die Summen, die ihm die Flut jetzt ins Schwabenheim geschwemmt hat	Die Summen, die dem Grafen Zeppelin jetzt zugeflossen sind
Der Paktolos strömt in den Bodensee	Graf Zeppelin bekommt viel Geld
Erwins Kirche	Der Straßburger Dom
Wie ein Golfstrom braust es erwärmend durch Aller Herzen, schmilzt die Eisrinde und schält ehrfürchtige Liebe aus dem Kalten Wall	(Wahrscheinlich ist hier gemeint, daß man sich irgendwo für die Sache Zeppelins erwärmt hat)
Aus dem Glutstrom, der den Kalten Wall überströmte, ist auch anderer Gehalt zu schöpfen als das Tränensalz, das feuchten Augen die Freude an schönem Tiefblau gewährte	(Weiß Gott)
Millionen in den Bodensee werfen, um mit dem Opfer des Hortes, wie der Tyrann von Samos mit seines Ringes, feindliche Gewalten zu schwichtigen	Riskieren, daß ein Karpfen im Bodensee mit der Verdauung des Ringes, wie der Leser mit des Genitivs, Schwierigkeiten hat und daß selbst den Rheintöchtern übel wird

Anm. d. Übers.: In den dieser Übersetzung zugrunde lie-
genden Kapiteln hat der sonst so gewissenhafte Autor leider
einige Druckfehler übersehen. Statt »Entwicklungsgang«
und »Befreiungskrieg« muß es natürlich heißen: Entwick-
lunggang und Befreiungkrieg. Erwähnt sei noch, daß den
Publikationen des Autors im Original unmittelbar ein Annoncenteil folgt, zu dessen Verständnis das Lexikon nicht
herangezogen werden muß, und in welchem zumal jene Annonce einer populären Wirkung sicher ist, die mit den Worten beginnt: Allen, die sich matt und elend fühlen...

Herr K. hat mich, seit ich ihn als einen Mitarbeiter der ›Wage‹ kennen lernte, mit überschwänglicher Liebe, Bewunderung, Anbetung verfolgt, das hat mich gerührt und ich habe den talentvollen jungen Menschen, weil ich ihn für sauber hielt, leider nicht weggestoßen. Wenn ich nach Wien kam, holte er mich vom Bahnhof ab, und ließ mich nicht los, bis ich wieder im Zuge saß. Da er von fast allen, die mir in Wien bekannt und interessant sind, verachtet wurde und wird, verzichtete ich, aus Mitleid mit dem armen Teufel, auf das Vergnügen, diese Menschen zu sehen. Wenn er nach Berlin kam, war er bei mir wie Kind im Hause, saß, ohne Rücksicht auf meine knappe Zeit, stundenlang, halbe Tage lang bei mir. Ungefähr jede Gefälligkeit, die man erweisen kann, habe ich ihm erwiesen. So habe ich ihm fürs erste oder fürs zweite Heft seiner ›Fackel‹ (deren ganzen Plan, innere und äußere Gestaltung ich auf sein Bitten mit ihm durchsprach) einen Artikel geschrieben, nicht nur umsonst, sondern auch in dem sicheren Vorgefühl, welchen Haß ich mir dadurch in Wien zuziehen würde. Das geschah auch noch, ich war verfemt und die ›N.F.P.‹ lehnte einen Aufsatz Björnsons über mich ab. Für seinen Prozeß mit Bahr habe ich, trotzdem ich Bahr sehr schätze und immer für einen unbestechlichen Menschen hielt, ihm ein Gutachten geschrieben. U. s. w. Seine Bilder, Briefe, Karten strotzen von »Be-

Ich bin ein alter Leser der ›Zukunft‹. Ein alter und treuloser Leser. Mein Vorurteil gegen Herrn Maximilian Harden ist gewiß unter allen Antipathien, die er sich seit der Gründung seiner Zeitschrift erworben hat, die beachtenswerteste, weil er mir persönlich so gar keinen Grund zu ihr gegeben hat. Das belastet in Wien, der Stadt der Verbindungen und Beziehungen, die sich die Niederlassung des Herrn Harden redlich verdient hätte, mein Schuldkonto. In der Reihe verlorener Freundschaften, die dem Lebensweg des Herrn Maximilian Harden unberechtigter Weise das ehrenvolle Dunkel der Einsamkeit verliehen haben, bedeutet mein schroffer Abfall die bitterste Enttäuschung. Bei allen anderen Verlusten konnte er die literarische Verfeindung auf die persönliche reduzieren. Meine Untreue nahm den anderen Weg. Ich habe Herrn Maximilian Harden aus blauem Himmel angegriffen. Welch' tief unbegründete Abkehr! Wie bereute ich es, daß sie notwendig war, wie schämte sich mein Verrat des früheren Glaubens! Ich erkannte damals, daß der Altersunterschied zwischen uns sich umsomehr verengte, als ich mir erlaubte, die Kriegsjahre des Herrn Harden nur einfach zu zählen. Der Fünfundzwanzigjährige hatte neben dem Fünfunddreißigjährigen den Nachteil, aber zehn Jahre später den Vorteil der Jugend. Zuerst konnte er nicht sehen, und dann sah er einen Blinden. Die Jugend sollte wunderung« und Liebe. Er nennt mich nach einem Wiener Aufenthalt den Unvergeßlichen usw. Daß mir seine Tätigkeit mehr und mehr mißfiel, mußte er merken. Seine ewige Bitte: Ihn und seine ›Fackel‹ in der ›Zukunft‹ zu erwähnen, konnte ich nicht erfüllen, zweimal mußte ich ihm Artikel ablehnen. Daß ich sein Vorgehen gegen Bahr, seine Campagne für die ...... widrig fand, verhehlte ich nicht. Zu einer Kritik erdreistete er sich zum ersten Male, als ich über die . . . ., die das Berliner Bühnenleben mit ihrer Geldmacht vergiftet hatte, einige unfreundliche Worte schrieb. (Er hatte gemeinen Privatklatsch über die ...... breitgetreten, war seit seinem grotesken Roman mit der ...... aber empfindlich in diesem Punkt geworden.) Ich antwortete schroff und ließ ihn bei seiner nächsten Anwesenheit nicht mehr zu mir kommen. Seitdem schimpft er . . . Ich bin der Selbe geblieben, der ich in der Zeit seiner Verhimmelung war, habe nur gearbeitet. Sein Blatt habe ich seit zwei Jahren nicht mehr geöffnet, er schickt es mir und es bleibt in dem Umschlag liegen. Ekelhaft war mir's längst, bevor er mich angriff. Jetzt steht er mit ›N. F. P.‹ und ›N. W. T‹ in Reihe und Glied gegen mich. Habeat.

Maximilian Harden
(7. Juni 1908)

sich nur von abschreckenden Beispielen erziehen lassen und sich die Vorbilder für die Zeit der Reife aufheben. Was ihr im weiten Umkreis deutscher Kultur sich bietet, ist ein so sicherer und tief fundierter Schwindel, daß selbst die Originale Surrogate sind. Nur die Phantasie wird mit ihnen fertig, zieht sie dem Leben vor. Wie sah der große Einzelkämpfer aus, dessen Meinung gegen jenen Strom schwamm, zu dem sich alle journalistischen Schlammgewässer vereinigen? Er sah aus, wie ich mir ihn schuf, und Herr Maximilian Harden lieferte für meine Erfindung die Gebärde. Ich sah seine Blitze zucken, und hörte seine Donner krachen; denn in mir war Elektrizität. Ich war ein Theatermeister, den das Gewitter, das er erzeugt, erzittern macht. Welchen Respekt hatte ich vor Herrn Maximilian Harden, weil seine Leere meinem Ergänzungstrieb entgegenkam. Solches Entgegenkommen wird zum Erlebnis, bleibt aber nur so lange das Verdienst des Andern, als man für die Werte, die man zu vergeben hat, nicht in sich selbst einen besseren Platz findet. Dann wohnt in den öden Fensterhöhlen das Grauen.

Karl Kraus
(31. Oktober 1907)

Seit längerer Zeit werden in den Kreisen, die sich für literarische Personalien interessieren, Wetten abgeschlossen: Wird er antworten oder wird er nicht? Ich entmutigte die Hoffenden. Er wird nicht, sagte ich allen, die mich fragten und die mit Recht annahmen, daß ich über die Hemmungen des Herrn Maximilian Harden besser informiert bin als er über die Triebe des Grafen Moltke. Er wird nicht. Denn er ist vornehm. Er hält's auch hierin mit der Religion der ›Neuen Freien Presse‹, welche die Abtrünnigen mit dem dumpf grollenden Fluch dreimal spaltet: Nicht genannt soll er sein! Und er ist noch viel vornehmer. Denn wer die Betten der Fürstlichkeiten zu lüften gewohnt ist und grundsätzlich nur die Kübel der feinsten Herrschaften hinausträgt, wird nicht zu Leuten hinabsteigen, die weder für die literarischen Aufgaben eines Domestiken Verständnis noch Achtung vor dem Journalisten haben, der seinen Beruf so wenig verfehlt hat. Jeden Morgen beim Aufräumen des Schlafzimmers der Frau Gräfin den Lassalle zitieren, aussprechen, »was ist«, und der Nachbarschaft erzählen, daß der Herr Graf sich wieder einmal gänzlich abgeneigt gezeigt hat, mein Gott im Himmel, wer eine solche Leistung gering schätzt, versteht wirklich nichts von den Angelegenheiten der großen Welt. Wer es ferner nicht begreift, daß ein Nachkomme der Jesaias und Hutten das Recht haben muß, dem Richter, der ihm pariert, »eines Holbein Haltung und Haupt« nachzurühmen, und dem Richter, der ihn verurteilt, die Zuckerkrankheit vorzuwerfen, dem ist nicht zu helfen. Ich, in meiner publizistischen Weltabgeschiedenheit, sage: In die Lücke des deutschen Gesetzes, das dem privatesten Leben des Staatsbürgers den Schutz versagt hat, trete man ihn, daß er darin ersticke, den Kerl, der uns jetzt, nach monatelanger Qual, noch von der »schlimmen Krankheit« erzählt, die jener Graf »in die Ehe mitbrachte«. Indem ich aber so spreche, beweise ich nur, daß ich ein armer Teufel bin, dessen enger Horizont die großen Aufgaben der Politik nicht zu fassen vermag. Es wäre müßig, sich mit mir in eine Polemik einzulassen. Ich spüre ja doch nur den Gestank, den einer über das Vaterland verbreitet, und merke nicht, daß er fürs Vaterland stinkt. Ich entsetze mich über die kulturelle Scheußlichkeit, nein, über die geistige Minderwertigkeit einer Wahrheitsforschung, die mit Enthüllergebärden die deutsche Moraljustiz antreibt, in zwei

Wochen nachzuholen, was sie in fünfundzwanzig Jahren versäumt hat, und die es endlich dahin bringt, daß ein Henkerparagraph verschärft und ein friedlicher Gebirgssee von Untersuchungsrichtern ausgemessen wird. Ich gedenke eines der markantesten Worte Maximilian Hardens: Lieber ein Schweinehund sein als ein Dummkopf! und beklage es tief, daß ihm die Entwicklung der politischen Dinge die Wahl schwerer gemacht hat, als er sich ursprünglich vorgestellt hatte. Denn wer der Freiheit des Geschlechtslebens eine Schlinge legt und sich in ihr verfängt, der ist wahrlich zu bedauern, er überschlägt sich, weiß nicht mehr aus noch ein, und schreibt schließlich Artikel, die zwar von weitem nach erpresserischer Gesinnung riechen, aber in der Nähe sich bloß als die Hilferufe eines ungeschickten Angebers erweisen, den die Konsequenz einer einmal begangenen Lumperei um den Verstand gebracht hat. Er glaubt noch ein Denunziant zu sein, und er ist schon längst der geistige Bundesgenosse des Milchmeiers Riedel, und mitleidig wiederholt der Leser die bekannte Frage: »Was ging's dich an, Tropf, damischer?« Er sehnt sich nach den alten Zeiten, da ihm eine anonyme Schmähkarte an die Redaktion des ›Vorwärts‹ nachgewiesen wurde, durch die er Otto Erich Hartleben aus seinem Kritikeramte drängen wollte, und da er durch das Wort vom Schweinehund die peinliche Situation zur allgemeinen Zufriedenheit klärte. Jetzt zieht er aus Verzweiflung gegen die Schweinehunde vom Leder, weist ihnen täglich irgend eine erotische Beziehung zu den Fischerknechten nach, doch, ach, längst ist ihm selbst die geistige Mutualität mit dieser Sorte nachgewiesen. Er muß so tun, als ob er eine innere Befriedigung spürte, so oft ein bayrischer Hiesl unter dem auf ihn einstürmenden Bernstein endlich zugibt, der Fürst habe ihn »die Gaudi, die Lumperei« gelehrt. Und will es das Unglück, daß der Abreißkalender gerade Huttens Geburtstag anzeigt, so ersteht dem deutschen Volk aus diesem Chaos von Wahrhaftigkeit und Ekelhaftigkeit der Anblick einer Bruderschaft, bei der man nicht mehr weiß, ob Bismarck oder dem Riedel die Einigung Deutschlands zu danken und ob unter dem »aufrechten Milchmann« nicht vielleicht doch Lassalle zu verstehen ist.

Er kann nicht mehr zurück. Sein Tagwerk beginnt mit einer gefährlichen Drohung und endet mit einer Enthüllung. Kein deutscher Mann, der sich heute als Ehegatte schlafen legt, kann wissen, ob er nicht morgen als »Kinäde« aufsteht, bei der Nacht kommt alles an den Tag, und auf die Gefahr hin, offene Hosentüren einzurennen, verkündet der Retter des Vaterlands: »Pardon, ihr Tüchtigen, wird nicht mehr gegeben!« Mindestens soll mit allen abgerechnet werden, die sich der Wahrheit auf ihrem Marsche aus München nach Berlin entgegengestellt haben. Ob unter den Bedrohten auch ich gemeint sei – denn auch »die im schwarzen Schreiberrock« sind in Aussicht genommen –, darum geht seit langem in literarischen Kreisen die Wette. Er wird nicht! sagte ich. Zwar habe ich Schlimmeres getan als die Mitglieder jenes »Grüppchens« von Berliner »Preßpäderasten«, auf das der Normenwächter nicht ohne tiefere Absicht hinweist. Sie begnügten sich, zu sagen, daß es verfehlt sei, die vermeintliche Gefahr eines politischen Einflusses durch Anspielungen auf die genitalen Irrtümer einiger alten Herren bannen zu wollen. Ich habe diese Taktik als eine politische Tat gelten lassen, und dann erst gezeigt, wie sie der Menschheit ins Gesicht schlägt. Ich sagte: Der Kerl ist vielleicht ein Patriot, ein Kulturmensch ist er gewiß nicht. Und ich habe noch Schlimmeres gewagt. An einem Stil, der hier wirklich den Mann bedeutet, die große Unbedeutung dieses literarischen Charakters nachgewiesen. Das war eine Enthüllung, die sich vor die Enthüllungen des Herrn Maximilian Harden stellt; von der er spürt, daß sie ihm die gedankenlose Anerkennung seiner Zeitgenossen gestört hat, und von der ich weiß, daß sie ihn unsterblich machen wird. Anstatt mir nun dankbar zu sein, weil seine literarische Eigenart wenigstens in meiner Kommentierung auf die Nachwelt kommt, hegt er unauslöschlichen Groll gegen mich und sagt jedem, der es hören will, ich sei treulosen Gemütes, rachsüchtig und handle bloß aus verletzter Eitelkeit. Seitdem ich mit besorgter Miene die

Schrecken der Elephantiasis an seinen Satzgliedern nachgewiesen habe, hat sich sein Leiden nicht gebessert. Wie sollte
man glauben, daß er in diesem Zustand sich erheben und
mir antworten könnte, er leide nicht? Ich habe in meiner
Sünden Maienblüte bei ihm zu Mittag gegessen, ich war »wie
Kind im Hause«, und jetzt greife ich ihn an. Beides ist sozusagen erweislich wahr, die Tat wie die Reue. Aber was
sind alle Leiden der »kranken Physis« gegen den Alpdruck
einer hochgestiegenen literarischen Jugend, die man einst
bewirtet hat und die einem jetzt in die Suppe spuckt? In solchem Zustand rafft man sich zu keiner Polemik auf. Er wird
nicht! Mit jedem Satz, den er gegen mich schriebe, würde er
meine Feindseligkeit gegen seinen Stil rechtfertigen. Er, der
immer gelitten hat, keinen seiner Briefe je ohne das Post-
skriptum ließ, daß er unsäglich leide, die Fatierung eines
Einkommens von 52.000 Mark nie ohne vollständige Gebro-
chenheit vollzogen hat, in der Festung Weichselmünde mehr
als Dreyfus litt und in Danzig sogar Champagner trinken
mußte, um die Leiden der Festung ertragen zu können, er
leidet jetzt mehr denn je. Seinen Körper hat Herr Schweninger behandelt, sein Geist leidet unter meiner Massage.
Wie sollte sich der Unglückliche zu einer Abwehr aufraffen,
der kürzlich einen Leitartikel mit diesem Satz begann: »Vor
hundertzwanzig Jahren, als der dicke, pomphaft thronende,
aus unkriegerischem Festlärm gern in seichte Salonmystik
schweifende Sohn August Wilhelms just seine Eitelkeit mit
dem nährkraftlosen Erfolg im holländischen Wilhelminen-
handel gefüttert hatte, wurde eine Druckschrift bekannt, die,
unter dem Titel ›Considérations sur l'état présent du corps
politique de l' Europe‹, schon fünfzig Jahre vorher entstanden war«. Wer so schreibt, sollte mir anworten können? Er wird nicht! Er weiß, daß ich ihn für ein literarisches
Deutschland, das die Größe des Sprechers nicht nach der
Länge seiner Stelzen beurteilt, erledigt habe. Er hat meinen
Nachruf gehört und er ahnt, er könnte, wenn er nur im geringsten Miene macht, sich für scheintot auszugeben, eine
Schändung seines literarischen Grabes erleben, die das Maß

meiner gewohnten Pietätlosigkeit weit übersteigt. Er wird sanft ruhen und sich nicht mit mir in einen Wortwechsel einlassen. Tut er aber doch so, als ob er lebte, so reicht in der Besinnungslosigkeit des Schlachtens, das er sich in Deutschland erlauben darf, seine Klugheit auch heute noch so weit, die Grenzen seiner polemischen Möglichkeit richtig abzuschätzen. Nach siechen Fürsten, die ihre Feder höchstens in einem gefühlvollen Briefwechsel versucht haben und heute in der Charité liegen, langt sein publizistischer Mut. Mich kennt er. Er hat noch vor einem Jahre vor Frank Wedekind, der sich später nach Kräften um eine Versöhnung unvereinbarer Gegensätze bemühte, seine höchste Achtung meines literarischen Wesens bekundet. Die Versöhnung mußte leider an der Ungleichheit der gegenseitigen Schätzung scheitern. Wer aber fühlte so tief wie er die Lächerlichkeit des Versuchs, mich zu einer persönlichen Polemik herauszufordern? Nein, aus dem erhofften Hahnenkampf kann infolge Unpäßlichkeit des Gegners nichts werden. Er wird krähen, wenn er auf den Mist seiner Affären steigt. Er wird möglicherweise auch vom »feindlichen Federvölkchen« sprechen und selig im Stolz einer Unfähigkeit sein, die zu Diminutiven ihre Zuflucht nimmt. Er wird von einem Bürschchen sprechen, das einst aus seinem Schüsselchen gegessen hat. Vielleicht in einem Wiener Montagsblättchen, wenn zufällig ein Revolvermännchen auf die gute Idee kommt, ihn zu fragen, was er gern sagt. Beileibe nicht in der ›Zukunft‹. Das könnte die Aufmerksamkeit erregen und Moritz und Rina zur Bestellung der ›Fackel‹ verleiten.

Und so geschah es. Immerhin ist es die Antwort des Herrn Harden auf meine Angriffe, wenn sie auch bloß die Antwort auf die Frage eines Montagsjournalisten ist. Er macht seinen Feinden mit Vorliebe außerhalb Preußens den Prozeß. Nur unterscheidet sich mein Fall von dem des Fürsten Eulenburg dadurch, daß ich der Gerichtsverhandlung beiwohnen und dem Zeugen Harden sofort auf die Schwurfinger schlagen kann. Für einen Augenblick wird das Niveau meines Hasses gedrückt. Mein Kampf gegen die Verpestung Deutschlands, meine Enthüllung des Mißverhältnisses zwischen einer literarischen Winzigkeit und ihrem Geräusch, mein ganzes öffentliches Bemühen soll zu einer Privataffäre erniedrigt werden, zu einem Wettkampf mit Herrn Harden, den jeder unbefangene Zuschauer für einen Akt der Feigheit halten könnte. Ich muß aus Humanität darauf verzichten, einen mit hundert Kilo Bildung beladenen, auf Stelzen daherkommenden Ritter mit dem Rapier anzugehen. Um es ihm leichter zu machen, soll ich ihm auf das mir fremde Gebiet privater Tatsächlichkeit folgen. Ich bin dazu zu haben, aber man wird mir den Widerwillen glauben müssen, erweisliche Unwahrheiten, die ich längst verdaut habe, zu korrigieren. Immerhin mußte ich darauf gefaßt sein, daß er mir ein paar Zitate an den Kopf wirft, wenn nicht aus den Korintherbriefen, so doch wenigstens aus meinen eigenen. Er kann nachweisen, daß ich ihn einst bewundert habe. Es nützt nichts, daß ich es nicht leugne, nie geleugnet habe und ihm feierlich verspreche, daß ich es nie leugnen werde. Für alle Fälle ist es gut, daß ich die Beweise der gegenseitigen Zuneigung nicht vernichtet habe, und daß auch ich die Ausdauer besitze, aus dem Chaos meines Archivs zu holen, was ich brauche. Ich gebe zu, daß ich im Kampf der Dokumente den kürzern ziehen muß und daß meine Zuneigung zu Herrn Harden kompromittierender ist als die seine zu mir. Aber anderseits muß ich doch wieder betonen, daß sein Urteil, das er als reifer Mann über mich gefällt hat, rechtsverbindlicher ist als das Vorurteil eines schwärmerischen Neulings, und es besteht für Herrn Harden immerhin die Gefahr, daß die literarische Forschung von ihm das Lob meines Schaffens beziehen könnte, während sie sicherlich meine Begeisterung für seine Werke als die Meinung eines unreifen Jungen verwerfen wird. Der künstlerische Vorzug, den er vor mir voraus hat: daß er seine Briefschaften besser ordnet und registriert und jedem Gegner durch einen Handgriff beweisen kann, daß man ihm vor zehn Jahren mit vorzüglicher Hochachtung geschrieben hat, wird ihm dabei nicht das geringste nützen. Ich möchte ihm nicht nur den Handgriff ersparen,

sondern sogar versichern, daß die Hochachtung meiner Briefe mehr als eine Formalität war. Aber ich leide unter der Zudringlichkeit eines Menschen, der nach Jahren auf der alten Bewunderung besteht, die ich ihm nach reiflicher Überlegung entzogen habe. Nicht genug, daß Herr Harden in Bekanntenkreisen über die Veränderung, die mit mir vorgegangen ist (daß sie in mir vorgegangen ist, hält seinesgleichen für ausgeschlossen), sich bitter beklagt oder wie er sagen würde, »stöhnt«; daß er seinen Besuchern die »persönlichen Motive« auftischt, die er meinen Angriffen zugrundelügt – jetzt flüchtet er mit seinen Beschwerden noch in die Öffentlichkeit. Ich will ihm entgegenkommen und die Publizität seiner Anklage vergrößern. Schon um die Erfahrung zu verdichten, daß ein Denunziant und Moralphilister sich in keiner Lebenslage verleugnet. Die Antwort des Herrn Harden, im schmutzigsten Winkel des Wiener Preßpfuhls deponiert, liegt vor, und siehe, sie ist ganz im Geschmack der Aktionen, denen meine Angriffe gegolten haben. Er hat »nur gearbeitet«; aber während ich am Schreibtisch saß, ist er unter mein Bett gekrochen. Ich will ihn von der Stelle jagen! Wenn er unfähig ist, meinem öffentlichen Wirken Wunden zu schlagen, so wird er sichs künftig überlegen, Wunden meines privaten Fühlens aufzureißen. Doch wahrlich, man braucht nicht bis zu der Stelle zu gelangen, wo ich sterblich bin und er niedrig wird, um eine Nase voll von diesem Charakter mitzunehmen und von diesem Geiste.
Zunächst möchte ich auf den Dummkopf größeren Wert legen als auf den Schweinehund. Jener hilft sich, so gut er kann. Er sagt, daß ich, Karl Kraus, einen Brudermord begangen habe. An einem Bruder, den ich einst liebte. Da ich nun weder die Liebe noch den Mord leugne und jene sogar bereue, so sagt er, der Mord habe ein »persönliches Motiv«: Mein Bruder hat mir einmal einen Apfel, den ich haben wollte, nicht geschenkt. Ich habe also aus Rachsucht gehandelt. Ich empfinde es nun als eine Zumutung von unbeschreiblicher Ledernheit, die Legende, die der ermordete Bruder in die Welt setzt, zu entkräften und dokumentarisch

zu beweisen, daß ich den Apfel bekommen habe. Ich könnte getrost zugeben, daß ich ihn nicht bekommen habe, und die Geistesschwäche dieses Motivs für einen Brudermord zur Diskussion stellen. Aber nicht einmal solcher Mühe müßte ich mich unterziehen. Denn der Gegner selbst scheint den Apfel für faul zu halten und läßt durchblicken, daß viel mehr noch als meine Rachsucht meine Undankbarkeit zu beklagen sei. Ich habe also den Apfel eigentlich doch bekommen. Da er mir verweigert wurde, beging ich den Mord aus Rache, und wiewohl er mir gegeben wurde, aus Undank. Nun scheint es freilich notwendig, sich endlich einmal für das eine oder für das andere Motiv zu entscheiden. Beide zusammen, so sollte man meinen, sind nicht gut verwendbar. Beide Argumentationen, jede für sich und ihre Verbindung, sind leichtfertiger auf die Dummheit des Lesers basiert, als es erlaubt sein sollte. Aber es glückt trotzdem. Denn wenn ich einen des Taschendiebstahls beschuldigen will und vor versammeltem Volke den Verdacht damit begründe, daß der Mann schielt, so wird vielen die Erweislichkeit des Körperfehlers so sehr imponieren, daß sie auch den Diebstahl glauben werden. Ich habe nach einem Apfel vergebens gehascht, das ist meinetwegen erweislich wahr, und jeder ruft: Aha! Jetzt verstehen wir! Aber es gehört schon eine Vereinigung besonderer Charakterschäbigkeit und raffinierten Schwachsinns dazu, das Bild der Situation so darzustellen: Ich, H., habe dem K. Unfreundlichkeiten erwiesen, darum greift er mich an, also aus rein persönlichen Gründen; und dies, wiewohl ich ihm Freundlichkeiten erwiesen habe: ich hätte erwarten können, daß er mich aus persönlichen Gründen schonen würde ... Ich könnte mich nun damit begnügen, zu sagen: Aus Dankbarkeit zum Lügner werden, hielte ich für tadelnswerter, als aus Rachsucht die Wahrheit zu sagen. Aber ich werde mich zum Beweise herablassen, daß ich sie aus Undankbarkeit gesagt habe. »Hätt' Wahrheit ich geschwiegen« oder gesprochen, in jedem Fall geschah es aus rein persönlichen Gründen. Anders verstehts der gesunde Menschenverstand nicht und sein publizistischer Diener mutet ihm nichts zu, was er nicht versteht. Daß es anders gewesen sein könnte, ist unmöglich. Ich gebe die Liebe zu und den Mord. Ich gebe auch zu, daß Herr Maximilian Harden »der Selbe geblieben ist« – meinetwegen sogar in dieser Schreibart –, derselbe, der er in der Zeit meiner Verhimmelung war. Daß ich ein anderer geworden sein könnte, daß ich das Recht hatte, zwischen zwanzig und dreißig ein anderer zu werden, das wird im Reiche der erweislichen Wahrheit nicht anerkannt. Sie muß sich, um zu ihrem Ziel zu kommen, mit erweislichen Lügen behelfen. Meine Entwicklung, die heute – wenn's niemand hört und sieht – meinen Todfeinden Achtung abnötigt, wird nach wie vor offiziell auf die Verweigerung des Apfels zurückgeführt. Er wurde mir zuerst bekanntlich von der Neuen Freien Presse verweigert und dann von Herrn Harden. Seitdem schimpfe ich . . . Aus Juvenal zitieren sie nicht: »Facit indignatio versum« oder »Difficile est satiram non scribere«, um mein Verhältnis zu ihnen dem Publikum klarzumachen, sondern immer nur: »Hinc illae lacrimae!« Habeant. Aber ich muß leider darauf eingehen. Ich muß die Legende der Rachsucht zerstören, damit die Undankbarkeit übrig bleibe. Ich muß immer wieder mit den Engagementsanträgen, die mir die Neue Freie Presse gemacht, und den Gefälligkeiten, die mir Herr Harden erwiesen hat, renommieren, damit auf die dümmste Erklärung für meinen Haß, die der Intelligenz verständlichste, endlich verzichtet werde. Herrn Harden beruhige ich mit der Versicherung, daß ich jetzt auch beim Anblick jener publizistischen Leistungen, durch die er damals mein Entzücken erregt hat, annähernd denselben Brechreiz verspüre, den mir seine heutigen Artikel verursachen. Ich hatte viel nachzuholen. Aber es ging, und für alle Lektüre, die ich damals beschwerdelos vertrug, habe ich nachträglich das Gefühl, als ob mir eine Stelze dieses kühnen Turners in den Rachen gesteckt würde. Wenn ich den Artikel, mit dem er die ›Zukunft‹ eröffnet hat: »Vom Bel zu Babel« mit meinem Eröffnungsartikel »Die Vertreibung aus dem Paradies« – den ich heute Satz für Satz umbauen müßte –, vergleiche, so verstehe ich nicht, wie ich je an Herrn Maximilian Harden etwas anderes als die Fähigkeit bewundern konnte, Temperamentsmangel zu dekorieren, oder höchstens die, beim Schwingen von Riesengewichten aus Papiermaché wirklich zu schwitzen. Herr Harden ist der Selbe geblieben. Ich Gottseidank nicht. Aber auch ich »habe gearbeitet«, und mehr als Herr Harden. Besser als Herr Harden. Und ich reinige jetzt meine Arbeit vom Schutt des Tages, und entdecke, daß der Schutt mehr Gehalt hat als seine Edelsteine. Ich fühle meinen Verrat vor dem Forum der Erkenntnis gerechtfertigt als eine tiefere Treue gegen mich selbst, und die Literaturgeschichte wird sagen, er sei eine Rehabilitierung für meine Liebe. Nicht nach »persönlichen« Motiven werden meine Richter forschen; nichts anderes werden sie sich zu fragen haben, als die Frage, ob die »Persönlichkeit« weit genug war, um sich, wenn auch im Alter der geistigen Entwicklung, so ausgreifende Schwankungen des Urteils zu erlauben. Der Tatbestand reicht über Herrn Harden hinaus. Ich denunziere mich. Zwei Dritteile des literarischen Werts meiner Arbeit werfe ich freiwillig hin, ein Dritteil der Meinung. Damit mir meine Gegner nicht immer nur Widersprüche, sondern einmal auch eine Entwicklung nachweisen. Ich darf mich verleugnen, und mit mir selbst vieles, was andere zur ›Fackel‹ beigetragen haben, die heute in meine Lebensanschauung passen wie der Wagner in Fausts Entzückung. Den »ganzen Plan der ›Fackel‹, innere und äußere Gestaltung«, hat Herr Harden mit mir durchgesprochen; trotzdem wurde ich ihm untreu. Aber bin ich dem Plan der ›Fackel‹, ihrer innern und äußern Gestaltung, treu geblieben? Ich bereue keine meiner Taten; ich verlange nur, daß sie im Zusammenhang mit mir selbst beurteilt werden. Ich bereue sogar meine Sympathie für Herrn Maximilian Harden nicht. Aber ich mache ihm den Vorwurf der Undankbarkeit. Denn er hat mich schmählich getäuscht. Er hat untreu an mir gehandelt; denn er hat mir eine Begeisterung zerstört. Ich mußte damals, als sich mein Temperament nur in den schmalen Grenzen sozialer Ethik echauffieren konnte und im Kampf gegen die Korruption die Lebensanschauung eines idealen Staatsbürgertums bejahte, in dem Manne, der um etliche Jahre früher in der Presse ein Übel erkannt hatte, die Ausnahmserscheinung sehen. Die Vorgängerschaft mußte auch dem imponieren, der schon damals die Intensität des Kampfes voraus hatte, wie er jene Erkenntnis der intellektuellen Korruption voraus hatte, die im Journalismus – jenseits volkswirtschaftlicher und politischer Gefährlichkeit – den Todfeind der Kultur sieht. Die glückliche Zufallsstellung, in die Herr Harden gegen die öffentliche Meinung Deutschlands geraten war, mußte an eine junge Phantasie das Bild eines Kämpfers heranbringen und sie etwa auch zum Widerstand gegen eine Raison reizen, die ihr damals gesagt hätte, daß jener Herkules sichs am Scheideweg lange überlegt hat und jener Luther auch anders gekonnt hätte. Die Zeit zur Enttäuschung war noch nicht gekommen; ich wäre jedem an die Gurgel gefahren, der mir damals über meinen Harden ausgesprochen hätte, »was ist«. Daß er ein Philister ist, der es glaubt, oder ein Kujon, der es den Leuten einredet: daß einer um einen Apfel bereit sei, eine Liebe zu verraten; oder ein Antikorruptionist, der es in Ordnung findet: daß einer für ein Mittagessen in der Villa Harden eine eroberte Erkenntnis preisgibt. Was will denn das Pack von mir? Glaubt es wirklich, daß die Gluten meines Hasses aus »Motiven« stammen? Dann wäre meine Entzündbarkeit ein Wert für sich oder meine Tätigkeit ein mechanisches Kuriosum. Wie, dieser ausgepichte Meinungswechsler, der im Alter von vierzig je nach Bedarf die Homosexualität entschuldigt oder bekämpft, den Meineid rechtfertigt oder verfolgt, Kolonialminister in den Himmel hebt und sie beschimpft, wenn sie öffentlich von ihm abrücken – der, gerade der wagt es, mir eine Entwicklung, die sich aus Gefühltem zu Gedachtem hindurchgeschmerzt hat und die in ein inneres Leben führt, von dem sich freilich die Zettelkastenweisheit nichts träumen läßt, als die Rache eines refusierten Besuches auszulegen? Welch ein großzügiger Dummkopf!

Aber, indem er meine Rachsucht zu stark betont, unterschätzt er wahrlich meine Undankbarkeit. Ja, er hat mir für das zweite Heft der ›Fackel‹ einen Artikel geschrieben, und nicht nur »umsonst«, sondern auch vergebens. Umsonst: wie hätte ich ihm ein Honorar anzubieten gewagt, da er eine lobende Einführung der ›Fackel‹ geschrieben hatte? Ich wußte nicht, daß er auf Bezahlung hoffte, als er meinen Witz und meine Kraft pries, und ich stelle das Honorar nachträglich – mit den in neun Jahren aufgelaufenen Zinsen – zu seiner Verfügung. Vergebens: Er hat sich in diesem offenen Briefe der Wiener Journalistik in einer Art angebiedert, die schielend zwischen mir und jener zu vermitteln hoffte. Genützt hat's ihm nichts, denn die Verbindung mit mir hat zu der von ihm tief beklagten Verstimmung der Neuen Freien Presse geführt. (Ich müßte ihm also gar noch Schadenersatz leisten.) Aber auch bei mir hat es ihm nichts genützt; denn ich bin ihm schon damals – in jenem zweiten Heft – verehrungsvoll über den Mund gefahren. Er lügt aber, wenn er behauptet, daß ich ihm dauernd bei der Neuen Freien Presse geschadet habe. Er lügt, wenn er behauptet, daß ich ihn in Wien durch meine Gesellschaft dermaßen fesselte, daß er zu den interessanten Leuten nicht gelangen konnte. Er hatte immer noch Gelegenheit, sich heimlich zur Neuen Freien Presse zu schleichen, wenngleich ich nicht in Abrede stellen kann, daß er erst nach unserem Bruch zum Sacher ging, um sich an der redaktionellen Tafel zwischen den Herren Bacher und Benedikt fetieren zu lassen. Er spricht die Wahrheit, wenn er sagt, daß ich fast von allen Wiener Leuten, mit denen er gern verkehrt hätte, verachtet wurde und werde. Verachtet werde ich von den Bankräubern, den Gesellschaftsparasiten, den talentlosen Literaten, den Revolverjournalisten, denen Herr Harden jetzt Briefe schreibt, und überhaupt von all den ihm bekannten und interessanten Leuten, von deren Verkehr ich ihn eine Zeitlang abgehalten habe. Nicht immer wäre mirs gelungen und nicht immer tat ich es. Bei seinem ersten Wiener Aufenthalt, vor mehr als zehn Jahren, damals, als er mir fast den ganzen Tag widmete, war ich in der schlechten Gesellschaft noch nicht verachtet, damals war die

›Fackel‹ noch nicht gegründet und Herr Harden hat sich, ohne beiderseits Anstoß zu erregen, getrost zwischen mir und Herrn Benedikt geteilt. Meine Undankbarkeit ist grenzenlos. Denn obschon ich ihn bewundert habe, so kann ich doch nicht leugnen, daß auch er mir volle Anerkennung widerfahren ließ und bei jeder Gelegenheit meiner rühmend gedachte. Und ein ganz so armer Teufel war ich damals nicht mehr. Die »Demolierte Literatur« war erschienen, hatte ziemlich starkes Aufsehen gemacht und mir außer unerbetenen Rezensionen von Fritz Mauthner, Friedrich Uhl, Conrad und anderen die besondere Anerkennung des Herrn Harden eingetragen. Auch in jenem unbezahlten Artikel im zweiten Heft der ›Fackel‹ nannte er sie eine »allerliebste Satire«, sprach darin von meinem »starken Talent und der neidenswerten Frische meines Witzes«, freute sich »meines Mutes und meiner jungen, frischen Kraft, die sich im ersten Heft der ›Fackel‹ so pantherhaft heftig in Zorn und Spott austobt«. Freilich wäre dieses hohe Lob wertlos, wenn es nur in der Erwartung eines Honorars geschrieben war und die wahre Meinung des Herrn Harden über den armen Teufel, der damals nichts gezahlt hat, erst jetzt an den Tag kommt. Ich lebte in dem Glauben an eine gegenseitige Anerkennung, wenn auch die meine, die des um zehn Jahre jüngeren und um hundert heftigeren Naturells, füglich den ungestümeren Ausdruck fand. Wenn er nach Wien kam, verständigte er mich rechtzeitig von seiner Ankunft und ließ mich nicht los, »bis er wieder im Zuge saß«. Seine Bilder, Briefe, Karten strotzen von wärmster Anerkennung und Liebe. Seine Bücherwidmungen lassen mir alle Ehre widerfahren und in seinen Conférencen war die Auskunft über mich und meine literarische Rolle nicht wenig schmeichelhaft. Ich kann mir's nicht denken, daß das herzlichste Mitleid mit einem armen Teufel eine jahrelange Korrespondenz und den Verzicht auf die schöne Beziehung zur Neuen Freien Presse gelohnt hat. Es ist mir peinvoll, mich auf das Niveau eines Tatsachenkampfes herunterzulassen und im Wust meiner Papiere nach Beweisen dafür zu suchen, daß ich

Herrn Harden meine Bewunderung nicht wie ein Bettel-
junge seine Schuhriemen aufdrängte, und daß er mir nicht
Mitleid, sondern Freundschaft und hohe Anerkennung ge-
zollt hat. Aber da man solche Wahrheitsucher nur mit Tatsachen abspeisen kann, so ist es geboten, jede einzelne seiner
Behauptungen als Lüge zu erweisen. Es wäre mir nicht im
Schlafe bei der Lektüre seines Sardanapal-Artikels einge-
fallen, ihm seine einstige Hochschätzung meines Könnens
zum Vorwurf zu machen. Aber weil er mit meinen Jugendsünden großtut und die Mutualität ableugnet, muß ich zu
den Dokumenten greifen. Hat er also aus Mitleid sich von
einem armen Teufel seine kostbare Zeit stehlen lassen, oder
hat er vielleicht gefunden, daß meine Gesellschaft ihn für
den Umgang mit den interessanten Leuten entschädige? Von
einem gemeinsamen Bekannten, der mich damals noch nicht
verachtet hat, heißt es:

30. Nov. 1900
... schrieb mir einen bösen Brief .... Ich hätte mich nur um Sie geküm-
mert .... Ihnen danke ich noch herzlich für all Ihre liebenswürdige Teilnahme. Ich hoffe, die zwei Tage waren Ihnen nicht unangenehm ....
Noch lieblicher als die N. F. Pr. war die Arbeiterztg. .... Ach, wie ekelhaft ist das alles. Und wie sehr wünsche ich Ihnen Frohsinn und Kraft!
In Prag wird die Fackel viel gelesen. Und ich sagte, wie gern ich Sie
habe .... Bitte, grüßen Sie Adler (Anm.: Prof. Dr. Karl Adler), Altenberg, Loos und sagen Sie allen Dreien, daß ich mich freuen würde, wenn
sie mir Beiträge schickten.

26. August 1903
... Schade, wir hätten auf Helgoland 3–4 schöne Tage verlebt ... Vor
15. September braucht die ›Fackel‹ nicht zu leuchten. Dann umso
heller ...

30. August 1903
... Vielleicht geht's, daß wir später mal auf ein zehntägiges Billet zusammen Paris sehen? Das wäre herrlich ...

Nun ja, aus Mitleid mit einem armen Teufel nimmt man
ihn schon gelegentlich nach Helgoland oder Paris mit. Aber
in Berlin, wo man zu tun hat, wird man doch nur belästigt.
Stundenlang, halbe Tage lang saß ich ihm, ohne Rücksicht
auf seine knappe Zeit, im Hause. Zwar, eine Depesche nach

Wien lud mich, wenn ich die Absicht kundgegeben hatte, nach Berlin zu kommen, »für ein Uhr zum Mittagbrot«. Aber dann war ich nicht fortzubringen:

7. März 1900

. . . Ich freue mich sehr, wenn Sie kommen, sehr sogar. Wie wäre es, wenn wir hier (1. April) den Geburtstag der ›Fackel‹ feierten? Dann kämen Sie am 28. März. Los von Wien!

Herzliche Grüße von Emil, Helene, Max

Hotel Kaiserhof, 17. April 1903

Journée des dupes. Der Mann unten sagt auf wiederholte Frage: Herr K. ist zu Haus. Als ich keuchend vor Nr. 223 stehe, ist die Tür verschlossen. Schade . . .

17. April 1903

Ich ließ 9 Uhr früh bei Ihnen antelephonieren und sagen, daß ich Sie um 12 erwarte, zu Mittag zu bleiben bitte, da ich nachmittags in die Stadt müsse. Es wurde, mit m. Namen und Telephonnr., aufgeschrieben und teleph. wiederholt. von 12–12¾ wartete ich, dann ging ich Ihnen entgegen bis ½2. Schade. Wir wären von 12–4 zusammengewesen. Nun ist alles umgeworfen und ich komme um das Vergnügen, Sie noch einmal zu sehen. Sie hätten hier Schweninger für Ihren Finger konsultieren können . . .

Eben. Während er noch suchte, war Kind schon im Hause und nicht fortzubringen.

15. Oktober 1903

. . . Die Aussicht, Sie bald einmal hier zu sehen, freut mich sehr. Und nicht minder die Damen. Alles Gute! Ihr alter H.

29. Oktober 1903

. . . ich habe sehr bedauert, daß ich Sie (Anm.: im Hotel) verfehlte und nachher nicht mehr erreichen konnte. Sonst hätte ich den Tag frei gehabt.

Wer hat die Freundschaft verraten? Der sie ablegte, da er sich ihr entwachsen fühlte, aber zugibt, daß er sie einst trug? Oder der später höhnt, sie sei ein Narrenkleid gewesen? Er beschimpft die Freundschaft; ich bereue sie nicht einmal. Ich sage, daß ich mit Herrn Harden befreundet war, bis ichs nicht mehr sein konnte. Er sagt, daß er aus Mitleid mich ertrug, bis er Undank erlebte. Aber der arme Teufel, der sich ihm aufdrängte, hat außer den gedruckten Versicherun-

123

gen höchster Bewunderung wiederholt briefliche Beweise der Achtung und Anerkennung empfangen. Ich finde nur ein paar, vielleicht nicht einmal die stärksten.

30. März 1899

Liebster Kraus, . . . eben, 2 Uhr, kommt die ›Fackel‹. Tausend gute Wünsche! Ich lese sie sofort und schreibe Ihnen.

1. April 1899

. . . Meinen und Bertholds Glückwunsch zum trefflichen ersten Heft. Excelsior! . . . Ich mache Notiz über Sie, sobald Notizbuch erscheint. Herzlichen Ostergruß.

9. April 1899

. . . Sie haben Recht, ich auch – und so soll's in guten Dramen sein. Herzlichen Dank für Ihren Brief und besten Glückwunsch zum großen Erfolg. Qu. felix faustumque sit.

5. Mai 1900

Die Speidel-Feier war toll . . . . Sehr freute ich mich über Ihre Enthüllung der Münchener Sonnenthalaffäre. Eine niedliche Bande. Daß sich das Publikum das gefallen läßt, ist das einzig Traurige . . . Schade, daß Sie nicht hier jetzt Ihre Schmöcke an der Arbeit sehen können. Daß Franz Joseph ein »großer und weiser Kaiser« ist (W. II. Trinkspruch), wird Sie interessiert haben. Schonen Sie Ihre Kraft!

12 Mai 1900

(Verteidigt sich gegen die Beschuldigung der ›Zeit‹, er unterhalte »gute Beziehungen zur ›Neuen Freien Presse‹«) . . . Das ist Alles. Oder noch die Visitenkarte an Speidel: »sendet dem starken deutschen Stilmeister herzl. Glückwünsche«. Und das tat ich, weil Sie gesagt hatten, er spreche gut über Sie. Daß mein Ehrgeiz dahin geht, ihr Korrespondent zu werden, ist herrlich . . . . Herzlich grüßt Sie, lieber Karl, Ihr H.

13. Mai 1900

. . . Ihre Abwehr kontra ›Arbeiterzeitung‹ scheint mir recht wirksam. Und sehr gut sind die Theatersachen . . .

2. Juni 1900

. . . »Wien bleibt Wien«. Das mit dem » Privatbrief « habe ich gar nicht verstanden. Ich habe das ja nie getan. Denn bei Mamroth handelt es sich um Provokation u. nicht um e. Sache, die »privat« war. Aber das Alles ist so ekelhaft. ›Arbeiterzeitung‹ gegen Sie bübisch gemein. . . . Freue mich, daß wir über »Pauline« einig sind.

6. Juni 1900

Herzlichen Dank, lieber Don Karl, für den Ruf vom Semmering. Daß Sie nach der Büberei gleich den Beitrag von Liebknecht hatten, war ein famoser Trumpf, den ich gern in Ihrer Hand sah. Ich bin neugierig, zu hören, was Sie über die Wahlen sagen werden . . .

24. Dezember 1900

Herzlich danke ich Ihnen für das liebenswürdige Weihnachttelegramm, das eben kam, als ich Ihnen einen Gruß senden wollte. Wie mag es Ihnen gehen? Ist die Depression gewichen? Ich glaube es, denn Ihr »Goethe« ist frisch und allerliebst. Von Herzen wünsche ich, das neue Jahr möge Ihnen Befreiung von Sorgen und frohe Arbeitskraft bringen. Sie sind jung, haben in ganz kurzer Zeit Außerordentliches erreicht – und werden nicht eingesperrt . . . Es würde mich, uns sehr freuen, wenn Sie vor meiner Abschiebung nochmal herkämen. Herzlichen Händedruck und: Prosit Neujahr! Grüßen Sie Peter den Größeren. Ihr alter H.

9. Jänner 1901

. . . Ich freue mich auf die wiener Wahl-Fackel . . .

28. November 1902

. . . Altersunterschied, mein Herr. J'ai passé par là; deshalb dünkt der leise Groll, den ich in Ihren Worten spüre, mich nicht gerecht. . . . Also ich hoffe, Sie bald hier zu sehen. Und zu hören, daß Sie nicht ganz so wütend auf mich sind, wie mirs scheint. Glauben Sie mirs: ich bin arg zerbrochen und wünsche Ihnen vom Herzen, diese Erlebnisse möchten Ihnen erspart bleiben.

Bismarcktag 1903

Herzlichen Dank für Ihren liebenswürdigen Zuruf. Rara avis. Ich glaubte schon an völlige Ungnade. Sprach neulich mit Berger, der 5½ Stunden bei mir war, viel über Sie . . .

Ostern 1903

. . und freuen uns darauf, Sie bald wieder einmal im Grunewaldhäuschen zu sehen. Lassen Sie sichs in der Festzeit gut gehen. Maxa war ganz stolz und gerührt; drei Karten: Schweninger, Kraus, Mauthner. Für vier Lebensjahre Alles Mögliche.

1. Mai 1903

. . . Siegfried J. (Jacobsohn), der sehr entzückt über Ihr Beisammensein schrieb, war bis 1. 5. bei der ›Zeit‹ . . . Ich denke ernstlich an die ›Fackel‹ (Anm.: wegen eines versprochenen Beitrags) . . . Bald mehr. Wir 3 grüßen Sie herzlich. Guten Mai!

8. Mai 1903

. . . Dank auch für boy-goi . . . . Ich habe eine üble Nervenerkrankung. Aber
Sie haben mir ja oft hier gesagt, ich »jammerte immer«. Wenn ich im
Narrenhaus sitze, wirds Ihnen leid tun. Behandelt haben Sie mich ja
neulich ganz human, wofür ich dankbar bin. Übrigens war dieser Absatz
der F. besonders gut geschrieben. Aufrichtig wünsche ich Ihnen gute
Tage; und Nächte.

10. Dezember 1903

. . . Die Waiß-Sache [?] freilich stark; a b e r s o l l m a n S a c h e n n a c h
28 J a h r e n a u s g r a b e n ? . . . Die ›Fackel‹ zeigt, daß Sie frisch und
munter sind. Das freut mich aufrichtig. Herzlich Ihr Moriturus.

19. Dezember 1903

Lieber Herr K., Ihre Notiz über Weinberger ist das A l l e r l i e b s t e s t e,
was ich lange von Ihnen las. Ganz reizend. Neulich war Berger bei mir.
Wir sprachen von Ihnen . . . Eine Aufforderung Concordia, zur Damen-
spende beizusteuern. Das ist Unsterblichkeit . . . . Ihr alter H.

Daß ihm meine Tätigkeit mehr und mehr mißfiel, mußte
ich demnach merken. Nicht minder, daß er sich durch die
Verbindung mit mir bei der Concordia unmöglich gemacht
hatte. Meine ewige Bitte, mich und die ›Fackel‹ in der ›Zukunft‹ zu erwähnen, konnte er nicht erfüllen . . . . Ich weiß
nicht mehr, ob ich ihn darum gebeten habe. Er sehe in meinen
Briefen nach. Die seinen ignorieren meine Zudringlichkeit
ganz und gar. Möglich ist es, daß ich ihn an eine Zusage, es
zu tun, erinnert habe. Diese Zusage war freiwillig gemacht.
Das scheint wohl aus dem Briefe, den er am Tage der ersten
Ausgabe der ›Fackel‹ schrieb – 1. April 1899 –, hervorzugehen: »Ich mache Notiz, sobald u. s. w.« Doch warum sollte
es mir damals nicht erwünscht gewesen sein? Wenn er es
nicht tat, so muß er gefürchtet haben, was ich hoffen mochte:
daß der ›Fackel‹ Eingang in Deutschland verschafft werde.
Und wenn er es im Jahre 1899 nicht tat – warum sollte ich
ihn erst 1904 dafür angegriffen haben? Ich glaube nicht, daß
ich je später auf sein Versprechen oder auf meinen Wunsch
zurückkam. Tat ich's, welchem Esel würde die Versagung
einer Notiz bei fortgesetzter persönlicher Beziehung meine
späteren Angriffe plausibel machen? Höchstens, daß das
Motiv der Versagung – um auf ein »starkes Talent« das

deutsche Publikum nicht aufmerksam zu machen – zu meiner Erkenntnis von dem Wesen des Mannes beigetragen hätte. Aber auch hier läßt sich eine Gegenseitigkeit nicht in Abrede stellen. Ich weiß nicht, ob ich Herrn Harden mit der Bitte, die ›Fackel‹ zu nennen, zudringlich wurde. Vielleicht hatte ich einmal wirklich Anspruch darauf: eine wichtige Äußerung Liebknechts in der ›Fackel‹ hatte er ohne Quellenangabe zitiert. Aber ich bin in der angenehmen Lage, zu zeigen, wie schwer es Herr Harden trug, in einer ihm wichtigen Sache – gleichfalls Liebknecht betreffend – in der ›Fackel‹ nicht genannt zu werden.

31. Dezember 1899

Lieber Herr Kraus, ich wünsche Ihnen ein gutes Jahr. Und, daß Keiner komme und sage: Siehe, in Sachen Liebknecht, den er allwöchentlich als Finder neuer Weisheit preist, hat auch er, der stets über »Totschweigen« redet, totgeschwiegen. Bleiben Sie gesund und freuen Sie sich Ihres Lebens. Einen Gruß von H.

Ich ahnte, daß er sein Monopol als Antidreyfusard durch Liebknechts ›Fackel‹-Publikation gefährdet sah. Aber Liebknecht braucht nicht gegen den in einem bittern Brief erhobenen Vorwurf geschützt zu werden:

5. Jänner 1900

Lieber Herr Kraus, mir ist's nur spaßhaft. Seit Jahren führe ich diesen Kampf, habe dabei Abonnenten (und Freunde, wie Björnson) verloren und Beschimpfungen gewonnen. Da gibt mein früherer Freund Dr. Berthold dem alten Liebknecht meine Artikel (Zolas Fall u. s. w.). Il s'emballe, wiederholt alle meine Argumente, fügt einiges hinzu, was mir töricht scheint, und wird nun in der ›Fackel‹ stets als Einer hingestellt, der den Mut gehabt habe, der Katze die Schelle umzuhängen, und der deshalb »totgeschwiegen« werde. Im Grunde ist's gleich. Aber durfte ich es Ihnen gegenüber nicht scherzend erwähnen? Hier hat man viel darüber gelacht, meinen Todfeind L. in meiner Garderobe zu sehen. . . .

In der ›Fackel‹ war bloß von der Verlegenheit der sozialdemokratischen Presse die Rede gewesen, die Liebknechts Artikel totschwieg. Natürlich hat dieser nie die Informationen des Herrn Harden gebraucht, ihm war es eine Angelegenheit des Temperaments. Die Garderobe des Herrn Harden hätte ihn gewiß lächerlich gemacht – ungefähr: Ein

Ritter im Ballerinenkleid. Aber Herr Harden legte auf die Anführung seines Verdienstes in der ›Fackel‹ großen Wert. Aus einer Unterlassung solcher Art leitet er Todfeindschaften ab. Darum mag er glauben, daß ich die angebliche Ablehnung zweier Beiträge aus meiner Feder nicht verschmerzen konnte. Ich erinnere mich nur an einen, gebe aber grundsätzlich zwanzig zu. Die Verteidigung wäre hier abgeschmackter als der Vorwurf. Wenn Herr Harden mir Manuskripte ablehnte, so konnte mir dies höchstens wieder seinen inneren Widerstand gegen die Förderung eines von ihm anerkannten »starken Talents« deutlich machen, also einen beruflichen Zug von Mißgunst, den man kaum an irgend einem deutschen Publizisten vermissen, ihm kaum übelnehmen wird. Aber soll es eine Abkehr so vehementer Art wie die meine begründen? Meinen Ehrgeiz, an der ›Zukunft‹ mitzuarbeiten, hatte er durch wiederholte Aufforderung zu befriedigen gesucht, aber jener scheint nicht so brennend gewesen zu sein, da ich dieser nie entsprochen habe. Ich weiß nur, daß ich ein einzigesmal ihm einige Aphorismen sandte, um die er mich bestimmt nicht gebeten hatte und von denen ich voraus wußte, daß sie für seine Leserschaft zu starke Kost bedeuten würden. Es machte mir damals schon Spaß, Herrn Harden mit ein paar Unmöglichkeiten erotischer Psychologie zu versuchen. Aber ich wollte auch seinen wiederholt geäußerten Wunsch erfüllen und schrieb etwa, wenn er sie nicht mehr in die nächste Nummer nehmen könne, erbäte ich sofortige Rücksendung. Er antwortete – gewiß war's nur höfliche Ausflucht –, es sei zu spät gewesen. Wir blieben trotzdem in freundschaftlichem Verkehr. Aber es nagte, wie ich jetzt erfahre, an meinem Herzen. Wenn's mir um die Mitarbeit an der ›Zukunft‹ gegangen wäre, hätte ich in fünfjähriger Beziehung wohl öfter die mir dargebotene Gelegenheit ergriffen, dort anzukommen. Herr Harden »mußte« mir etwas ablehnen. Einen Schriftsteller, dem er Geist, Humor, Kraft, Grazie mündlich, brieflich und auf Druckpapier nachrühmte, soll er für unwürdig gehalten haben, neben den Beiträgen seiner lyrischen Advokaten Platz zu finden! Das glaubt er selbst nicht. Ich habe seit zwölf Jahren keiner deutschen Zeitschrift unaufgefordert einen Beitrag geschickt. Wenn ich je für ein anderes Blatt neben der ›Fackel‹ schrieb, so geschah es auf Grund ehrenden Anerbietens. Ich glaube nicht, daß selbst noch im Jahre 1903 meine Zumutung, mitzuarbeiten, irgend ein deutsches Blatt unglücklich gemacht hätte. Und kein Vollsinniger wird glauben, daß die Ablehnung eines Beitrags den Brudermord verursacht hat. Herr Harden überschätzt durchaus meine Rachsucht auf Kosten meiner Undankbarkeit. Er hielt schon fünf Jahre vor diesem Ereignis so außerordentlich viel von mir, daß er spontan an Herrn Benedikt eine Visitkarte schrieb, auf der er mich als den einzig Berufenen empfahl, das Erbe des Satirikers Daniel Spitzer in der Neuen Freien Presse anzutreten. Herr Benedikt machte mir bald darauf den Antrag. Ich gründete die ›Fackel‹, habe also auch gegen ihn undankbar gehandelt. So treulos war ich gegen Herrn Harden, der mich empfahl, und gegen die Neue Freie Presse, die mich wollte, daß ich es vorzog, mir über beide klar zu werden. Als mir die Tätigkeit des Herrn Harden mehr und mehr zu mißfallen anfing, sprach ich es aus. Er seinerseits, der mit mir in derselben Lage gewesen sein will, sprach es nicht aus. Aber er meint, ich müsse es doch gemerkt haben. So hat er zum Beispiel mein Vorgehen gegen Bahr »widrig« gefunden. Er lieferte mir zwar ein Gutachten gegen ihn, aber er gab mir doch deutlich zu verstehen, daß er mein Vorgehen widrig finde. Zum Beispiel:

14. Februar 1901

L. K. . . . Gern, offen gestanden, mische ich mich nicht hinein. Und anders könnte ichs nicht. Will Ihr Anwalt den Brief so, wie er ist, in toto benützen, dann ists mir recht . . . Aber Sie brauchen mehr Gutachten. Lammasch! U. s. w. Die Mausefallen in m. Brief werden Sie nicht übersehen. Kann Hofmannsthal nicht auch seine Ansicht sagen? Müller-G.! Der wird auch was von Laube wissen. Ihr Anwalt wird doch versuchen, Bukovics unter den Zeugeneid zu kriegen. Da wäre über die »Zumutungen« (Anm.: Zumutungen des Kritikers an den Theaterdirektor) wohl manches herauszupressen. Nachdem ich mit Bahr eben freundschaftl. Briefe gewechselt, muß ich mich anständiger Weise persönlich zurückhalten. Das kann auch Ihrer Sache nur nützen . . . Ein »H.Y.-St.« heute im ›Tag‹ gegen Sie, ohne Namen, perfid, à la Ganz. . . . »Pattai als Zeuge«: ich meine: es wäre gut, wenn unter irgend e. geschickten Vorwande solche, angesehene, den Geschwornen sympathische Leute als Zeugen über diese Art von Preßherrschaft vernommen werden könnten, Geht's nicht – schade. Steht in Bahrs alten Büchern nichts gegen ähnliche Korruption? Über Speidel u. Kainz steht was drin. Vielleicht auch in d. Artikel über mich (»Antisemitismus«) Lob meiner Preßkämpfe? Von Brahm weiß ich nichts. Blumenthal polemisiert ja immer gegen B. Am Ende? Schreiben Sie doch an ihn (Tiergartenstraße), er habe doch Kritikeramt, trotz Erfolgen, aufgegeben, ob er nicht Inkompatibilität finde. Weidmannsheil, nochmals!

Herr Harden hat also meine Kampagne gegen die Vereinigung des Kritiker- und Autorenberufs widrig gefunden. Er lügt. In Wahrheit nahm er Herrn Bahr bloß gegen den Vorwurf in Schutz, daß er nicht immer Originales drucken lasse. (Ein oben ausgelassener Satz lautet: »Bahr ist doch viel begabter als Bracco. Wie sollte er den plagiieren!«) Daß Herr Harden die Aktion selbst gut, heilsam und notwendig fand, ist wohl erwiesen. Aber ich mußte »merken«, daß er sie mißbillige; und darum griff ich ihn vier Jahre später an. Er wiederum merkt, daß ich ihm mein Blatt noch heute schicke. Er lügt natürlich. Meinen ersten Angriffen hat er mit einer Einstellung des Tauschexemplars der ›Zukunft‹ geantwortet. Ich habe die Komik dieses Schrittes damals festgestellt. Darum mußte ich es verschmähen, meiner Expedition den Auftrag zu gleicher Kinderei zu erteilen. Als ich im folgenden Jahre einmal die Liste der Personen durchsah, die die ›Fackel‹ kostenlos bekommen, ließ ich natürlich die Karte, auf der sein Name stand, ablegen. Er bekommt die ›Fackel‹ seit Jahren nicht. Wenn er sie trotzdem im Umschlag liegen läßt, kann ich nichts dafür. Wenn er sie aber lesen sollte, so möchte ich ihn für die Widrigkeiten, die ihm jetzt aufstoßen, nicht um Entschuldigung bitten. Und die früheren habe ich nicht gemerkt. Doch, eine: er fand meine Kampagne für die . . . . . . widrig. Gemeint ist der Fall Hervay. Nach meinem ersten Artikel schrieb er mir mit

einem Kompliment seine Ansicht, daß die Dame, die er
kannte, anders sei, als ich sie darstelle, gar nicht fein und
mondain, sondern so, daß sie die unflätigsten Beschimpfungen auf offener Karte verdient hatte. Ich antwortete, daß
dies nichts an meiner Auffassung des Falles ändern könne.
Es komme darauf an, wie die Frau auf den österreichischen
Bezirkshauptmann gewirkt habe, der sie sein »Märchen«
nannte. Je unbegründeter eine solche Bezeichnung sei, um
so mehr sei meine Auffassung am Platz. Nicht über die Frau,
sondern zur Psychologie des Mannes hätte ich geschrieben
und über die Wirkung, der die Welt Mürzzuschlags erlag.
»Und schließlich – vielleicht hatte sie doch bessere Unter-
wäsche als die Mürzzuschlagerinnen.« Das war meine letzte
Korrespondenz mit Herrn Harden, Sommer 1904. Mir ging's
um eine Erkenntnis, ihm um eine Information. Es war die
erste publizistische Äußerung, die mir auch die Gegner ge-
wann. Jede Post brachte Anerkennungen. »Ein Leser, der
nicht sehr oft Ihr Anhänger sein kann, beglückwünscht Sie
zu der Einsicht, zu dem Mute und zur Fähigkeit, im Kleinen
das Große zu erkennen, die Ihr Artikel über Hervay kund-
gibt«, schrieb mir Professor Freud, den ich nicht kannte.
Eine tatsächliche Richtigstellung schrieb mir Herr Harden,
den ich erkannte. Sein eigener Artikel über die Sache, den
ich heftig angriff, war damals noch nicht erschienen. Jener
freundschaftlichen Auseinandersetzung folgte nur noch –
nach Karlsbad – eine Karte mit dem Bilde seines Töchter-
chens:

20. Juli 1904
Guten Tag wiener Onkel! Es grüßt Deine Grunewaldnichte Maximiliane
Harden.

Das war – abgesehen vom väterlichen Stileinfluß – ein durchaus erfreulicher Gruß. Seitdem habe ich nichts gehört. Herr
Harden spricht von einer »schroffen Antwort«, die sein letztes Zeichen gewesen sei. Jene Karte kann er nicht meinen,
wiewohl sie sein letztes Zeichen war. Er meint also ein anderes, das ich nicht empfangen habe. »Zu einer Kritik erdreistete er sich zum ersten Male, als ich über die . . . . einige

131

unfreundliche Worte schrieb«. Gemeint ist mein Ausfall
gegen ihn wegen seines Artikels über die eben verstorbene
Schauspielerin Jenny Groß. Diese Kritik, die zugleich seine
Haltung im Fall Coburg betraf, erschien Anfang Oktober
1904. Herr Harden »antwortete schroff und ließ mich bei
meiner nächsten Anwesenheit nicht mehr zu sich kommen«.
Seitdem schimpfe ich. Herr Harden lügt. Es ist die letzte in
der Reihe der erweislichen Unwahrheiten, durch die er meine
Abkehr praktisch zu motivieren sucht. Eine einfache, glatte
Lüge. Der schroffe Brief ist verloren gegangen. Wenn Herr
Harden eine Abschrift haben sollte, möge er sie vorweisen.
Aber der Brief ging mit Recht verloren. Welchen Sinn hätte
er gehabt? Hätte ich ihn erhalten, wie sollte er meinen späteren Angriff begründen, da er doch die Folge eines früheren
Angriffs sein soll? Ich schimpfte, er antwortete schroff, seitdem schimpfe ich. Das ist dümmer, als nötig wäre. Wie kann
schroffe Ablehnung meines Verkehrs die Ursache meiner
Angriffe sein, wenn sie die Antwort auf meine dreiste Kritik
bedeutet? Meine Dreistigkeit hatte zugegebenermaßen einen
Vorsprung. Und wer wird mir zutrauen, daß ich nach einem
heftigen Ausfall gegen Herrn Harden und nach einer schroffen Antwort von seiner Seite noch den Versuch gemacht habe,
in den Grunewald einzudringen und Herrn Harden die
Nachmittage wegzunehmen? Er »ließ mich nicht mehr zu
sich kommen«. Eine Lüge, wenn es besagen soll, daß ich
kommen wollte, aber eine Wahrheit insofern, als er mich ja
auch jetzt nicht »zu sich kommen läßt« – jedenfalls eine
Zweideutigkeit. Ich soll nach meiner publizistischen Abwei-
sung seines Verhaltens im Fall der toten Jenny Groß noch
auf den Verkehr in seinem Hause aspiriert haben? Ich hatte
ihm ungefähr vorgeworfen, daß er vom Leichnam einer Frau
Profit ziehe, indem er sie der Verwertung ihres Leibes be-
zichtige! Ich habe seit dem Sommer, der meinem Angriff
vorherging, weder von ihm, noch hat er von mir eine Zeile,
ein Lebenszeichen erhalten, weder aus Wien noch während
einer späteren Anwesenheit in Berlin. Ich erdreistete mich
der Kritik in den Fällen Groß und Coburg, ich erdreistete

mich anderer Kritik in spontaner Undankbarkeit. Wer mich für irrsinnig hält, wird glauben, daß ich dazwischen den Versuch machte, zu Herrn Harden zu gelangen. Auf diesen Versuch wäre eine schroffe Antwort glaubhaft. Besitzt Herr Harden ein Dokument von meiner Hand, das ihm nach meinem Eintreten in der Sache Groß meinen Wunsch, ihn zu besuchen, kundgab, durch das ich ihm etwa meine Anwesenheit in Berlin anzeigte? Dann möge er es produzieren. Tut er's, so beeide ich, daß es gefälscht ist. Sieht man nicht die klägliche Motivenkleisterung für den unerklärlichen Sprung der Freundschaft? Der Gedankengang ist: ich habe geschimpft, folglich läßt er mich nicht zu sich kommen, folglich schimpfe ich. Aber so einfach ist die Sache nicht und mein Rückzug aus dem Grunewald hat nicht die geringste Ähnlichkeit mit einem Hinauswurf aus dem Sachsenwald. Ich habe dort zwar manchmal »Vanilleneis« bekommen, mir aber nie durch einen Vertrauensmißbrauch den Zorn des Hausherrn zugezogen, und kein Graf Finckenstein, Mitglied des preußischen Herrenhauses, lebt, der behaupten könnte, daß mir infolge einer nicht genehmigten publizistischen Aktion das Haus verboten worden sei. Ich will Herrn Harden verraten, was mir schon vor meinem öffentlichen Auftreten gegen die Sexualschnüffelei, die mir inzwischen »ekelhaft« geworden war, den Entschluß nahegelegt hat, den Grunewald nicht mehr aufzusuchen. Es hängt wohl mit einem Vertrauensmißbrauch zusammen, aber mit einem, den der Hausherr auf dem Gewissen hatte. Als ich das letzte Mal über seine dringende Bitte ohne Rücksicht auf seine knappe Zeit bei ihm weilte, sprach ich mit ihm über den dürftigen belletristischen Teil der ›Zukunft‹ und fragte, warum seiner angesehenen Revue nicht bessere Beiträge zukämen. In der letzten Nummer war nämlich eine besonders schwache Skizze eines Wiener Autors und liebenswürdigen Menschen (der inzwischen gestorben ist) erschienen. Herr Harden erwiderte: »Sehen Sie, und der Mann beklagt sich noch, daß ich ihm zu wenig Honorar geschickt habe!« Fragte mich, indem er mir einen grausam niedrigen Betrag nannte, ob das nach meiner

Ansicht denn nicht genug sei. Vor der peinlichen Alternative, meinem Gastgeber den notorischen Geiz des reichen Besitzers der ›Zukunft‹ zu bestätigen, oder über das wirtschaftliche Interesse eines Bekannten zu entscheiden, sagte ich: Den Beitrag halte ich für wertlos, nimmt man aber auf den Namen des Autors Rücksicht, so scheint mir die Rekrimination berechtigt. Als ich einige Tage später in Wien den Bekannten traf, grüßte er unfreundlich. Auf meine dringende Frage nach der Ursache seiner Veränderung wies er mir eine lange Abhandlung des Herrn Harden vor, in der dieser mit einer Emsigkeit, als ob es die Anlegung einer homosexuellen Zeugenliste gälte, seinen Honorarsatz verteidigte und sich auf mich als Sachverständigen berief, der gleichfalls gemeint habe, der Betrag sei entsprechend. Ich weiß heute nicht mehr, ob ich Herrn Harden einen Vorwurf daraus gemacht habe, glaube es aber. Vielleicht schrieb i c h jene »schroffe Antwort«, auf die kein Besuch mehr gefolgt ist. Jedenfalls begann sich damals meine Gesinnung mit meinem Magen umzudrehen. Sie zögerte noch mit dem Ausbruch, und im Sommer wurden ein paar Grüße gewechselt. Im Oktober erfolgte mein erster Angriff. Inzwischen hatte sich die Kluft zwischen seinem mehr auf nationalökonomische Fragen und meinem mehr auf Dinge des inneren Lebens gerichteten Interesse geöffnet. Der Anstoß, auszusprechen, was ist, waren die Fälle Coburg und Groß. Ich hab's gewagt; wiewohl ich selbst ein unreines Gewissen »in diesem Punkt« hatte. Ich habe nämlich »gemeinen Privatklatsch über die . . . . . . breitgetreten«. Was soll das heißen? Wen meint der Herr? Wann habe ich dergleichen getan? Ich zerbreche mir den Kopf und erinnere mich, daß ich einmal ein Feuilleton, das Frau Odilon geschrieben oder einem Berliner Journalisten in die Feder diktiert hatte, in der ›Fackel‹ berührt habe. Natürlich so, daß ich das Privatleben der Schauspielerin aus der publizistischen Sphäre hinausstieß, nicht selbst der Sensation preisgab. Damals hatte ich nur den Standpunkt gegenüber der journalistischen Gefahr bezogen, mich noch nicht zur Bejahung eines solchen Privatlebens an und für sich durchgerungen.

Später habe ich das Dasein von Freudenspenderinnen, auch von solchen, die nicht aus der Fülle einer Natur schöpfen, auch von jener Toten, gegen die sich Herr Harden verging, für wertvoller gehalten, als die Tätigkeit eines Leitartikelschreibers. Verunglimpft hätte ich eine solche Frau nie, auch im Leben nicht. Was Herr Harden breitgetretenen Privatklatsch nennt, kann sich nur auf die gegen das Schmocktum gerichtete Zitierung einiger Sätze aus dem Feuilleton der Frau Odilon beziehen. Und wem – rate man – verdankte ich die Kenntnis des Feuilletons? Herrn Harden, der es mir, dicht besät mit hämisch kommentierenden Bleistiftnotizen zugeschickt hatte, mit Beweisen einer Orientiertheit über die Herkunft und den Wert von Realitäten, die auch in späteren Briefen wiederkehrte und ein Material an mich zu vergeuden schien, für das Herr Lippowitz dankbar gewesen wäre. Von dem Verkehr mit diesem, der gewiß zu den interessanten Wiener Leuten gehört, die mich verachten, habe ich Herrn Harden abgehalten. Ich bedaure es und kann nur zu meiner Entschuldigung sagen, daß ich ihn bald freigegeben habe. Er wurde ein Intimus des Korrespondenten, den Herr Lippowitz in Berlin hat, und geht heute mit ihm und den Polizeihunden Edith und Ruß gemeinsam auf die Jagd nach Sittlichkeitsverbrechern. Ich habe ihm den Schaden, den er durch seine Verbindung mit der ›Fackel‹ erlitten hat, durch meinen Verrat reichlich vergütet. Ich gebe zu, daß ich damals sein Lob meines Witzes nicht honoriert habe, ich bedaure auch, daß ich ihn um ein Lob des nach Dreyfus wieder versöhnten Björnson (welches aber vielleicht sogar der Neuen Freien Presse zu schwachsinnig war), gebracht habe. Gewiß, ich habe seine Beziehungen zu den Wiener Preßleuten eine Zeitlang lahmgelegt. Aber heute ist längst alles wieder gut und die Meinung, Neue Freie Presse und Neues Wiener Tagblatt hielten es mit mir gegen ihn, ist gewiß nur ein Wahn des Verängstigten, der sich noch verfolgt glaubt, da längst schon die schmierigsten Hände hilfreich sich ihm entgegenstrecken und sogar ein Montagsrevolver bereit ist, es mit ihm gegen mich zu halten.

Einer hat eine Wahrheit gesagt; aber das tat er nur, weil man seinen Gruß nicht erwidert hat. Die Enthüllung enthüllt den Enthüller. Wer die Wahrheit erlitten hat, beweise, daß sie unwahr ist oder er schweige, ehe er zu so jammervoller Motivierung ausholt! Und wenn einer von der Hetzjagd auf das Privatleben deutscher Staatsmänner noch so kaput ist, so trostlose Beweise geistiger Ermüdung dürfte er nicht von sich geben. Aber wenn er, um doch in Ehren zu bestehen, sich von der mißglückten Motivensuche in mein Privatleben zurückzieht, weil er glaubt, daß der gewohnte Weg zum Ziel führen könnte, dann, sage ich, hat er mich überhaupt nie gekannt. Ob ich aus dem oder jenem ihm seelisch naheliegenden Motiv so oder so schreibe, das mag er prüfen, und er mag, solange ich mich nicht auf einen lästigen Dokumentenbeweis einlasse, mit meiner Entlarvung dem gesunden Menschenverstand, der sich's längst gedacht hatte, imponieren. Geht er aber weiter, zieht er zur Erklärung meines kritischen Erdreistens auch meinen » g r o t e s k e n Ro - man mit der . . . . . .« heran – seit welchem ich empfindlich in diesem Punkt geworden sei – so hört für mich die Geneigtheit zu einer literarischen Erledigung auf! Denn hier ist der Punkt, wo ich noch heute empfindlich bin. Und ich sage Herrn Harden: Die ganze Lächerlichkeit seiner Erwiderung hat ihren Spaß für mich verloren. Doch um dieses einen Satzes willen lasse ich ihn nicht mehr los. Hier ist er in der Bahn, auf der er heute in Deutschland mit vollem Dampf fährt – aber durch meine Reiche kommt er nicht unbeschädigt. Hier ist die Gemeinheit am Ende. Und sie zeigt noch einmal, was sie kann. Jetzt erst fühle ich ihre Möglichkeiten, jetzt erst begreife ich den Plan, der ihren Vorstößen gegen das privateste Erleben zugrundeliegt: Die Unfähigkeit, vor dem Geist zu bestehen, vergreift sich am Geschlecht. Mein grotesker Roman lag Herrn Harden nicht als Rezensionsexemplar vor, aber er wußte von ihm, weil ich ihn besuchte, wenn ich auf meinen Reisen zu einem Sterbebett in Berlin Station machte. Für die groteske Art dieses Romans leben Zeugen wie Alfred v. Berger, mit dem er so viel über mich gesprochen hat, und Detlev v. Liliencron. Deutschlands großer Dichter weiß, wo der Roman beendet liegt, und hat das Grab in seinen Schutz genommen. Herr Harden in seinen Schmutz. Ich aber sage ihm: Ein Roman, den der andere grotesk findet, kann mehr Macht haben, eine Persönlichkeit auszubilden, als selbst das Erlebnis, von einem Bismarck geladen, von einem Bismarck hinausgeworfen zu sein. Aus den Erkenntnissen dieses grotesken Romans erwuchs mir die Fähigkeit, einen Moralpatron zu verabscheuen, ehe er mir den grotesken Roman beschmutzte. Was weiß er denn von diesen Dingen! Von ihm hätte ich nicht gelernt, die unauslöschliche Schmach dieses Zeitalters zu fühlen, dessen Männer Iris-Beete verunreinigen. Bei dem Gedanken zu erbleichen, welcher Art von Menschheit Frauenschönheit als Freudengabe in den Schoß gefallen ist! Herr Harden ist tot – der groteske Roman lebt. Er hat die Kraft, immer wieder aufzuleben, und ich glaube, ich verdanke ihm mein Bestes. Wenn ich gegen dieses Heroengezücht losziehe, so ist's mir, als ob mir der Geist noch heute aus leuchtenden Augen zuströmte. Ich tauche meine Feder nicht in das Spülwasser aristokratischer Wirtschaften. Wäre ich einer von jenen, die jetzt in Deutschland unter einem ungerufenen Domestiken leiden, ich würfe die Feder hin und forderte diesen vor meine Klinge, aber ohne ihm meine Zeugen zu schicken und ohne ihm Zeit zu lassen, im Lexikon nachzuschlagen, wie sich die Duellregeln historisch entwickelt haben. So aber gelobe ich ihm dieses: Für seine Kritik meines grotesken Romans wird er mir Rede stehen. Nicht in seinem Blatte. Denn dies könnte meine Gegenrede bewirken, und er ist von meiner Unerschöpflichkeit überzeugt. Er wird nicht. Aber jetzt ist der Augenblick gekommen, wo sich dem Motiv des Undanks wirklich das der Rachsucht gesellt. Die vertrete ich nicht publizistisch. Doch verspreche ich ihm: Wenn er wieder einmal nach Wien kommen sollte und Frauenvereine durch das Feuerwerk seiner Belesenheit aufregen wird, wenn er sich am Schlusse des Vortrags mit Fragezetteln bewerfen und seine Herzensabwesenheit als Geistesgegenwart bewundern läßt, dann wird ihm diese Frage gestellt werden: Glauben Sie, daß einer schon darum kein Dummkopf ist, weil er es vorzieht, ein Schweinehund zu sein? Halten Sie nicht den für einen Schuften, der ohne Nötigung an das privateste Fühlen eines Anderen greift, und ohne das Bedenken, selbst ein Grab zu beschmutzen? Und verdient nach Ihrer Ansicht der, der solches tut, nicht rechts und links Ohrfeigen? Sollte Herr Maximilian Harden dann noch gestimmt sein, auszusprechen, was ist, so werden sie ihm bei Gott und in Gegenwart des Frauenvereines appliziert werden. Er ahnt gar nicht, und niemand ahnt es, welcher Gesetzesübertretungen ich fähig bin, wenn es gilt, einen grotesken Roman gegen einen nichtswürdigen Rezensenten zu schützen!

NOTIZEN

Die Saalverweigerung

Im ›Strom‹, einer neuen sozialdemokratischen Zeitschrift, die von einem Volks- und einem Großmann herausgegeben wird, veröffentlicht Herr Hermann Bahr eines jener überflüssigen Tagebücher, die manche »nachdenkliche« Worte enthalten und manche, die mir nachgedacht sind. Eine Notiz handelt auch von mir:

Sankt Veit, 28. April. Aus einer Gerichtsverhandlung erfährt man: Karl Kraus, ein Schriftsteller, der mich nicht mag (ich ihn auch nicht sehr), hat in Wien vorlesen wollen, aber der Saal ist ihm verweigert worden, angeblich aus Angst, weil Kraus unbeliebt sei. Das ist doch eine solche Niedertracht, daß man darüber alles vergißt, womit er einen zuweilen geärgert haben mag. Saalsperre, einem Redner angedroht, weil man nicht seiner Meinung ist! Immer noch die alte pfäffische Methode: einmauern, wenn einer unbequem wird. Und der alte bureaukratische Kniff der kleinen Perfidien. Aber die Freiheit des Wortes? Ich höre doch, daß dafür alle Schriftsteller mannhaft zusammenstehen.

Herr Bahr hat mir offenbar ein Geburtstagsgeschenk machen wollen. Ich lehne dankend ab. Es wäre unanständig von mir, die Genossenschaft des Herrn Bahr anzunehmen, weil er ihre Konsequenzen nicht bedacht hat. Er läßt sich leicht von seinem Temperament fortreißen, selbst an meine Seite, aber umso nötiger ist es, ihn zurückzuhalten. Ich kann auf seine Hilfe und die Hilfe der Schriftsteller, die er ermuntert, mannhaft für die Freiheit des Wortes zusammenzustehen, verzichten. Ich wäre wohl geliefert, wenn ich mit ihnen vereint gegen Saalbesitzer zu kämpfen hätte, und ich werde mit diesen besser allein fertig. Herr Bahr hat in seinem Eifer für die gute Sache, wie einst die paar Cholerafälle in Venedig, auch die Faktoren übersehen, unter deren Hochdruck die Saalbesitzer sich zur Sperre entschlossen haben. Es sind eben dieselben Kreise, von denen Herr Bahr erwartet, daß sie für mich mannhaft zusammenstehen werden. Denn es ist nicht etwa der Staat, nicht die Regierung, nicht die Polizei, nicht die Gesellschaftsordnung und nicht einmal die Kirche, wovor sich die Herren Saalbesitzer fürchten: es ist die Presse. Das wurde in einem andern Saal, der mir noch nicht gesperrt wurde, im Gerichtssaal festgestellt. Und nun denke der Herr Bahr, der allzuleicht entzündet ist und seit jeher eine gewisse Schwäche für mich hat – öffentlich mag er mich nicht sehr, aber heimlich schwärmt er für mich –, nun denke er einmal die Konsequenzen aus. Er ist Heimarbeiter für die Herren Benedikt und Lippowitz, diese sind es, vor welchen sich die Herren Bösendorfer und Umlauft gefürchtet haben: würde er es ernstlich wagen, sich mit seinen Vorwürfen an die richtige Adresse zu wenden? Würde er in der Tagespresse, die ihm zur Verfügung steht, gegen die »Niedertracht« zu protestieren wagen? Und wenn es mutig wäre – wäre es auch anständig, in der Presse die Feigheit anzuklagen, die der Presse geopfert hat? Er hat sich genug damit geschadet, daß er für mich das Wort nahm. Gegen die zu sprechen, die es angeht, dazu wird er sich nicht hinreißen lassen. Sein Liberalismus hat ihm zum Wort »Saalsperre« sofort die Wendungen »pfäffische Methode«, »bureaukratischer Kniff«, »Freiheit des Wortes«, »mannhaft zusammenstehen« assoziiert. Aber er hat vergessen, daß es sich nicht um Staat und Kirche handelt, sondern um Journalismus und Freimaurerei. Seine Kollegen, seine leiblichen Logenbrüder sind es, die zwei schlichte Geschäftsleute zu dem argen Schritt vermocht haben, und der Papst, der den Segen gab, heißt Benedikt. Nehmen wir an, Herr Bahr hätte Autorität genug, um seine freisinnige Phantasie, die sich vergaloppiert hat, in den richtigen Stall zu führen. Wo käme er da hin? Er hat im Neuen Wiener Journal das Tiefste gesagt, was sich über das Postamt 94, das unzuverlässige, sagen läßt. Würde er der Post einen Brief gegen das Neue Wiener Journal anvertrauen? Er spricht, wie wenn es die Aufhebung der Leibeigenschaft gälte. Aber es gilt die Stigmatisierung der Geisteigenen, wie ich die Kollegen des Herrn Bahr schon einmal genannt habe, ein Wort, das dann auch er in einem seiner nachdenklichen Tagebücher gebraucht hat. Diese Stigmatisierung besorge ich schon allein. Er meint's ja gut und will mir zeigen, daß er's gut meint. Mannhaft zusammenstehen! Wie vor einem verlornen Sohn bei Kotzebue steht man vor ihm und möchte über ihn die Hände ringen. Mannhaft zusammenstehen! Geh' er mir, er ist ein Freigeist; sehe er zu, daß er es nicht gegen die Presse sei.

Ein notgedrungenes Kapitel

Genies, so klagt Herr Karl Busse in einem »notgedrungenen Kapitel«, das ihm die Neue Freie Presse abdruckt, Genies »entmutigen, erdrücken und vernichten« jede andere dichterische Individualität, die sich ihnen hingibt. Herr Busse scheint in den letzten zwanzig Jahren einem Genie begegnet zu sein: nur entmutigt ist er noch nicht. Aber man kann wohl sagen, daß kaum ein zweiter deutscher Autor in so kurzer Zeit so unbekannt geworden ist wie Herr Karl Busse. Er hat einst zu der Sorte Literaturstudenten gehört, die einander die Begeisterung wie den Plumpsack zuwarfen, um bald als Literaturphilister zwischen Roman- und Feuilletongeschäft zur Ruhe zu kommen und zwischen Velhagen und Klasing sichs gut sein zu lassen. Keiner hat so vom Jungsein gelebt wie der junge Busse. Und selbst der in Jugendstimmungen völlernde Halbe und selbst O. J. Bierbaum, bei dem sich wie zum erstenmal Seichtheit auf Leichtheit gereimt hat und der doch gewiß das war, was man damals einen »Prachtkerl« nannte, waren nicht so geschwind erledigt, so schnell fertig mit dem Wort, nein mit der Jugend selbst wie der lenzeliche Busse, der aus dem Liliencronwalzer ein paar jugendtolle küssevolle kleine Baronessen in die Gartenlaube verführt hat und, noch immer munter, auf die Musik, die er nicht konnte, zu pfeifen begann. Darum aber, weil er wie kaum ein Zeitgenosse weiß, wie das Jungsein in der Literatur schmeckt, ist er auch wie kein anderer berufen, über Heine, das große Sinnbild aller verrauchten Jugendlieben, schützend ein Feuilleton zu breiten. Die Heine-Geg-

nerschaft erklärt Herr Busse ebenso tief wie einfach: »Wer
Wind gesät hat, muß auf Sturm gefaßt sein, und Heine kann
ja am Ende einige Stürme vertragen«. Gewiß, guter Busse:
wer Wind gemacht hat, muß auf Sturm gefaßt sein: darin
sind wir einig. Aber die Heine-Gegnerschaft ist ihm ein
Symptom der »Unwahrhaftigkeit und Verschnörklung des
gesamten Lebens«. In dem Punkt bin ich gerade der ent-
gegengesetzten Meinung. Herr Busse sehnt sich nach dem
»Sturm« (das ist wieder ein anderer Sturm), »der die Atmo-
sphäre reinigt und die Gespenster vertreibt, nach dem Re-
bellen, der in den Treibhäusern die Scheiben zerschlägt und
in erfrischten Lüften uns allen wieder ein freieres Atmen
gestattet. Es ist Zeit, daß wieder Autoritäten gestürzt werden«. Der Rebell wird vermutlich ein Feuilletonredakteur
sein. Er wird den Autoritäten mit allen Phrasen, die sie
überliefert haben, zu Leibe rücken. Er wird wie Heine sein
müssen, der nach Herrn Busse sehr viel auf einmal geleistet
hat, zum Beispiel: er hat nicht scheu aus dem Winkel zu-
gesehen, sondern sein Herz, sein rotes Dichterherz ins Getümmel geworfen, er hat in der Zeit gekämpft und geirrt;
andere haben nur schöne Gedichte gemacht, aber er war ein
Kerl; denn es gibt Epochen, in denen, und es gibt Stunden,
wo (der Dichter an die Spitze seines Volkes gehört oder dergleichen). Heine kann nicht nur, sondern hat auch alles. »Er
hat das kleine lyrische Lied, das wie ein Hauch vorüber-
zieht (durch mein Gemüt), und die mächtige Ballade, er hat
die Schlichtheit der deutschen Volksweise ebenso wie das
feierlich erhabene Pathos der Bibel und den komplizierten
Ausdruck des modernen Kunstdichters, er hat das anmutige
Idyll und die bitter aufpeitschende Satire, er hat die Stille
und den Sturm, die Liebe und den Haß, die zarte Lyrik des
Herzens und die grollende soziale Anklagelyrik.« Gewiß,
guter Busse, alles das hat er, aber Wertheim hat noch mehr,
und wenn Sie erst wüßten, was heute alles Wertheimer hat!
Gewiß, die Heine'sche Form ist wie eine Toledoklinge. Und
was eine solche alles kann, weiß man: »sie erreicht wie spie-
lend den höchsten Wohlklang und stürzt sich wie mutwillig

in die Dissonanz; sie kost und kichert, raunt und flüstert, verführt und schmeichelt, sie tanzt spinnwebfein mit den Elfen im Mondlicht und macht mit Lachen und Weinen, mit süßem Geigenstrich und weichstem Flötenton den Mädchen die Herzen heiß, aber sie trommelt auch Reveille und schreckt die Männer aus dem Schlaf, sie braust mit der wilden Jagd in Hallo und Hussa dahin, sie kann dröhnen wie Marschtritt der Heere, klirren wie Schwerter, pfeifen wie eine Klinge, klatschen wie eine Geißel«. Oder gar wie ein Feuilleton, Donnerwetter noch mal. Kurzum, Heine ist doch ein anderer Kerl als Mörike, für den sich vor zwanzig Jahren auch Herr Busse, wie er gern zugibt, gegen Heine begeistert hat. Nur irrt Herr Busse, wenn er glaubt, es gehe um die Entscheidung zwischen Heine und Mörike. Es geht um die Entscheidung zwischen Heine und der Kunst. Freilich wenn man nicht wüßte, daß Mörike bessere Verse als Heine gedichtet hat, man erführe es aus der Anklage des Herrn Busse: »Er, der lebensschwache Träumer, der nicht umsonst in Cleversulzbach und Mergentheim versteckt blieb, um den sich in seiner Zeit kaum eine Katze kümmerte und der Kinkerlitzchen ins Ausgabenbuch zeichnete, während draußen um die Freiheit gekämpft ward . .!« Soll man gegen den Herrn Busse wirklich ausführlich werden? Mörike gehört nicht der Welt, weil er in seiner Fliederlaube saß und »die Kreuzer für Milch und Wecken in sein Haushaltungsbuch eintrug«! »Nicht umsonst« blieb er in Cleversulzbach, während draußen u. s. w. und während Heine »nicht umsonst nach Paris strebte, in dem das Herz der Welt damals wirklich schlug«. Effektiv schlug. Was Herr Busse alles nicht umsonst tut, das kommt nicht in die Literaturgeschichte. Mörike zeichnete Kinkerlitzchen ins Ausgabenbuch: Heine korrespondierte inzwischen mit seinem Bruder darüber, wie man am wirksamsten einen widerspenstigen Geldmann bedrohen könnte. Um Mörike braucht sich keine Katze zu kümmern, weil dies schon zu seinen Lebzeiten keine getan hat. »Man möchte hohnlachen, wenn man nicht vor Zorn weinen möchte!«, ruft Herr Busse und spricht also eines jener erlösenden Worte, die in einem Durchfallsstück das geduldige Auditorium endlich losbrechen lassen. Ich werde Herrn Busse, der sich von den Genies gedrückt und vernichtet fühlt, auch noch entmutigen. Er wird es sich künftig vergehen lassen, Wiener Börseanern den Mörike schlecht zu machen. Vor zwanzig Jahren war er auch für ihn, aber seit damals hat sich manches geändert und sind vor allem die lebenden Literaturhoffnungen schäbig geworden. Heine aber ist, je mehr sie sich verschmiert haben, ein umso größerer Könner geworden. Er ist nicht nur ein Dichter, sondern auch ein Kerl, nicht nur ein Singvogel, sondern auch ein Raubvogel, nicht nur eine Hauslampe, sondern auch – man höre – »ein Leucht- und Blinkfeuer, das die auf dem dunklen Meere der Zeit ringenden Schiffer aller Nationen grüßte, das Weg weisende Lichtblitze in die finstere Zukunft warf und dessen Ruhm verbreitet ward bei allen Kulturvölkern«. Herr Busse aber, der scheinbar nur ein Schwätzer ist, muß auch etwas von all den Vorzügen haben. Denn es ist meine tiefste Überzeugung, daß die Phrase und die Sache eins sind. Über wen all das gesagt werden kann, der stinkt von der Phrase. Und wer all das sagen kann, steht an innerem Wert nicht weit hinter ihm zurück. Goethe – das vergißt so ein Schwätzer – war auch kein unberühmtes Leucht- und Blinkfeuer und ist dennoch »nicht umsonst« versteckt geblieben, in Epochen in denen, und in Stunden wo, und während draußen; und hat zugunsten der Nachwelt darauf verzichtet, sein rotes Herz ins Getümmel zu werfen, Reveille zu trommeln und der Kerl mit der kichernden Toledoklinge zu sein. Herr Busse aber ahnt gar nicht, wie bescheiden er ist, wenn er sich nicht selbst alle diese Fähigkeiten zuerkennt. Er scheint wirklich auch schon entmutigt zu sein. Freilich noch nicht genug, um das Geschwätz über Lyrik, mit der er doch wahrlich nichts mehr zu schaffen hat, einzustellen und sich endgültig dem reinen Geschäft zuzuwenden. Nur auf einen Nebenumstand sei er aufmerksam gemacht. Er fühlt sich verpflichtet, Detlev von Liliencron den »fabelhaft ursprünglichen Holsten« zu nennen, »der von Anmut zu Kraft emporsteigt und allen

Friedhelm Kemp: Dichtung als Sprache

Wandlungen der modernen Poesie. 159 Seiten. Karto-
niert DM 9.80

»Kemp ist ein Liebhaber der Sprache. In ihrem Namen verteidigt er die Dichtung. Rückblicke auf die Dichtungsgeschichte,
das Entstehen der Formen, die Bedeutung von Rhythmus und
Reim, die Rolle des ›Prosa-Gedichtes‹, zahlreiche Beispiele gerade auch aus der Entwicklung der französischen Dichtung – das
alles trägt dazu bei, Kemps Argumentationen plausibel zu machen. Er verschmäht die Polemik, weil die Sache, für die er plä-
diert, ihre Polemik in sich birgt. Man muß sie nur vorführen,
kenntnisreich und mit jener Überlegenheit, die ein jahrzehnte-
langer Umgang schenkt. Daß Kemp in dem angefügten Vortrag ›Der Dichter und seine Zeit‹ dem zeitgenössischen Litera-
turbetrieb ein paar kräftige Hiebe versetzt, sei allerdings nicht
verschwiegen.«   Franz A. Hoyer

»Es spricht ein Mann, bei dem in allem Mitteilen, in allem
sachlichen Hinweisen ein Urteil verborgen liegt – ein Temperament also. Da ist aber nichts Rechthaberisches. Es herrscht
ein weltmännischer Ton, etwas umsichtig Generöses. Und wie
wohltuend ist das ruhige Festhalten am Qualitätsbegriff, der
für Friedhelm Kemp verbunden bleibt mit der Überzeugung:
Ein Dichter sei um so zeitgerechter, je mehr des Hergebrachten,
Überlieferten er in seiner Sprache erneuert, ›wiederholt‹ – und
zwar ›wiederholt‹ im Kierkegaardschen Sinne: indem er sich
vorwärts erinnert.«   Werner Weber

Eine ausführliche Stellungnahme zu diesem Buch von Herbert
Eisenreich in Form eines offenen Briefes an den Autor wurde in
der »Welt der Literatur«, Nr. 8 vom 15. 4. 65, veröffentlicht. Dieser Brief wird als Sonderdruck vom Verlag kostenlos abgegeben.

Kösel-Verlag München

Deutsche geistliche Dichtung aus tausend Jahren. Herausgegeben von Friedhelm Kemp. Einmalige Sonderausgabe in der Reihe »Die Bücher der Neunzehn«. 543 Seiten. Leinen DM 12.80

Deutsche Liebesdichtung aus achthundert Jahren. Herausgegeben von Friedhelm Kemp. 651 Seiten. Leinen DM 25.80

Else Lasker-Schüler: Gedichte 1902–1943. Erster Band der Gesammelten Werke. Herausgegeben von Friedhelm Kemp. 439 Seiten. Leinen DM 19.80

–, Prosa und Schauspiele. Zweiter Band der Gesammelten Werke. Herausgegeben von Friedhelm Kemp. 1252 Seiten. Leinen DM 44.–

Theodor Däubler: Dichtungen und Schriften. Herausgegeben von Friedhelm Kemp. 923 Seiten. 7 Bilder. Leinen DM 36.–

Konrad Weiß: Gedichte 1914–1939. Erster Band der Dichtungen und Schriften in Einzelausgaben. Herausgegeben von Friedhelm Kemp. 816 Seiten. Leinen DM 28.–

Bogumil Goltz: Buch der Kindheit. Herausgegeben von Friedhelm Kemp. 328 Seiten. Leinen DM 12.80. »Lebensläufe«, Band 1

Simone Weil: Die Einwurzelung. Einführung in die Pflichten dem menschlichen Wesen gegenüber. Deutsch von Friedhelm Kemp. 439 Seiten. Leinen DM 15.50

–, Schwerkraft und Gnade. Einführung von Gustave Thibon. Deutsch von Friedhelm Kemp. 293 Seiten. Leinen DM 12.80

Das Unglück und die Gottesliebe. Vorwort von T. S. Eliot. Deutsch von Friedhelm Kemp. 255 Seiten. Leinen DM 12.80

Eine Bibliographie ›Friedhelm Kemp als Essayist, Übersetzer und Herausgeber‹ enthalten die »Nachrichten aus dem Kösel-Verlag«, Folge 21. Das Heft wird vom Verlag kostenlos abgegeben.

voranstehen würde, hätten seine sinnlich-poetischen Fähigkeiten sich mit gleich großen geistigen verbunden«. Das soll Herr Busse nicht mehr tun. Er soll es ja nicht mehr tun! Denn sonst könnte ihm, von einem, der Bescheid weiß und dessen Gedächtnis auch gerade zwanzig Literaturjahre zurückreicht – gesagt werden: Detlev von Liliencron war zwar schon damals anmutig, als Herr Busse noch kraftvoll war; aber zu den geistigen Fähigkeiten gehört die Urteilskraft, und wenn es auch wahr ist, daß dieser sein großes Dichterherz scheinbar ins Getümmel der Literaten geworfen und Anerkennung und Begeisterung nur so verschwendet hat, so hat er doch auch im rechten Augenblick die Distanz erkannt. Detlev von Liliencron, der sich für die Anfänge des Herrn Karl Busse mit Recht verantwortlich fühlte, hat bald gespürt, welches werdende Literaturgeschäft seine Sonne bescheinen sollte, und aus seinem Zweifel an der fabelhaften Ursprünglichkeit des Herrn Busse nicht das geringste Hehl gemacht. Wenn Herr Busse es künftig nicht lieber vermeiden möchte, den Namen Liliencron mit herabsetzender Anerkennung zu nennen, dann richte er es so ein, daß mir das Feuilleton nicht unter die Augen kommt! Ich bin etwas nervös und könnte mich hinreißen lassen, die geistigen Fähigkeiten Liliencrons am Fall Busse nachzuweisen.

Die Fackel

Aus einem Aufsatz der ›Neuen Zürcher Zeitung‹ über die »Chinesische Mauer« seien einige Sätze zitiert, die an das Problem der Publikumswirkung anknüpfen:

Wenn man in einem Zürcher Café nach Wiener Zeitschriften fragt, so bringt der Kellner den ›Pschütt‹, die ›Wiener Karikaturen‹, die ›Wiener Mode‹ und die ›Wiener Rundschau‹ – aber daß in Wien eine Zeitschrift erscheine, die an persönlichem und kulturellem Wert einzig dasteht, weil sie seit einem Dezennium als Ausdruck einer Persönlichkeit im Kampf mit der gesamten Presse liegt und von dieser pflichtschuldigst totgeschwiegen wird, weiß niemand. Ich meine ›Die Fackel‹, und ihr Herausgeber heißt Karl Kraus. . . .

Daß man im Zürcher Kaffeehaus etwas von der Fackel wüßte, wäre der Güter höchstes nicht. Der Übel größtes aber ist, daß man im Wiener Kaffeehaus von ihr weiß. Und schmerzhaft wird das lokale Renommee, wenn man es erlebt, wovon sie zu gleicher Zeit auch wissen, hierzulande, und wovon sie ausschließlich wissen, dort, wo man von der Fackel nichts weiß. Es besteht ja keine rechtliche Möglichkeit, der vom Kellner geistig bedienten Intelligenz zwischen dem Lesen der Witzblätter die Fackel zu entziehen; sonst wäre es längst geschehen. Aber maßlos traurig ist, was sich inzwischen der reichsdeutsche Journalleser, der trotz tausend Rezensionen nichts von ihrem Dasein weiß, unter der Fackel vorzustellen beginnt. In Frankfurt hebt ein journalistischer Skandalprozeß an, der sich um das üble Geschäft eines Wurstblattes dreht, das seit etwa fünf Jahren die Freundlichkeit hat, sich ›Die Fackel‹ zu nennen, nachdem es früher ›Die Sonne‹ geheißen hat. Vermutlich ist die Änderung auf eine Beschwerde der älteren Besitzerin des Titels zurückzuführen, die ihr tägliches Erscheinen in Frankfurt von dem Verschwinden der Schmutzkonkurrentin abhängig machte. Die Fackel aber, die sich in Deutschland auf kein Urheberrecht berufen kann, muß sich das Treiben gefallen lassen. Nun wäre mir ja nichts lieber, als einen Titel zu opfern, der wohl immer in einem billigen Sinn ornamental war und längst nicht den Inhalt dieser Zeitschrift erschöpft, der heute nur noch der dümmste Leser die Ambition, in irgendetwas »hineinzuleuchten«, zutrauen mag. Aber selbst ihre früheste Vergangenheit ist durch das elende Parasitentum, das sich ihr in Wien und andern Städten angeheftet hat, schwer kompromittiert. Und wahrhaft trostlos ist die Selbstverständlichkeit des Odiums, mit dem jetzt – ein ganzes Jahr wird von dem Prozeß widerhallen – die gesamte deutsche Presse den Namen dieser Zeitschrift belehnt, ohne mit einer Silbe zu erwähnen, daß er in der Literatur immerhin noch einen andern Inhalt deckt als die Ausbeutung der Frankfurter Ehebettaffären durch einen gewinnsüchtigen Schmierer. Der »Herausgeber der Fackel« verfaßt Kundgebungen, die er in die

Welt hinaussendet – sogar mich hat er bedacht –, und bittet die Redaktionen, von seiner Rechtfertigung »wenn nicht dem ganzen Wortlaute nach, so doch in extenso« den Lesern Kenntnis zu geben. Es ist nichts unmöglich; es kann wirklich geschehen, daß man irgendwann irgendwo mit so etwas verwechselt wird. Das wäre wenn schon nicht tödlich, so doch letal. Und darum – so peinlich es ist – muß der Fall hier, wenn schon nicht mit deutlichen Worten, so doch expressis verbis, und wenn schon nicht leidenschaftslos, so doch sine ira et studio festgehalten sein. Das Beste freilich wäre, die Wiener Maxime zu befolgen: »Gar nicht ignorieren!« Denn es kann mir, wenn schon nicht gleichgültig, so doch zum mindesten egal sein, daß einer einmal behauptet, der Mann, der das Geschäft in Frankfurt am Main betreibt, sei der Autor der Chinesischen Mauer. Was tue ich aber gegen die Ausschnittbureaus, die mir jetzt sämtliche Artikel zuschicken, in denen erzählt wird, daß die Fackel »ein übelbeleumundetes Wochenblatt in Frankfurt« ist?

Nachruf

Den Freunden der Fackel wird gemeldet, daß ihr bester Freund, mein lieber

Ludwig Ritter von Janikowski

Doktor juris und Inspektor im Eisenbahnministerium

geboren am 24. Juli 1868 in Krakau, am 18. Juli 1911 in einem Sanatorium bei Warschau gestorben und am 23. September in Krakau feierlich beerdigt worden ist.

Unsern geistigen Bund, der von 1904 bis zu seiner tödlichen Erkrankung im Jahre 1909 dauerte, überlebt meine Dankbarkeit. Dieser tief geistige und tief gütige Mensch, den keine Lebensplage um den inneren Reichtum betrügen konnte, war nicht Schriftsteller, stand aber künstlerischen Dingen in einem so wahren und erhabenen Sinne nah, daß nur ein schöpferischer Zufall an ihm den Künstler versäumt zu haben schien. Mit seinem Feuer und seiner Liebe umfing er mein Werk, in welchem er als erster die geistige Perspektive jener Geringfügigkeiten erkannte, die die Blindheit für den Inhalt nimmt. Seine Erkenntnis war mir Bestätigung, seine Bestätigung mitschaffende Tat. Er hat, der im deutschen Sprachgeist hundert deutschen Schreibern überlegene Nichtdeutsche, an und mit mir den Geist erlebt und die Sprache, und meine Leistung wuchs an seiner Begeisterung. Er hat um die Kunst gewußt und um die Opfer, die ihre Eitelkeit kostet. Ich habe ihm »Sittlichkeit und Kriminalität« gewidmet, das Buch, an dessen Feilung er beteiligt war wie an der Herausgabe der »Sprüche und Widersprüche«, für deren Mitkorrektur ich ihm hier gedankt habe.

Solange Leben gewährt ist, einen Verlust zu beklagen, so lange wird es ein Jammer sein, daß dieser aus Geist und Güte geschaffene Mensch nicht mehr lebt. Aber sein Verlust ist nicht schmerzlicher als die Erhaltung der Vielen, die niedrig sind und doch einem unerforschlichen Ratschluß zufolge am Leben. Und der bessere Trost: Seine Seele, befreit von der Gemeinschaft des eigenen leidvollen Körpers und erlöst von der Gemeinschaft der überlebenden Leiber, zu nichts nütze als zum Leben – seine große Seele ist zu sich gekommen.

Nicht von der Parteien Gunst und Haß verwirrt, sondern im Gegenteil, weil er jeder einzelnen sich anzubiedern sucht, schwankt sein Charakterbild in der Geschichte. Dieses unaufhörliche Schwanken ist die Lage, in der man unter allen Umständen sicher sein kann, ihn anzutreffen. Es gibt keine Öffnung österreichischer Gunst, und wäre sie noch so unwegsam oder wäre sie noch so ausgefahren, an der es den Freiherrn von Berger nicht gelockt hätte seine Gewandtheit zu erproben, und durch die er nicht getrachtet hätte, eine lohnende Aussicht zu gewinnen. Bei dem kolossalen Andrang, der in Österreich an solchen Stellen herrscht, ist es kein Wunder, daß selbst ein so geschickter Mann wie der Freiherr von Berger oft Pech gehabt oder sich dadurch, daß er die Gelegenheit besetzt hielt, wenn gerade ein anderer hineinwollte, die erbittertsten Feinde gemacht hat. Ich habe nicht zu ihnen gehört; denn ich bin ehrgeizlos, der Baron Berger kann mir zwischen Leo-Gesellschaft und Concordia keine Position wegnehmen, und von der Zeit, da er, ein Träumer, im Ischler Walde so für sich hinging, um nichts zu suchen und zufällig die Frau Schratt zu treffen, bis zur endlichen Berufung ins Burgtheater, habe ich ihn um keinen sozialen Vorsprung beneidet. Man weiß im Gegenteil, daß ich für den Baron Berger etwas übrig hatte, daß ich viel dazu beigetragen habe, seinen Erfolgen das Air des geistigen Verdienstes zu schaffen, und daß ich gutwillig den Verdacht übernahm, es sei diesem flinken Einseifer, dem zum Gurgelabschneider die Konsequenz fehlt, immerhin gelungen, zugleich der Neuen Freien Presse und der Fackel um den Bart zu gehen. Und wiewohl ich jetzt wieder den Verdacht auf mich nehme, daß irgendetwas vorgefallen sein müsse, weil eben für die Kretins immer etwas vorgefallen sein muß, wenn ein Mann mit einem Weib fertig wird, so stehe ich nicht an, dem Freiherrn von Berger öffentlich und auch für den Fall, daß er sich noch in einer Täuschung darüber befinden sollte, meine Gunst zu entziehen. Ich kann mich einer Sympathie, zu der er mir einmal Grund bot, nicht schämen, ich muß es ihm überlassen, sich dessen zu schämen, daß er mir heute keinen Grund mehr zu ihr bietet. Ich kann auch nicht leugnen, daß ich ihn für einen vielfältig begabten Mann hielt, dessen Unfähigkeit, seine Gaben zusammenzuhalten, sich mir immer wieder hinter einer reizvollen Plaudergabe verbarg. Ich nahm mir nicht die Mühe, die Taten zu vermissen, die er nicht tun konnte, oder gar jene zu erraten, deren er fähig war. Denn in die Betrachtung seines wogenden Busens versunken, aus dem Epigramme gegen Hochgestellte und Witzworte über Preßbuben hervorkamen, während sein Auge leuchtend auf dem dankbaren Empfänger ruhte, konnte man nur bedauern, daß solchem peripatetischen Plauderer die Gelegenheit gesperrt sei, und mußte wünschen, daß ihm endlich die Burgtheaterdirektion mit dem Recht verliehen werde, im Mittelgang des Parketts herumzugehen und mit seiner Begabung und Statur die Zwischenakte auszufüllen. Ein paar Aufführungen in Hamburg – nicht seine Aufführung, als er von Hamburg ging – schafften mir auch den Eindruck eines ungewöhnlichen Regietalents und ein paar Federzüge in Büchern und Aufsätzen den Glauben an seine novellistische Begabung. Einer größern Schuld habe ich mich nicht zu zeihen, und daß ich einen Mann, der vielleicht sogar aus mehr als zwei halben Männern besteht, nicht überschätzt habe, liegt auf der Hand. Er könnte mit seinen häufigen Talenten wirklich eine Persönlichkeit bedienen, aber der Jammer ist, daß diese Persönlichkeit nicht in ihm ist, so daß er oft den Eindruck eines Menschen macht, der seinen Körper abgelegt hat, ehe er mit den Kleidern ins Wasser ging. Dieser Mangel an Persönlichkeit aber tritt mit den Jahren so sehr in Erscheinung, daß nach dem Chok des Erfolges, einen zwanzigjährigen Traum erfüllt zu sehen, überhaupt nichts anderes übrig bleibt als der Mangel an Persönlichkeit. Der Freiherr v. Berger hat bewiesen, daß er für das Maß an Unehrlichkeit, das er sich aufgebürdet hat, nicht mehr tragfähig ist. Er ist bei weitem nicht konsequent genug, um einem die Untreue zu halten, und den Gesinnungswechsel, den er bei flagranter Gelegenheit ausgestellt hat, zu prolongieren. Der Wind, der von der andern Seite weht, wirft ihn um, wenn er seinen Mantel nach ihm hängt, und nichts bleibt als das weibische Vergnügen, ein kleines System von Rankünen, die einander wie die Wanderer in der hohlen Gasse kreuzen – des Weges Enge wehret den Verfolgern –, als l'art pour l'art auszuüben. Nur eine Geistesgegenwart, die in der Abwesenheit des Charakters begründet ist, konnte ihn auf die Idee bringen, Schiller für den Klerikalismus zu reklamieren, und nur die unerwartete Rückkehr des Charakters im Moment der Geistesabwesenheit konnte ihn veranlassen am Grabe des Schauspielers Kainz die Dringlichkeit der Leichenverbrennung zu betonen. Dieses perpetuum mobile zwischen schwarz und gelb, das jetzt an einen Prälaten anschlägt und jetzt an einen Reporter, immer der Rückkehr zur andern Hoffnung gewärtig, ist schließlich eine so unwürdige Tatsache unseres öffentlichen Lebens geworden, daß selbst eine Hoftheaterbehörde des Mannes überdrüssig werden könnte, der sich heute vor ihr mit der Verachtung jüdischer Schmöcke brüstet und morgen den jüdischen Schmöcken sie gebunden überliefert. Um es mit einem Wort zu sagen, so scheint mir die Vereinigung der Würde eines Burgtheaterdirektors (wofern man heute noch von einer solchen sprechen kann) mit der Schmach eines fix besoldeten Mitarbeiters der Neuen Freien Presse (von der man heute gewiß sprechen kann) unerträglich, und der Freiherr v. Berger wird sich nicht wundern, daß ich ihn, nach den Jahren, da ich die literarische Leistung des verbannten Österreichers um ihrer selbst willen gewürdigt habe, mit äußerstem Mißtrauen in zwei Stellungen wirken sehe, deren Kuppelung eine absurde Gefahr für das geistige Leben dieser Stadt bedeutet (wofern überhaupt noch ein Hund an das geistige Leben dieser Stadt riecht). Der Freiherr v. Berger ist in mein Ressort gefallen. Nicht als Theaterleiter; denn ich befasse mich nicht berufsmäßig mit dem Niedergang des Burgtheaters. Ich überzeuge mich von ihm höchstens einmal in zwei Jahren, und ich habe mit Wehmut die welken Blätter betrachtet, die Herr v. Berger zur Totenklage der Königinnen in »Richard III.« von den Soffitten fallen ließ. Dieser Erneuerer, dachte ich, ist ein Restaurateur, der weniger auf das gute Fleisch sieht, als auf die schlechte Garnierung, und ich hatte wieder für zwei Jahre genug. Aber die Art, wie sich der Burgtheaterdirektor in die geistige Szene setzt und wie er die doppelten Spiele aufführt, das interessiert mich. Und wenn ihm meine Kritik zum Erfolge nützen sollte, so wäre das zwar bedauerlich, aber ich kann mindestens so wenig heucheln wie der Freiherr von Berger im Falle Harden, und man wird mir nicht zumuten, daß ich, um ihm zu schaden, sein Lob singe. Wie lange sich ein Übel erhält, ist gleichgültig; wichtiger ist, davon zu sprechen, weil man so, im Allgemeinen, über die Übel aufklärend wirkt und irgendeinmal neue verhindert. Herr v. Berger sehnt sich darnach, von mir angegriffen zu werden; ich tue es trotzdem. Es bedarf keiner Provokation; ich seh' schon selbst, was los ist. Ihm genügt es aber nicht, bei der Neuen Freien Presse sicher zu sitzen, er hat den Drang, Fleißaufgaben zu leisten, und wie er nach der Bekehrung Schillers zum Katholizismus hundert Juden umarmt hat, bis Herr Benedikt ihm auf die Schulter klopfte und sagte: »Lassen Sie's gut sein, Berger, es ist genug für heut!«, so will er jetzt den Nachweis erbringen, daß er keine Gemeinschaft mit mir hat. Irgend ein Schurke muß ihn bei der Neuen Freien Presse angeschwärzt haben. Denn das Obersthofmeisteramt besteht auf solchem Schein gewiß nicht. Im Gegenteil, ich kann Herrn v. Berger sogar eine schlaflose Nacht mit der Mitteilung machen, daß man in gewissen Kreisen – ich sage nichts Näheres, ich zwinkere, ich zucke die Achseln – die Fackel, wenn auch nicht versteht, so doch ernst nimmt. Dort könnte ich bei einigem guten Willen ihn kompromittieren. Aber ihm bei der Neuen Freien Presse zu schaden, liegt mir so wenig im Sinn, daß ich sogar alles tun werde, ihm dort zu nützen und ihm dazu zu verhelfen, auch noch die paar Stunden, die ihm jetzt die Leitung des Burgtheaters wegnimmt, der journalistischen Tätigkeit widmen zu können. Er wird natürlich sagen, ich tue das, weil ich kein Stück geschrieben habe und dieses vom Burgtheater nicht angenommen wurde. Oder er wird sagen, daß irgend eine Gemeinheit, die das Burgtheater an einem mir persönlich bekannten Autor begeht, mich erbittert hat. Auch damit täte er Unrecht. Die Zeiten, in denen mich das typische Schicksal der der Theateranküne ausgelieferten Literatur interessiert hat, sind vorbei, und ich würde dem Herrn v. Berger nicht raten, irgend ein verletztes Privatinteresse mit meiner gesunden Abneigung in Konnex zu bringen. Ich würde ihm nicht raten, die Motive meines Angriffs schäbig zu machen – sonst hätte er es mit mir zu tun! Wenn dem Herrn v. Berger etwas an meiner Aversion gelegen ist, so soll er sie auch für ehrlich halten. Und wie ehrlich sie ist, das muß er gespürt haben, als er die Feder ansetzte, um Ludwig Speidel zurück in den Journalismus und Herrn Maximilian Harden in die Ewigkeit zu bugsieren. Wenn er es nicht darauf abgesehen hätte, meinen Zorn zu verdienen, er müßte doch gespürt haben, wie er entstand, wie er wuchs, wie mir die Finger zitterten, wie die Hand sich erhob, um einem unehrlichen Diener am Wort der Majorität, einem zwischen öffentlicher Meinung und heimlicher Streberei Beflissenen, dem Pfau der Presse, der sich vor Hennen spreizt, dem Freiherrn unter Freimädchen, dem endlichen Burgtheaterdirektor endlich auf den Mund zu schlagen. Er trolle sich und verstelle das Gesichtsfeld nicht. Dieser ewige Wirbel im Kinematographen, in den einer da gerät, über Stock und Stein hinter einer Hoffnung her, beim falschen Loch hinein, beim rechten hinaus – der Zustand paßt mir nicht! Dieser Drang, in eine Position zu kommen, und wäre es auch eine schiefe, ist fatal. Ich bin für solche Dinge umso empfindlicher, je länger ich sie nicht gespürt habe, und nehme sie dann als persönliche Beleidigung. In dem Augenblick, da Herr Alfred v. Berger Miene machte, Speidel, dessen Andenken man kaum aus den Klauen der Neuen Freien Presse gerissen hatte – die Herren Wittmann und Benedikt begleiteten ihn in die Unsterblichkeit –, der Kollegenschaft wieder einzuliefern; in dem Augenblick, da er – kurz nachdem ich die Folgekrankheiten des Heineismus beklagt hatte – die Geschmackigkeit des Wiener Feuilletongeistes pries, da mußte er wissen, daß es zwischen uns keine Verbindung mehr gab. »Oberhalb oder im Norden des Striches tobt das kalte sturmgepeitschte Meer der Politik und des wirklichen Lebens, im Süden erstreckt sich die grüne, sonnige Küste des Feuilletons, der Strich selbst wandert auf und ab wie eine Flutmarke; höchst selten, an besonders kritischen Tagen, verschwindet er sogar, wie bei Springflut, unter den hereinbrausenden Wogen des Leitartikels. Ober dem Strich ist Krieg, da liefert der Geist im Dienste politischer, sozialer und wirtschaftlicher Ideen und Leidenschaften seine Schlachten. Unter dem Strich ist Friede, da legen die Gedanken ihre Waffenrüstung ab und entladen ihre nackte Kraft nicht im Zwange drängender Not, sondern in freiem Spiel . . .« Nein, der Urheber dieser schönen Bildlichkeit hat nicht erwartet, von mir noch gegrüßt zu werden, wenn ich ihm zufällig einmal ober, unter oder auf dem Strich begegne. Der Mann, der einem Speidel nichts besseres nachzusagen wußte, als die »feinfühligen journalistischen Instinkte«, hat nicht gehofft, daß er sich bei mir damit eines seiner Bildel einlegt. Nicht, weil er weiß, daß ich weiß, wie er über diese Dinge denkt. Das weiß ich nämlich gar nicht. Ich verlasse mich nicht einmal auf die Verachtung der journalistischen Instinkte, die der Baron Berger mir gegenüber hundertmal betont hat. Die Lust zu fabulieren ist groß und die Neigung, so zu fabulieren, wie es der andere hören will, größer. Aber das Stoffliche der Gesinnung, die sich vor Herrn Benedikt auftut, paßt mir nicht. Ich räuchere nicht durch zwölf Jahre ein Räubernest aus, damit ein Mann, der mir dazu Beifall geklatscht hat, sich's drin wohl sein lasse. Wenn den Mitarbeiter der Neuen Freien Presse der Verkehr mit mir nicht kompromittiert hat, ich mußte ihm die Mitarbeit nicht übelnehmen. Aber die Glorifizierung des Schlimmsten, was mir die Journaille an der Kultur zu verbrechen scheint, des Feuilletongeistes, der die Schurkerei versüßt, nehme ich nicht hin. Der Freiherr v. Berger weiß das und er hat mir mit dankenswertem Entgegenkommen den Verzicht auf meine Achtung erleichtert. Er kann nämlich nicht lügen. Er muß Herrn Maximilian Harden versichern, daß der Wert seiner Artikelsammlung »Köpfe« mit den Jahrzehnten, und wenn sein Gefühl nicht trügt, mit den Jahrhunderten wachsen wird. Sein Gefühl trügt; wie jeder Schein, wie alles, was Herr v. Berger in sich hat, und nur die erweisliche Wahrheit siegt, daß das Buch des Herrn Harden die Leistung des Buchbinders ist, der der Welt beweist, wie wesenlos die Gedanken zerflattern, die ein geschminkter Archivar für die Woche erschwitzt hat. Herr v. Berger kann nicht anders, er muß. Er stand stundenlang auf dem Korridor des Leipziger Reichsgerichts, um nicht für Moltke und nicht gegen Harden zu zeugen, aber um für seine Vermittlerrolle zwischen Aristokratie und Journaille zu zeugen, die er sich in seinem unerforschlichen Drang nach diplomatischer Betätigung zugelegt hatte. Der wartende Zeuge, der vor dem Reichsgericht stand, als ob dieses eine Burgtheaterdirektion zu vergeben hätte, machte nicht den erfreulichsten Eindruck, und Zeugen dieses Wartens wollen beobachtet haben, daß Graf Moltke damals ein Gesicht machte, als empfände er, wie vorsichtig man mit den Freiherren sein muß. Adel, der in der Krachzeit des österreichischen Liberalismus erworben ist und an der Neuen Freien Presse mitarbeitet, läßt Tintenflecke. Der arme Graf Moltke ist wahrscheinlich ein so schlechter Menschenkenner wie ich. Aber ich wenigstens wußte schon damals, das Feuilleton des Aristokraten Berger über den Bürger Harden sei unvermeidlich. Er wird das »wunderbare Phänomen seines schier unerschöpflich scheinenden Wissens, das er immer bei der Hand hat, wenn er es gerade braucht«, uns erklären. Er wird leugnen, daß es Zettelkästen gibt, und man wird darum nicht wissen, woher die Hand das unerschöpflich scheinende Wissen nimmt. Sie nahm es kürzlich aus einer parodistischen Schmähschrift gegen Friedrich den Großen, und Herr Harden behauptete, einen Originalausspruch des »Fritzen« gefunden zu haben. Franz Mehring hat in der ›Neuen Zeit‹ unter dem Titel »Ein Fürst der Gecken« die tödliche Blamage des gebildetsten Deutschen enthüllt, und alle Zettelkästen zwischen Konstanz und Königsberg barsten vor Scham über das Malheur, das einem ihrer Kollegen passiert war. Ich müßte mich umbringen, wenn ich gewußt hätte, daß ein gewisser Bonneville 1766 ein Pamphlet »Matinées du roi de Prusse« verfaßt hat. Herr Harden bringt sich nicht um, wiewohl sich herausgestellt hat, daß er es nicht weiß. Daß er es nicht nur nicht weiß, sondern eine den Historikern bekannte Persiflage der Hohenzollern ernst genommen und die Worte, die Friedrich der Große zu seinem Neffen spricht (»Unser Haus hat, wie alle andern, seine Achilles, seine Ciceros, seine Nestors, seine Blödsinnigen . . .«) als ungedrucktes Bekenntnis eines Vorfahren, der anders als Wilhelm II. vom Gottesgnadentum denke, veröffentlicht hat. Herr Harden war interpelliert worden, woher er das dieswöchentliche Zitat habe, und antwortete in einem zweiten Artikel, er sei, fern von Berlin, nur auf sein Gedächtnis angewiesen, das freilich auch fern von Berlin unglaublich leistungsfähig ist – folgte eine Serie von Namen und Zahlen –, aber er verdanke irgendjemand eine Abschrift dieser bis heute ungedruckten Worte. Herr v. Berger hat nie an den Zettelkasten geglaubt, der ja auch tatsächlich zeitweise in Unordnung zu sein scheint. Ich denke aber, daß dies nicht das Problem ist, welches uns hier zu beschäftigen hätte, sondern vielmehr ein anderes: ob Herr Harden außer dem Zettelkasten, den er nicht hat, noch etwas anderes hat. Herr v. Berger ist ganz entschieden der Ansicht. Der Zettelkasten, der immer zur Erklärung des Harden'schen Wissens herangezogen werde, sagt er, verhält sich zu Harden, wie Lord Bacon zu Shakespeare; die Verlegenheit, das Shakespeare-Wissen zu erklären, habe die Theorie erzeugt, Shakespeare sei im Geheimen Lord Bacon gewesen, »wobei Lord Bacon gewissermaßen die Rolle eines Zwillingsbruders des Harden'schen Zettelkastens spielt«. Das sind komplizierte Familienverhältnisse, aber ich möchte immerhin behaupten, daß Shakespeare außer seinem Wissen noch etwas vorgestellt hat, während bei Herrn Harden das Wissen die störende Hauptsache ist und außer ihr nichts da ist, was unser Herz erfreuen könnte. Auch möchte ich den Zettelkasten des

Herrn Harden, wenn sich ihm überhaupt etwas an die Seite stellen läßt, lieber schon mit dem Brustkasten des Freiherrn v. Berger verglichen sehen, aus dem ebenfalls manches hervorkommt, wofür der Besitzer nicht verantwortlich ist. Wenn's freilich auf mich ankommt, würde ich diesen unvergleichlichen Brustkorb wieder nur mit einem redenden Papierkorb vergleichen. Denn was hat da nicht alles Platz! So meint Herr v. Berger zum Beispiel, Harden sei ein Sprachkünstler. Nun, ich kann da nicht mitreden. Ich bin bloß Übersetzer und als solcher etwas voreingenommen. Aber an dem Übelbefinden von Tausenden, denen ich die Sprache des Herrn Harden zugänglich gemacht habe, merke ich, daß da etwas nicht stimmen dürfte. Herr v. Berger hebt ferner auch rühmend hervor, daß Herr Harden, der übrigens einer der fleißigsten Arbeiter sei, sich in die Persönlichkeiten, die er schildert, » hineinbohrt, bis er endlich die Empfindung, wie es schmeckt, dieses Ich zu sein, einen Augenblick auf der eigenen Zunge spürt« Da kann ich auch nicht mitreden, da ist wieder der Freiherr v. Berger kompetent. Auch er hat es oft gespürt, er konnte es umso leichter als er doppelzüngig ist, er hat Tag und Nacht gearbeitet, wie Herr Harden, er ist manchmal gar nicht aus den Kleidern der Leute herausgekommen. »Wenn ich«, schreibt er, »der Natur, als sie Harden schuf, einen guten Rat hätte geben können, so würde ich ihr gesagt haben: Gib diesem Drang nicht nur die Kraft des denkenden und fühlenden Ergründens und lebendigsten Schilderns, sondern die Allmacht des Gestaltens, oder gieß ihr wenigstens schauspielerisches Vollblut in die Adern!« Man kann von Glück sagen, daß der liebe Freiherr nicht dem lieben Gott geholfen hat; er hätte die Menschen am Ende nach seinem Ebenbilde geschaffen. Schlechte Freiherren gibt es genug. Schlechte Theaterdirektoren auch. Dagegen gibt es nicht viele gute Schauspieler. Die Herren Berger und Harden haben Ansätze. »Der schauspielerische Trieb muß sehr stark gewesen sein in dem jugendlichen Harden«, sagt jener und rühmt ihn als echten Patrioten. Darin, findet er, in der »leidenschaftlichen Liebe für das Vaterland« gleiche Harden keinem geringern als Dante. Diese »weißglühende Leidenschaft« nötigt Herrn v. Berger – der ja auch sein Vaterland liebt, aber doch nur, wenn es ihn zur Burgtheaterdirektion ruft – geradezu Ehrfurcht ab: »Hardens Patriotismus ist das Gefährliche in ihm, das zu scheuen ratsam ist«. Ich bin ganz derselben Meinung und habe schon in dem Aufsatz »Der Patriot« diesen Patriotismus als einen solchen dargestellt, dem man lieber ausweicht, wenn's finster wird. Harden »nimmt, wie Goethes Alba, keine Raison an«; höchstens die des Herrn v. Holstein, die das Vaterland just dann in einen Krieg treiben will, wenn's just am wenigsten dringend ist. Und wieder kommt, bei aller Echtheit des Patriotismus, »das starke schauspielerische Temperament« des Herrn Harden zu Ehren, das ihn zwingt, »die Rollen an sich zu reißen, die der Moment von ihm heischt, abwechselnd Prophet, Weiser, Narr, Warner, Ankläger, Richter und Nachrichter, denn tausend Seelen wohnen in ihm«. In Herrn v. Berger trotz größerer Brust erweislichermaßen nur zwei. Und die sind zu viel! Und nun möchte ich ihn zu seiner Pflicht rufen. Denn so wahr es ist, daß er eher noch das Burgtheater vor dem Tode seines Weltruhms retten als daß er meinen Harden für Deutschland lebendig machen wird, so dringend nötig ist es, ihn bei der Stange zu halten. Wenn er sich pflichtgemäß für den schauspielerischen Nachwuchs zu interessieren hat, unterlasse er es, auf den literarischen Schmieren Umschau zu halten. Er kümmere sich darum, wo er den Nachfolger für Kainz, wo er den interessanten Schauspieler findet, dem zuliebe ein Mensch in Wien noch ein Burgtheaterbillett kauft, und gebe den Versuch auf, die schauspielerischen Keime bei Herrn Harden, der nun schon einmal den Beruf verfehlt hat, zu entdecken. Wir wollen einen Burgtheaterdirektor und nicht einen Rezensenten, der ehemalige Provinzkomödianten und gegenwärtige politische Gaukler als Stars feiert. Herr v. Berger hat in einer lächerlichen Notiz erklärt, daß das Burgtheater auch nach dem Tode Kainz' noch bestehen werde, wie es nach dem Tode Sonnenthals weitergelebt habe. Das mag wahr sein, die Mauern sind nicht eingestürzt, das Klosett auf der rechten Parkettseite ist noch immer sanitätswidrig und auf der Galerie ruft der Mann, der heute die Burgtheatertradition verkörpert, noch immer: »Frisch Wasser, Frornes, Lemrnad!« Wenn Herrn v. Berger ein Schauspieler stirbt, so sagt er, daß mit Rücksicht auf dessen Unersetzlichkeit kein Nachfolger engagiert werde, und daß das Publikum von den Persönlichkeiten entwöhnt und zur Würdigung des Ensembles erzogen werden müsse. Solcher Aufschrei der geplagten Mittelmäßigkeit, die keinen größeren Ehrgeiz kennt, als den Gymnasiasten die Lektüre der Klassiker zu ersparen, mag rührend sein; aber durch die Entschuldigung, daß er für den Tod nichts könne, wird Herr v. Berger der Verantwortung dafür, daß er das Leben nicht ruft, kaum entgehen. So wird sich die Sache schwerlich halten. Schon gar nicht, wenn sie immer wieder durch Feuilletons unterbrochen wird. Wenn der Freiherr bekennt, er habe Harden »genau studiert«, so ist es nur zu beklagen, daß er seine freie Zeit nicht besser angewandt hat: vielleicht hätten wir jetzt schon bessere Burgtheatervorstellungen. Und wenn er mit einer deprezierenden Gebärde nach meinem Schreibtisch ausruft, »er könne ihn nicht anders malen, als er ihn sieht«, so falle ich vom Sessel vor Entzücken ob solcher Ehrlichkeit. Denn ich kann noch weniger lügen, als der Freiherr v. Berger. Hardens »Sprachgewalt« flößt diesem graden Michel Bewunderung ein. Hardens »Leidenschaft« bittet er nicht mit ihrem »schwächlich, reizbaren Bruder, dem Affekt« zu verwechseln. Er lasse mir die Leidenschaft des Herrn Harden in Ruhe; sonst tut sie der Sprache Gewalt an und behauptet am Ende, der aus der Elbestadt mit Stank Geschiedene habe ihn, den im Machtreich Wohnenden, mit Klugschwatz kirren wollen !.. Kann solch dekrepite Leidenschaft noch einen schwächlich reizbaren Bruder haben, so reize er die Schwäche nicht. Sie könnte dem Freiherrn v. Berger Proben geben, daß er meinen Affekt wirklich nicht mit der Leidenschaft des Herrn Harden verwechseln wird! Ich würde ihm beweisen, wie zutreffend die Beschreibung ist, die er von jenen gibt, welche seinem Urteil über Herrn Harden – er ahnt es – widersprechen werden: psychologische Begabung sei für sie »die Sucht und die Geschicklichkeit, hinter der Fassade, welche eine öffentliche Persönlichkeit dem Publikum zukehrt, allerlei traurige Menschlichkeiten als die angebliche Wahrheit aufzuspüren«. Dieser vielfältige Mann ahnt, daß er durch die Verteidigung der Fassade des Herrn Harden seine eigenen Menschlichkeiten dem Auge des Psychologen entblößt hat. Ich bin aber gar nicht für Psychologie, ich bin bloß für Sauberkeit. Ich haue Fassaden ein und mache tabula rasa mit den traurigen Menschlichkeiten. Ich leiste Verzicht auf die Verehrung, deren man mich immer bis zu dem Moment versichern läßt, in dem man meiner Achtung verlustig gehen will, und ich beklage die Feigheit, die, nicht zufrieden damit, daß sie über mich nicht öffentlich reden darf, noch ein Übriges tut und mir in den Rücken fällt, um in alle Hohlheit, die ich entlarve, hineinzukriechen. Wie eine Konkursmasse der Gesinnung geht dieser stattliche Freiherr durch ein Leben, wo man Händedrücke austeilt, um sich Fußtritte zu ersparen. Er entziehe mir seinen Anblick. Wir sind miteinander quitt. Er hat sich einmal den Jux gemacht, in der Neuen Freien Presse einen »geistvollen Kritiker« zu zitieren, der das Wort »Dilettanten ohne Lampenfieber« geprägt habe. Er hat mir damit ein Opfer gebracht, das ihm die Journaille übelnehmen könnte. Ich habe mich revanchiert, und als ich in der ›Fackel‹ zum erstenmal das Wort »Journaille«, dessen Erfinder ich nicht bin, zitierte, dazu geschrieben: »Ein geistvoller Mann hat mir neulich, da wir über die Verwüstung des Staates durch die Preßmaffia klagten, diese für meine Zwecke wertvolle Bezeichnung empfohlen, die ich hiemit dankbar dem Sprachgebrauch überliefere«. Wir sind quitt.

Als er fünfzig Jahre alt wurde, mußte er dem Ansturm der
Bewunderung entfliehen und den ereignisvollen Tag fern
von Wien, »irgendwo am Meere«, zubringen. Es hat Dichter
gegeben, die älter wurden und unbelästigt von Gratulanten
an ihrem Wohnsitz bleiben konnten. Unsere Explosionen
haben keine Ursache mehr. Die Zeit ist ein Knockabout: eine
Flaumfeder fällt, und die Erde dröhnt. Wie kann ein Zarter
so von Begeisterung umtobt werden? Es ist im Geschlechts-
charakter der Generation begründet. Sie alle sind Söhne des
Hermes und der Aphrodite, und ein Kräftiger könnte ihnen
nur beweisen, daß sie Weiber sind. Die Position Schnitzlers
im Weichbild der Gegenwart soll damit nicht geleugnet,
sondern zugegeben werden. Dem Unbeträchtlichen, das sie
sich zu sagen hat, vorbestimmte Form zu sein, ist auch etwas,
das von der Gnade einer schöpferischen Notwendigkeit
stammt. Auch diese Zeit hat ihre Dichter, die sie sich aus der
Unfähigkeit schafft, Dichter gegen die Zeit zu sein. Ein Zeit-
dichter aber darf auch nicht mit solchen verwechselt werden,
die sich die Zeit hält und die unter dem Diktat des fremden
Bedürfnisses schreiben. Sie sind bloß das Zubehör und nicht
der Ausdruck der Überflüssigkeit, und Arthur Schnitzler, ein
konzentrierter Schwächezustand, soll mit dem Geschmeiß
nicht verglichen werden, das Musik macht, weil sich der Ernst
des Lebens erholen will. Er steht zwischen jenen, die der
Zeit einen Spiegel, und jenen, die ihr einen Paravent vorhalten: irgendwie gehört er in ihr Boudoir. Nicht nur in
seinen Anfängen; viel mehr noch später, als er nachdenklich
wurde und ihr sagte, daß sich über uns ein Himmel wölbt
und daß man nie wissen kann, wie die Sache ausgehe. Schnitzlers Seichtigkeit war das Abziehbild eines Jahrzehnts der
schlechten Gesellschaft und als solches von Wert für ein weiteres Jahrzehnt; Schnitzlers Esprit war die Form der für ein
Zeitalter maßgebenden Männerschwäche. Schnitzlers Tiefe,
mit dem Verlust der Liebenswürdigkeit bezahlt, ist der karge
metaphysische Rest, der sich ergibt, wenn Anatol Kaiser-

licher Rat wird oder sagen wir, Conseiller imperial. Da der
Autor die Verwandlung dieses Lebenstypus in Treue mitgemacht hat, so kann ihm die Liebe jener nicht fehlen, die,
ohne die Nichtigkeit ihres Daseins zu erkennen, von dem
Vorhandensein einer Unendlichkeit sich überzeugen lassen
und denen nach dem schicksalswidrigen Handel ihres Tages
gut und gern die Erkenntnis einleuchtet, daß wir nur Marionetten sind in der Hand einer höheren Macht und was dergleichen Gedanken mehr sind, die, jenseits der Kunst vorgetragen, weniger sind als eine Zibebe, welche ein Dichter
anschaut. Schnitzler wird immer etwas bleiben, was als eine
Verständigung zwischen Ibsen und Auernheimer, der Gesellschaft die Befassung mit Problemen erleichtert. Aber ich
glaube beinahe, daß seine Lebemänner Gestalten sind und
seine Ewigkeit ein Feuilleton. Helfen die Anwälte seiner
Vertiefung, helfen die Worte, die sie finden, nicht diesem
Verdacht? »Hier waltet auch schon das Schicksal, wie Schnitzler es ansieht, jenes Schicksal, das Pointierungen liebt . . .«
Das Schicksal ist ein besseres Feuilleton als jenes, dem dieser
Satz entnommen ist, das Schicksal dürfte fast schon mehr ein
Leitartikel sein. Ich glaube, daß nur ein Mangel an Plastik
von den Gegenständen zu den »Zusammenhängen« ab-
schweift, und die fertige Vorstellung, daß »der große Pup-
penspieler uns alle an unsichtbaren Fäden hält«, nur eine
Ausrede ist für das schuldbewußte Unvermögen, die Stricke
zu sehen, mit denen wir uns strangulieren. Wenn die höhere
Macht, deren Hand uns zu fassen kriegt, ein Dichter ist, dann
braucht er die Verantwortung nicht auf das Schicksal abzu-
wälzen, und dann erst hat er das Recht, es zu tun. Nichts ist
begrenzter als die Ewigkeitsidee, zu der ein Tändler erwacht, und von dem, was die Liebe mit dem Tod vorhat,
davon hat ein Schnitzlerscher Sterbemann noch nicht die
leiseste Ahnung; wenn auf solch amouröse Art die Zeit vertrieben ist, folgt nichts nach, und Herzklopfen war nur eine
physiologische Störung. Daß Schnitzler Arzt ist, damit mag
es zur Not zusammenhängen. Daß Medizin und Dichtung
sich in ihm wundersam verknüpfen, ist uns bis zum Unwohl-

werden von den Feuilletonisten auseinandergesetzt worden. Das, worauf es ankommt in der Kunst, das Patientenerlebnis, haben sie weder behauptet, noch hätten sie es zu beweisen vermocht. Um Dichter zu sein, muß man nicht eigens Laryngologie studiert haben, ihr etwaiger philosophischer Hintergrund läßt sich mit der Praxis bequem ausschöpfen, und wenn man selbst in der Medizin gedanklich weiter vorgedrungen wäre, als der Beruf erfordert und erlaubt, so würde das noch immer nichts neben der geistigen Eigenmächtigkeit bedeuten, die im künstlerischen Schaffen begründet ist. Nur eine Plattheit, deren Jargon von einem, der sich über den Tod Sorgen macht, behauptet, er mache sich über den Tod Gedanken, scheint es auch für ein geistiges Verdienst zu halten, und wenngleich Schnitzler gewiß besser ist als jene, die ihn so richtig verstehen, so hat sein Werk doch Anteil an der Banalität einer Auffassung, die es mit der zweifelhaften Geistigkeit der Medizin zu verklären sucht. Diese ist ihr »die geheimnisvolle Wissenschaft, die geradenwegs in die Geheimnisse des Menschen und des Lebens hineinführt«. Ein Rachenkatarrh ist die Gelegenheit, um alles zu erfahren, und wenn man den Leuten nur tief genug in den Mund hineinsieht, so weiß man auch, was sich im Herzen tut. Schnitzler ordiniert zwar nicht mehr, aber von der alten Gewohnheit kann er nicht lassen: »er auskultiert noch immer, wenngleich ohne Hörrohr, er klopft die Menschen im Gespräch sorgfältig ab, er fühlt ihnen den Puls und er schaut ihnen in die Augen.« Versteht sich: nur bildlich, und es kommt trotzdem nicht mehr heraus als bei der Ordination. So ist nämlich das Leben, daß es nicht so ist. Es läßt sich nicht in allegorische Artigkeiten »einfangen«, und hat überhaupt etwas gegen diese Beschäftigung, deren Schlagwort die Marke aller um Schnitzler gruppierten Literatur ist. »Der Duft und die Farbe, der Zauber und die musikalische Anmut dieser Stadt«, solches läßt sich zur Not von diesen zarten Schindern »einfangen« – das Leben nicht. Dort helfen hundert Assoziationen, die schon durch hundert Hände gegangen sind, und ein Hautreiz genügt, um den, der am Grin-

zinger Bachl spazieren geht, zum Dichter zu machen. Der
Dichter vor dem Leben hat leider einen schweren Stand, und
ihm ist es geradezu überlassen, alles, was noch nicht ist, zum
Dagewesensein zu steigern. Was haben die Laubsägearbeiten
dieser Schnitzler und Abschnitzler mit dem Chaos zu schaffen? Was die Sorgfalt der äußern Form mit der ordnenden
Gewalt des Sprachgeists? Was geht den guten Geschmack
die Kunst an? Der Schöpfer wird keinen Augenblick »nachdenklich«; würde ers, es wäre um die Kreatur geschehen.
Dem Denker ziemt es, nicht verstanden zu werden. Aber der
Nachdenkliche wird so gut verstanden, daß er für den Denker gehalten wird, versteht sich von jenen, die nicht einmal
nachdenklich sind. Es geht ihm so, wie dem Gutgelaunten,
den die Humorlosigkeit für einen Humoristen hält. Schnitzlers Melancholien lassen sich bequem von jenen »aufzeigen«
– auch eine neue literarische Beschäftigung –, die sich nicht
einmal die Gedanken machen können, die ihnen längst vor-
gemacht sind. Kaum einen Festartikel habe ich gelesen, in
dem nicht erkannt war, daß Schnitzler aus den Bezirken der
Erotik »ins weite Land gegangen« sei, aus den Problemen
des gesellschaftlichen Lebens »den Weg ins Freie gefunden«
habe, hierauf »dem Ruf des Lebens gefolgt« sei und »den
einsamen Weg beschritten« habe, »um in den ›Marionetten‹
zu den tiefsten Aufschlüssen vom Puppenspiel des Lebens
zu gelangen«. Wie es für den Künstler zeugt, daß jeder, der
sich mit ihm befaßt, immer wieder mit seinen Worten seine
Werte zu fassen bekommt, so ist die stereotype Berufung
auf jene allzu schmackhaften Symbole für deren Bereiter
charakteristisch. Die Schicksalsküche stellt andere Genüsse
her als Bilderrätsel und Buchtitel, die jeden ausgewachsenen
Anatol nachdenklich stimmen, und die Hingabe ans Gren-
zenlose, die das Rathausviertel mitmacht, ist mir verdächtig.
Es ist ein Aberglaube, daß der Künstler für das Klischee
nicht verantwortlich sei, das mit ihm fertig wird, und so
glaube ich, daß ein Buch, durch welches »mit Stundenglas
und Hippe Freund Hein schreitet, vom Eingang zum Ausgang«, nicht zu hoch über dem Niveau leben kann, auf dem

solche Vorstellung zustandekommt. »Man hört das Schnitzlersche Problem anklingen, die ewige tieftraurige Frage des
Dichters überhaupt«; aber solcher Frage ist solches Ohr nicht
unerreichbar. Die Zusammenhänge des Schicksals sind dunkel genug, aber bei weitem nicht so verdächtig wie die eines
Buches. Das Schnitzlersche Problem, das neue, wächst im
Schnitzlerschen Milieu, dem alten, es ist ein Ornament, wie
alles Höhere, das für ein Inneres gesetzt wird. Es ist eine
fertige Sache wie der liebe Gott, an den sie glauben, weil er
einmal da ist, aber mit einem Glauben, der nicht stark genug
wäre, Gott zu schaffen, wenn er nicht Gott sei Dank da wäre.
Fertig hat Schnitzler das ganze Inventar dieser Unendlichkeit übernommen, die sich über dem irdischen Boudoir so gut
wie über der irdischen Handelskammer wölbt. Fertig bis
auf die Nomenklatur ist die ganze Vorstellung seiner Ro-
manwelt. Eine »Bertha Garlan« ist nicht in Wien zuständig,
sondern aus einem Roman nach Wien gekommen, um in
einen Roman wie in eine Pension einzuziehen. Auch das
Wienertum von mehr konfessioneller Färbung zieht von der
vorrätigen Poesie an, und es entsteht neben einer »Frau
Redegonda« ein »Dr. Wehwalt«, der gewiß Wigelaweia
getrieben hat, ehe er in unsere Mitte kam. Es ist wohl möglich, daß die Reporter recht haben, wenn sie behaupten, »die
Wiener Gesellschaftskreise hätten eine Zeitlang im Tone
der Schnitzlerischen Dialoge geplaudert, geflirtet, verliebt,
zärtlich und melancholisch getan«, wie nach Wildes Ausspruch die englische Natur die Präraffaeliten nachgeahmt
habe. Denn die Natur geht so gern mit der Kunst wie die
Unnatur mit der Unkunst. In der empfänglichen Niederung
jener Wiener Gesellschaft, die für die lebensbildende Kraft
Schnitzlerscher Dialoge in Betracht kommt, dürften sich solche
Verwandlungen schon zugetragen haben, und die Bedeutung
Schnitzlers als eines Befreiers gebundener Unkraft, Dichters
eines bestimmten Lebenscottages, soll keineswegs geleugnet
werden. Merkwürdig in die Irre geht diese Intimität nur,
wenn sie höhere Anforderungen an ihren Autor stellt, und
von ihm mehr will, als ihrer eigenen Gesundheit zuträglich

wäre. »Vielleicht gibt er uns das reine Lustspiel, vielleicht auch den großen Roman ...« Nun, hier werden keine Kräfte gereizt, die imstande wären, die Daseinsform jener Kreise unmöglich zu machen, die ihren Geschmack zu solcher Begehrlichkeit steigern. Der tiefen Erkenntnis des Literarhistorikers Weilen stimme ich zu: »Daß Schnitzler bisher das Beste, was in ihm lag, noch nicht gegeben, ist die sicherste Gewähr für seine weitere Entwicklung«; so weit gehe ich noch mit. Aber dann höre ich die nachdenkliche Frage: »Soll sie uns das ersehnte deutsche Lustspiel schenken, das zu schaffen er wie kein anderer berufen scheint? Wir wissen es nicht. Aber eines scheint uns sicher: Wenn er erst klar und deutlich den Ruf des Lebens vernimmt, dann hat er gefunden, was er mit so unermüdlichem Eifer, so strenger Selbstzucht sucht: den Weg ins Freie.« Und indem ich zweifle, ob dieser Weg zum deutschen Lustspiel führt, sucht mich eine Plaudertasche zu überreden: »Wer weiß, vielleicht schenkt er der deutschen Bühne schließlich doch noch das Lustspiel, das viele seiner Freunde und Verehrer von ihm erwarten ... Daß er noch kein größeres geschrieben hat, würde nichts beweisen, denn das Lustspieltalent reift auch bei den Berufenen spät und entwickelt sich langsam.« Sie können es nicht erwarten, die Verantwortlichen der Entwicklung; dieses Trauerspiel sehnt sich nach einem Lustspiel – und es ist schon da, denn die Gesellschaft steht besorgt vor ihrem brütenden Dichter, mästet ihn mit Zureden, und es kommt nichts heraus. Wie sollte es? Das Lustspiel »gibt« man denen nicht, die es wollen, und gibt jener nicht, von dem sie es wollen. Gibt nicht die Liebenswürdigkeit eines Talentes, das sich in üble Laune verzogen hat, weil die gute Laune eben nicht zum Lustspiel langte. Schnitzlers Tendenzen waren so dünn, daß sie wohl oder übel einer Weltanschauung weichen mußten. Es ist das Los der Süßwasserdichter, daß sie die Begrenzung spüren, sich unbehaglich fühlen und dennoch drin bleiben müssen. Am genießbarsten sind sie noch im Abschildern ihres Elements. Aber sie suchen vergebens mit derselben oratorischen Weitläufigkeit Anschluß an Meerestiefen, wie ehe-

dem an das Festland der sozialen Gesinnungen. »Er ficht«,
hieß es damals, »gegen das gesellschaftliche Vorurteil, welches den Gefallenen die einstige Verfehlung nicht vergißt
und den Weg zu späterem Glücke versperrt.« Schon faul!
Er ficht gegen die Verführung der Theaterdamen durch
kleine Gagen. Er ficht gegen das Duell. Das ficht uns nicht
an. Die Rebellion eines sozialgemuten Schnitzler konnte
die Gesellschaft ertragen. Es ist jene Freiheit, zu der sie
fähig ist, und die hundertmal schlimmer ist als die doch
irgendwo von einem geistigen Punkt gerichtete Unfreiheit.
Selbst Schnitzlers Humor wird keine Verwirrung stiften. Er
blickt jetzt empor. Aber hat etwa der Autor des »Reigen«
die Hoffnung auf die große Lache geweckt, zu der nur der
Blick von oben auf Menschliches fähig wäre? Seine erotische
Psychologie geht auf eine Nußschale der Erkenntnis, langt
darum nicht zum Aphorismus, nur zur Skizze, die in der
Form über dem Wiener Feuilleton, im Einfall unter dem
französischen Dialog steht. Dieser Humor geschlechtlicher
Dinge lebt von der Terminologie und erst recht von deren
Unterlassung: dem Gedankenstrich. Dieser Blick auf Phy-
siologisches kommt nicht von der Höhe, und darum kommt
auch die Metaphysik Schnitzlers nicht von den Abgründen.
Schnitzlers Separée und Schnitzlers Kosmos sind von einem
Wurzellosen angeschaut. Die geistigen Spitzen der Schnitzlerschen Welt stechen in die Augen: jeder weist darauf hin,
das Zitat, das in den meisten Festartikeln wiederkehrt, ist
wirklich »die Formel Schnitzlers«: diese Predigt der »Un-
beirrtheit«. Sie könnte das Erlebnis eines großen Ethikers
sein, aber er würde sie schwerlich in solchem Text halten:
»Jeder muß selber zusehen, wie er herausfindet aus seinem
Ärger, aus seiner Verzweiflung, oder aus seinem Ekel,
irgendwohin, wo er wieder frei aufatmen kann. Solche Wan-
derungen ins Freie lassen sich nicht gemeinsam unternehmen, denn die Straßen laufen ja nicht im Lande draußen,
sondern in uns selbst. Es kommt nur für jeden darauf an,
seinen inneren Weg zu finden. Dazu ist es notwendig, möglichst klar in sich zu sehen, den Mut seiner eigenen Natur zu

haben, sich nicht beirren zu lassen.« Das ist mit Augen zu greifen. Unbestreitbar, daß auf solchem Weg ins Freie nicht gemeinsam zu spazieren ist; das liegt in der Natur dieser Allegorie, die in dem Vergleichsobjekt leider nicht restlos aufgeht. Der »innere Weg« ist ein einsamer Weg, führt aber auch zum Romantitel. Jeder in sich, Gott in uns alle. Aber es ist, weiß Gott, weniger Glaube, weniger Metaphysik als das bekannte Insich-Geschäft der neueren Psychologie. Schnitzler ist ihr dichterischer Ausdruck, wie jene Kulturschwätzerin versichert, die jetzt jeden Abend um sechs nachsieht, ob nicht schon etwas Kunstgewerbliches unter unserm Bette steht. Sie hat noch nie »an« die Pflicht der Kunst, uns die Lebensnotwendigkeit zu schmücken, vergessen, aber sie begreift alles, was Kultur ist, und fragt deshalb an Schnitzlers Geburtstag: »Begegnen wir nicht gleich an der ersten Gabelung seines Entwicklungsganges der unbewußten Anwendung der Mach'schen Ich-Lehre, die in der Zergliederung des Ich-Bewußtseins gipfelt?« Traurig genug, aus dem Mund eines Weibes eine solche Frage zu hören. Aber recht hat sie schon. Schnitzler ist wirklich einer jener psychologischen Bittsteller, denen die eigene Tür vor der eigenen Nase zugeschlagen wird, jener gehemmten Eindringlichen, die vor der Bewußtseinsschwelle umkehren müssen und darüber unglücklich sind: außer sich. Wirklich einer von jenen, die auf der Lauer liegen, wenn sie vorübergehen. Aber hier ächzt nur als schmerzliche Neugierde intellektueller Nerven, was in den großen Versuchern als die tragische Sehnsucht wehrhafter Gehirne brüllt. Es ist – wenngleich in der ehrlichsten und saubersten Art – der Typus, der aus einem fehlenden Ich zwei macht. Das weiß sogar der Hermann Bahr, daß diese Form von Verinnerlichung nur innere Schwäche ist: »Furcht von Menschen, die sich bewahren wollen, weil sie noch nicht wissen, daß dies der Sinn des Lebens ist: sich zu zerstören, damit Höheres lebendig werde«. Immerhin, wenn Schnitzler sich bewahren will, wird doch etwas mehr lebendig als wenn Bahr sich vergeuden will; aber Höheres kommt dort und da nicht heraus, und es ist peinlich, den Attinghausen von Ober-St. Veit, der seinen Uli vom Griensteidl nicht mehr erkennt, mit dem Aufgebot der letzten Gradheit in einen Lehnstuhl von Olbrich zurücksinkend, verkünden zu hören: »Ich kann Dir heute nichts anderes sagen, nichts besseres wünschen, Du bist mir zu lieb. Du bist mir zu lieb, denn täusche Dich doch nicht: Du bist kein Hofrat unserer Pharaonen, laß Dich nicht dazu machen.... Bescheide Dich nicht, ergib Dich nicht an Wien, erhöre Dich selbst! Vorwärts, aufwärts, werde was Du bist!« (Stirbt.) Wie anders Dörmann. »Wohl dir«, ruft er, »daß du gegangen den selbsterwählten Pfad, daß Sinnen und Verlangen ausreiften dir zur Tat. Es grüßt dein reines Wirken, es drückt dir warm die Hand von anderen Bezirken – ein Freund aus ›Jugendland‹«. Es kann, wiewohl die Sätze hier fortlaufend gedruckt sind, auch dem Laien nicht auf die Dauer verborgen bleiben, daß es sich um Verse, ja sogar um Reime handelt. Sie bringen mit stiller Nachdenklichkeit die Wehmut zum Ausdruck, die sich immer einstellt, wenn ein Dichter erkennt, daß er in ganz andere Bezirke gekommen ist, als in der Jugend geplant war, nämlich auf die Wieden und in die Leopoldstadt. Indem aber ein Libretto auf Empfehlung eines Zigarrenagenten von einem Fürsten Lubomirski zur Komposition angenommen wurde, zeigt sich, daß das Schicksal zwar seine Zusammenhänge, aber auch seine guten Seiten hat, und daß Baudelaire ein Pechvogel war. Von einer ähnlichen unbegründeten Schwermut erfüllt sind schon die Jugendgedichte Arthur Schnitzlers selbst, mit denen der ›Merker‹ seine Festnummer eröffnet hat, offenbar, um mit diesem aus Dämmer und Schimmer gewobenen Kitsch zu beweisen, daß der Jubilar nie ein Lyriker war. Der Merker werde bekanntlich, und wie er selbst wünscht, so bestellt, daß weder Haß noch Lieben das Urteil trüben, das er fällt. Da er keines zu haben scheint, so ist die Forderung leicht erfüllbar. Herr Georg Hirschfeld, dessen schicksalhafte Zusammenhänge mit der deutschen Literatur darin bestehen, daß er zuweilen mit Schnitzler durch die stillen Gassen der Wiener Vorstadt geht, da er an der Seite Gerhart Hauptmanns schneller überflüssig wurde und weniger profitieren konnte, dankt jenem nicht nur für das »Durchdringen in der Kunst, wo er sein ehrlicher Förderer geworden«. »In Maitagen, die Schnitzlers Geburtsfest umschließen«, sei er mit ihm gewandelt, und »nicht schwach an der Seite dieses Starken« gewesen. »Leise, leise« habe sich eine positive Lust am Dasein in ihm gemeldet. »Wie oft folgte ich Schnitzlers Blick, wenn er die schönen Mädchen der Josefstadt betrachtete, die Christinen (mit einem n) und die Schlagermizzis«. Leise, ganz leise zieht's durch den Raum ... Aber das ist ja von Dörmann und aus dem »Walzertraum« – nein, »es zog ein holdes Grüßen durch die Luft. Ich aber, im Schatten dieses Dichters, durfte schauen und atmen, wortlos fragen zum reinen Wiener Himmel empor.« Aber wahre Dich, Wien! mahnt Hirschfeld, anders als Bahr. Wahre Dich. »Du hast einen großen Dichter noch, der dein Erbe wahrt, dein unersetzliches Erbe.« Dieser entartete Berliner verdient wirklich nicht, daß es eine Untergrundbahn gibt. Wir wollen ihn in Wien zuständig machen und ihn mit jenem andern Hirschfeld verwechseln, der plaudern kann. Ein Herr Ernst Lothar, den man gleichfalls verwechseln möchte, sagt, Schnitzler sei uns Führer gewesen, »hinaus zu den Grenzen des Letzten und Geheimnisvollsten«. Es kommt eben darauf an, wie weit man diese Grenzen steckt, das ist Standpunktsache, für manche Leute beginnt dort schon die Ewigkeit, wo ich noch den Zeitvertreib sehe, und manche stehen schon dort vor den Rätseln, wo andere nur eine Rätselecke finden. Es ist aber leider nicht zu leugnen, daß zwischen allerlei Feuilletonvolk auch die Dichter Wedekind, Heinrich und Thomas Mann die Gelegenheit, die sie anrief, benützt haben, um die Bedeutung des Schnitzlerschen Schaffens weit über alles in der heutigen Literatur vorrätige Maß anzuerkennen. Wenn man selbst die Liebenswürdigkeit, die der Anlaß zur Pflicht macht, abzieht, bleibt noch so viel übrig, daß für die kritische Potenz der Gratulanten nicht viel übrig bleibt. Sie sind wohl auch zur Kritik nicht verpflichtet. Wenn aber Frank Wedekind behauptet, daß Schnitzler ein Klassiker und der einzige Dramenschöpfer sei, der nach zwanzig Jahren deutscher Produktion lebe, so ist weder die Selbstlosigkeit solchen Lobes noch die Verkennung Hauptmanns begreiflich und die Frage gestattet, ob Wedekind wirklich die theatralische Haltbarkeit des »Weiten Landes« oder die journalistische Haltbarkeit des »Freiwilds« neben »Erdgeist« und »Pippa« für diskutabel hält. Solche Äußerungen eines von seiner Produktion auf gewerbliche Probleme abirrenden Genies sind unerquicklich und sollten von einer innern Zensur unterdrückt werden, solange es Redaktionen gibt, die ihnen Vorschub leisten. Ich glaube, daß Wedekinds Bedeutung für das deutsche Drama länger vorhalten wird als seine kritische Autorität, deren Äußerungen zugleich mit jenen Geistern veralten werden, denen sie gelten. Arthur Schnitzler »Meister« zu nennen, möge Herrn Zweig überlassen bleiben, der es mit Recht tut, nicht ohne die beruhigende Zusicherung zu geben, daß seine Generation, wiewohl sie »anderes wolle«, die frühere nicht entwurzeln werde. Was sie will, die Generation des Herrn Zweig, weiß ich, und Herr Zweig weiß es auch. »In unserer Zeit, da die Kunst sich gern der Popularitätssucht, der Geldverdienerei, der Journalistik und Gesellschaftlichkeit kuppelt«, sei der Anblick Schnitzlers erfreulich. Nichts lenke mehr »von der Vista auf die Werke ab, als jene kleinen Unsauberkeiten des Charakters, die uns die Indiskretion der Nähe leicht preisgibt«. Herr Zweig kennt sich aus und hat ganz recht, wenn er Schnitzler von dem Drang zur Geldverdienerei, zur Journalistik und zur Gesellschaftlichkeit ausnimmt. Es ist nur die Frage, warum die neue Generation, die zu all dem inkliniert, die es weiß, und die ihr Ende bei der Neuen Freien Presse voraussieht, sich nicht lieber umbringt, und was Schnitzler anlangt, so ist gewiß zum Lobe seiner Person zu sagen, daß er sich nie um jene zweifelhaften Subsidien mangelnder Persönlichkeit umgesehen hat, sondern daß sie von selbst zu ihm gekommen sind. Schnitzler ist von ihnen umringt und sitzt in der Fülle aller Leere, ohne daß er das Talent jener Betriebsamkeit aufwenden mußte oder konnte, die heute den Wert ersetzt. Seine Position ist zwischen Bedeutung und Geltung, und eine geheimnisvolle Verwandtschaft mit ihm muß die Welt so hingerissen haben, daß sie ihm gern entgegenkam.

NOTIZEN

Ein Brief

Die meisten Briefe, die im Verlag der Fackel geschrieben
werden, haben durchaus keinen geschäftlichen Inhalt. Es sind
Antworten an Einsender, deren Annäherung als schimpf-
lich empfunden wurde, motivierte Entziehungen des Abon-
nements, wenn der Abonnent mit Berufung auf diese Würde
sich zu weit vorgewagt hatte, Kündigungen des Freiexem-
plars an Redaktionen, die über die Pflicht hinaus, den »Inhalt« abzudrucken, zu einer Kritik übergegriffen hatten, Zu-
rechtweisungen von Behörden, die sich für verpflichtet hielten, den Herausgeber von einem Abonnement auf die Fackel
zu unterrichten, Verweigerungen von Nachdrucken mit
Grundlegung zu späteren Haßausbrüchen und dergleichen
mehr. Man sieht, es gibt auch im Verlag viel zu tun. Einer
dieser Briefe lautet:

Wien, 24. April 1913.
An die Schriftleitung der Deutschen Tageszeitung, Berlin.
Ein Berliner Ausschnittbureau übersendet uns den Artikel, den Sie am
14. April über Peter Altenberg gebracht haben und der mit den Worten
beginnt:
»Peter Altenberg, so schreibt Adolf Bartels im 18. Bogen seines deutschen Schrifttums, heißt eigentlich Richard Engländer.«
Sonst zitieren Sie keinen weiteren Ausspruch dieser Autorität, sondern
gehen zu einem Nachdruck der Altenberg'schen Skizze »So wurde ich«
über, in der des Anteils gedacht ist, den der Herausgeber der Fackel an
der Publikation des ersten Altenberg'schen Buches hat, und die mit den
Worten schließt: »Und was bin ich geworden?! Ein Schnorrer!« Dazu
schreiben Sie: »Nun, Peter mag sich trösten, das ist ein guter alter jüdischer Beruf. Uns Deutsche interessiert an der Skizze vor
allem, wie die Juden ihrem Rassegenossen helfen. Die
sechs älteren »Werke« von Peter Altenberg haben inzwischen die 7., 4.,
3., 4., 4., 3. Auflage erlebt, obschon er als Schriftsteller eigentlich »parlamentarisch« kaum zu charakterisieren ist. Man höre noch zwei Aphorismen von Peter Altenberg: . . .«
Daß Sie zwei Aphorismen von Peter Altenberg nicht verstehen und sich
überhaupt unfähig fühlen, ihn als Schriftsteller parlamentarisch zu charakterisieren, würde uns natürlich nicht aufregen und gewiß nicht Stoff

zu einem Brief an Sie geben. Was uns, den Verlag der Fackel, interessiert, ist nur die Stelle Ihrer Notiz, wo Sie sich erdreisten, das Eintreten des Herausgebers der Fackel für Peter Altenberg als die »Hilfe der Juden für ihren Rassegenossen« darzustellen. Es kann natürlich nicht unsere Sache sein, Ihnen eine bessere Ansicht über diesen Punkt beizubringen oder Ihnen zu versichern, daß jede Zeile, die Sie und jedes deutschantisemitische Blatt je geschrieben haben, jenem jüdischen Drang verwandter war als die Erkenntnis, aus der der Herausgeber der Fackel für Peter Altenberg eintritt, ganz abgesehen davon, daß die Sprache Altenbergs deutscher und sein Inhalt christlicher ist als sämtliche Jahrgänge, die sämtliche deutsch-christlichen Schriftleiter Deutschlands und Österreichs bisher zusammengeschrieben haben. Sie würden's ja doch nicht glauben und beweisen läßt sich nicht so leicht wie die Konfession. Was uns aber interessiert, ist die Tatsache, daß Sie jene Bemerkung über den Herausgeber der Fackel denselben Lesern vorsetzen, denen Sie durch Jahre in eindringlichen Hinweisen und geradezu begeisterten Notizen die Lektüre der Fackel, wohl zur Aufklärung über die Verworfenheit der jüdischen Presse, empfohlen haben. Nun würde uns dieser Wechsel der Gesinnung nicht besonders aufregen, da wir die Verworfenheit der Presse ohne rassenmäßige oder konfessionelle Nuancen ins Auge fassen und nie daran gezweifelt haben, daß sich die antisemitische Presse von der jüdischen zu ihren Gunsten höchstens durch die geringere Geschicklichkeit unterscheidet. Auch ist der Herausgeber der Fackel der Ansicht, daß die deutsche Treue, jedenfalls insofern sie von den deutschen Schriftleitern strapaziert wird, an Wert hinter der ärgsten jüdischen Pofelware nicht zuweit zurücksteht, und er hat auf die Beständigkeit einer nationalen Anhängerschaft noch nie übertriebene Hoffnungen gesetzt. Das alles ist uns also gleichgültig, und Ihr Tadel kann uns so wenig anhaben wie Ihre Komplimente. Was uns ausschließlich angeht, ist das geschäftliche Verhältnis, in dem wir, wie sich zu unserer Beschämung herausstellt, zu Ihnen stehen und das natürlich nicht durch ein Urteil, wohl aber durch eine Unsauberkeit alteriert werden kann. Es besteht darin, daß Sie von uns ein Freiexemplar ständig erhalten, welches Sie seinerzeit erbeten haben und das Ihnen im Sinne einer rein administrativen Übung bewilligt wurde, der die kostenlose Propaganda unserer preßfeindlichen Absichten durch die Presse nicht unerwünscht war. Für das Freiexemplar haben Sie die Verpflichtung übernommen, den »Inhalt« der Fackel abzudrucken. Diese Verpflichtung haben Sie wiederholt durch ungeschickte Nachdrucke von Aufsätzen überboten, deren Erlaubnis Ihnen gegeben oder von Ihnen genommen wurde. Wir erinnern uns, daß Ihnen sogar einmal der honorarfreie Abdruck einer umfangreichen Satire »Der Fortschritt«, ausnahmsweise (unter der Bedingung sorgfältigen Druckvergleichs) gestattet wurde. Dies alles bringen wir aber nicht etwa vor, um Ihnen zu beweisen, daß die Schnorrerei nicht nur ein guter alter jüdischer Beruf ist. Wir wollen Ihnen bloß bekanntgeben, daß wir künftig nicht gesonnen sind, undankbaren Vertretern dieses Berufes entgegenzukommen, und darum das Freiexemplar einstellen. Sie mögen sich dann mit Recht darüber beklagen, daß die Juden den Angehörigen einer fremden Rasse nicht helfen wollen.

Der Verlag der Fackel.

Geteilte Ansichten

Die Ansichten der ›Frankfurter Zeitung‹ über mich sind geteilt. Da läßt sie einen schreiben:

. . . . der ganze Horizont eines Menschen unserer Zeit . . . . ist durch die tausenderlei Anzeigen, Inserate und Plakate mitgebildet. Deshalb durfte auch der Satiriker Karl Kraus einen seiner stärksten und schärfsten Essays »Die Welt der Plakate« nennen. Indem er die mehr oder minder klug, mehr oder minder geschmackvoll, mehr oder minder aufdringlich, mehr oder minder grotesken Reklamemethoden in einer Art von Phantasmagorie als Welt für sich zeigt, übt er so bittere, aber tiefgehende Kritik an der Welt der »Wirklichkeit«.

Tags zuvor aber hat Herr Ganz, der Wiener Korrespondent, geschrieben:

. . . . ein Autor, der Mitarbeiter der ›Neuen Freien Presse‹ ist, hat gegen alle die Feindseligkeiten zu kämpfen, die diesem Blatte im Laufe der Jahre mit Recht oder Unrecht erwachsen sind. Der Wiener B i l d u n g s - m o b teilt sich gegenwärtig in zwei Lager, in solche, die noch auf die ›Neue Freie Presse‹, und solche, die schon ebenso blind auf Karl Kraus schwören, und die Literaten in solche, die sich mehr vor der ›Neuen Freien Presse‹, und solche, die sich mehr vor Kraus fürchten. S o l c h e n L e u t e n i s t e i n A u t o r und sein Werk a u s g e l i e f e r t, namentlich ein neuer Mann, der n o c h k e i n e n A u s l a n d s k r e d i t hat und für den die Aufnahme, die er in Wien findet, fast ein Lebensschicksal bedeuten kann.

Es sollte mir außerordentlich leid tun, wenn der Glaube, den ich bei einem Teil des Wiener Bildungsmobs schon finde, und die Furcht, die ein Teil der Literaten vor mir hat, der Karriere des Herrn Sil Vara geschadet haben. Aber ich kann nur versichern, daß ich nichts dafür kann. Nie habe ich Wert darauf gelegt, den Wiener Bildungsmob den Armen der Neuen Freien Presse zu entreißen, umsoweniger, als er sich von dem, der auf die Frankfurter Zeitung schwört, nicht wesentlich unterscheidet, und mir, der nicht Machtbestände verrücken will, verwachsen Bildungsmob und Presse zu einem einzigen Vollbart, der auch das Antlitz des Wiener Korrespondenten der Frankfurter Zeitung zieren kann. Aber noch die Ansichten dieses Ganz über mich sind geteilt, denn er hat mich ehedem mit Lichtenberg verglichen und nennt mich jetzt eigentlich einen Schmarotzer an Snobismus und Feigheit. Daß die Furcht vor mir noch keinem Literaten bei mir genützt hat, weiß jeder Literat. Furcht ist im Gegenteil eine Fährte, und jeder trachtet nicht so sehr mir aus dem Weg zu gehen, als mich aus seinem Wege zu bringen. Ich lege ja auch in der Tat viel weniger Wert darauf, daß die Herren mich grüßen, als daß sie keine Schweinereien machen. Furcht ist so verfehlt wie Unerschrockenheit, die Wiener Briefe schreibt. Man kann auch furchtlos Dummheiten begehen. Und ich werde es schon noch dahin bringen, daß die Herren, die das Ausland bedienen, so unreinen Mund über mich halten, wie die Landsleute. Das wäre das weitaus Vernünftigste. Ich werde jede Entstellung und Beschmutzung des Bildes der Fackel in jedem einzelnen Falle nachsichtslos verfolgen. Die Behauptung, daß der halbe Bildungsmob auf mich so blind schwört wie der andere auf ein korruptes Tagblatt, wird von fremden Lesern zu der Vorstellung ergänzt, daß mein Werk ebenso ein Opfer an den Bildungsmob ist und hier eine ähnliche Intimität besteht wie im »andern Lager«. Solchen Leuten ist ein Autor ausgeliefert, der noch keinen Auslandskredit hat! Der Journalist schreibt es nieder, der Tölpel glaubt es. Es korrespondiert etwa mit jenem banalen Zweifel, der sich an die Tatsache meiner Vorlesungen heftet und den Kopf darüber schüttelt, wie ich derselben Schichte, deren Wesenheit mir die Erregung eingebe, die Gestaltung vorlesen könne. Ach, diese Esoteriker, die nicht einmal die Qualität haben, Publikum zu sein, mögen mich nur schalten lassen. Ihnen, den Einzelnen, könnte ich's nicht vorlesen, doch mir selbst bringe ich's zu Gehör und der Masse sage ich's ins Gesicht. Diese mag, wenn es vorüber ist, in Einzelne zerfallen, deren Urteil und Tonfall von neuem die Erregung rechtfertigt, aber im Saal schließen sie sich zu jener Hörfähigkeit, die mein Glossentext nicht entbehren kann. Zwischen Text und Vortrag wäre ein künstlerischer Widerspruch, wenn ich das täte, worauf der Dramenschreiber angewiesen ist: mein Werk von einem andern vortragen zu lassen. Oder wenn ich irgendein anderer der heute lebenden Autoren wäre, die ihre Sachen selbst vorlesen. Die, denen es gilt, hören gut zu. Zwar manche, die ein Grauen überkam, sind dann im Zwischenakt intelligent geworden. Das ist mir recht, das Gesetz der Theaterwirkung ist erfüllt, und der Widerspruch ist nicht in mir. Die Frechheit soll sich nur melden. Was unter und trotz ihr mit nach Hause genommen wird, wirkt nach und stört späterhin Schlaf und Verdauung.

Ähnlichkeit

Ein analytischer Schmock, einer von jenen, die jetzt aus allen Spalten grinsen, berichtet in der ›Frankfurter Zeitung‹ über eine Plauderei, die der bekannte Erotiker Franz Blei in Berlin abgehalten und bei der er Fragen aus dem Auditorium kulant beantwortet hat.

Wie er in schlichten, nichteifernden Worten sein Bekenntnis gab, konnte man in den ausdrucksvollen Zügen das feine Theologengesicht entdecken, das Max Oppenheimer malte. Verblüffend ist in solchen Momenten auch eine gewisse Ähnlichkeit Bleis zu dem in mancher Hinsicht geistesverwandten Karl Kraus; nur daß der Wiener Kaffeehaustheologe ein so strenger Stilkünstler ist, daß er nur vorlesen kann und sich zu solchen Stegreifexperimenten nicht hergibt.

Was die Kaffeehaustheologie anlangt, so könnte man mit Recht jeden Pfarrer einen Kaffeehaustheologen nennen, der keine Köchin hat und deshalb im Kaffeehaus den Kaffee nehmen muß. Was die Geistesverwandtschaft mit Herrn

Blei anlangt, so ist sie insofern ersichtlich, als Herr Blei meine Aphorismen mit Interesse gelesen hat. Da ich mich aber für Bilderhandel nicht interessiere, so dürfte die Ähnlichkeit doch wieder nur sehr oberflächlich sein und höchstens eine »zu« mir, aber nicht mit mir. Alles in allem, vermute ich, wird das Gesicht des Herrn Blei meinem Gesicht so verblüffend ähnlich sein, wie ein Porträt des Herrn Oppenheimer einem Porträt von Kokoschka.

Ein Führer

Aus der Fülle der Bewerber, die den Schinder nicht erwarten können, drängt sich einer vor. Er ist auf den ersten Blick der unwahrscheinlichste, wenn nicht die andern, die sich noch gedulden müssen, sich als unwahrscheinlicher herausstellen. Man soll nichts berufen. Max Geißlers »Führer durch die deutsche Dichtung des 20. Jahrhunderts«. Der Verleger, dessen Name preisgegeben werden muß – es ist die Firma Alexander Duncker in Weimar – sagt mit Recht:

Kein Volk darf sich rühmen, ein Werk dieser Art zu besitzen, das an Zuverlässigkeit und Größe der Anlage, oder auch nur der Idee nach, ähnlich wäre Max Geißlers Führer durch die deutsche Dichtung des 20. Jahrhunderts.

Der ›Brenner‹ zitiert unter anderen die folgende Stelle:

Heym, Georg »... Er war das Haupt einer Gruppe junger Berliner Dichter, die sich Neopathiker nennen. Zu ihnen gehören auch Verhaeren, Johannes V. Jensen, Whitman . . .«

Ferner ergibt sich diese Perspektive:

Peter Altenberg
»Eine sehr üble Erscheinung auf dem deutschen Parnaß, die ein groteskes Spiel mit sich selbst und etwa dem Caféhauspublikum spielt, oder was

Thomas Koschat
»In Schildereien, Kurzgeschichten und in zahlreichen Liedern aus seiner kärntnerischen Heimat... hat er ein Denkmal sich errichtet im Herzen seines Volkes, im Herzen der

auf seiner Höhe steht. Der Dichter als Karikatur. Aber allem Anschein nach aus raffinierter Berechnung. Bohémien in seinem Leben und Schaffen – ein Gaukler, der in Peter Hille einen Bruder besaß, zu dessen Karikatur er sich hinabarbeitete. Dabei vergißt er, das Hängekleidchen einer mitunter recht schlecht gespielten Kindhaftigkeit abzutun. Aber – warum denn nicht? . . . So lang es Publikum gibt, das zu so etwas sich bekehrt und Literaturgeschichtenschreiber, die über seine Dirnenfreundschaften und Dirnenseele sich entzücken . . . warum denn nicht? Er steht sich besser bei dieser Sorte Bohéme als in anderem Kostüm. Seine Dichtung ist unreif wie die Komödie seines Daseins, ein Mosaik von banalen Gemeinplätzen und Frivolitäten, und möchte Dirnenmoral auf den Thron setzen.«

Menschheit. Am 13. November 1912 trat er als Hofkapellensänger in den Ruhestand, Ehrenmitglied der Wiener Hofoper; 45 Jahre lang hat er als Führer des Opernchores gewirkt und zur Feier des Tages wurde sein Liederspiel ›Am Wörthersee‹ aufgeführt. Sechs Operndirektoren sah Koschat kommen und gehen. Ursprünglich für das Studium der Naturwissenschaft bestimmt; er wurde aber im Angesicht der Kärntenschen Wälder und Seen ein Sänger und Poet. In seinen 110 Werken rauschen vor allem die Quellen des Gefühls und Gemüts; in den meisten Fällen ist er Dichter und Komponist zugleich – ›Verlassen‹ ist die schmerzvollste und populärste Schöpfung K's. Sie findet sich in seinem lustigen Liederspiel ›Am Wörthersee‹, ebenso ›Armes Diandle, tua nit wanen‹ . . . Stürmischer Jubel umbrauste K., als er am Schlusse des Abends in seiner Nationaltracht vor dem Vorhange sich zeigte . . .«

Und mit so was lebt man auf einem Planeten!

Eine Einladung

Sehr geehrte Redaktion!

Der unterzeichnete Hellerauer Verlag gibt sich die Ehre, Ihre geschätzte Redaktion zu dem Besuche der deutschen Uraufführung von
Paul Claudels »Verkündigung«
für Sonntag, den 5. Oktober, abends ½6 Uhr
ergebenst einzuladen.
Diese Aufführung steht in keinem Zusammenhang zur Bildungsanstalt Jaques-Dalcroze. Diese hat nur den Saal zur Aufführung hergegeben

und nur d i e s e r Saal in seiner Anordnung von Bühne und Zuschauer-raum, seiner Beleuchtungsart und der damit gegebenen Bühnenaufgabe steht zu Claudels Stück in einer wesentlichen Beziehung. D i e s e dar-stellerisch zum Ausdruck zu bringen, soll eben Aufgabe d i e s e r Auf-führung sein. Im übrigen unterrichtet über die künstlerische Absicht d i e s e r Veranstaltung ein Programmbuch, das Ihrer geschätzten Redak-tion mit der Übersendung der Eintrittskarten am 1. Oktober zugehen wird. . . . Die Hauptprobe zu d i e s e r Aufführung findet Donnerstag, den 3. Oktober statt und zwar abends ½6 Uhr bis gegen 10 Uhr, falls es gelingt, die mitwirkenden Kräfte für d i e s e n Abend von ihren Ver-pflichtungen in Leipzig, bzw. Berlin zu befreien, sonst vormittags 11 Uhr. Auch hiezu erlaubt sich . . . . Mit Rücksicht auf die Eigenart der Auf-führung . . . . mit großem Danke begrüßen, wenn die Besucher der Pre-miere durch einen kurzen Bericht über die Hauptprobe etwas vorbereitet würden.

Mit vorzüglicher Hochachtung ergebenst
Hellerauer Verlag.

Was hiermit geschieht. Nicht ohne die Bemerkung, daß die-ser Hellerauer Verlag es ist, der nicht nur diese Aufführung, sondern auch die deutsche Übersetzung dieses Werkes von Claudel in diese Hand genommen hat.

Mittwoch, 1. Oktober 1913

Er ist doch ä Jud

Geehrter Herr!

Unter dem Eindruck der gestrigen Vorlesung im Musikvereinssaale, möchte ich mir erlauben, Sie auf Ihren persönlichen Mut zu prüfen.
Bitte – versuchen Sie, in Ihrer Fackel, eine Erklärung dafür zu finden, resp. zu geben, daß Ihr Auditorium, Ihr begeistertes Auditorium, fast durchwegs gerade aus jenen Juden besteht, die Sie so heftig angreifen und kritisieren.
Ich muß gestehen, daß ich sowohl von der Wirkung Ihrer Persönlichkeit als Ihrer lebendigen Vortragsart angenehm überrascht war – trotzdem ich seit Anbeginn der Fackel deren treuer Leser bin; nochmehr über-rascht war ich über das Auditorium, welches Ihnen, unter dem Banne Ihrer Vortragskunst, frenetischen Beifall zollt – um schon in der Garde-robe auszurufen: »Er ist doch ä Jud'!«
Es würde mich freuen, wenn Sie mir dieses psychologische Rätsel lösen könnten, und wäre Ihnen dankbar, wenn dies unter Wahrung des redak-tionellen Geheimnisses geschehen könnte. In Hochachtung – –

Ein treuer Leser der Fackel seit Anbeginn sein und erst im fünfzehnten Jahr neugierig, ob ich Mut habe: das ist kurios. Indes, da ich die Angelegenheit nicht so sehr für ein Problem des Mutes als der ästhetischen Einsicht halte, so kann ich zwar antworten, aber ohne zu wissen, ob nicht in fünfzehn Jahren wieder ein Leser mich fragt, ob ich eigentlich Mut habe. Es ist eine herzige Ansicht, daß ich in der Fackel alles ausdrücken könnte, was mich bewegt, mit Ausnahme jener Realität, der ich es vorlese, oder: daß mich die Erscheinungen in dieser nicht bewegen und daß ich blind sei für ihre erschreckende Ähnlichkeit mit dem Leben, das außerhalb des Vortragssaales von mir gesichtet wird. Man muß nicht seit fünfzehn Jahren, sondern nur seit zwei Jahren die Fackel gelesen haben, um zu wissen, warum ich aus ihr vorlese. Man muß nicht spüren, daß in vielen meiner Arbeiten die Fähigkeit schon enthalten ist, das Geschriebene den Leuten ins Gesicht zu sagen. Aber man muß wissen, daß ich darauf hingewiesen habe; sonst ist man ein so schlechter Leser wie Hörer. Doch selbst einer, der nie eine Zeile gelesen und nur die letzte Vorlesung gehört hat, muß wissen, daß ich mir über die gedankliche Tragweite meines Vortrags keine Illusionen mache und ihr Ende eben dort sehe, wo die Garderobe beginnt. Daß ich unter Hörern wie unter Lesern Hörer und Leser für vorstellbar, möglich und existent halte, die mehr als einen Reiz oder selbst eine Erschütterung durch den Tonfall von etwas, was sie nicht verstehen, mitnehmen, braucht nicht gesagt zu werden. Die Masse kann und soll nicht verstehen. Sie leistet genug, wenn sie sich aus trüben Einzelnen zu jenem Theaterpublikum zusammenschließt, das der unentbehrliche Koeffizient schauspielerischen Wertes ist. Dieses Publikum, wenn es nur richtiges Publikum ist, bewährt sich am wenigsten an solchen geistigen Gestaltungen, deren Stoff ihm geläufig ist, weil es von ihnen kaum mehr als den Humor der stofflichsten Assoziationen, der Nomenklatur (Männergesangverein, Bahr, Concordia, Zifferer, Grubenhund) erfaßt, und bewährt sich am besten dort, wo es von der rhythmischen Wirkung der Pflicht jedes Verständnisses überhoben wird: an den gedanklich schwersten, aber von der dynamischen Welle zu jeder Seele getragenen Stücken, gegen deren Stofflichkeit, deren »Tendenz« die fünfhundert Einzelnen rebellieren müßten. Darum ist es erklärlich, daß die »Chinesische Mauer«, von der kaum ein Wort verstanden wird, den Saal in Aufruhr bringt. Je stärker solche Wirkung auf die empfangende Masse war, desto heftiger ist die Reaktion der sich am Schlusse wiederfindenden Individuen. Es ist vollkommen gleichgültig, ob das Publikum aus Verehrern oder Feinden, Theosophen oder Monisten, Denkern oder Generalkonsuln, Wienern oder Persern, Christen oder Juden besteht. Von welcher Menschenart es ist, zeigt sich erst im Zwischenakt und in der Garderobe. Das psychologische Rätsel besteht in der Anziehung einer Vielheit, der man doch das Gefühl nachrühmen muß, daß sie hier etwas durchzumachen habe, und in der Verwandlung von fünfhundert Männern und Weibern zu der Einheit Weib, die Publikum heißt. Die Reaktion wird je nach dem Grade der Erziehung mehr oder minder geräuschvoll ausfallen. Leute, die durch den Eintritt in die Vorlesungen eine größere Geschmacklosigkeit beweisen als durch die Art ihres Austrittes, werden am heftigsten gegen die ihnen aufgezwungene Pflicht, Teil einer eindrucksgefügen Einheit zu sein, sich auflehnen. Sie sind die lautesten und bringen deshalb das ganze Publikum in Verdacht, das ja wohl auch Personen aufweist, deren Widerstand Anstand bleibt. »Er ist doch ä Jud!« ist das Urteil, das jene schon in die Vorlesung mitbringen, nur widerwillig für 2½ Stunden aufgeben und mit dem Überrock wieder in Empfang nehmen. Man bedenke aber, was es heißt, aus Leuten, die »jeden Früh aufkommen« und dann den ganzen Tag wach und intelligent bleiben, am Abend eine willige Einheit zu machen, als Vorleser, ohne Maske, ohne Orchester. Niemand, zu allerletzt der oben steht, kann es ihnen übelnehmen, daß sie sich hinterdrein salvieren und jene Einwände hervorsprudeln, die ihnen bei der Hand waren, ehe sie sich der Reinigung ihrer Leidenschaften unterwarfen. Wenn sie schon baden gehn müssen, so wollen sie

doch nachher wieder schmutzig sein. »Er ist doch ä Jud!«
haben sie immer, auch hinter der Erscheinung, deren sugge-
stive Wirkung eine Welt umarmt hat, ausgerufen. Das wäre
das geringste. Viel unappetitlicher sind Rufe wie die bereits
von mir in satirische Dialoge eingepflanzten: »Was er davon hat, fortwährend mit den Angriffen auf die Presse,
möcht ich wissen!« »Alle Welt is für Heine – e r muß gegen
Heine sein!« Nach Anhörung eines jener Dialoge soll einer
bemerkt haben: »Jüdeln kann er wie unsereins, aber schimpfen tut er doch!« Ein anderer resümierte schlicht: »Er wär
doch froh, wenn er in die Presse hineingekommen wär!«
»Möcht wissen, was e r sagen möcht, wenn ein a n d e r e r so
über i h n vorlesen möcht«, äußerte eine Mädchenblüte. »Die
Presse ist doch das bestgeschriebenste Blatt, und wenn er
sich auf den Kopf stellt!«, rief eine Matrone. »Ich bitt Sie,
Brotneid!«, enthüllt ein Wissender. Man hat auch schon
Sätze gehört wie: »Ich hab dir gesagt, ich geh nur zu Salzer!« »Alles niederreißen – treff ich auch.« »Was ist das gegen
früher! Er hat sich ausgeschrieben.« »Auernheimer hat er
heut in Ruh gelassen.« »Der Gerasch liest im kleinen Finger
besser!« »Nichts für junge Mädchen, das nächste Mal bleibst
du mir zuhaus.« »Er wird sich noch Feinde machen.« »Schnup-
fen hat er auch.« »Die was so stark applaudiert haben, das
ist die Clique, die Journalisten!« Das letztemal soll bemerkt
worden sein: »Sagen Sie mir um Gotteswillen, was will er
nur von den Leuten?« »Siehst du, das ist also Karl Kraus
der Gemeine, aber – lesen kann er!« »Nicht einmal ein reines Taschentuch hat er!« Und der ärgste und sicher un-
wahrste von allen Anwürfen: »Ich kenn ihn doch persönlich!« – Glaubt der Einsender, daß ich unter den Leuten, die
so wieder zu sich kommen, sitzen könnte? Über ihnen ist's
leichter. Vermeinte ich, daß die Wirkung, zu der ich sie zu-
sammenschließe, vorhält, dann müßte ich mich, wie ich's
ihnen bei der letzten Vorlesung sagte, wundern, daß nicht
entweder die von mir gebrandmarkten Spitzbuben gelyncht
werden oder ich. Solche Effekte bleiben aus. Aber daß sich
die strafende Wirkung, die auszukosten die einzige Ent-

schädigung für meine Nerven ist, über allen Zerfall und alle
Schäbigkeit doch auf unsichtbare Art fortsetzt, ist der Glaube,
der mir das Recht auf solchen Genuß und solche Erholung
gibt.

Der Wagner-Brief

Der wehmütigen Deutung des Zitats, das die ›Neue Freie
Presse‹ gebracht hatte:

»Als ich am letzten Abend«, schrieb Wagner an Jauner, »nach Ihrem
üppigen Souper von Ihnen schied, wußte ich, daß ich nie wieder Wien
betreten würde.« Und Richard Wagner ist nach dem Januar 1876 auch
nicht mehr in Wien gewesen.

ist im letzten Heft durch den Abdruck des »ganzen Briefes«
aus dem Glasenapp'schen Werk lebhaft widersprochen worden. Nun stellt sich heraus, daß auch der dort veröffentlichte
Text noch nicht der ganze war, und da fast keine Weglassung bezeichnet ist, so liegt die Vermutung nahe, daß der
Biograph den Wortlaut nicht selbst verstümmelt, sondern
von einer Wiener Seite in verstümmelter Form empfangen
hat. Der übernommene Text ist nur unwesentlich verändert;
aber es fehlen ganze Sätze, die Wagners Sehnsucht nach
Wien, wenn dies nach den bereits bekannten Stellen noch
möglich ist, verdeutlichen. Es liegt zutage, daß die ›Neue
Freie Presse‹, die Wagners Verzicht sentimental nimmt,
selbst dessen infame Ursache war. Es ist aber auch
ersichtlich, daß die Kulturgeschichte um diesen Beweis, um
Wagners Aussage, gebracht werden sollte. Indes hätte man,
ohne dem Andenken Wagners nahezutreten, höchstens ein
Recht gehabt, das Andenken des bedeutenden Schriftstellers,
den er nebst Hanslick angreift, durch eine Punktierung des
Namens zu schonen. Das geschieht auch hier, wo die Entstellung, die schon vor der Fälschung begangen wurde, nachgewiesen wird. Wagner mußte jenem umsoweniger gerecht
werden, als er an ihm nur die Ungerechtigkeit gegen Wag-

184

ner sah. Dem Milieu der Wiener Presse aber, in das er ihn einbezogen hat, gebührt die ungekürzte Darstellung durch Richard Wagner, also mit den hier in Sperrdruck gesetzten Stellen, die in der Biographie fehlen:

Mein wertester Gönner und Freund!

Sie Unermüdlicher! Muß ich Ihnen immer wieder auf Ihre freundlichen Einladungen ausweichend antworten, da Sie den richtigen Grund meines Davonbleibens wohl verstehen, aber, wie es scheint, nicht zugeben wollen? Sie haben doch selbst Phantasie; können oder wollen Sie sich die Ergebnisse eines neuerlichen Besuches von mir in Wien nicht ausmalen? Ich dächte wir hätten doch genug davon das letzte Mal erfahren! Glauben Sie, daß die 6 Wochen im Winter 1875 als angenehme Erinnerungen in meinem Gedächtnisse leben? Selbst wenn ich mich gar nicht um die Aufführungen bekümmern, keiner Probe beiwohnen und bloß auf gut Glück bei den Vorstellungen Figur machen sollte, würde ich, wenn ich nur über die Straße gehe oder etwa einem Betteljungen ein Wort sage, von Eueren herrlichen Zeitungsschreibern im Koth herumgezogen werden, und – wie die Freunde nun einmal sind – alles von diesen mir wiedererzählen lassen müssen. Nein lieber Freund! Als ich am letzten Abend nach Ihrem üppigen Souper von Ihnen schied, wußte ich, daß ich nie wieder Wien betreten würde. Dort, wo ungestraft jeder Lumpenhund über einen Mann wie mich herfallen und seine Jauche über mich ergießen kann, da habe ich glücklicherweise nicht mehr mich blicken zu lassen. Nie! Nie! Grüßen Sie den Staatsrat Hanslick und . . . . und wie das Gesindel heißen mag. Ihnen, das heißt diesen Herren zürne ich nicht, denn ihr Metier scheint ihnen dennoch in Wien Geld einzubringen? Somit scheint das Publikum doch sie lieber zu haben als mich. Also meinen Segen!

Besten Glückwunsch und herzliche Grüße von Ihrem

stets ergebenen

Bayreuth, 5. September 1879.   Richard Wagner

Der kleine Pan ist tot

In Berlin wurde kürzlich das interessante Experiment gemacht, einer uninteressanten Zeitschrift dadurch auf die
Beine zu helfen, daß man versicherte, der Polizeipräsident
habe sich der Frau des Verlegers nähern wollen. Das Experiment mißlang, und der ›Pan‹ ist toter als nach seiner
Geburt. Herr Maximilian Harden hatte schon Abonnenten
verloren, weil er sie durch den Nachweis vermehren wollte,
daß Fürst Eulenburg homosexuell veranlagt sei. Herr Alfred
Kerr, der dieses Wagnis, einen erotischen Hinterhalt für die
Politik und den politischen Vorwand für das Geschäft zu
benützen, tadelte, hat einen schüchternen Versuch gemacht,
es zu kopieren, indem er, gestützt auf die erweisliche Wahrheit, daß Frau Durieux die Gattin des Herrn Cassirer sei,
sich bemüßigt fand, in Bezug auf die Erotik des Herrn
v. Jagow »auszusprechen was ist«. Herr Kerr ist dabei zu Schaden gekommen. Denn eine üble Sache wird dadurch nicht
schmackhafter, daß man sie statt in Perioden in Interjek-
tionen serviert, und der Moral ist nicht besser gedient, wenn
sie von einem Asthmatiker protegiert wird, als von einem
Bauchredner. Das demokratische Temperament mag es ja
als eine geistige Tat ohnegleichen ansehen, daß einer dem
Polizeipräsidenten »hähä« zugerufen hat, und die Verehrer
des Herrn Kerr, dessen Stil die letzten Zuckungen des sterbenden Feuilletonismus mit ungewöhnlicher Plastik darstellt,
mögen diesen Polemiker sogar für den geeigneten Mann
halten, mich für »Heine und die Folgen« zur Rede zu stellen. Ich möchte das Talent des Herrn Kerr so gering nicht
einschätzen wie jene, die ihm zu politischen Aktionen Mut
machen. Im sicheren Foyer theaterkritischer Subtilitäten hat
er es immerhin verstanden, aus dem kurzen Atem eine Tugend zu machen, und man könnte ihm das Verdienst einer
neuen Ein- und Ausdrucksfähigkeit zubilligen, wenn es nicht
eben eine wäre, die wie alle Heine-Verwandtschaft Nach-

ahmung ihrer selbst ist und das Talent, der Nachahmung Platz zu machen. Das bedingt einen geistigen Habitus, der auch den leiblichen geflissentlich dazu anhält, sich noch immer als Jourbesucher der Rahel Varnhagen zu fühlen, und dem das politische Interesse bloß eine Ableitung dessen ist, wovon man leider stets im Überfluß hat: der Sentimentalität. Sie allein macht es verständlich, daß Ästheten, die aus Lebensüberdruß Gift nehmen könnten, weil es grün ist, und die einen Pavian um den roten Hintern beneiden, manchmal drauf und dran sind, die Farbe, die bisher nur ihr Auge befriedigt hat, auch zu bekennen. Diesen politischen Zwischenstufen zuliebe ist der ›Pan‹ gegründet worden, und wenn man schon glaubte, alle Sozialästheten würden sich wie ein Heinrich Mann erheben und fortan nach seinen Gedanken handeln, die an der Oberfläche sind und doch tief unter seiner Form, – so erschien ein offener Brief an Herrn v. Jagow. Er war die Antwort auf einen geschlossenen. Herr v. Jagow hatte sich der Frau Durieux »außergesellschaftlich« nähern wollen. Man denke nur, welchen Eindruck das auf Herrn Kerr machen mußte, dessen Scherz, Satire, Ironie und tiefere Bedeutung sich in dem Worte »Ecco« erschöpft, wozu aber, wenn er gereizt wird, in der Parenthese noch die treffende Bemerkung »Es ist auffallend« hinzutreten kann. Herr Harden hätte in solchem Falle vom Leder gezogen, das heißt er hätte den Feind dieses riechen lassen statt des Gewehrs. Herr Kerr begann fließend zu stottern, teilte den Polizeipräsidenten in sechs Abteilungen und fühlte sich aristophanisch wohl. Herr Cassirer, der am Skandal und am Geschäft beteiligte Verleger, duldete still. Und der Fall wurde zum Problem, wie viel Aufsehen man in Deutschland mit schlechten Manieren machen kann. Gewiß, man muß von modernen Literaten nicht verlangen, daß sie die Qualität einer Schauspielerin eher in der Fähigkeit erkennen, sich eine außergesellschaftliche Annäherung gefallen zu lassen, als in dem Ansehen, das sie als Hausfrau eines Kunsthändlers genießt. Gewiß, man mag es hingehen lassen, daß ein moderner Impressionist über die Psychologie der Schauspielerin so korrekt denkt wie ein Schauspieler, der ja der Erotik zumeist als Mitglied der deutschen Bühnengenossenschaft gegenübersteht. Aber man muß über die Promptheit staunen, mit der hier – jenseits des Problems der Theaterdame – die allerordinärsten Abfälle des Moraldogmas aufgegriffen wurden, die die Hand des Bürgers davon übriggelassen hat. Und daß hier die laute Entrüstung einem Geschäft helfen sollte, da die stille nur der Ehre Vorteil gebracht hätte, macht den solid bürgerlichen Eindruck der Angelegenheit vollkommen. Fast könnte man fragen, ob Herr v. Jagow dem ›Pan‹ durch die Unterlassung der Annäherung an Frau Durieux nicht mehr geschadet hätte, als durch die Konfiskation der Flaubert-Nummer, und der Ausruf auf der Friedrichstraße: »Der Polizeipräsident hat meine Gattin beleidigt. Sensationelle Nummer des ›Pan‹!« legt die Erwägung nahe, ob man in solchen Ehrenhändeln dem Störer des ehelichen Friedens nicht prinzipiell zwei Kolporteure ins Haus zu schicken hat. Herr Cassirer hatte zwar schon durch einen Rittmeister Aufklärungen empfangen und »seinerseits« die Sache für erledigt erklärt; er hatte aber »keinen Einfluß« auf die Entschlüsse der Redaktion. Deutsche Verleger sind gegenüber den Geboten ihrer Redakteure vollkommen machtlos und gegen einen ausbeuterischen Angestellten helfen ihnen bekanntlich weder die Gerichte noch können sie selbst mit dem Komment in der Hand einen Privatwunsch durchsetzen. Die Redakteure des ›Pan‹ waren nicht davon abzuhalten, einen Eingriff in das Familienleben ihres Verlegers zu begehen. Zwar hat Herr Cassirer zugegeben, eine Bemerkung des Herrn v. Jagow – »der ›Pan‹ kann über mich schreiben, was er will« – habe ihn schließlich bestimmt, seine Redaktion gewähren zu lassen. Aber wenn er nach einer solchen ausdrücklichen Erlaubnis des Polizeipräsidenten sich schon nicht bewogen fühlte, Herrn v. Jagow zu schonen, so bleibt es immerhin verwunderlich, daß es dem ›Pan‹ unbenommen blieb, über seinen eigenen Chef zu schreiben, was er wollte. Indes, es war nicht nur Naivität notwendig, um die Publikation zu rechtfertigen, sondern wahrlich auch, um sie zu veranlassen. Der Glaube an die Plumpheit des Herrn v. Jagow war plumper. Denn der Amtsmensch ist zwar ungeschickt genug, um seinen Besuch bei der Schauspielerin mit der Berufung auf sein Zensoramt harmlos zu machen, aber so ungeschickt, um sein Zensoramt als Besucher der Schauspielerin gefährlich zu machen, ist er nicht. So ungeschickt, es zu glauben, sind nur die Polemiker und die Verleger. Herr v. Jagow hat es schriftlich gegeben, um sich zu decken. Hätte er drohen wollen, so hätte er es mündlich gegeben. Ganz so dumm, wie die Journalisten es brauchen, sind die Machthaber nicht in allen Fällen; sie sind nur manchmal dumm genug, dem Verdacht, dem sie ausweichen wollen, entgegenzukommen. Wenn sie das Interesse für Theaterfragen zum Vorwand für erotische Absichten nehmen, so machen sie es anders, und wenn sie sich auf ihr Amt berufen, so wollen sie sich schützen, nicht preisgeben. So flink macht einer einem tüchtigen Verleger nicht den Tartuffe; er müßte denn von einem tüchtigen Verleger dafür bezahlt sein. Daß die Freundlichkeit der Dame, die Herrn v. Jagow auf der Probe kennen gelernt hatte, inszeniert war, muß man trotz der Pünktlichkeit des Aufschreis des gekränkten tüchtigen Verlegers nicht annehmen. Das ist nur in jenen Teilen der Friedrichstraße üblich, wo keine Zeitschriften feilgeboten werden. Aber daß das Maß dieser Freundlichkeit die Annäherung des Dritten nicht absurd erscheinen ließ, ist ebenso wahrscheinlich, wie es für eine Schauspielerin nicht unehrenhaft ist, daß sie zur Ansprache eines Polizeipräsidenten ein freundliches Gesicht macht. Es geht nicht an, die erotische Dignität und den erotischen Geschmack des Paares unter Beweis zu stellen, und darum kann Herrn v. Jagow nichts Schlimmeres vorgeworfen werden als Neugierde, wiewohl ihm auch die erwiesene Absicht auf eine Schauspielerin selbst die Todfeinde seines Regimes nicht ankreiden würden. Nur der Liberale trägt kein Bedenken, gegen den Tyrannen die Argumente des Muckers anzuführen, und was er Satire nennt, ist das mediokre Behagen über einen Zeremonienmeister, der durch eine Orangenschale zu Fall kommt. Und antwortet man ihm, daß man Schutzmannsbrutalitäten verabscheuen und gleichwohl das Gewieher über den ausgerutschten Präsidenten verächtlich finden kann, so wird das Maul, das bisher nur »etsch« sagen konnte, frech über alle Maßen. Herr Kerr nennt jetzt jeden, der »noch behauptet, er habe einen Privatbrief öffentlich behandelt«, und jeden, der »noch behauptet, er habe unbefugt eine völlig beigelegte Sache der Öffentlichkeit übergeben«, »einen Halunken«, und der ›Pan‹ setzt seine Bemühungen, sich interessant zu machen, fort. Herr Cassirer, der nur noch am Geschäft Beteiligte, duldet still. Ich will dem aufgeregten Feuilletonisten, der schon vergebens bemüht war, den Schleier vom Vorleben des Herrn v. Jagow wegzuzupfen, die Freude an keiner seiner neuen »Feststellungen« verderben. Er verspricht zu kontrollieren, welche Blätter sie ihm unterschlagen werden, und es ist zu hoffen, daß alle so klug sein werden, sie ihm nachzudrucken. Denn kein Angriff vermöchte die Miserabilität der Angelegenheit besser zu entblößen, als diese Verteidigung. Ich möchte Herrn Kerr den Rat geben, sein Geschrei zu verstärken und auch noch denjenigen einen Halunken zu nennen, der ihn beschuldigt, Herrn v. Jagow die goldene Uhr gestohlen, oder seine Tante Friederike Kempner geschlachtet zu haben. Je mehr Leute, die grundlose Behauptungen aufstellen, er Halunken nennt, desto besser lenkt er die Aufmerksamkeit von den gegründeten ab und dem ›Pan‹ zu. Denn ob Herr Kerr »befugt« oder nicht befugt war, im ›Pan‹ etwas zu veröffentlichen, hat er mit seinem Verleger auszumachen, und ob er diesem die Erlaubnis abgeschmeichelt oder abgetrotzt hat, ist eine Sache, die die Öffentlichkeit nicht sonderlich interessiert. Ob Herr Kerr eine Affäre, die der Ehegatte beigelegt hatte, ausweiden durfte, hat er mit dem Ehegatten auszumachen. Wesentlich allein ist, daß dieser nichts dagegen einzuwenden hat. Nicht wesentlich zur Beurteilung der Ethik des Herrn Kerr, aber zur Beurteilung des Falles. Nicht ob Herr Kerr tut, was ihm vom Verleger-Gemahl erlaubt oder verboten ist, sondern ob dieser erlaubt oder verbietet, ist relevant. Dieser hat sich, so versichert Herr Kerr, bei der Erledigung der persönlichen Affäre zwischen ihm und dem ehestörenden Herrn v. Jagow »nachdrücklich« die Verwertung des »politischen Charakters der Angelegenheit« durch Herrn Kerr vorbehalten. Das heißt, er »hat sich zwar gegen die Veröffentlichung des Angriffs im ›Pan‹, weil er dessen Verleger ist, gesträubt – keineswegs aber gegen seine Veröffentlichung überhaupt«. Man muß zugeben, daß eine bessere Verteidigung eines Mannes, der beschuldigt wird, die Beleidigung seiner Frau zur Hebung seiner Halbmonatsschrift verwendet zu haben, gar nicht gedacht werden kann. Herr Kerr sagt, daß ihm etwas erlaubt war. Herr Cassirer hat bei den ritterlichen Verhandlungen mit Herrn v. Jagow ausdrücklich das staatsgrundgesetzliche Recht des Herrn Kerr, zu denken und zu schreiben, was er will, gewahrt. Dagegen, daß es im ›Pan‹ geschehe, hat sich Herr Cassirer gesträubt. Aber dann hat er's doch zugelassen. Es ist nun wohl denkbar, daß bei der ritterlichen Austragung Herr v. Jagow die Gedankenfreiheit des Herrn Kerr, gegen die Herr Cassirer nichts ausrichten zu können beteuerte, anerkannt hat. Aber es ist immerhin zu bezweifeln, ob er die Austragung noch als ritterlich akzeptiert hätte, wenn der Gegner sich die Verwertung im eigenen Blatt vorbehalten oder ihm auch nur gesagt hätte: Herr v. Jagow, auf Ehre, Sie sind ein Ehrenmann, ich bin jetzt davon durchdrungen, daß Sie meine Frau nicht beleidigt haben. Aber, auf Ehre, ich hab da eine etwas wilde Redaktion und beim besten Willen kann ich es nicht verhindern, daß zum Quartalswechsel so etwas hineinkommt wie, daß Sie doch meine Frau beleidigt haben . . . Hätte sich Herr Cassirer mit Herrn v. Jagow geschlagen, so böte immerhin die Möglichkeit, daß die Gegner unversöhnt schieden, eine Entschuldigung. Aber er hat sich ausgeglichen, versichert selbst im ›Pan‹, sein persönlicher Zwist zwischen ihm und Herrn v. Jagow sei »völlig beigelegt«, verspricht, auf »den zwischen uns erledigten Fall« nie mehr zurückzukommen – dazu würden ihn auch »keinerlei Angriffe bewegen« –: und läßt Herrn Kerr seine nachträgliche Forderung präsentieren. Denn Herr Kerr »sei befug, die Angelegenheit öffentlich zu behandeln.« Es ist so albern und klingt so gentlemanlike, daß man sich fragt, ob es nicht doch vielleicht einen Komment gibt, der dem Beleidigten ausdrücklich gestattet, nachdem er volle Genugtuung erhalten hat, den Gegner zwar nicht selbst anzuspucken, aber es durch einen Dritten besorgen zu lassen. Ecco. Herr Kerr nennt das Ganze einen »ethischen Spaß«. Ich nenne es eine völlig humorlose Unsauberkeit. Und für den Fall, daß Herr Kerr mich deshalb einen Halunken nennen sollte, behalte ich mir nachdrücklich das Recht vor, den politisch-persönlichen Charakter seiner Affäre so eingehend zu besprechen, daß ihm einige Parenthesen wackelig werden könnten. Bis dahin hat er die käsigste demokratische Gesinnung auf seiner Seite. Auch die Politiker in Schönheit, die sich der Geste freuen, welche einem Machthaber auf den Hosenlatz weist, mögen die Schlacht für gewonnen halten. Zu bald aber dürfte die Ansicht populär werden, daß es den Ästheten nichts hilft, wenn sie sich durch schlechte Manieren einer guten Sache würdig erweisen wollen. Die Kultur, die auf Old Stratford-Papier arbeitet, versagt bei Gelegenheiten, wo manch ein deutscher Kommis seinen Mann stellt. Nur im Geschäft ist sie ihm über. Pan war der Sohn des Hermes. Dieser aber ist ein Handelsgott und heißt jetzt Cassirer.

Der kleine Pan röchelt noch

Man sollte meinen, daß von Kultur erst dort die Rede sein könne, wo die Frage der Zimmerreinheit geklärt ist. Was nützen uns die schönen Künste des Spitzes, wenn die Hose leidet? Ecco. Darüber gibt's keine Debatte, und wenn das demokratische Gefühl in den beteiligten Kreisen hier die Politik ausspielt, so liegt insoferne ein bedauerliches Mißverständnis vor, als durch Politik höchstens die Freiheit vom Maulkorb erstrebt werden kann, nie aber das Recht, zu stinken. Ein anderes Mißverständnis liegt in der Entrüstung darüber, daß man einem Genius wie Herrn Alfred Kerr imputieren wolle, er habe Unsauberkeiten begangen, um das Geschäft einer Halbmonatsschrift zu heben. Da die Halbmonatsschrift nicht Herrn Kerr gehört, so dürfte keiner von den vielen, die sich bei dieser Begebenheit die Nase zuhielten, Herrn Kerr für den Cassirer der Sensation gehalten haben. Der Fall liegt schlimmer. Herr Kerr tat wie Herr Harden, aber aus reinen Motiven. Er hat eine ungeistige Aktion aus Überzeugung vertreten. Er reicht an die Beweggründe des Herrn Harden nicht heran. Um eine schlechte Sache zu führen, muß man ein guter Politiker sein. Herr Kerr ist nur das Opfer seines politischen Ehrgeizes. Herr Harden ist für eine Unanständigkeit verantwortlich; er weiß, daß es im Leben ohne ethische Betriebsunfälle nicht abgeht, und die Kollegen von der Branche können darüber streiten, ob er zu weit gegangen ist. Herr Kerr aber hat einen geistigen Horizont entblößt, der so eng ist, daß ihm nur eine Unanständigkeit zur Erweiterung hilft, und wäre es selbst eine, die er sonst erkennen würde. Er ist der Typus, der seine Gehirnwindungen als Ornament trägt und, da ein Muster der Mode unterworfen ist, keinen Versuch der Renovierung scheut. Die verzweifelte Sehnsucht, von der Nuance zur Tat zu kommen, macht den blasiertesten Artisten wehrlos vor Devisen wie: Alle Menschen müssen gleich sein, Per aspera ad astra oder J'accuse. Die Linie, die durch die feinsten Schwingungen und apartesten Drehungen nicht populär wird, gibt sich einer Perspektive preis, in der sie als Fläche wirkt. Das Problem des Ästheten – Herr Kerr ist einer, und mögen ihn noch linearere Naturen um seine Raumfülle beneiden – ist von Nestroy mit unvergeßlichen Worten umrissen worden. »Glauben Sie mir, junger Mann! Auch der Kommis hat Stunden, wo er sich auf ein Zuckerfaß lahnt und in süße Träumereien versinkt; da fallt es ihm dann wie ein fünfundzwanzig Pfund-Gewicht aufs Herz, daß er von Jugend auf ans G'wölb gefesselt war, wie ein Blassel an die Hütten. Wenn man nur aus unkompletten Makulaturbüchern etwas vom Weltleben weiß, wenn man den Sonnen-

aufgang nur vom Bodenfenster, die Abendröte nur aus Er-
zählungen der Kundschaften kennt, da bleibt eine Leere im
Innern, die alle Ölfässer des Südens, alle Heringfässer des
Nordens nicht ausfüllen, eine Abgeschmacktheit, die alle
Muskatblüt Indiens nicht würzen kann.« Mit einem Wort,
auch der Feuilletonist hat Stunden, wo er sich nach dem
Leitartikel sehnt. »Der Diener ist der Sklav' des Herrn, der
Herr der Sklav' des Geschäfts«, sagt einer, der dem Prinzipal wohl geholfen, aber von dem Handel nichts profitiert
hat. Und: »Wenn ich nur e i n e n vifen Punkt wüßt' in meinem Leben, wenn ich nur von ein paar Tag' sagen könnt':
da bin ich ein verfluchter Kerl gewesen. Aber nein! Ich war
nie ein verfluchter Kerl. Wie schön wär' das, wenn ich einmal als alter Handelsherr mit die andern alten Handels-
herren beim jungen Wein sitz' . . . wenn ich dann beim lebhaften Ausverkauf alter Geschichten sagen könnt': Oh! Ich
war auch einmal ein verfluchter Kerl! Ein Teuxelsmensch! Ich
muß – ich muß um jeden Preis dieses Verfluchtekerlbewußt-
sein mir erringen! . . . Halt! Ich hab's! . . . Ich mach' mir
einen Jux! . . . Für die ganze Zukunft will ich mir die kahlen
Wände meines Herzens mit Bildern der Erinnerung schmük-
ken. Ich mach' mir einen Jux!« Einen Jux will er sich machen, der Weinberl. Einen ethischen Spaß nennt es der Herr
Kerr. Er will einmal beim lebhaften Ausverkauf alter Geschichten sagen können: Oh! Ich war ein verfluchter Kerr!...
Er habe ja nicht auf das Pathos des Moralphilisters speku-
liert. Aber der ethische Spaß lebt von der Heuchelei so gut
wie das moralistische Pathos, und es gehört schon ein tüchtiges
geistiges Defizit dazu, zu glauben, es sei kulturvoller, durch
die Enthüllung eines hochgestellten Lasters das Gewieher
des Bürgers herauszufordern, als seine Wut. Als ob in erotischen Situationen eine Heiterkeit möglich wäre, wenn's
kein Ärgernis in der Welt gäbe, als ob Schwankfabrikanten
nicht rückwärts gekehrte Mucker wären und die Zote nicht
das Widerspiel, das widrige, der Zensur. Ein Überzensor,
der Herrn von Jagow kontrolliert hätte, wäre weit sympa-
thischer als dieser Pan, der ein Bocksgelächter anschlug, aber

nur gleich dem Sohn des Hermes blinden Lärm erzeugte. Es ist die Sehnsucht nach dem Leitartikel. Denn im Leitartikel wird eine Tat getutet, während im Feuilleton nur eine Tüte gedreht wird. Ob es nun für den ›Tag‹ zizerlweis oder für die ›Königsberger Allgemeine‹ in einem Zug geschieht. Ich halte die Enthüllung, daß die rechte Hand des Herrn Kerr nicht weiß wie die linke schreibt, allerdings für eine Enthüllung des Herrn Kerr, wiewohl ich ihrer nicht bedurft und ganz genau gewußt habe, daß unter den impressionistischen Fetzen ein gesunder Plauderer steckt. Ich halte die Entschuldigung, die die tölpelhaften Helfer des Herrn Kerr vorbringen, der Stil ergebe sich aus dem Gegenstand, der behandelt wird, für ein Malheur. Denn es ist auffallend, würde Herr Kerr in Parenthese sagen, und es ist monströs, würde ich fortsetzen, daß sich die organischen Notwendigkeiten so genau an die redaktionellen Verpflichtungen halten, und daß einer, der in Berlin mit dem Matchiche Furore macht, in Königsberg so gut Polka tanzt. Freilich würde ich hinzufügen, daß ich an den Matchiche nie geglaubt habe, und daß es wirklich gehupft wie gesprungen ist, wie diese Tänzerischen (die ein Echo von Nietzsche in eine Verbalinjurie verwandeln) das Tempo ihres Lebensgefühls nehmen. Takt halten sie in keinem Fall. Was aber ferner auffällt, ist, daß die Arbeitseinteilung des Herrn Kerr seinen Verehrern nicht auffällt, ja, daß sie fortfahren, seine oszillierenden Banalitäten, die vor dem kategorischen Imperativ von Königsberg sofort zur Ruhe kommen und als Zeitungsgedanken agnosziert werden, im Munde zu führen und als »fanalhafte Symptome der aufregenden Herrlichkeit dieses Künstlers« zu empfehlen. Wenn Herr Kerr in Königsberg »die Seligkeit, die Seligkeit, die Seligkeit des Daseins« preisen wollte, würde sie ihm zweimal gestrichen werden, und mit Recht. Denn wenn er es einmal tut, ist es bloß keine Weltanschauung, aber wenn er es dreimal tut, ist es bloß eine schmalzige Stimme. Ich glaube, daß man sich da auf mein Ohr verlassen kann. Auch habe ich wohl ein Gefühl für die Abhängigkeiten des Stils, den nicht nur der »Gegenstand«

bedingt. Zum Beispiel bin ich selbst schon in der nämlichen Minute von einer Apokalypse zu einem Hausmeistertratsch hinuntergestiegen. Aber ich lasse mich hängen, wenn nicht eine Blutuntersuchung die Identität ergibt. Und wenn sie nicht bei den Kontrasten des Herrn Kerr die Nullität ergibt, jene, die eine Verwandlung auf technischem Wege ermöglicht. Meine Verehrer, die mich nur halb so gut verstanden wie verehrt haben, müßten dies einsehen, und sie dürften mir nicht abtrünnig werden, weil sie es nicht einsehen. Wenn mir aber ein Weichkopf, der Absynth noch immer für einen ganz besondern Saft hält und von der Unentbehrlichkeit des Montmartre überzeugt ist, »Austriazismen« vorwirft, so muß ich mich in die Resignation flüchten. Denn mein Stil wimmelt nicht nur von Austriazismen, sondern sogar von Judaismen, die jenem nur nicht aufgefallen zu sein scheinen, mein Stil kreischt von allen Geräuschen der Welt, er kann für Wien und für den Kosmos geschrieben sein, aber nicht für Berlin und Königsberg. Es schmerzt mich ja, daß ich so vielen Leuten den Glauben an mich nehme, weil ich ihnen den Glauben an andere nehmen muß. Aber war es schon bei Heine unerläßlich, so muß ich auf die Anbetung vollends verzichten, wenn sie von der Duldung einer Kerr-Religion abhängen soll. Selbst die einfältigsten unter meinen ehemaligen Verehrern (jene, die imstande sind, zugleich zu sagen, daß ich ein nationales Ereignis bin und daß ich mich schämen soll; die Herrn Kerr den einzigen ebenbürtigen Kritiker nennen, der es wagen dürfte, mich zu stellen, und dann behaupten, die Nennung meines Namens in seiner Nähe sei mir zu Kopf gestiegen), selbst solche müßten doch vor der Freiwilligkeit meines Angriffs stutzig werden und sich überlegen, ob es nicht endlich an der Zeit wäre, sich statt über mich über Herrn Kerr aufklären zu lassen. Denn meine Beweggründe sind auch nicht zu verdächtigen. Ich bin weder ein »Schlechtweggekommener« noch ein »verhaltener Dyspeptiker«, Herr Kerr hat sich immer sehr freundlich gegen mich benommen und ich habe ihm gegenüber stets einen guten Magen bewährt. Ferner hätte ich allen Grund, das Odium gewisser Bundesgenossenschaften zu fliehen und die Zustimmung von Leuten zu meiden, mit denen man nur dann ein Urteil gemeinsam haben möchte, wenn sie es einem ohne Angabe der Quelle abdrucken, von solchen, die Herrn Kerr Stil-, Moral- und Urteilswechsel nur deshalb vorwerfen, weil sie keinen Stil, keine Moral und kein Urteil zu wechseln haben. Wenn die starke Hemmung, auf einer Schmiere des Geistes auch nur ein Extempore abzugeben, mich nicht halten konnte, dann war die Lust wohl größer. Nicht die, die literarische Persönlichkeit des Herrn Kerr für einen Irrtum büßen zu lassen, sondern den Zusammenhang zwischen Tat und Stil zu beweisen. Nicht ihn wie einen Holzbock aus dem Schlafzimmer zu jagen oder wie einen Harden aus dem Geschäft, sondern die Schnüffelei als Erlebnis zu erklären, den Skandal als den Tatendrang eines von den Ereignissen ausgesperrten Feuilletonisten. Herr Alfred Kerr ist nicht unwürdig, in ein geistiges Problem bezogen zu werden. Die kulturelle Niedrigkeit dieser Sensation ist nicht in dem Mittel, sondern in dem Zweck begründet, den man Herrn Kerr erst einräumen muß, um zur Geringschätzung zu gelangen. Die antikorruptionistische Absicht des Mannes, nicht die Skandalsucht macht ihn primitiv. Denn das ist der Fall Kerr: die geistige Belanglosigkeit des Jagow'schen Vergehens und der Eifer, mit dem sich ein Komplizierter auf der Tatsachenebene zu schaffen macht. Und da ihm Herr O. A. H. Schmitz, ein Mann, der in einem schlechten Feuilleton nie seine gute Erziehung vergißt, also immerhin ein Sachverständiger für die ›Pan‹-Affäre, Vorwürfe zu machen beginnt, antwortet Herr Kerr bitter, daß man schließlich »noch die Kreuzigung eines wirklichen Heilands oder die französische Revolution« pathosfrei und weltmännisch betrachten werde. Er ist ein Fanatiker. Er scheint von seiner Mission, dem Herrn v. Jagow Absichten auf Frau Durieux nachzuweisen, so erfüllt, von dem umwälzenden Erlebnis, eine Unregelmäßigkeit im Polizeipräsidium entdeckt zu haben, so erschüttert zu sein, daß ihm Nuancen nicht mehr auffallen. Der Unterschied zwischen der französischen Revolu-

tion und der Verwertung des Briefes des Herrn v. Jagow
ist nämlich bloß der, daß man nicht Aristokrat sein muß,
um das spätere Ereignis zu mißbilligen. Ekstatiker übersehen dergleichen. Je länger sie beschaulich gelebt haben,
um so dringender verlangen sie zu wirken. Sie wollen für
ihr Tun auch leiden; sie wollen aber nicht mißverstanden
werden. Die Reinheit des Glaubens ist außer Zweifel; mißverstanden wird höchstens das vielfach punktierte und ver-
klammerte Bekenntnis. Dafür war mir die vorhergehende
Stelle ganz klar: »Wenn Schmitz auch nicht durch hervor-
ragenden Scharfsinn ausgezeichnet ist, plaudert er doch geschmackvoll, umgänglich und scheut keine Anstrengung,
einen leicht abgeklärten Eindruck zu ertrotzen«. Ein Satz,
der immerhin auch für das Plaudertalent des Verfassers
zeugt und ganz gut in Königsberg gedruckt werden könnte.
Ich kenne Herrn Kerr noch aus der Zeit, wo er Wert darauf
legte, daß auch in Breslau Subjekt und Prädikat an rechter
Stelle standen. Schon damals, wo die Welt der Erscheinungen sich ihm noch nicht nuanciert hatte, gelüstete es ihn nach
einer Tat. Er beschuldigte den alten Tappert, den ernstesten
Musiklehrer Berlins, den Hunger dazu getrieben hatte, sich
als Kritiker bei Herrn Leo Leipziger zu verdingen, dieses
»Amt« zur Erteilung von Privatstunden an Sänger mißbraucht zu haben. Der Kritiker hatte schon früher unterrichtet, und berühmte Sänger, die seinen Tadel nicht fürchten mußten, konnten seinen Rat brauchen. Der Greis, den
die Ranküne der Fachgenossen in die Klage hineingetrieben
hatte, weinte im Gerichtszimmer, und der Antikorruptionist
erreichte, daß Herr Leipziger eine Gage ersparen konnte.
Tragisch ist, als Einzelfall nicht für den typischen Übelstand,
sondern für die Geistlosigkeit des Enthüllers geopfert zu
werden. Mir war es Beruf, mich mit Einzelfällen abzugeben, und noch im Mißgriff der Person verfehlte ich die Sache
nicht. Den Irrtum berichtigte die Leidenschaft. Herr Kerr,
der sich zum Kampf gegen die Korruption von Fall zu Fall
entschließen mußte, hat keinen Zusammenhang mit seinen
Wahrheiten. Er ist ein Episodist, während Herr Harden

kein Heldenspieler ist. Er will sich nur Bewegung machen, er schwingt Keulen, damit das ästhetische Fett heruntergeht. Theaterkritik ist eine sitzende Beschäftigung. Man sieht im Zwischenakt den Zensor mit der Salondame sprechen und ruft J'accuse. Es entsteht eine kleine Panik und man beruhigt sich wieder. Es jaccuselt im Feuilleton schon die längste Zeit. Und wird einer, der den Mund zu weit aufgemacht hat, niedergezischt, so sind sofort die Claqueure da, die die eigene Sache mit der fremden Sache und die persönliche mit der allgemeinen verbinden, zwischen den Herren Harden und Kerr gegen mich entscheiden und anarchisch die entstehende Verwirrung zu einem Schüttelreim benützen möchten. Als dem beschädigten Herrn Harden Dichter zu Hilfe eilten, als ihr gutes Recht auf Kritiklosigkeit von einer Zeitschrift mißbraucht wurde, nannte Herr Kerr diese ein Schafsblatt. Pan ist der Gott der Herden, und Herr Kerr verzeichnet liebevoll, was jetzt den Leithammeln nachgeblökt wird. Wenn ich besudelt werde und von denen, die mich vergöttert haben, so ersteht mir kein Helfer unter jenen, die es heute noch tun. Das ist nicht unerträglich. Die polemische Unfähigkeit des Herrn Kerr bedarf der Stütze. Daß sie sie eben deshalb nicht verdient, weil sie ihrer bedarf, geht den Helfern nicht ein. Herr Kerr, der jene zu züchtigen versprach, die seine Feststellungen verschweigen wollten, verschweigt meine Widerlegungen. Er begnügt sich mit einem Argument, das ihm ein Geist zur Verfügung gestellt hat, unter dessen Schutz keine Schlacht gegen mich zu gewinnen ist. Aber so leicht will ich ihm das Leben nicht machen. Wenn er schon wie ein Harden reden kann, durch die Fähigkeit, wie ein Harden zu schweigen, wird er seine Anhänger nicht enttäuschen wollen. Es geht denn doch nicht an, daß man auf einem sorgsam vorbereiteten Terrain nicht erscheint, den Gegner, den weder unsaubere Motive noch ein ehrloses Vorleben noch Namenlosigkeit kampfunwürdig machen, glatt im Stiche läßt und die Zuschauer nach Hause schickt. (Es ist auffallend). Herr Kerr zitiert drei Zeilen und Herr Cassirer stellt Strafantrag gegen den Berliner verantwortlichen Redakteur der ›Fackel‹. Die Arbeitsteilung ist im Stil der Affäre. Herr Kerr hat dem Herrn Cassirer bestätigt, daß er sich gegen die Veröffentlichung gesträubt habe, und Herr Cassirer dem Herrn Kerr, daß er zur Veröffentlichung befugt gewesen sei. Ich bin aber unduldsamer als Herr v. Jagow. Ich bestehe Herrn Kerr gegenüber auf dem Rendezvous, zu dem ich ihn mit Berufung auf mein Zensoramt geladen habe, und was die Ehre des Herrn Cassirer anlangt, so muß ich es freilich ihm als Geschäftsmann überlassen, zu entscheiden, ob durch eine Fortsetzung der Sensation im Gerichtssaal für den ›Pan‹ noch etwas herauszufetzen ist. Nur möchte ich ihn bitten, den Berliner verantwortlichen Redakteur, der den Angriff vielleicht später gelesen hat als er selbst, aus dem Spiele zu lassen und mit mir vorlieb zu nehmen. Ich will auch vor einem Berliner Gericht verantwortlich sein und verspreche, daß ich mich gegebenenfalls auch als österreichischer Staatsbürger den Folgen eines Freispruchs nicht entziehen werde. Was die Helfer betrifft, so gebe ich ihnen eines zu bedenken. Das Café des Westens ist ein geistig schlecht ventiliertes Kaffeehaus. Ich könnte da ein bißchen Luft einlassen und würde dabei auf die Erhitzung der Stammgäste keine Rücksicht nehmen. Sie mögen sich den Schmerz darüber, daß ich ihrem Glauben an Herrn Kerr abtrünnig wurde, nicht zu sehr zu Herzen nehmen, und wenn sie nicht anders können, sich im Ausdruck mäßigen und nicht das Problem der Zimmerreinheit, das durch die Affäre selbst berührt wurde, noch mehr verwirren. Ich verlange nicht Verehrung, aber anständiges Benehmen. Sie mögen bedenken, daß mir meine polemische Laune nicht so leicht zu verderben ist, denn während andere Polemiker sich dadurch beliebt machen, daß ihnen der Atem ausgeht, regt mich das Fortleben meiner Objekte immer von neuem an. Sie mögen bedenken, daß ich die Großen bis zu den Schatten verfolge und auch dort nicht freigebe, aber auch schon manchem kleinen Mann den Nachruhm gesichert habe. Das kommt davon, daß mir die, welche ich treffe, nur Beispiele sind, und die, welche ich gestalte, nur Anlässe. Über den Verlust des Herrn

Kerr, dem solche Willkür nicht zur Verfügung steht und dem nicht Phantasie die polemische Potenz erhöht, müssen sie sich trösten. Sie müssen endlich aufhören zu glauben, daß auch nur eine der nachkommenden Generationen, und machte man selbst den Versuch, die Säuglinge der Zukunft mit Absynth aufzuziehen, sich auch nur eine Stunde lang erinnern wird, daß um 1910 in Berlin Leute gelebt haben, die sich für Tänzer hielten, weil sie nicht gehen konnten, in die Aktion flüchteten, weil ihnen die Persönlichkeit ausging, und zwischen Kunst und Leben sich mit Psycholozelach die Zeit vertrieben haben. Wenn diese vorbei ist und sich meine Satire nicht erbarmt, kommt nichts dergleichen auf die Nachwelt! Und was sind denn das für Helden, die mir vor der Nase herumfuchteln, wenn ihr Heiland der Polemik gegen einen Polemiker die gegen einen Polizisten vorzieht? Man ist über ihre Herkunft informiert. Als Gott einen Mann namens Pfemfert erschuf, vergriff er sich und nahm zu viel Lehm. Kopf und Kehle wurden voll davon. Der Mensch hustete: Pf...mpf..t. Und Gott ward unmutig und sprach: Heiße fortan so!...[1] Und das sind meine Gegner! Ich habe zu viel Odem bekommen, ich blase sie weg. Noch ein Wort, und es könnte ein Südwind gehen, daß sie Herrn Alfred Kerr von einem Journalisten, Herrn Cassirer von einem Verleger und den Montmartre vom Kreuzberg nicht unterscheiden!

Der kleine Pan stinkt schon

So ward die Hyäne zum Aas. Es konnte nicht anders kommen. Der Weg in das Schlafzimmer eines Hochgestellten ist immer die ultima ratio einer verzweifelnden Administra-

---

[1] Zur Ehre des damals an die falsche Seite Verirrten sei festgestellt, daß er inzwischen wiederholt und nachdrücklich den Irrtum bekannt und – in der ›Aktion‹ (XVIII 2/3) – jene »Rettungsaktion für Herrn Kerr« bereut hat, die, »als Karl Kraus ihn beinahe völlig niedergeboxt hatte«, erfolgreich durchgeführt worden sei, »daß der Fasterledigte sich allmählich wieder an die Öffentlichkeit wagen durfte«. Er wird bald wieder in den Zustand zurückfinden, aus dem er gerettet wurde.

tion. Ich werde diesen sterbenden Blick nicht vergessen. Aber nur kein Mitleid! Die rechtschaffenen Hyänen gehen auf den toten Krieger. Die literarischen auf das Privatleben eines Polizeidirektors. Aus solchem Leben erhoffte sich ein ästhetischer Schlemihl Bereicherung, das nannte er Tat, das war die politische Gebärde, auf die es jetzt alle abgesehen haben, die bisher ihre Zeit damit verbrachten, für die letzten Dinge einer Tänzerin die Formel zu suchen. Wer aber beschreibt die Wut des Verlegers, der seine ganze Hoffnung auf den Konkurs dieser Weltanschauung gesetzt hat? Zu spät erkennt Herr Cassirer, der sich mit den Nuancierten einließ, daß die Sexualräumerei heute nur von einem handfesten Harden mit vorübergehendem Erfolg zu leisten ist. Der weiß, durch welches Schlüsselloch man zu schauen hat, hinter welcher Gardine man sich versteckt und wie man, wenn die erweisliche Wahrheit sich rentiert hat, mit Anstand verduftet. Herr Kerr verrät sich durch ein vorzeitiges »Hähä«. Er ist zu kindisch. Erwischt man ihn, sagt er, er habe sich einen ethischen Spaß machen wollen. Aber diese Sorte von ethischen Spaßmachern, die zu lachen beginnen, wenn sie bei einer unethischen Handlung betreten werden, ist schon die richtige. Jungen, die in fremdem Garten Kirschen pflücken, haben auch ein Erlebnis, aber behaupten nicht, daß der Geist endlich den Weg zur Tat gefunden habe. »Ecco«: das ist bloß eine lange Nase. Ecco: das ist auch die Rechnung, die man in italienischen Gegenden präsentiert bekommt, wenn man so unvorsichtig war, sich mit einer Donna in ein Gespräch zu begeben. Auf Herrn Kerr paßt es zwar nicht, denn er zieht keinen Vorteil aus dem Handel, und Herr Cassirer sagt wieder nicht ecco. Dagegen sind beide Herren fest entschlossen, aus dem Geschäft, das nach gegenseitiger Bestätigung ihrer Unverantwortlichkeit zustandekam, mit allen bürgerlichen Ehren hervorzugehen. Das wird ihnen nicht gelingen. Auch dann nicht, wenn sie von einem Prozeß gegen mich abstehen. Diesen Prozeß habe ich mir nämlich frei erfunden. Zwar hat mir die Berliner Verlagsstelle der Fackel telegraphisch mitgeteilt, Herr Cassirer habe Strafantrag gegen den verantwortlichen Redakteur der Fackel in Berlin gestellt; zwar war sie zu diesem vermessenen Glauben berechtigt durch das wiederholte Erscheinen eines Kriminalbeamten, der mit dem Heft in der Hand, das die Beleidigung enthielt, technische Aufklärungen verlangte und sich nach dem Wohnort des verantwortlichen Redakteurs erkundigte; zwar wurde die Untersuchung auch bei diesem fortgesetzt und eine Vorladung erlassen; zwar hatte der Anwalt des Herrn Cassirer das Heft bestellt; zwar haben Berliner und Breslauer Tagesblätter detailliert berichtet, daß Herr Cassirer Strafantrag gestellt habe und durch welche Behauptung er sich beleidigt fühle. Trotzdem könnte es möglich sein, daß Herr Cassirer nicht etwa seine Absicht oder seine Anzeige zurückgezogen, nicht etwa die Staatsanwaltschaft ihm den Dienst versagt hat, daß er nicht etwa jetzt den Fehlschlag für Zurückhaltung ausgibt und die Schwierigkeit von Erkundigungen vorschützt, sondern: daß er nie die Absicht gehabt, nie eine Anzeige erstattet hat und daß nur eine Häufung von Zufällen, die zeitliche Nachbarschaft irgendeiner andern Untersuchung, deren Tendenz bisher unbekannt ist, meinen Größenwahn genährt und mich in den Glauben getrieben hat, ich könnte die Kompagnie Cassirer-Kerr beleidigen. Das ist nun offenbar wirklich nicht möglich. Aber nicht, weil durch eine dicke Haut kein Messer geht, sondern weil ich an das Ehrenniveau der Kompagnie Cassirer-Kerr nicht heranreiche. Das ist eine wichtige tatsächliche Information. Es ist gut zu wissen, daß es nach der Jagow-Affäre noch ein Ehrenniveau der Kompagnie Cassirer-Kerr gibt. Man hätte es sonst vielleicht mit unbewaffnetem Auge und mit unbewaffneter Nase nicht wahrnehmen können. Und wenn wir nunmehr vor der Frage stehen, warum gerade ich, der doch noch nie mit einem Polizeipräsidenten etwas ritterlich ausgetragen und etwas über ihn veröffentlicht hat, gerade ich an dieses Ehrenniveau nicht hinanreiche, an das doch bald einer hinanreicht und jeder Herausgeber einer Berliner Großen Glocke hinanreicht, so finden wir im ›Pan‹ die Antwort: Hähä! . . . Weil ich bereits brachialen Attacken ausgesetzt war. Dieses Motiv meiner Unfähigkeit, auch nur im Gerichtssaal dem Herrn Cassirer Satisfaktion zu geben, wird nun von diesem oder von Herrn Kerr oder von dem Schreiberlehrling, der dort gehalten wird, in einer anonymen Notiz und in einer Art variiert, daß es gar nicht mehr der Jagow-Affäre bedarf, um Herrn Cassirer, Herrn Kerr oder den Schreiberlehrling, der dort gehalten wird, für ehrlos zu erklären. Die Berufung auf die Tat eines besoffenen Cabarettiers, den eine erste Instanz zu einem Monat Arrest und eine zweite nur unter Anerkennung der geminderten Verantwortlichkeit zu einer hohen Geldstrafe verurteilt hat; auf eine Schandtat, der Frank Wedekind, Hauptmitarbeiter des Herrn Cassirer, in einem offenen Brief an mich jeden mildernden Umstand versagt hat, ist eine so vollkommene Unappetitlichkeit, daß zu ihrer Erklärung kein ethisches Gebreste, sondern nur die Verzweiflung eines geistigen Debakels ausreicht. Wie wäre es sonst zu erklären, daß eine Zeitschrift, die zwar eingestandenermaßen zur Förderung der Kultur, aber doch nicht direkt zur Förderung des Plattenwesens gegründet wurde, sich solchen Arguments erdreisten und gegen einen Mann, der sich seinen Haß mit der Feder verdient hat, solche Revanche predigen kann. Wie könnte die Feigheit, die ihr Mütchen mit fremder und verjährter Rache kühlt, sich so hervorwagen, wie könnte eine Gesinnung, die meinen Speichel geleckt hat, um mir ihn ins Gesicht zu spucken, so unter die Augen deutscher Leser treten, wenn nicht die Reue über eine ungeistige Tat, die verwirrende Fülle der Niederlagen, das Bewußtsein der selbstmörderischen Wirkung jedes weiteren Wortes, das durchbohrende Gefühl eines Nichts, das mit eingezogenem Schweif in die Hütte kriecht, der Taumel der Erlebnisse, der einen Ästheten durch die Politik in die Luft riß, den Grad der Zurechnungsfähigkeit so herabgesetzt hätte wie bei einem volltrunkenen Cabarettier? Eine Ohrfeige kann ein literarisches Argument sein. Sie kann der geistige Ausdruck der Unmöglichkeit sein, eine geistige Distanz abzustecken, und ich habe es oft empfunden und gesagt, daß die Polemik ihre Grenze in dem Wunsch hat, statt der Feder das Tintenfaß zu gebrauchen. Luther, der schreiben konnte, ließ sich in der Polemik gegen den Teufel dazu hinreißen. Die Drohung mit der Faust kann ein Kunstwerk sein, und Herr Harden wird es mir bestätigen, daß ich das Wort Ohrfeige schon so gebraucht habe, als wäre es die erste, die in der Welt gegeben wurde, und als hätte nie zuvor ein Kutscher mit einem andern polemisiert. Die Berufung auf fremde Roheit ist unter allen Umständen der Beweis ohnmächtiger Büberei. Nie beruft sich ein Temperament auf die Prügel, die ein anderer gegeben hat, doch immer ein Schuft. Ich bedarf nicht des Beistands der deutschen Dichter, die diesem Pan zu Hilfe eilen, in dem Glauben, daß sie ihn noch lebendig machen können. Mögen sie ihren Namen für die Rundfragen jenes Demokratins mißbrauchen lassen, der seine Götter stürzt, wenn sie ihm keinen Nachdruck ihrer Aufsätze erlauben, der an mir Gotteslästerung begeht und für Herrn Kerr die Kastanien aus dem Dreck holt. Mögen die Literaten, die mir verehrende, nein »ehrfürchtige« Briefe schreiben, zu den Pöbeleien wie zu den Lügen schweigen, mit denen ein Schwachkopf seine Enttäuschungen motiviert. Mögen sie es glauben, daß ich Ansichtskarten mit meinem Porträt in einem Kaffeehause verkaufen ließ, glauben, daß diese Wahnvorstellung die Abkehr eines Nachläufers motivieren kann, der noch ein Jahr lang an meinem Namen schmarotzt hat. Ich brauche keine Hilfe und scheue kein Hindernis. Ich werde mit der ganzen Schweinerei allein fertig. Aber ich werde darauf achten, mit der pedantischen Zähigkeit, die mich zu einem so üblen Gesellschafter macht, darauf achten, wer dem Herrn Cassirer, dem Herrn Kerr oder dem dort gehaltenen Schreiberlehrling noch die Feder reicht. Ich werde mich unter Umständen nicht scheuen, manchem der Herren Dichter mit dem Hut in der Hand einen Fußtritt zu versetzen. Im Dichten nehm' ich's mit ihnen auf, aber sie nicht mit mir im Anspruch auf Sauberkeit. Nicht in der Fähigkeit, Distanz zu wahren. Ich dichte nicht Poesie, um es dann mit der Krätze zu halten. Ich mache aus der Krätze ein Gedicht und veranstalte Sympathiekundgebungen für die Poesie. Wollen sehen, wer's weiter bringt. Ich kann zur Not den Herrn Kerr gestalten, aber sie können ihn nicht verteidigen, wenn ihm etwas Menschliches passiert ist. Und seine menschliche Abwehr belastet ihn. Jedes Wort, das er spricht, wirft ihn um. Er wehrt sich nicht, weil ich ihn angreife, sondern ich greife ihn an, weil er sich wehrt. Wenn ihn meine Kraft geschwächt hat, so stärkt mich seine Schwäche. Das ist nun einmal das ewig unverrückbare Verhältnis zwischen der guten und der schlechten Sache. Ihre Vertreter kämpfen mit ungleichen Waffen, und recht hat der, der es sagen kann. Herr Kerr kann es nicht einmal stottern. Auch diese Fähigkeit habe ich ihm genommen. Früher, in seiner Glanzzeit, hätte er noch sagen können: Herr Kraus hat einen A..a..ar..tikel gegen mich geschrieben. Es war nicht, wie's auf den ersten Blick scheint, gebrochenes, sondern gespieenes oder noch ein anderes Deutsch. Das hat in Berlin eine Zeitlang Aufsehen gemacht. Nun hat man erfahren, daß es in Königsberg fließend geht, und der Nimbus dieses Percy, der nur Stotterer, nie Heißsporn war, dieses Schreibers, der so schrieb, als ob er den Schreibfinger im Halse stecken hätte, ist dahin. Er war eine Qualle, die immerhin Farbe hatte. Auf den Lebensstrand geworfen, wird sie von mir zertreten. Grauere Schaltiere mögen sie bewundert haben und ihr nachweinen. Mollusken mögen über meine Grausamkeit klagen. Aber der Ozean ist groß und im Sturm vergehn die Ästheten. Herr Kerr hätte nicht an meinem Fuß kleben bleiben sollen. Und nicht in Fischers Aquarium lebendig werden, wo er die Worte hervorbrachte: »Und Karlchen Kraus, der neuerdings als Zwanzigpfennig-Aufguß von Oscar Wilde oder als Nietzscherl Heiterkeit fand, schwenkte die betropfte Fackel.« Das ist keine Antwort, das ist ein Schwächezustand. Auf den Preis kommt's nicht an, es gibt Revuen, die für zwei Mark fünfzig eine stinkende Langeweile ausatmen. Eine betropfte Fackel bietet immer noch einen respektableren Anblick als ein befackelter Tropf. Und wiewohl ich von Nietzsche wenig gelesen habe, habe ich doch die dunkle Empfindung, daß ihm mein Tanz besser gefallen hätte als die Zuckungen eines tänzerischen Demokraten, und daß ein Nietzscherl immer noch ein Kerl ist neben einem ganzen Kerr. Polemik soll den Gegner um seine Seelenruhe bringen, nicht ihn belästigen. Seitdem Herr Kerr den Schreibfinger aus dem Hals gezogen hat und mir in der Nase bohren möchte, ist die Situation bedrohlich. Herr Kerr kennt mich ziemlich genau und weiß, daß ich mehr bin, als er glaubt. Aber er gehört zu der ohnmächtigen Sorte, die mich für groß hält bis zu dem Augenblick, da ich trotzdem sage, sie sei klein. Seine Anhänger, die mich in ihren Blättern wöchentlich in Hymnen und Mottos ehrten, ihren Sabbath heiligten, wenn er ihnen einen Nachdruck aus der Fackel bescherte, und mich einen Gott nannten, sagen, ich sei größenwahnsinnig, wenn ich mich neben Herrn Kerr stelle. Es ist eine merkwürdige Erscheinung, daß die Verehrer stützig werden, wenn der Verehrte anfängt, sie für Esel zu halten. Warum eigentlich? Bin ich dadurch kleiner geworden? Oder hat zu meiner Wesenheit die vorausgesetzte Sympathie für eine Leimgeburt gehört, die ich mit einem »Pft« davonblase? Da lebt und webt in Prag ein empfindsamer Postbeamter. Er hat mir Briefe zugestellt, in denen er mich seiner höchsten Verehrung bezichtigte. Er hat mir geschrieben, daß sein Essay über das Wesen der Kritik – oder über was man halt so schreibt – mir auf den Geist zugeschnitten sei, oder was man halt so schreibt. Er hat mir auch Drucksachen zugestellt, nämlich selbstverfaßte Bücher mit Huldigungen auf dem Widmungsblatt, und einen Roman darunter, in dessen Text ich auch verehrt sein soll. Ich habe nie gelesen, aber immer gedankt. In der Fackel findet sich der Name dieses Autors weder im Guten noch im Bösen; sein Unfug in Journalen hat mich oft erzürnt, aber wie sollte man alle Eindrücke bewältigen können? Es ist ja ein vertrackter Zufall, aber es ist ein Zufall, daß der Name des Herrn Max Brod bis zu diesem Augenblick nie von mir erwähnt wurde. Das hat ihn verdrossen. Meine Meinung über ihn, um die er sonst im Dunkel getappt hätte, kam ihm nur zu Ohren, als ihm erzählt wurde, was ich von einem eroti-

schen Gschaftlhuber, der in München lebt, gesagt hatte: er
habe in Prag seinen erotischen Wurmfortsatz, und dieser sei
Herr Max Brod. Das hat ihn wieder verdrossen. Und nun
– eine verspätete Zustellung, wie sie bei der Post häufig vorkommt – erscheint ein Protest zugunsten des Herrn Kerr,
in welchem es heißt: »Überdies ist er sehr schön. Ich meine:
persönlich, schön anzusehen. Das ist sehr wichtig und gut.
Dichter sollen schön sein . . .« Nun, bis hieher habe ich noch
keinen Grund zur Eifersucht; es muß auch solche Schwärmer
geben. Ich bin überzeugt davon, daß die Freiheit den schönen
Augen des Herrn Kerr zuliebe nicht nein sagen kann, ich
habe selbst die Empfindung, daß in ihnen der Völkerfrüh-
ling glänzt, und es ist kein Zweifel, daß Herr Kerr so aus-
sieht, als ob man sich letzten Mittwoch auf dem Jour der
Rahel Varnhagen um ihn gerissen hätte. Einer der wenigen
originellen Menschen, die unter der Berliner Literatur sitzen,
soll sogar, als er zum erstenmal dieser aus dichtem Bartbeet
hervorleuchtenden Backen ansichtig wurde, entzückt ausgerufen haben: Hier sollten Rosen stehen! Doch das sind Ge-
schmacksachen, ich selbst weiß aus eigener Wahrnehmung,
daß ich nicht schön bin, und vom Hörensagen, daß Herr
Brod es auch nicht ist. Dieser aber erwähnt die körperlichen
Vorzüge des Herrn Kerr nur, um meine Eitelkeit zu reizen,
deren Wesen er völlig mißverstanden hat, und fährt fort:
»Ein mittelmäßiger Kopf dagegen, wie Karl Kraus, dessen
Stil nur selten die beiden bösen Pole der Literatur, Pathos
und Kalauer, vermeidet, sollte es nicht wagen dürfen, einen
Dichter, einen Neuschöpfer, einen Erfreuer zu berühren. –
So würde ich die Welt einrichten.« Es ist gut, daß Herr Brod
die Welt nicht eingerichtet hat. Sonst müßte der liebe Gott
Buchkritiken für die Neue Freie Presse schreiben, eine lächerliche Altenberg-Kopistin für eine bewundernswerte Künst-
lerin halten und den Zifferer loben. Sonst hätte Gott gottbehüte den Satz geschrieben, den ich in einer Prager Zeitschrift finde: »Sie . . kam schnell mit einem Teller wieder,
auf dem mehrere Schnitten Wurst, ein halbes Stück Imperial-
käse lagen, und an ihn grenzend eine angefangene

Rolle Butter in ihrem Seidenpapier noch. Es sah nicht anders aus wie eben Reste einer Mahlzeit. In i h m aber erwachte der Hunger . . .« Und Gott selbst wüßte nicht, ob er gewollt hat, daß im Käse, an den die Butter grenzt, der Hunger erwacht ist, und er sähe, daß es nicht gut war, und würde den Satz anders einrichten. Die Stelle ist einem Roman »Jüdinnen« entnommen, der das Milieu in manchen Redewendungen überraschend gut zu charakterisieren scheint. Floskeln wie: »Hast du heuer schon gebadet?« und »In Kolin wie ich noch klein war« gehen dem Autor so aus dem Handgelenk, daß die Sicherheit erstaunlich ist, mit der es ihm manchmal gelingt, in seiner eigenen Sprache den Jargon zu vermeiden. Immerhin wird man es mir nicht verübeln können, daß ich mich mit Herrn Brod nicht in eine Auseinandersetzung über meinen Stil, über Pathos und Kalauer einlasse und mich damit begnüge, ihn durch die Versicherung zu verblüffen, daß mein Stil diese beiden bösen Pole nicht nur selten, sondern geradezu nie vermeidet. Ob es die höchste oder die niedrigste Literatur ist, den Gedanken zwischen Pathos und Kalauer so zu bewegen, daß er beides zugleich sein kann, daß er eine feindliche Mücke in die Leidenschaft mitreißt, um sie im nächsten Augenblick in einem Witz zu zertreten, darüber lasse ich mich mit keinem lebenden Deutschen in einen Wortwechsel ein und mit einem aus Prag ganz gewiß nicht. Ob es der Beweis eines mittelmäßigen Kopfes ist, werden die Weichtiere selbst dann nicht zu entscheiden haben, wenn sie unvermutet einen Panzer anlegen. Über meine Wertlosigkeit ließe sich streiten – der Annahme meiner Mittelmäßigkeit könnte man fast schon mit einer tatsächlichen Berichtigung widersprechen. Denn irgendein Problematisches muß wohl an mir sein, wenn so viele Verehrer an mir irre werden. Ich führe ein unruhiges Leben; und bin doch an Herrn Max Brod nie irre geworden. Was ich aber als eine überflüssige Störung meiner Wirrnisse empfinde, ist, daß seinesgleichen gegen mich frech wird. Das sollten die andern nicht erlauben; die noch an Götter glauben. Es ist gegen alle Einteilung. Wenn einer, dem ich geopfert habe, über mich schriebe, er halte nichts von mir, dann würde ich über mich nachzudenken beginnen und nicht über ihn, und wenn ich doch zu dem Entschluß käme, nicht mich, sondern ihn zu verwerfen, so würde ich die verschmähte Liebe, die abgestoßene Eitelkeit, die verratene Geschäftsfreundschaft als Motiv in meinen Angriff aufnehmen und meine Schäbigkeit nicht Entwicklung nennen. Dann wäre der Ausdruck eine Mißgeburt, aber er hätte auch ihr Gesicht! Man fahre ihr in die Augen, wenn man ihrer in zwölf Jahren in einem einzigen Exemplar habhaft wird. Und man halte den Haß meiner Gegner in Ehren, wenn man ihm nachsagen kann, daß er aus innerer Umkehr entstanden ist. Den Blitz, der sie aus heiterm Himmel trifft und den sie sonst als Schauspiel bewundert haben, zu verfluchen, ist menschlich. Aber damit ist nur bewiesen, daß der Blitz, der Menschliches treffen will, nicht geirrt hat. Und gewiß nichts gegen die Bedeutung des Blitzes bewiesen, wenn der Bauer »Sakra!« sagt. Wenn Herr Kerr aber ordinär wird und das, was ihn niedergeschmettert hat, Kunst war, dann ist Recht und Unrecht mit einer Klarheit verteilt, wie sie nie sonst über einem Kampf der Meinungen walten könnte. Immerhin hätte ich es mehr als der Dichter Beer-Hofmann verdient, daß Herr Kerr »Ave poeta« ruft. Auf die Knie hatte ich ihn schon gebracht. Auf Erbsen kniend müßte er noch als geübter Ästhet die Gebärde loben, die ihn bezwang, oder, wenn anders er solcher Objektivität nicht fähig ist, verstummen. Er plumpste mit einem gemeinen Schimpfwort hin. Ich bin nicht würdig, vom Herrn Cassirer verklagt zu werden. Ich bin nur würdig, von ihm aufgefordert zu werden, meine künftigen Bücher seinem Verlag zu überlassen. Er drückt mir die Hand für meinen Kampf gegen Herrn Harden, aber er könnte sie mir nicht reichen. Mißverständnisse über Mißverständnisse. Wir wollen einander nicht mehr wehtun. Es ist genug von Prügeln die Rede gewesen. Von den körperlichen, auf die sich die Ästheten berufen, und von den schmerzlicheren, die ich gegeben habe. Ein Kunsthändler, selbst einer, der Affären ritterlich austrägt, um sie publizistisch hinauszutragen, ist eine viel zu unbeträchtliche Gestalt, als daß sie länger als nötig den Horizont verstellen sollte. Auch muß der Prinzipal, dem hundert dienstfertige Schreiberjungen die Sorge für das Geschäft nicht abnehmen können, den Kopf behalten, um im richtigen Augenblick Manet von Monet und gar Kerr von Harden zu unterscheiden. Wenn sie sehen werden, wie er sie gegeneinander ausspielt, werden die Berliner Cliquen schon von selbst lernen, daß das Geschäft wichtiger ist als die Kultur. Dann wird sich dieser ganze dionysische Floh-tanz zur Ruhe setzen, und die Mont-Martre-Interessenten, die heute noch von den Sehnsüchten nach einem Hauch einer Erinnerung an Düfte vibrieren und in Wahrheit Apachen des Wortes sind, werden mich in Liebe und Haß verschonen. Ihnen, die auch anders können, wird nichts andres übrig bleiben. Denn es ist heute in Deutschland gegen mich nicht aufzukommen; nicht g e g e n mich. Und wenn sie sich mit ihrer ganzen Pietät für Heine umgürten, und wenn er selbst zu ihnen auferstünde! Denn es ist ein Kampf mit ungleichen Waffen, wenn die gute und die schlechte Sache gegeneinan-derstehen. Die schlechte kann nur schlechter werden. Pole-mische Ohnmacht ist der stärkste Ausdruck des Unrechts. Der Privatmann, der recht hat, schreibt recht. Der Literat, der unrecht hat, wird in der Polemik kleiner als er ist und gemeiner; er hat nicht Rausch noch Ruhe, er hat Reue; ent-blößt das Unrecht mit jedem Versuch, es zu decken, und be-geht Selbstmord im Zweikampf, während dem Gegner die Vertretung eines belanglosen Rechts schon hinter der wahren, heiligen, unentrinnbaren Mission verschwindet, die Talent-losigkeit zu züchtigen.

Der kleine Pan stinkt noch

Herr Alfred Kerr hat am 1. Juli das Folgende erscheinen lassen:

Vive la bagatelle!
Swift

CAPRICHOS

I.

Herr Kraus (Wien) sucht fortgesetzt aus unsren Angelegenheiten Beachtung für sich herauszuschlagen. Mehrere suchten, die Schmierigkeit aus ihm herauszuschlagen. Erfolglos. Ich stellte neulich anheim, Kraus nicht mehr zu ohrfeigen. Es lag darin kein Werturteil über Unberechtigung der früheren Backpfeifen; nur über die Unberechtigung des Aufwands. Ein wandelndes Museum für Tachteln. Seit ihm zugesichert wurde, daß er ausnahmsweise jetzt keine kriegt, beunruhigt ihn die Gewohnheitsstörung: es fehlt ihm was.

Ohrfeigen sind aber kein Argument. Selbst dann sind sie es nicht, wenn einer so oft, von Männern wie von Frauen abwechselnd welche bekam, daß auf der Wange die Inschrift »Hier blühen Rosen« stehn kann – und die Sitzgelegenheit, gewissermaßen, ein Bertillonsches Archiv geworden ist.

Selbst für kleine Verleumder sind Ohrfeigen kein Argument. Darum sollen seine Backen Ferien haben: mag ihn schon der fremde Zustand – ohne Entziehungskur – aufregen. Ecco.

(Er bekam die einleitende seiner Ohrfeigen, als er Privatsachen, die reine Privatsachen waren, ohne jedes Recht besabberte.)

II.

Dem kleinen Kraus (welcher kein Polemiker ist, sondern eine Klette) soll im übrigen gelassen werden, was er nicht hat. Blieb ihm die Gabe des Schreibens auch verwehrt (caccatum non est dictum), so weiß er doch, Reportermeldungen auf der fünften Seite des Wochenblatts für Leitomischl und Umgegend mit vernichtender Schärfe zu beleuchten.

Er hat sich aber, infolge des Hinweises auf seine tatsächlich vorhandene Dummheit, zur Niederschrift von Afforismen bewegen lassen (weniger einem Drange des Intellekts folgend, als um die Abwesenheit seines Intellektmangels darzutun), – Kitsch, mit der Hand gefertigt, dessen Arglosigkeit sich in mechanischer Umdrehung äußert, in mechanischer Gegensätzelei, in Geistesschwäche mit »scharfsinniger« Haltung oder »menschenfeindlicher« Haltung; etwan: »Ich bleibe gebannt stehen, weil die Sonne blutrot untergeht wie noch nie, und einer bittet mich um Feuer.« Nietzscherl. Mehr sag ich nicht.

»Ich verfolge einen Gedanken, der soeben um die Straßenecke gebogen ist, und hinter mir ruft's: ›Fia–ker!‹« Tja, die einsamen Seelen. Das san halt dö Plag'n vun an Denker.

Falls nun die Plage der Selbstverachtung hinzutritt? (Er äußert: »Mir sind alle Menschen gleich, überall gibt's Schafsköpfe und für alle habe ich, die gleiche Verachtung.«)

Nett, wenn er das Publikum betriebsam auf seinen abseitigen Weltekel aufmerksam macht. Oder wenn er (in belästigender Weise) die Leute fortwährend anruft, er wolle nicht von ihnen beachtet werden.

Grundcharakter: Talmi plus Talmud. Sein St . . . Sti . . Stil besteht aus zwei getrennten Nachahmungen: er verdünnt seinen Landsmann Spitzer und äfft Harden; Herr Kraus leidet an doppelter Epigonorrhöe. Er fälscht gewiß nicht – er geht nur in Irrungen ziemlich weit, so daß der alte berliner Scherz »Karlchen hat wieder mal gelogen« und zwar in der dümmsten schlichtesten spaßlosesten Weise glatt gelogen, erfunden, geschwindelt um einen Augenblickshalt zu haben, weil er sich auf die Großmut und Gleichgültigkeit seiner Gegner verläßt . . . dieser Satz kommt nie zu Ende; wollte sagen: so daß der alte berliner Scherz »Karlchen hat wieder mal gelogen« gewiß nicht ohne weiteres für ihn zur Beleuchtung dient . . . Was Epimenides über Kreta äußert, paßt nicht, weil Kraus von der Insel Mikrokephalonia stammt.

III.

»Die Art, wie sich die Leute gegen mich wehren . . .« Saphirle. Komm mal ran . . .

IV.

Ganz wie ein Tuchreisender, der weiß, was er der Gegenwart nietzschig-kitschig schuldet, in der Abwehr gegen Demokratismus. Ein Einsamer und ein emsiger Menschenfeind wird doch nicht . . .

Daß man demokratische Freiheit nicht in der Welt für das Höchste zu halten braucht, Knirps, aber jetzt für etwas Wichtiges in Deutschland; daß hierfür zu fechten ein Opfer ist (wie es eine Lust ist): das wirst Du nicht begreifen, – schale Haut.

Deine Sektion ergibt zwei Kleingehirne. Was Du kannst, schale Haut, ist einen Reporter lustig beschämen; den Schnatterstil des Herrn Harden glänzend nachtäuschen (später auch bewußt, mit einer Kennerschaft, die ulkig, aber peinlich ist); Du kannst für freie Geschlechtsübung Banalheiten äußern – und bist ein dummes Luder, das nie mit sich allein war. Oft ein amüsanter Spaßbold –: aber ein entsetzlich dummes Luder.

Nun lauf' – und präge Dir ein leichtes Capricho-Lied hinter die oft strapazierten Ohren:

V.

Krätzerich; in Blättern lebend,
Nistend, mistend, »ausschlag«-gebend.
Armer Möchtegern! Er schreit:
»Bin ich ä Perseenlichkeit . . .!«

Wie der Sabber stinkt und stiebt,
Wie sich's Kruppzeug Mühe gibt!
Reißen Damen aus und Herrn,
Glotzt der arme Möchtegern.

Vor dem Duft reißt mancher aus,
Tachtel-Kraus. Tachtel-Kraus,
Armes Kruppzeug – glotzt und schreit:
»Bin ich ä Perseenlichkeit . . .!«

ALFRED KERR

Es ist das Stärkste, was ich bisher gegen den Kerr unter-
nommen habe. Gewiß, die drei Aufsätze haben einige Beachtung gefunden. Was aber bedeutet aller Aufwand von
Kraft und Kunst gegen die spielerische Technik des Selbst-
mords? Gewiß, ich habe ihn in die Verzweiflung getrieben;
aber er, er hat vollendet. Ich habe ihn gewürgt, aber er hat
sich erdrosselt. Mit der wohlfeilsten Rebschnur, deren er
habhaft werden konnte. Es ist mein Verhängnis, daß mir
die Leute, die ich umbringen will, unter der Hand sterben.
Das macht, ich setze sie so unter ihren Schein, daß sie mir in
der Vernichtung ihrer Persönlichkeit zuvorkommen. Von
mir geschwächt, beginnen sie mit sich zu raufen und ziehen
den Kürzern. So einer zerreißt aus Gram sein Kleid, von
dem die Andern geglaubt haben, es sei etwas dahinter. Einer,
zu dem man sprechen möchte: du bist wie eine Blume, versetzt sich einen so vehementen Rippenstoß, daß es aus ist und
geschehen. Nicht wiederzuerkennen. Was hat dieser Kerr
nur gegen sich? Wie geht das zu, daß einer, der noch wenige
Wochen, bevor ich ihn tadelte, mich gerühmt hat, plötzlich
einen epileptischen Anfall auf mich verübt? Ich fürchte, er
war kein Charakter, es muß ihm irgendwie die geistige Beharrlichkeit vor Gemütseindrücken gefehlt haben, er war am
Ende nicht das, was man im Tiergartenviertel eine Perseenlichkeit nennt. Ich glaube, daß ein kleines Schreibtalent – ich

bin gegen ihn viel gerechter als er gegen mich – völlig aus der Fassung gerät, wenn ihm etwas passiert ist. Es sagt nicht nur dummes Zeug, sondern sagt es auch schlecht. Wie geht das nur zu, daß einer, der ehedem doch bis zu einem gewissen Grad und speziell in Königsberg ein ganz geschickter, manchmal recht zierlicher Feuilletonist war, in dem Augenblick, wo ich seinen Geist aufgebe, mich sofort darin bestärkt? Er stirbt mit einer Lüge auf den Lippen. Er glaubt kein Wort von dem, was er gegen mich sagen mußte. Er schätzte mich hoch, hat sich über mich nicht nur öffentlich anerkennend geäußert – das würde nichts beweisen –, nein, auch hinter meinem Rücken, enthusiastisch – das würde nichts beweisen –, nein, mit einigem Verständnis von mir gesprochen. Aber es widerfuhr ihm, nicht den Glauben an mich, sondern den an sich zu verlieren, und ich bin nur das Opfer seiner Verzweiflung. Immer ist das so. Kein Wort von dem, was sie gegen mich sagen, glauben jene stillen Verehrer, die ich plötzlich laut anspreche, oder die vielen Literaturgeliebten, die sich vernachlässigt fühlen. Feuilletonschlampen mit mehr oder weniger Talent reagieren immer so. La donna è mobile. Ecco. Ich bin auf einmal ganz klein, ekelhaft und kann nicht schreiben, weil ihnen alles gefallen hat bis dorthin, wo ich gegen sie geschrieben habe. Wurde so ein zwar überschätzter, aber zweifellos befähigter Leser wie dieser Kerr über mich gefragt, so sagte er Kluges. Und hatte er's nicht von sich, so war er doch belesen und informiert genug, um zu wissen, daß er sich blamieren würde, wenn er mich für einen so unbedeutenden Schriftsteller hielte, wie ich ihn. Er wußte ganz gut, daß das nicht geht, daß das heute in Deutschland keiner der andern Männer tut, an die man glauben muß, und daß es lächerlich ist, jenes Klischee der Geringschätzung gegen mich zu werfen, dessen sich heute selbst der Reporter schämt. Ich brauche keine Enquete, um mir das versichern zu lassen, schon ist das Urteil zum Urteil über den geworden, der's spricht. Sollte man diesen Kerr nach dem Spruch beurteilen, ich fürchte, er käme nicht auf die Nachwelt, wenn ihn je sein kurzer Atem so weit getragen hätte. Er kann's nur mehr durch mich erreichen. Ich habe schon so viele arme Teufel als Zeitübel perspektivisch genommen – Kerr tut nur so, als ob er das nicht verstünde –, daß es mir auf einen mehr oder weniger nicht ankommt. Ich fürchte, e r k o m m t auf die Nachwelt! Gänzlich unvorbereitet, wie er ist, mit Haut und Haaren. Er muß sogar schon dort sein, denn ich sehe ihn nicht mehr. Unheimlich rasch gehen diese Verwandlungen vor sich. Gestern hat er noch Barrikaden gebaut, heute sitzt er mir schon als Fliege auf der Nase. Ich töte keine Fliege, es könnte in ihr die Seele eines Ästheten sein und dann wäre es eine Herzensroheit. Was bleibt mir übrig gegen ihn zu tun als ihn zu beklagen? Soll ich einen, der, wofern er lebt, sich kärglich als Desperado durchbringen muß, vor Gericht schleppen? Weil es einmal möglich wäre, feststellen zu lassen, daß ich nie den Mist des Privatlebens gekerrt habe – man sieht auch im schäbigen Kalauer bin ich ein Epigone –, sondern: daß einer, der Karriere machen wollte, mich vor fünfzehn Jahren für eine Verspottung seines schlechten Deutsch überfiel, dafür abgestraft wurde und später mit bewußter Mißdeutung eines völlig harmlosen Satzes verbreitet hat, er, der Kommis, habe sich einer Ritterpflicht entledigt. Zwei weitere Gerichtsurteile würden die Neugier der Feuilletonbagage befriedigen: über zwei Attacken, denen ich in den zwölf Jahren der Fackel ausgesetzt war: von einem Instrument der Concordiarache, das später in Reue vor mir erstarb, und von einem Rowdy, dem das Bezirksgericht einen Monat Arrest gab, die höhere Instanz mit Berücksichtigung der Volltrunkenheit eine hohe Geldstrafe. Soll ich wirklich einen vierten Prozeß – zwei strengte der Staatsanwalt für mich an – herbeiführen, um einem toten Reklamehelden Gelegenheit zu geben, für eine Woche aufzuerstehen und eine zu sitzen? Soll ich mir die maßlose Distanz zwischen meinem Leben und dem Niveau, auf dem man »in Ehren« besteht – größer als die Distanz zwischen diesem Niveau und der Fratze, die der Kerr aus mir macht –, amtlich bestätigen lassen? Es ist überflüssig; und was liegt solchem Pack an einer Verurteilung, wenn nur von der ihm blutsverwandten Tagespresse meine drei Überfälle in fetten Titeln annonciert würden! Es ist lästig; und wiewohl es nichts gibt, was ich zu verbergen habe, räume ich doch nur mir das Recht ein, darüber zu sprechen. Auch bin ich lieber Angeklagter. Und sage darum diesem Kerr, daß nur ein so revolutionärer Feigling wie er, nur ein so ganz mißratener Demokrat wie er, nur ein so von allen guten Geistern des Takts und des Geschmacks verratener Angeber eines Polizisten wie er auf den Einfall geraten konnte, mir die Feigheit derer zum Vorwurf zu machen, die sich an mir vergriffen haben. Daß aber auch nur ein so vollkommener Ästhet, dem der Backenbart schon den Blick für das Leben überwachsen hat (und der bereits auf das Motiv der Rosen zu meinen Gunsten verzichtet), nicht merken kann, daß dreihundert Überfälle nichts gegen meine Ehre beweisen würden, dreihundert Gewalttaten nichts gegen mein Recht, dreihundert Kopfwunden nichts gegen meinen Kopf. Und alle zusammen nichts gegen meinen Mut. Die Überrumpelung eines Kurzsichtigen spricht nicht einmal gegen seine Muskelkraft – er wäre zur Not imstande, einen Ästheten zu ohrfeigen –: sollte sie sein Werk herabsetzen können? Hätte der Kerr Unrecht gegen Herrn Sudermann, wenn dieser anstatt über die Verrohung der Kritik zu klagen, einen Roheitsakt an ihm vollzogen hätte? Hat der Kerr Recht gegen Herrn v. Jagow, weil dieser ihn nicht geprügelt hat? Und ist es erhört, daß einer, der bisher wenigstens in einem Theaterparkett geduldet wurde, seine Wehrlosigkeit vor dem geistigen Angriff in die Infamie rettet, die brachiale Überlegenheit anderer anzurufen? Man wird Mühe haben, eine hochgradige Gemütserschütterung als mildernden Umstand auszulegen, um zu sagen, dieser Kerr sei im Grunde besser als die Kreuzung von einem Schulbuben und einem Schandjournalisten, zu der er sich jetzt verurteilt hat. Er darf nicht wissen, daß er das Häßlichste niedergeschrieben hat, was die Meinung der von mir gepeitschten Mittelmäßigkeit auf Lager hält, er muß sich seine völlige Unverantwortlichkeit ärztlich bestätigen lassen – sonst ist es ausgeschlossen, daß er die Hand, die diese Feder geführt hat, jemals noch reuelos betrachtet. Gegen den Wert meiner Leistung kann sie nichts ausrichten. Daß er mich unterschätzt, beweise ich durch jeden Satz, den ich über ihn schreibe. Aber wenn's mir selbst nicht gelänge, wenn ich wirklich das dümmste Luder wäre, welches je mit fremder Eigenart Aufsehen machen wollte: daß ich ihn nicht unterschätze, beweist er durch jeden Satz, den er über mich schreibt. Und weil er dies besser beweist als ich, drum habe ich ihn abgedruckt. Weil sich nichts Vernichtenderes gegen diesen Kerr unternehmen läßt, als wenn man ihm das Wort erteilt! Man lese. Man vergleiche. Nach meinen Aufsätzen lobte man mich, konnte aber immer noch glauben, irgendetwas müsse auch an dem Kerr, von dem man doch so viel schon gehört hat, zu finden sein. Nun sieht man, daß er die Räude hat. Daß nur dieser Zustand ihn befähigen konnte, das Lied vom »Krätzerich« zu dichten. Daß er eine völlig unsaubere Angelegenheit ist. Nun versteht man nicht, wie dieser parasitische Humor, dessen Sprecher im Verein reisender Kaufleute vor die Tür gesetzt würde, für Königsberg lesbare Feuilletons zustandebringen konnte. Ich verstehe es. Ich habe im Leben viel mit Minderwertigen zu tun gehabt. Ich weiß, wie ein Floh tanzt und wie eine Motte am Licht kaputt wird. Ich weiß, wie Sinnesverwirrung einen sonst leidlichen Plauderer entstellen kann, und daß es eben vorher gefehlt war, an solche Individuen den Maßstab der Perseenlichkeit anzulegen. Dieser Kerr übernahm sich, als er glaubte, seine Leere könne politisch gestopft werden, und als er seine Temperamentlosigkeit an der Glut eines Polizeipräsidenten explodieren ließ. Er bekam dafür Schläge, die schmerzhafter waren, als wenn mir die in zwölf Jahren angesammelte Wut einer Millionenstadt sämtliche Knochen zersprügelt hätte. Anstatt nun zu schweigen und ruhig an seiner Entwicklung und für Königsberg zu arbeiten, ließ er sich hinreißen. Nun ist er hin. Und ließ mir nichts übrig, als ihn aufzubahren. Vielleicht hält er sich noch den Nachruf. Ich druck ihn ab. Man kann nicht lebendiger dastehen, als wenn man diesem Alfred Kerr das letzte Wort läßt.

218

BRIEFWECHSEL MIT DER »LITERARISCHEN WELT«

Den 15. II. 1930

An den

Verlag der Fackel

Wien

Sehr geehrte Herren!

Ich bitte Sie um folgende Nachweise, bzw. Lieferungen:

Erstens: In welcher Nummer der »Fackel« ist der Artikel Liebknechts über Dreyfus erschienen, und können Sie mir diese Nummer, die ich einmal in Händen hatte, aber wieder verloren habe, noch liefern?

Zweitens: In der Fackel ist einmal ein Zitat aus den Briefen oder Tagebüchern Schopenhauers veröffentlicht worden, in welchem Schopenhauer schildert, wie die Kroaten in Frankfurt a. M. im Jahre 1849 auf der Straße gegen die Bevölkerung schießen und dabei auch in das Haus Schopenhauers eindringen, um vom Fenster hinab zu feuern. Schopenhauer teilt in dieser Notiz mit, daß er den kroatischen Soldaten durch seine Magd einen Feldstecher leihen ließ.

Es wird Ihnen an der Hand Ihrer Generalregister zweifellos möglich sein, diese Nummer der »Fackel« nachzuweisen und vielleicht auch nachzuliefern.

Mit dem besten Dank für die gefällige Erledigung dieser Anfrage verbleibe ich

hochachtungsvoll

Willy Haas

18. Februar 1930

An die Literarische Welt
Herrn Willy Haas

Berlin

In Beantwortung Ihres Ersuchens vom 15. II. teilen wir Ihnen mit, daß bei der Fackel im Gegensatz zu den Zeitschriften, bei denen eine strenge Trennung zwischen dem redaktionellen und dem administrativen Teil besteht, so daß in der gleichen Nummer Rezensionen und Annoncen derselben Bücher erscheinen können, inhaltliche und Verlagsangelegenheiten miteinander verbunden sind. Aus diesem Grunde ist es dem Verlag der Fackel, der eben von dem Text der Fackel Kenntnis nimmt, leider nicht möglich, gerade jemandem, der den toten Wilhelm Liebknecht beschuldigt hat, daß er »in Wien« aus Furcht, als Jude erkannt zu werden, gegen Dreyfus »gehetzt« habe, und der deshalb in der Fackel getadelt wurde, die Nummern zu »liefern«, die Wilhelm Liebknechts Beiträge enthalten. Zur Vervollständigung Ihres Wissens von diesen Arbeiten wird Ihnen somit nur der Weg zum Antiquar oder in die Staatsbibliothek offen bleiben.

Auf den gleichen Weg möchten wir Sie wegen des Schopenhauer-Zitats verweisen, das mit einem ähnlichen wie dem von Ihnen angegebenen Inhalt tatsächlich einmal in der Fackel, jedenfalls vor dem Kriege, abgedruckt war. Ihre Meinung, daß es uns an der Hand unserer Generalregister »zweifellos möglich sein wird, diese Nummer der Fackel nachzuweisen«, ist irrig. Wir besitzen keinerlei Generalregister – ein solches wird eben erst von Freunden der Fackel ausgearbeitet – und hätten mit der Hervorsuchung des Heftes keine geringere Mühe als Sie selbst. Wir wären aber bereit, uns dieser Mühe für Sie zu unterziehen, wenn Sie uns den Zweck nachweisen wollten, für den Sie das Zitat brauchen. Für einen unterstützungswürdigen Zweck würden wir etwa die Absicht der Enthüllung halten, daß die Fackel, die heute das Andenken der Liebknechts gegen Verunglimpfung schützt, einst ein erzreaktionäres Zitat aus Schopenhauer veröffentlicht hat. Für keinen unterstützungswürdigen Zweck würden wir die Absicht halten, dieses Zitat heute etwa gegen die Bekämpfer der Zörgiebel und Schober zu verwenden. Es liegt uns fern, Ihnen diese Absicht zu imputieren. Sollten Sie aber die andere haben, also die, so etwas wie eine politische Wandlung darzustellen, die die Fackel seit der Vorkriegszeit durchgemacht habe, so wäre es nur ehrlich, diese Absicht uns vor der Ausführung zu bestätigen, da Sie doch wissen müssen, daß deren Maskierung zur administrativen Angelegenheit sie der Aufmerksamkeit der Redaktion der Fackel keineswegs zu entziehen vermöchte. In diesem Fall wären wir, wie gesagt, bereit, das Heft hervorzusuchen, ja Ihr Vorhaben mit weiteren Beispielen einer widerspruchsvollen Haltung aus der Zeit zwischen 1899 und 1929 zu unterstützen, wenngleich es vielleicht am Ende eher noch ge-

lingen könnte, diesen das Bild einer geistigen Einheit ab-
zugewinnen, als es etwa gelingen mag, aus einem gekauften
Exemplar von »Sittlichkeit und Kriminalität« und einer
eingeklebten Photographie das Unikum einer Autorwidmung
herzustellen.

Wir fassen also zusammen, daß wir die Auslieferung der
Liebknecht-Hefte ablehnen, aber die Hervorsuchung des
Heftes mit dem Schopenhauer-Zitat bedingt zusagen – das
heißt: wenn Sie uns nach Mitteilung eines rein administrativen Wunsches auch noch mitteilen möchten, was Sie eigentlich von uns wünschen. Zu jeder nur möglichen Erfüllung
bereit,

zeichnen wir

Der Verlag der Fackel

Den 26. II. 1930

An den

Verlag »Die Fackel«

Wien

Ich bekenne mich zu Ihrem Schreiben vom 18. II.

Ich beglückwünsche Sie zunächst zu der Entdeckung, daß bei uns zuweilen in derselben Nummer, wie die redaktionellen Anzeigen gewisser
Bücher, auch bezahlte Annoncen derselben Werke erscheinen. Eine Erklärung dieses Umstandes, wenn Sie sich dafür interessieren sollten, wird
Ihnen, wie jedermann, gerne gegeben werden.

Hingegen ist meine Bereitwilligkeit, Ihnen zu gewissen anderen Dingen,
die Sie in Ihrem Brief berühren, eine Auskunft zu geben, weit geringer.
Obgleich auch mir bekannt ist, daß in der »Fackel« zwischen den administrativen und den redaktionellen Funktionen eine enge Verbindung besteht, so scheint sich mir gleichwohl Recht und Pflicht eines Zeitschriftenverlages in der Möglichkeit zu erschöpfen, einen erhaltenen Auftrag entweder auszuführen oder abzulehnen. Ich bin deshalb nicht in der Lage,
Ihnen eine Auskunft darüber zu geben, was ich, über den administrativen
Wunsch hinaus, gewisse Nummern der »Fackel« geliefert zu bekommen,
mit diesen Nummern eigentlich anfangen will. Doch nehmen Sie mit
Grund an, daß ich den Bekämpfern der Zörgiebels und Schobers nicht
in die Arme fallen will – ich täte es auch dann nicht, wenn mein öffentlicher Einfluß dazu ausreichte. Vielleicht genügt Ihnen diese einfache
Information, um sich der von Ihnen erbetenen Bemühung zu unterziehen.
Sollte übrigens Ihr Brief von der Befürchtung diktiert sein, ich könnte
die Weigerung des Verlages, mir die betreffende Nummer der »Fackel«

zu liefern, als den Wunsch des Herausgebers auslegen, eine Kontrolle seiner publizistischen Tätigkeit zu erschweren: so erkläre ich hiermit ausdrücklich, daß mir eine derartige Unterstellung immer ferne gelegen hat. Ich würde Ihnen also auch aus Ihrer sachlich begründeten Weigerung keinen Vorwurf machen können.

Bin ich also grundsätzlich nicht geneigt, gerade Ihnen, d. h. dem Verlag, eine Auskunft über meine Absichten mit dieser Nummer der »Fackel« zu geben, so bedeutet das keineswegs, daß ich nicht irgendeiner Privatperson, z. B. dem Herausgeber der »Fackel«, wenn e r sich etwa dafür interessierte, diese Auskunft geben würde: denn meine Absichten sind keineswegs geheim, Jedermann kann sie erfahren.

Ebensowenig bin ich geneigt, in einem Brief an den Verlag auf die Angelegenheit des angeblichen »Widmungsexemplares« einzugehen. Ich bin in dieser Sache nur Karl Kraus persönlich Rechenschaft schuldig, sei es, daß er privat diese Rechenschaft fordert, sei es, daß er mir öffentlich eine Irreführung vorwirft. Ich werde ihm in beiden Fällen – im ersten Fall privat, im zweiten Fall öffentlich – mit einer Aufklärung dienen können. Doch gestehe ich, daß mir jede dieser beiden Möglichkeiten lieber wäre, als die unkontrollierten und unkontrollierbaren Gerüchte, die sich an einen Tatbestand geknüpft zu haben scheinen.

Da ich übrigens für den Text eines Briefes, der so tief in persönliche Umstände greift, eine bestimmte k ö r p e r l i c h e Person, nicht aber eine juristische Person, verantwortlich zu machen wünsche, so bin ich gezwungen, derartige Briefe von Ihnen, wenn sie nicht irgendeine persönliche Unterschrift tragen, in Hinkunft ungelesen zurückzusenden.

Willy Haas

1. März 1930

An die

Literarische Welt Verlags-Ges. m. b. H.
Herrn Willy Haas

Berlin

Da Sie für den Text eines Briefes, der so tief in persönliche Umstände greift, »eine bestimmte k ö r p e r l i c h e Person, nicht aber eine juristische Person verantwortlich zu machen wünschen«, so teilen wir Ihnen mit, daß für die Briefe, die vom Verlag der Fackel unterzeichnet sind – der Ihnen bloß als moralische Person gegenübertreten wollte –, der Herausgeber der Fackel, Herr Karl Kraus verantwortlich ist und die Verantwortung in keinem Falle ablehnen würde. Um aber der Gefahr zu begegnen, daß Sie »derartige Briefe, wenn sie nicht irgendeine persönliche Unterschrift tragen, in Hinkunft ungelesen zurücksenden«, ist der vorliegende Brief wie die meisten, die der Verlag der Fackel mit der unverkennbaren Autorisation durch den Herausgeber absendet, von der mit dessen Absichten wohlvertrauten Verlagsleiterin unterzeichnet, der natürlich niemals zugemutet werden könnte, formale Beleidigungen weiterzugeben. Wir wissen nicht, welche Art der Verantwortlichkeit Sie sonst anzusprechen wünschen, aber jede andere teilt die körperliche Person, die den Brief unterzeichnet, mit dem Herausgeber, der ihn veranlaßt, jedoch über dieses Maß einer persönlichen Verbindung mit dem Adressaten selten hinauszugehen pflegt. Wir erteilen diese Auskunft selbstverständlich nur in der Annahme, daß Sie mit der körperlichen Person nichts anderes als eine sichtbare und i n d i v i d u e l l juristisch erreichbare – im Gegensatz zu der »juristischen Person« im technischen Sinne – gemeint haben und nicht etwa den Gedanken fortspinnen wollten, den Sie in der Verteidigung des Falles Pöffel angeregt haben: daß nämlich der polemischen Feder der Revolver adäquat sei, und wäre es selbst der des Erpressers. Wir hoffen, daß Ihnen diese Auskunft bezüglich der Verantwortlichkeit genügen wird, um die Entgegennahme unseres meritorischen Bescheides zu ermöglichen.

Zunächst müssen wir Ihren freundlichen Glückwunsch zu unserer Entdeckung, daß dieselbe Nummer einer Zeitschrift redaktionelle Anzeigen und bezahlte Annoncen derselben Bücher enthält, als durchaus unverdient abweisen – beiweitem weniger verdient als die Annoncengelder, die durch diese Einrichtung erworben werden. Wir glaubten hier so wenig eine Entdeckung zu machen wie einer, der die Tatsache erwähnt, daß es Amerika gibt. Dagegen müssen wir Ihnen gestehen, daß uns Ihre Bereitwilligkeit, uns »wie jedermann« eine Erklärung der Tatsache oder des Umstandes zu geben, »wenn wir uns dafür interessieren sollten«, außerordentlich erfreut. Natürlich interessieren wir uns dafür und sind schon sehr gespannt, wie einmal von fachlich berufener Seite eine Erklärung des Umstandes erfolgen wird. Seit über dreißig Jahren suchen wir ja eben diesem Phänomen auf den Grund zu kommen und tappen im Dunkeln. Oft und oft waren wir versucht, das Trachten nach Rebbach als plausiblen Sinn der Einrichtung zu erkennen, wobei wir sogar von der Meinung ausgingen, daß der Literaturteil der meisten Zeitschriften nur als Chance der Annoncenrubrik gedacht sei, wie wir ja auch der Ansicht zuneigen, daß der Textteil der Tagespresse ein Vorspann des Inseratengeschäftes sei (wie es sich so klar im Falle Pöffel gezeigt hat). Dieses Vorurteil des Herausgebers der Fackel haben wir, der Verlag, auch nicht besiegen können, als wir für unsere eigenen Verlagswerke zur Annoncierung in Literaturblättern aufgefordert wurden mit dem Aviso, daß die Annonce zu erhöhter Wirkung gelangen werde, weil in der gleichen Nummer eine Kritik erscheine. Da wir die Verlage der Zeitschriften – deren Redaktionen im Gegensatz zu der Ihrigen ahnungslos schienen und vielleicht eine Entdeckung gemacht hätten –, da wir also die Verlage fragten, warum sie so handelten, und auf die mögliche Kompromittierung des redaktionellen Urteils aufmerksam machten, erwiderten sie uns, sie handelten bei selbstverständlich strenger Trennung des redaktionellen vom administrativen Teile so, weil die Buchverleger für die Eröffnung der Gelegenheit dankbar seien. Wir möchten uns der Erwartung hingeben, daß Sie – von dem wir nun endlich doch erfahren werden, was es damit für eine Bewandtnis habe, wie Hannele »was das Sterben ist« – daß Sie eine so hausbackene Erklärung, die doch unser Vorurteil eher bestärken als entkräften könnte, nicht gebrauchen, vielmehr um eine andere keineswegs verlegen sein werden. Wir werden die »Erklärung des Umstandes« so gern annehmen, wie Sie sie uns geben wollen, und danken Ihnen im Voraus bestens.

Was Ihren Wunsch nach dem Heft der Fackel mit dem Schopenhauer-Zitat anlangt, so scheinen Sie Unrecht zu tun, »Recht und Pflicht eines Zeitschriftenverlages in der Möglichkeit zu erschöpfen, einen erhaltenen Auftrag entweder auszuführen oder abzulehnen«. Zeitschriftenverlage pflegen doch, wie wir oben erwähnt haben, bei aller strengen Trennung vom redaktionellen Teil häufig über dessen Absichten mit den Interessenten zu korrespondieren und Aufträge nicht nur auszuführen, sondern sich auch um deren Erteilung zu bewerben. Warum soll unser Verlag, der in diesem Punkt freilich sein Ressort nicht überschreitet, nicht auch redaktionell interessiert sein und sich mit seinem Auftraggeber, der nicht Nr. soundsoviel verlangt, sondern die Nummer mit dem Schopenhauer-Zitat, nicht über seine Wünsche unterhalten? Wenn Sie uns nun mitteilen, daß Sie nicht die Absicht haben, mit der Verwendung dieses Zitates den Bekämpfern der Zörgiebel und Schober in die Arme zu fallen, so gehen wir darauf ein, indem wir Ihnen sagen, daß es uns zwar freut, aber daß »diese einfache Information« uns dennoch nicht genügt, »um uns der von Ihnen erbetenen Bemühung zu unterziehen«. Da Sie nun zwar dem Verlag, jedoch nicht »irgendeiner Privatperson, z.B. dem Herausgeber der Fackel, wenn er sich dafür interessieren sollte«, die Auskunft über Ihre »Absichten mit dieser Nummer« verweigern – die »jedermann«, außer der Verlag der Fackel, erfahren könne –, so teilen wir Ihnen mit, daß unser Interesse eben das des Herausgebers der Fackel ist und daß eine unterstützungswürdige Absicht wie etwa die in unserm Antwortschreiben dargestellte ihn bewegen wird, die Hervorsuchung des Heftes anzuordnen.

Die gleiche Bereitwilligkeit der Erteilung einer Auskunft an Herrn Karl Kraus nehmen wir in seinem Namen für die Angelegenheit des »Widmungsexemplares« in Anspruch. »Rechenschaft« fordert er von Ihnen keinesfalls. Es ist das Recht des Bibliophilen, in ein Buch, das er erworben hat, eine handschriftlich signierte Photographie, die er besitzt, einzukleben; nur daß eben das Gerücht, es gebe ein Widmungsexemplar einer Ausgabe von »Sittlichkeit und Kriminalität«, die mit einem Bild erschienen sei, von Fall zu Fall auf den Ursprung einer Liebhaberhandlung zurückgeführt werden muß – weil es sich eben, wie Sie mit Recht hervorheben, »an einen Tatbestand geknüpft« hat (dessen Loslösung freilich am besten mechanisch erfolgen würde).

Ihrer freundlichen Auskunft in den berührten drei Punkten, besonders aber im ersten – des Annoncenproblems – mit Interesse entgegensehend,

zeichnen wir
Der Verlag der Fackel
(Unterschrift)

Den 15. März 1930

Verlag

»Die Fackel«

Wien

Ich bekenne mich zu Ihrem Schreiben vom 1. März. So leicht es mir ist, Ihre erste Frage zu beantworten, so bedürfen die Anfragen, die Sie mir von Karl Kraus übermitteln, einer ausführlichen Erwiderung. Ich bin aber gerade jetzt mit Arbeit überlastet und bitte daher, zu entschuldigen, wenn sich die Antwort verzögert.

Willy Haas

Den 25. April 1930

An den

Verlag »Die Fackel«

Wien

Mein Redaktionskollege hatte einen Unfall, ich selbst war wochenlang mit Arbeit überlastet; daher bitte ich die Verzögerung zu entschuldigen. Daß ich Ihnen ein Rätsel lösen kann, nach dessen Lösung Sie seit dreißig Jahren suchen, glaube ich nicht. Ich kann Ihnen nur den Vorgang schildern, der zu dem von Ihnen berührten Umstand führt:

Daß manchmal in der »Literarischen Welt« zugleich mit den redaktionellen Besprechungen gewisser Bücher bezahlte Annoncen derselben Bücher erscheinen, das ist aus dem einfachen Grunde möglich, weil wir unserm Annoncenvertreter ein Verzeichnis jener Bücher geben die voraussichtlich in der nächsten Nummer besprochen werden, und weil er dann diese Tatsache den einzelnen Verlagen mitteilt. Da beim Umbruch der Nummer mir oder meinen Redaktionskollegen noch nicht bekannt ist, welche Inserate in die betreffende Nummer kommen (unser Annoncen-Vertreter gibt uns nur bekannt, welcher Raum für Inserate frei bleiben soll und setzt dann diese selbständig ein) so kann von einem mehr als rein bürokratischen Zusammenhang zwischen dem redaktionellen und administrativen Teil dieses Vorgangs nicht die Rede sein. Ganz abgesehen davon, daß ja unser Annoncen-Mann nur die Buchtitel kennt, und selbst diese erst zu einer Zeit, in der die dazugehörigen Besprechungen bereits fertig eingerichtet in die Druckerei geschickt worden sind.

Ich fürchte keineswegs, wie Sie andeuten, daß durch diesen Umstand der redaktionelle Teil kompromittiert wird – und wenn ich es fürchtete, so würde mir diese Furcht nicht viel bedeuten. Ich würde mich nur dann fürchten, wenn ich irgend einem Mitarbeiter der »Literarischen Welt« jemals die leiseste Andeutung darüber gemacht hätte, daß ein Buch günstig oder ungünstig zu rezensieren sei. Da das aber nicht der Fall ist, so habe ich einen Stab von unverdächtigen – mir zum Teil persönlich ganz unbekannten – Zeugen, die jeden etwa ausgesprochenen Verdacht, jene Annoncen hingen mit diesen Kritiken anders als durch die bloße Tatsache eines formellen administrativen Aktes zusammen, durch die wahrheitsgemäße Angabe entkräften würden, daß jeder Mitarbeiter der »Literarischen Welt« jedes beliebige Buch sich zur Besprechung reservieren lassen kann. (Eine Ausnahme findet nur dann statt, wenn für ein Werk von ganz speziellem Charakter, etwa für ein wissenschaftliches Werk, ein Spezialist oder ein besonderer Kenner der Materie als Kritiker von der Redaktion vorgesehen und spontan aufgefordert wird.)

Wie sehr es unmöglich ist, im Widerstreit der Meinungen jeder einzelnen Beschwerde, Ermahnung, Befürchtung oder Verdächtigung in dieser Hinsicht stattzugeben, beweist mir u. a. der Umstand, daß sich ein Autor unlängst bei mir darüber brieflich beschwert hat, sein Buch sei in der »Literarischen Welt« nur deshalb u n g ü n s t i g rezensiert worden, weil der Verleger in derselben Nummer das Buch annonciert habe: damit die Redaktion der »Literarischen Welt« nicht den Anschein eines Zusammenhanges zwischen der bezahlten Annonce und einer etwa günstigen Kritik erwecke. Wenn es zwei so diametral entgegengesetzte Gründe gibt, den erwähnten administrativen Umstand zu verdächtigen: dann scheint mir die ganze Besorgnis hinfällig zu sein. Denn entweder ist es beweisbar, daß den bezahlten Annoncen oft g ü n s t i g e Kritiken entsprechen: dann wäre freilich die Redaktion korrupt; oder es ist beweisbar, daß den bezahlten Annoncen oft u n g ü n s t i g e entsprechen; dann wäre sie albern. Da aber mit einigem bösen Willen B e i d e s bewiesen werden kann, weil für Beides Tatsachen zu finden sind: so scheinen mir beide Beweise widerlegt und somit auch die Schlüsse, die daraus gezogen werden können.

Da »Die Literarische Welt« ohne bezahlte Anzeigen nicht existieren könnte, so muß ich mich mit dem Bewußtsein begnügen, daß ich mich um die Annoncen nicht kümmere. Ob die bezahlten Annoncen in derselben Nummer oder in einer anderen erscheinen, ob das Letztere am Ende wirklich hübscher aussähe, als das Erstere: darauf möchte ich schon deshalb keine Rücksicht nehmen, weil derselbe Verdacht, nur in etwas veränderter Form doch in jedem der beiden Fälle erhoben werden kann.

und weil ihn zu hegen oder nicht zu hegen in jedem Fall nur von dem persönlichen Vertrauen oder Mißtrauen abhängt, das der Leser der »Literarischen Welt« dem Herausgeber entgegenbringt, – abgesehen von dem jedem nicht Böswilligen sichtbaren Gegenbeweis, daß ja in jeder Nummer mindestens die Mehrzahl der Besprechungen weder in der gleichen noch in einer späteren Nummer von Inseraten begleitet ist.

Ich möchte durch diese Ausführungen nicht den Anschein erwecken, als hätte ich in einer zweideutigen Sache zu verteidigen; ich möchte nur eine Angelegenheit mit jener Ausführlichkeit besprechen, die die Anfrage und ihr Urheber für sich fordern darf.

Daß die Annoncenwerbung um eines materiellen Vorteils willen geschieht, ist unleugbar; daß dieser Vorteil zwar dem Wortlaut, nicht aber dem Sinne nach richtig mit dem Worte »Rebbach« zu übersetzen ist, darf ich gleichwohl hinzufügen. Denn einen »Rebbach« hat die »Literarische Welt« leider noch niemals gemacht. Sie arbeitet heute, wie immer, ohne jeden Überschuß und verteilt das, was sie einnimmt, restlos und ziemlich gleichmäßig an alle ihre literarischen Mitarbeiter.

Ich möchte nun auf die übrigen Fragen Ihres Briefes eingehen:

Die betreffende Nummer der »Fackel« brauche ich, weil ich mir eine vollständige Übersicht über die politische Haltung der »Fackel« verschaffen will. Mein – sonst gutes – Gedächtnis und meine ziemlich genaue Kenntnis der »Fackel« seit ihrer Gründung überhebt mich nicht der Verpflichtung, dabei diesen und jenen Beitrag, der mir als besonders charakteristisch in Erinnerung ist, nochmals nachzulesen.

Einen äußeren Zweck verfolge ich nicht. Die erste Veranlassung war der Beginn der letzten Polemik Ihres Herausgebers gegen Kerr. Der Wunsch, hier vollständig klar zu sehen und genau abzuwägen, führte schließlich dazu, in meiner Erinnerung über die politischen Wandlungen Ihres Herausgebers sozusagen »Inventur zu machen«. Es gibt ja im Falle Ihres Herausgebers kaum ein Einzelproblem, das anders als im Zusammenhang mit seinem Gesamtschaffen zu lösen wäre.

Damit hatte ich aber den aktuellen Anlaß so weit aus den Augen verloren, daß ich ihn einstweilen nicht mehr einholen kann. An diesem leidigen Umstand können auch die Andeutungen in der »Fackel«, die mich an ein etwas voreilig den Lesern der »Literarischen Welt« gegebenes Versprechen erinnern, nichts ändern. So wahr ich das Verlangen habe, in einer ernsten, würdigen und sachlichen Form einige Etappen in der Geschichte der »Fackel« darzustellen, so wahr wird das in absehbarer Zeit aus inneren Gründen wohl nicht geschehen können. Ich kann also meinen Wunsch nach dem Besitz jener Nummer nur mit dem fast identischen Wunsch begründen, den darin enthaltenen Artikel wieder zu lesen; jedenfalls nicht mit der Absicht, irgendein bestimmtes Material zu einem bestimmten aktuellen Zweck zu sammeln; denn diese Begründung entspräche nicht der Wahrheit. Ich nehme keinen Anstand, mich auch dem Verlage der »Fackel« gegenüber in dieser Sache offen auszusprechen, darf aber ersuchen, d i e s e n Teil der Antwort als privat zu betrachten. Denn er deutet in gewissem Maße ein Dilemma an, das ich nicht weiter preiszugeben wünsche.

Was nun die dritte Angelegenheit betrifft, so bin ich leider heute nicht mehr in der Lage, das betreffende Exemplar von »Sittlichkeit und Kriminalität«, das ich unter besonderen äußeren Umständen vor Jahren preisgegeben habe, wieder in meinen Besitz zu bringen, und kann nur den Herausgeber der »Fackel« bitten, diese Preisgabe nicht als einen Akt der Pietätlosigkeit gegenüber einer seinerzeitigen Äußerung persönlichen Wohlwollens aufzufassen. Sie hatte vielmehr einen anderen, für mich zwingenden, aber ganz privaten Grund. Ich kann und werde ferner den jetzigen Besitzer ersuchen, in jedem Falle, in welchem er dieses Buch vorzeigt oder verleiht, ausdrücklich hinzuzufügen, daß i c h die Photographie in das Buch geklebt habe.

Ich bitte der Dame, die den letzten Brief unterschrieben hat, zu versichern, daß ich sie keinesfalls weder klagen noch erschießen werde. Ich bitte ferner die Dame darauf hinzuweisen, daß ich meine Stellungnahme im Falle Pöffel ö f f e n t l i c h i n d e r »L i t e r a r i s c h e n W e l t« a u s f r e i e m W i l l e n w i d e r r u f e n h a b e, als ich, etwa 14 Tage später, die näheren Umstände jenes Mords erfuhr. Die betreffende Nummer der »Literarischen Welt« steht dem Verlag – und zwar ohne jede nähere Begründung – zur Verfügung. Wenn ich behauptet habe – und noch jetzt behaupte – daß leichtfertige Polemik (um die es sich im Fall Pöffel n i c h t handelte) gegebenenfalls mit dem Revolver beantwortet werden sollte: so glaubte ich mich nicht in Konflikt mit einem Verlage, in welchem die Satiren über den »Polemiker« Bekessy erschienen sind.

Ich bedaure ferner, daß dem Verlage meine geringe Schätzung des alten Liebknecht mißfallen hat; doch beruht diese mäßige Schätzung seines Geistes und seiner politischen Begabung nicht nur auf meiner schwachen Autorität, sondern auf der weit größeren seines engsten und bewunderten Freundes: Karl Marx.

Willy Haas

(Karte)

An den Verlag »Die Fackel«

Wien

Ich bitte ergebenst um Mitteilung, ob ich nun die Nummer, über die unsere Korrespondenz geführt wurde, bekommen soll.

Im Anschluß an diese Korrespondenz möchte ich noch folgendes hinzufügen: Wir sind uns wohl darüber einig, daß dieser Briefwechsel keine einfache Mitteilung von Tatsachen darstellt, sondern eine urheberrechtlich geschützte Leistung. Ich sage das nicht, um die Publizierung oder den öffentlichen Vortrag dieses Briefwechsels zu verbieten. Ich kann

229

aber nur dann einwilligen, wenn unsere Briefe geschlossen und vollständig veröffentlicht, bzw. vorgetragen werden.

Den 30. Juni 1930   Willy Haas

                                                        23. Juli 1930

An den
Verlag der »Fackel«
Wien

Da mein letzter Brief und meine Postkarte ohne Antwort geblieben sind, darf ich annehmen, daß Sie mir die gewünschte Nummer der »Fackel« nicht heraussuchen werden. Ich gehe wohl nicht fehl, wenn ich diesen Entschluß nicht mehr bloß auf den mit dem Heraussuchen der Nummer verbundenen Zeitverlust zurückführe – Sie hätten diesen Zeitverlust gewiß als Äquivalent für den Zeitverlust, den mich der Briefwechsel mit Ihnen gekostet hat, aus ziviler Höflichkeit auf sich genommen – sondern auf den positiven W i l l e n , mir die Nummer n i c h t zugänglich zu machen.

Da Ihr Herausgeber, wenn ich recht informiert bin, bereits Teile dieses Briefwechsels öffentlich vorgetragen hat, wiederhole ich vorsorglich, zur Vermeidung rechtlicher Konflikte, nochmals die Bedingung, daß meine Zuschriften nur vollständig und geschlossen – d. h. ohne Zwischenbemerkungen – publiziert oder vorgetragen werden sollen.

                                                        Willy Haas

An die
            Literarische Welt Verlags-Ges. m. b. H.
                        Berlin W 50, Passauer-Straße 34

                    Herrn Willy Haas

Der Unfall eines Redaktionskollegen und Arbeitsüberbürdung haben Ihr Antwortschreiben vom 25. April verzögert, das unsere, wie wir gestehen müssen, nur Saumseligkeit. Denn keiner der vielen satirischen Anlässe, die der Zeitabschnitt darbot, hat sich dermaßen der Behandlung empfohlen. Aber wie das oft geschieht: die private Erheiterung, die wir Ihrer ausführlichen Darstellung des Inseratenproblems der »Literarischen Welt« verdankten, überwog die

230

Lust, Ihnen bündig zu sagen, daß der Versuch, uns blöd zu machen, zum Scheitern verurteilt ist. Etwas Besonderes hebt man sich immer gern auf (wobei wir das Vergnügen nicht in Abrede stellen wollen, Sie in der Zwickmühle, in die Sie sich gedrängt haben, ein wenig warten zu lassen), so vergeht die Zeit, der Sommer kommt ins Land, bis wirklich und wahrhaftig eine Mahnkarte von Ihnen eintrifft, mit der Sie – bewährter Verschieber von Entscheidungen, auf die man wartet – den Abschluß »unseres« Briefwechsels urgieren. Wegen der autorrechtlichen Bedenken möchten wir Sie beruhigen. »Wir« sind uns zwar nicht »darüber einig, daß dieser Briefwechsel eine urheberrechtlich geschützte Leistung vorstellt«, aber wir danken Ihnen jedenfalls für die Erlaubnis, ihn unter der Bedingung zu veröffentlichen oder vorzutragen, daß »unsere Briefe« geschlossen und vollständig veröffentlicht, bzw. vorgetragen werden. Wir vermuten zwar, daß Sie nichts dagegen hätten, wenn wir uns auf die Veröffentlichung I h r e r Briefe beschränken wollten – die sich ja schon im Vortragssaal als die ungleich wirkungsvollere Partie erwiesen haben –, aber wir versprechen Ihnen, daß wir im Fall der Drucklegung auch nicht einen Satz aus »unseren« Briefen entfernen oder verändern würden. Warum dies Mißtrauen gegen so alte Nachdrucker? Ganz wie bei den Schriftsätzen des Kerr, der sich auch unnötige Sorgen gemacht hat, soll kein Jota verloren gehen. Dies unser Vorhaben (von dem wir freilich nicht wissen, ob innere Gründe uns die Ausführung in absehbarer Zeit gestatten werden) wird leider ein wenig erschwert durch den unleugbaren Widerspruch, in dem sich Ihre prinzipielle Genehmigung mit einer Stelle Ihrer Antwort vom 25. April befindet. Sie versuchen da nämlich, einen integrierend wichtigen Teil dieser Antwort, der Ihr »Dilemma« andeutet, »als privat zu betrachten«. Ganz abgesehen davon, daß es schwierig wäre, zugleich Ihre Bitte um Diskretion und Ihr Verlangen nach geschlossener und vollständiger Veröffentlichung zu erfüllen oder doch so zu erfüllen, daß wir weder dem Verdacht der Indiskretion noch dem der Unterschlagung ausgesetzt wären, möchten wir Sie auch in diesem Punkte vollauf beruhigen. Wir denken gar nicht daran, uns mit Ihnen in einen privaten Briefwechsel eingelassen zu haben und Ihre Geständnisse über Dilemmen entgegenzunehmen, wir sind vielmehr gewillt, alles was Sie uns über Ihre publizistischen Entschließungen oder Verzögerungen ans Herz legen, als eine öffentliche Angelegenheit zu betrachten und zu behandeln. Wir sagen Ihnen rund heraus, daß wir mit Ihrer »Literarischen Welt«, wenn wir schon mit ihr den Briefwechsel führen, in den Sie sich mit uns eingelassen haben, kein Redaktionsgeheimnis zu teilen wünschen, auf die Gefahr hin, von Ihnen der Illoyalität geziehen zu werden. Diesen Ausweg wollten Sie sich in der Wirrnis, in die Sie durch eine übermütige Zuschrift geraten sind und die Sie jetzt weit mehr bedrückt als Ihr Dilemma, ohne Zweifel offen halten, und wir möchten Ihnen lieber dabei behilflich sein, als Ihnen mit Diskretion in einer Sache beizustehen, die so wenig eine Privatangelegenheit ist wie die Gleichzeitigkeit Ihrer Annoncen und Ihrer Kritiken.

Zu Ihrer Aufklärung in diesem Punkte brauchten wir eigentlich nur zu bemerken, daß wohl selten die Komik eines Versuchs mit untauglichen Mitteln so beherzt in Erscheinung getreten sein dürfte. Daß Sie uns (und, wie Sie wissen, dem Herausgeber der Fackel) mit dem bewährten Trennungsstrich zwischen Redaktion und Administration aufwarten, ist ein starkes Stück, das keineswegs durch die Unbefangenheit abgeschwächt wird, mit der Sie den harmlosen »Vorgang« schildern, wie Sie ihrem Annoncenvertreter e i n V e r z e i c h n i s jener Bücher geben, »die voraussichtlich in der nächsten Nummer besprochen werden«, und wie er dann »diese Tatsache den einzelnen Verlagen mitteilt«. Natürlich ist es Ihnen – wiewohl Sie sich persönlich in Wien bei Verlagen umgetan haben – »beim Umbruch noch nicht bekannt, welche Inserate in die betreffende Nummer kommen«, und Ihr »Annoncen-Mann« (der sich eine diesbezügliche Neugier auch verbitten würde) kennt wieder nur die Buchtitel und selbst diese erst zu einer Zeit, wo »die

dazugehörigen Besprechungen« bereits fertig in die Druk-
kerei geschickt sind. Schmonzes beiseite, bitten wir Sie, sich
sagen zu lassen, daß der Annoncen-Mann, dem Sie ein Verzeichnis der zu besprechenden Bücher und dem die Verleger
lieber zu einer günstigen als zu einer ungünstigen Besprechung Geld für die Begleitannoncen geben, zwar ein ganz
reelles Geschäft hat – reeller als das der Redaktionen –, daß er
aber die Geschäftspartner, die selbstverständlich in der Hoffnung zahlen, daß ihre Reklame gestärkt und nicht entwertet
wird, anschmiert, wenn sie, denen er »mitgeteilt« hat, daß
in der gleichen Nummer eine Kritik erscheinen werde, einen
Tadel statt eines Lobes zu Gesicht bekommen, und daß die
Ausübung redaktioneller Unabhängigkeit bei dem »rein
bürokratischen Zusammenhang« zwischen dem redaktionellen und dem administrativen Teil »dieses Vorgangs« einfach ein Betrug ist an demjenigen, der für den administrativen Teil gezahlt hat. Wir wollen aber zu Gunsten Ihrer
kommerziellen Ehre annehmen, daß sie in der überwiegen-
den Mehrzahl der Fälle auf die Ausübung der redaktionellen Unabhängigkeit verzichten und daß der reine Tor von
einem Autor, der sich bei Ihnen »beschwert« hat, sein Buch
sei nur deshalb ungünstig beurteilt worden, weil der Verleger in derselben Nummer annonciert habe, zu den Ausnahmen zählt. Sein Vorwurf ist sicherlich schon aus dem
Grunde ungerecht, weil er sich doch durch Augenschein überzeugt haben müßte, daß Sie nicht grundsätzlich die Autoren
ungünstig rezensieren, deren Bücher gleichzeitig annonciert
werden und daß es von solcher Strafe für verlegerisches Unterfangen doch wohl Ausnahmen gibt. Wäre es anders,
könnte sich ja die Institution nicht lange halten und der Annoncenmann würde einen generellen Hinauswurf zu ge-
wärtigen haben – es wäre denn, daß die Verleger durch
Furcht vor noch ungünstigeren Kritiken von dieser ultima
ratio abgehalten wären. Es ist außerordentlich dankenswert,
mit welcher Offenheit Sie uns in die ethischen wie ästhetischen Erwägungen, die Sie in dieser rein administrativen
Angelegenheit leiten, Einblick gewähren. Sie »fürchten

keineswegs«, daß der redaktionelle Teil kompromittiert wird, weniger als das: selbst wenn Sie es fürchteten, so würde Ihnen »diese Furcht nicht viel bedeuten«. Denn stärker als diese Furcht ist doch das gute Gewissen, das Sie haben, weil Sie ja noch niemals einem Mitarbeiter »die leiseste Andeutung darüber gemacht haben, daß ein Buch günstig oder ungünstig zu rezensieren sei«, und jeder Mitarbeiter könne sich jedes beliebige Buch zur Besprechung »reservieren« lassen – mit Ausnahme der wissenschaftlichen Werke u. dgl. Sie haben ganz recht, so eine Ausnahme zu machen, und wir möchten Sie da gleich fragen, ob Ihr Blatt noch nie bei einem wissenschaftlichen Verlag mit dem Ersuchen um eine Annonce, für die schon der Platz reserviert sei, vorstellig geworden ist. Wir möchten Sie aber auch fragen, ob in Ihrem Umkreis noch nie etwa das Problem erörtert wurde, ob ein Werk nicht-wissenschaftlichen Charakters, dessen Verleger voraussichtlich »nicht annoncieren wird«, überhaupt zu besprechen sei. Sie verfügen über einen »Stab von unverdächtigen Zeugen«, die den Verdacht, die Annoncen hingen mit den Kritiken anders als »durch die bloße Tatsache eines formellen administrativen Aktes« zusammen, entkräften würden. Gewichtiger als diese Entkräftung dürfte die Aussage eines Stabs von Verlegern sein, am gewichtigsten die Frage, zu welchem Zwecke der formelle administrative Akt der Gleichzeitigkeit denn dienen soll, wenn nicht zur Hebung des Annoncengeschäftes. Sie begnügen sich den moralischen Anfechtungen gegenüber »mit dem Bewußtsein«, daß Sie sich »um die Annoncen nicht kümmern« – ein Bewußtsein, das Sie auf Ihrem Rundgang bei Wiener Verlegern hoffentlich nicht im Stiche gelassen hat und das Ihnen die Gleichzeitigkeit von Annoncen und Kritiken wohl immer wieder zur peinlichen Überraschung machen dürfte. Doch rücksichtslos wie Sie bei so reinem Bewußtsein sind, möchten sie darauf »keine Rücksicht nehmen«, ob die bezahlten Annoncen in derselben Nummer oder in einer anderen erscheinen und ob »das Letztere am Ende wirklich hübscher aussähe als das Erstere«. Es würde sicherlich hübscher aussehen als der Satz, mit dem Sie Ihre Unbekümmertheit bezüglich des Erscheinungstermins der Annoncen darlegen, um die Sie sich überhaupt nicht kümmern. Aber wir möchten Ihnen sagen, daß auch das zeitlich getrennte Erscheinen der Annoncen nicht hübsch aussähe, mindestens nicht solange sie auf Grund der Ankündigung des Annoncen-Mannes an die Verleger, daß Besprechungen erscheinen werden, erworben sind. Denn solches hat eine unabhängige Zeitschrift am wenigsten demjenigen mitzuteilen, der an der Besprechung am meisten interessiert ist. Ihre Art, sich logisch über allfällige Bedenken hinwegzusetzen, hat jedoch etwas weit Bestechenderes als die Art der Verleger, die dem Annoncenmann in der berechtigten Hoffnung, daß die Besprechung schon nicht ungünstig sein werde, Annoncengeld einhändigen. Anstatt aus dem Fall jenes einen Autors – den Sie im Stab Ihrer unverdächtigen Zeugen und zur Entkräftung des »etwa ausgesprochenen Verdachts« eines Zusammenhangs kaum brauchen könnten – den Schluß zu ziehen: daß selbst er den Zusammenhang herstellt und Sie beschuldigt, Sie seien durch Annoncengeld zum Tadeln beeinflußt worden, Sie hätten einmal ein Alibi erbringen wollen; anstatt den Schluß zu ziehen, daß andere wieder von einer günstigen Kritik den andern Eindruck empfangen könnten, so daß unter allen Umständen die Gleichzeitigkeit, ja die bloße Geschäftsverbindung mit dem Verleger, dessen Buch besprochen wird, das Problem des Zusammenhangs eröffnet – anstatt den Schluß zu ziehen, den publizistischer Anstand gebieten würde oder doch Furcht vor einer Mißdeutung, die so naheliegt wie die Annonce der Kritik, beruhigen Sie sich mit einer logischen Raison, die schon das Geld wert ist, das jene einträgt. »Denn entweder«, sagen Sie, »ist es beweisbar, daß den bezahlten Annoncen oft günstige Kritiken entsprechen: dann wäre freilich die Redaktion korrupt«. (Wieso denn? Sie könnte doch bei einem rein bureaukratischen Zusammenhang, bei dem »erwähnten administrativen Umstand«, nichts dafür. Oder sollten Sie sich, da jenes in der Tat beweisbar ist, mit diesem Argument etwas zu weit vorgewagt haben, in der Art, wie Sie schon mit Ihrer ersten Zuschrift in ein Unternehmen eingetreten sind, das Ihnen niemals gelingen konnte?) »Oder«, fahren Sie fort, »es ist beweisbar, daß den bezahlten Annoncen oft ungünstige Kritiken entsprechen. Dann wäre sie (die Redaktion) albern«. Zunächst wohl untreu gegen den Vertragspartner, der, wenngleich die Bedingung einer günstigen Kritik nur in einem sogenannten »unsittlichen Vertrag« Platz finden könnte, doch einen moralischen Anspruch auf Erfüllung der Hoffnung hat, die den Annoncenvertrag – den wir an sich für unsittlich halten – begleitet, und der selbstverständlich nicht für die gleichzeitige Annullierung der Reklame zahlen wird. Albern jedoch erschiene sie, die Redaktion, darum mit Recht, weil sie sich durch häufige Untreue an den Verlegern, die in bestem Glauben gezahlt haben, ins eigene Fleisch schnitte und die Verleger eben die Inserate einstellen würden. (Sollten Sie sich nicht auch mit diesem Argument zu weit vorgewagt haben und ein reines Bewußtsein, das solchem Kalkül immerhin Raum gibt, kompromittieren?) »Da aber«, schließen Sie, »mit einigem bösen Willen beides bewiesen werden kann, weil für beides Tatsachen zu finden sind: so scheinen mir beide Beweise widerlegt und somit auch die Schlüsse, die daraus gezogen werden können«. Vor allem der Ihre. Sie mögen durch ein Gebiet, von dem Sie zu wissen zugeben, daß es mindestens dem »Widerstreit der Meinungen« ausgesetzt ist, mitten durch »Beschwerde, Ermahnung, Befürchtung und Verdächtigung« – die offenbar den Löwenanteil an Ihrer Redaktionskorrespondenz haben – Ihren schnurgeraden Weg gehen, der sowohl zu den Verlegerkassen wie zur öffentlichen Meinung führt. Aber wer Sie begleitet, könnte doch auch fragen, warum Sie gegenüber allen den Anfechtungen von außen, denen ein reines Gewissen standhalten muß, nicht einfach das Mittel publizistischer Klarstellung dieser Dinge anwenden, um endlich Ruhe zu haben, und ob Sie denn, wenn Sie schlicht erklären wollten, daß die Gleichzeitigkeit von Annoncen und Kritiken deren Unbeeinflußbarkeit nicht alterieren könne, vielleicht fürchten müßten, zwar den Lesern zu imponieren, aber die Verleger abzuschrecken. Bei allem Anteil an solchem Dilemma könnte man doch auch zu anderem Schluß als Sie selbst gelangen, nämlich daß »beide Beweise« zwar widerlegt »scheinen«, aber erbracht sind. Denn die »zwei Gründe«, den erwähnten administrativen Umstand zu verdächtigen, sind keineswegs so diametral entgegengesetzt, wie es Ihnen scheinen will, und die »ganze Besorgnis«, die Ihnen hinfällig zu sein scheint, ist es in Wahrheit darum noch lange nicht. Es kommt in dieser handgreiflichsten aller Materien nicht so sehr auf logisches Geflunker an wie etwa darauf, einfach einen Jahrgang durchzusehen und darnach festzustellen, ob mehr günstige oder ungünstige Kritiken den Annoncen »entsprechen«, um endgültig zu eruieren, ob die Redaktion mehr korrupt oder mehr albern sei. Nicht einmal auf das »persönliche Vertrauen«, das der Leser der »Literarischen Welt« dem Herausgeber entgegenbringt, wollen wir uns Gottbehüte verlassen, und schon gar nicht auf den »Gegenbeweis«, daß »mindestens die Mehrzahl der Besprechungen weder in der gleichen noch in einer späteren Nummer von Inseraten begleitet ist«. Dieser Gegenbeweis mag ja »jedem nicht Böswilligen sichtbar« sein, aber einleuchten wird er doch nur jedem, der in dieser Kategorie auch ein Esel ist, denn speziell die Deutung dieses administrativen Umstandes hängt beiweitem nicht so sehr von dem persönlichen Vertrauen zum Herausgeber der »Literarischen Welt« ab als vielleicht davon, daß sein Annoncenmann mindestens in der Mehrzahl der Fälle Pech gehabt hat. Wie sein Auftraggeber mit dem Versuch, ausgerechnet uns mit dem Witz blöd machen zu wollen, mit dem auch schon mancher, dem man Bestechlichkeit vorwarf, als Gegenbeweis die Geringfügigkeit der Beträge oder die Unerlangbarkeit in der Mehrzahl der Fälle angeführt hat. Und ausgerechnet uns mit der Trennung der Ressorts zu kommen und mit dem reinen Bewußtsein, das die kritische Autorität unbefleckt erhält, wenn es doch gleichzeitig von der Hoffnung auf Korruption Geld empfängt, die zu enttäuschen unsauberer ist als zu er-

füllen – uns, die wir die Korruption einer Presse, die un-
verhüllt die redaktionelle Meinung als Ware feilbietet, für
das weit geringere Übel halten als die Heuchelei einer »anständigen« radikalen Publizistik, bei der die linke Hand
schreibt, ohne zu wissen, daß die rechte nimmt und selbst
den weltanschaulichen Gegner nicht abweist. Sie dürften sich
etwas davon versprochen haben, uns einmal ethisch zu kommen; aber den Versuch, uns zu diesem Behufe auch logisch
zu kommen, könnte auch Mitleid nicht vor dem Mißlingen
bewahren. Und das wichtigste Argument: daß »die ›Literarische Welt‹ ohne bezahlte Anzeigen nicht existieren
könnte« – weshalb Sie sich mit dem Bewußtsein begnügen,
daß Sie sich um die Annoncen, von denen sie existiert, nicht
kümmern – ist zwar ohneweiters glaubhaft, verfehlt aber
aus dem einfachen Grunde seinen Eindruck auf uns, weil
wir keineswegs davon durchdrungen sind, daß die »Literarische Welt« existieren muß. Wie sie diese Existenz fristet,
grenzt insofern ans Wunderbare, als der von uns vermutete
Rebbach einerseits darauf reduziert erscheint, daß die »Literarische Welt« heute, wie immer, »ohne jeden Überschuß
arbeitet« und anderseits »das, was sie einnimmt, restlos und
ziemlich gleichmäßig an alle ihre literarischen Mitarbeiter
verteilt«.
Freilich mögen Sie persönlich durch die strenge Trennung
der Filmproduktion von der Filmkritik zu dem Bewußtsein
diszipliniert sein, daß auch der redaktionelle und der administrative Teil einer literarischen Zeitschrift nur in einem
so rein bureaukratischen Zusammenhang stehen, daß Sie
sich um die Annoncen – über deren Ertragsfähigkeit hinaus
– nicht zu kümmern haben. Stillvergnügt haben wir ja den
Aufstieg eines Prager Anfängers durch die Sphäre jener
Filminteressen zum Präzeptor Germaniae in geistigen Be-
langen verfolgt und wir haben zunächst keineswegs die Absicht, die Karriere anders als vielleicht durch den Abdruck
Ihrer Briefe zu stören, da wir der deutschen Kultur ja alles,
was sie sich bieten läßt, vom Herzen gönnen. Die Stellung,
die Sie auf diese Art erlangt haben, berechtigt Sie nun ganz

gewiß, den Plan auszuführen, in den Sie uns einweihen: gelegentlich über die politischen Wandlungen des Herausgebers der Fackel »sozusagen Inventur zu machen«, wiewohl es in absehbarer Zeit aus inneren Gründen wohl nicht werde geschehen können. Ohne in das Gewissensgebiet, dem eben dies Dilemma entspringt, eingreifen zu wollen, sind wir im Gegenteil bereit, mit der Diskretion, die Sie für diese Partie Ihres Schreibens erbitten, der Frage auszuweichen, ob Sie besser täten, sich da Zeit zu lassen oder sich zu beeilen. Zweifellos wartet ja die ganze literarische Welt Deutschlands auf die letzte Entscheidung, die Sie über Wert oder Unwert des Werkes der Fackel zu fällen haben, welches, wie Sie mit Recht hervorheben, kaum ein Einzelproblem enthält, das anders als im Zusammenhang zu lösen wäre, wenn schon nicht in dem rein bureaukratischen, der ja zwischen dem redaktionellen und dem administrativen Teil der Fackel nicht besteht, so doch mit dem Gesamtschaffen, dem beide Teile zugehören. Und wenn man schon so lange auf Ihre Entscheidung über das Einzelproblem des Kerr gewartet hat – so lange wie auf dessen Antwort und Abfuhr –, so sieht man Ihrem Urteil über das Gesamtschaffen der Fackel zwar mit noch größerer Ungeduld entgegen, aber auch mit dem Begreifen, daß gut Ding Weile braucht und daß Sie hier umsomehr zu tun haben, um »vollständig klar zu sehen und genau abzuwägen«, wie nur einer, der in den Weltkrieg zog. Darum wird es jedem verständlich sein, daß die Verzögerung bloß aus inneren Gründen erfolgt und nicht etwa darum, weil wir zwar zu den schlagenden Verbänden gehören, aber zu den nichtinserierenden Verlagen (weshalb Sie ja auch die Mitteilung an uns, daß eine Besprechung erscheinen werde, die in der nächsten Nummer voraussichtlich nicht erscheint, direkt und nicht durch den Annoncen-Mann vornehmen konnten). Unser eigener Eindruck von Ihrem Entschluß, gelegentlich, wenn Sie nichts Besseres zu tun haben, genau abzuwägen, sozusagen Inventur zu machen und in einer ernsten, würdigen und sachlichen Form einige Etappen in der Geschichte der Fackel darzustellen; und anderseits wieder von Ihrer Ankündigung, daß dies, so wahr Sie das Verlangen haben, in absehbarer Zeit nicht geschehen werde – unser eigener Eindruck war ja freilich zunächst der von etwas, was man dort, woher Sie nach Deutschland gekommen sind, sozusagen Chuzpe nennt und von einer, die im Wechsel mit geduckter Angst noch mehr hervortritt. Dieser Eindruck wich aber bald dem einer gewissen Bescheidenheit, die mit dem Ausdruck »Inventur machen« freiwillig an den Ausgangspunkt einer richtiger gehenden Karriere zurückzugehen scheint, deren Bestimmungsort als Ziel andeutend aufs innigste zu wünschen und als verfehlt zu beklagen. Über die politischen Wandlungen des Herausgebers der Fackel, die Sie interessieren, mit denen er jedoch seinem Ausgangspunkt weniger untreu wurde und die zwischen diesem und dem heutigen Standort einen geringeren Widerspruch bemerken lassen, als eine mehr aufs Kommerzielle gerichtete Kulturbetrachtung wahrhaben will, möchten wir Sie beruhigen. Wenn Sie sich aber »eine vollständige Übersicht über die politische Haltung der Fackel« (die wir selbst, befangen wie wir da sind, überhaupt nicht wahrzunehmen vermögen) durchaus »verschaffen wollen«, so müssen wir Ihnen raten, Ihre Studien lieber in der Staatsbibliothek vorzunehmen. Denn da wir der Meinung sind, daß alles, was Sie der literarischen Welt zu sagen haben, überflüssig ist, ob es nun unsere oder welche Sache immer betrifft, so sind wir nicht gewillt, Sie in Ihrer Wirksamkeit noch durch Materiallieferung zu unterstützen. Wohl haben wir das Vorhaben, der Fackel »Widersprüche« nachzuweisen, für unterstützungsbedürftig erklärt; da Sie uns aber mit Recht darauf aufmerksam machen, daß es da kein Einzelproblem gebe, und wir uns derzeit mit der Hervorsuchung sämtlicher Widersprüche nicht befassen können, so sind wir nicht in der Lage, Ihnen »die Nummer« – ob Sie nun die mit dem Schopenhauer-Zitat oder die mit dem Liebknecht-Aufsatz meinen mögen – zu liefern. Wir begnügen uns damit, Ihre Absicht erraten zu haben, und geben Ihnen zunächst diesen einen Widerspruch – zwischen unserer scheinbaren Bereitschaft und unserer tatsächlichen

Weigerung – an die Hand. Das ist ein ganz schöner, handlicher Widerspruch, und zur Not könnten Sie sich ja etwa auch mit der nachweisbaren Tatsache behelfen, daß der Herausgeber der Fackel, der sich nicht genug tun kann, den technischen Fortschritt als einen fragwürdigen Ersatz für die Verluste, durch die er erkauft wurde und die er bewirkt hat, zu verrufen, für seine Person sogar nicht davor zurückschrickt, sich auf Reisen des Aeroplans zu bedienen. Das mit den politischen Wandlungen ist eine eigene Sache und Sie täten nicht gut, sich da einzulassen. Die könnten, wenn man schon so flach ist, sie für solche zu halten, ganz legitim und ohne den Verdacht unlauterer Motive, wie der Unterwerfung unter eine herrschende Macht oder einen herrschenden Geschmack, erworben sein. Da kann man leicht fehlgehen. Was hätten Sie schon davon, der Tatsache, daß in der Fackel das Andenken des alten Liebknecht gegen eine Nichtswürdigkeit geschützt wurde, das Faktum zu kontrastieren, daß in derselben Zeitschrift vor dem Weltkrieg ein Ausspruch Schopenhauers gegen Barrikadenkämpfer zitiert war? Der alte Liebknecht stand der Fackel schon damals nahe und seine Verteidigung erfolgte in einer Zeit, in der die Fackel frei von dem Verdacht war, den sozialistischen Mächten zu schmeicheln, nachdem das Schopenhauer-Zitat in einer Zeit erschienen war, wo die damals herrschende Macht keinen unbeugsameren Feind hatte als die Fackel. Machen Sie sich doch nicht unnütze Mühe, wo Sie ohnedies so mit Arbeit überlastet sind. Auch möchten wir glauben, daß Ihre Ankündigung den Zweck, den sie hatte, bereits erfüllt habe, indem sie ihn verfehlt hat. Denn wir werden Ihnen – nach all der Ausführlichkeit, die die Knappheit des stilistischen Ausdrucks häufig erfordert – auf den Kopf zu sagen, was Sie gewollt haben. Sie dachten natürlich nicht im Traum daran, in einer ernsten, würdigen und sachlichen Form einige Etappen in der Geschichte der Fackel darzustellen, nichts läge Ihnen stagelgrüner auf. So wahr Sie das Verlangen haben, so wahr wird es in absehbarer Zeit nicht geschehen können. Da ist wirklich alles wahr: wir glauben Ihnen, daß

Sie das Verlangen haben, und noch mehr, daß es in absehbarer Zeit nicht geschehen wird. Aber Sie halten uns gewiß nicht für so dumm, daß wir Ihnen auch glauben sollten, Sie würden, bei aller Gewohnheit Verleger von bevorstehenden Besprechungen zu unterrichten, sich mit solcher Aufmerksamkeit an uns wenden und unsere Mitwirkung an dem Geschäft, selbst wenn es freundlich tendierte, in Anspruch nehmen. Was Sie vielmehr mit Ihrem tollkühnen, wenngleich rein administrativen Schritte wollten und was Ihnen mißlungen ist, ist das folgende: Die flüchtige Streifung Ihres Wirkensgebietes in der Fackel, provoziert durch die Verunehrung des alten Liebknecht, ist Ihnen sichtlich auf die Nerven gegangen. Da dachten Sie sich, daß eine unverfängliche Anfrage beim Verlag der Fackel nach der Liebknecht-Nummer und (im rein bureaukratischen Zusammenhang mit ihr) nach jener mit dem Schopenhauer-Zitat, das den Verteidiger des alten Liebknecht bei Schwachköpfen kompromittieren könnte und dessen Erinnerung ihm darum heute unangenehm wäre, daß also ein solches Antupfen an eine wunde Stelle in Form einer rein administrativen Bestellung vielleicht Wunder wirken und dann Ruhe sein würde, nach der allerorts in der literarischen Welt geltenden Maxime: Tu du mir nichts, tu ich dir auch nichts. Sie haben sich den Verlauf wohl so gedacht, daß wir als Administration die bestellten Nummern stillschweigend senden oder, was noch günstiger für Sie gewesen wäre, Ihnen mit der Erklärung, sie seien vergriffen, aufwarten und, so oder so, die Redaktion der Fackel sich danach hüten werde, noch einmal an die Sphäre des Herrn Willy Haas zu rühren. Ertappt und die in der administrativen Gewandung phantastische Anfrage zu einem Briefwechsel entwickelt sehend, müssen Sie nun mit einer Ausrede durchhalten, die zu erfinden schon schwer war. Sie treiben also ein würdiges und sachliches Studium, für das Sie ausgerechnet unsere Mitwirkung haben wollten und, Schäker der Sie sind, präsentieren Sie sich uns als Herr mit ernsthaften Absichten, der über unsere politischen Wandlungen sozusagen Inventur machen will, was ja schon dringend nötig ist und wofür wir uns gar keinen Geeigneteren wünschen könnten. Da Sie im Druckwesen nicht wenig bewandert sind, so wird Ihnen die Erscheinung bekannt sein, daß sich eine Petite zu einer Garmonde auswachsen kann. Was wir Ihnen, Historiker der Sie sind, von Ihrem Plan glauben, ist die Prophetie, daß er in absehbarer Zeit aus inneren Gründen nicht zur Ausführung gelangen wird, weshalb eigentlich Ihre Urgenz wegen der Nummer nicht ganz verständlich ist. (Von der wir überzeugt sind, daß Sie sie besitzen.) Die inneren Gründe dürften darin bestehen, daß Sie zwar, in der falschen Vermutung, der Herausgeber der Fackel gehöre doch an irgend einem Punkte der literarischen Welt mit ihren Danachrichtungen an, hinreichend Wagemut hatten, um ein Brieflein an den Verlag zu richten, aber sehr wohl wissen, daß die Inventur, die in Ihrem geistigen Lagerbestand vorzunehmen wäre, wohl nicht terminmäßig an Ihre polemischen Absichten gebunden ist, aber erfolgen würde, wenn Sie sich in so markantem Fall zu kritischen Repressalien erdreisteten – und nicht bloß »sozusagen« und als Metapher, sondern als handelsüblicher Vorgang: auf der Haben-Seite mit genauer Unterscheidung der Annoncensummen, die im Lauf eines Jahres neben günstigen und ungünstigen Kritiken verdient wurden, und gerechter Weise auch mit Anführung der nichterschienenen Annoncen auf der Soll-Seite. Sie mögen demnach als den Hauptgrund unserer Weigerung, Ihnen die Nummer zu liefern, Furcht vor der drohenden Inventur annehmen. Er liegt in Wahrheit darin, daß Sie uns durch Eröffnung Ihrer Absicht daran erinnert haben, daß die Angelegenheit eigentlich doch nicht ganz im Bereich der literarischen Welt spielt.

Sie haben also mit der Annahme – die Sie in dem Schreiben äußern, das uns ereilt hat, während wir mit dieser Antwort beschäftigt waren – vollkommen recht: daß wir Ihnen die gewünschte Nummer der Fackel nicht heraussuchen werden. Sie gehen auch nicht fehl, wenn Sie diesen Entschluß auf den positiven Willen, Ihnen die Nummer nicht zugänglich zu machen, und nicht mehr bloß auf die Befürch-

tung des Zeitverlustes zurückführen, welchen wir, wie Sie
gleichfalls mit Recht vermuten, aus ziviler Höflichkeit als
Äquivalent für den Zeitverlust auf uns genommen hätten,
den Ihnen der Briefwechsel mit uns gekostet hat. Wir müssen allerdings gestehen, daß wir unsere Zeit weit lieber an
eben diesen gewendet haben als an das Heraussuchen der
Nummer, da wir zwar ganz Ihrer Meinung sind, daß Ihre
Antworten einen Zeitverlust bedeuten, jedoch unseren ungleich größeren Aufwand an Zeit keineswegs für verloren
halten, sondern im Gegenteil für eine Kapitalsanlage.
Ihre abermals geäußerte Sorge wegen Publikation und Vortrag der Arbeit, die Sie zu der so entstandenen Gesamtlei-
stung beigetragen haben, können wir nicht eindringlich genug zerstreuen. Sie sind ganz richtig darüber informiert, daß
der Herausgeber »bereits Teile dieses Briefwechsels öffentlich vorgetragen hat«, nämlich den ganzen, soweit er bis dahin vorhanden war. So könnten Sie auch erfahren haben,
mit welcher Sorgfalt er hiebei Ihr Autorrecht gehütet hat.
Wegen der Geschlossenheit einer etwaigen Publizierung oder
eines ferneren und also umfassenderen Vortrags möchten
wir Ihnen jede nur mögliche Garantie bieten, ohne freilich
der Interpretation, daß ein Merkmal der Geschlossenheit
im autorrechtlichen Sinne auch der Verzicht auf »Zwischenbemerkungen« wäre, beipflichten zu können. Wiewohl wir
aber entgegen Ihrer vorsorglichen Warnung der Ansicht
sind, daß wir vollauf berechtigt wären, jede nur beliebige
Zwischenbemerkung zu Ihren Zuschriften zu machen, wollen
wir Ihnen verraten, daß uns nichts ferner liegen wird, als
Ihre Gedankengänge zu unterbrechen, deren Unversehrtheit
uns sowohl im Interesse Ihrer Wirkung wie der unsrigen
angebracht erscheint. Dagegen wollen wir, wie wir Ihnen
bereits zugesagt haben, bezüglich der gewünschten Vollständigkeit noch über das Maß Ihrer autorrechtlichen Wünsche hinausgehen und auch die Stelle berücksichtigen, auf
deren Abdruck Sie keinen Wert legen. (Jene von dem Dilemma, das Sie nicht weiter preiszugeben wünschen, und wo
Sie zwar keinen Anstand nehmen, sich dem Verlag der

244

Fackel gegenüber offen auszusprechen, aber die Aussprache als privat zu betrachten ersuchen.) Denn von dem wesentlichen Charakter dieser Stelle ganz abgesehen, wüßten wir mit dem besten Willen nicht, wie wir das Kunststück zustandebringen sollten, die Weglassung so vorzunehmen, daß sie weder dem Verdacht Raum gäbe, wir hätten etwas uns selbst Peinliches unterdrückt, noch auch der berechtigten Vermutung, sie entspreche Ihrem eigenen Bedürfnis nach Diskretion. Wenn es Ihnen mit diesem ernst ist, so hätten Sie es sich überlegen sollen, bevor Sie sich in das Risiko des Briefwechsels mit uns einließen.

Daß Ihr Redaktionskollege einen Unfall erlitten hat, war schuld an der Verzögerung Ihrer Antwort. Aber diese selbst, und wenn nicht sie, so die unsere, wird Ihnen vielleicht zum Bewußtsein bringen, daß Sie selbst einen Unfall erlitten haben, der Sie auf noch längere Zeit hinaus mit Arbeit überlastet und Ihren Zeitverlust leider vermehrt hat. Schon die Schwierigkeit der Lösung des Annoncenproblems, der Sie sich unterziehen mußten, dazu die geringe Befriedigung, die diese bei uns hinterläßt, dürfte Sie den ungestümen Schritt bereuen lassen, sich über den eigenen Rayon hinaus für administrative Dinge zu interessieren und mit einem fremden Verlag anders als zum Zwecke der Annoncenwerbung in Fühlung zu treten. Sie haben sich – wenn Sie von der Ehre, die wir Ihnen durch einen Briefwechsel erweisen, absehen – doch nichts als Verdrießlichkeiten zugezogen, während hingegen wir sagen können, daß uns die Abwicklung der Angelegenheit besonders in einem Punkte befriedigt. Nämlich was Ihr Versprechen anlangt, dafür zu sorgen, daß jenes Exemplar von »Sittlichkeit und Kriminalität«, in das einst ein hoffnungsvoller Prager Gymnasiast die Photographie des Autors, für die er die Unterschrift erbat, nicht ungeschickt eingeklebt hat, auf seinen bibliophilen Ursprung zurückgeführt und als Widmungsexemplar dementiert werde. Der Mißbrauch dieser Photographie – der später in der literarischen Welt vielfach zu der Meinung geführt hat, es existiere eine Ausgabe von »Sittlichkeit und Kriminalität«, »die noch

das Bild des Autors hat«, und der Beweis hiefür sei eine Widmung des Buches an den Herausgeber der ›Literarischen Welt‹ – war weit mehr zu fürchten als jegliche Inventur oder selbst als die Möglichkeit, daß die Verlagsleiterin der Fackel, die die Briefe zu unterschreiben pflegt, geklagt oder erschossen werde. (Für alle Fälle – denn auf die Zusage, daß Sie sie »keinesfalls weder klagen noch erschießen« werden, ist wenigstens grammatikalisch kein Verlaß – unterschreibt sie diesen nicht; aber der Herausgeber, der ihn verfaßt hat und verantwortet, hofft trotzdem, daß Sie ihn zu Ende lesen werden.) Was Ihre Revokation der Verklärung des Revolvermannes Pöffel betrifft, so ist sie ja weit verständlicher als die Bereitschaft, uns eine Nummer Ihrer Zeitschrift – die uns beiweitem nicht so sehr interessiert wie Sie eine der unseren – »ohne jede nähere Begründung« zur Verfügung zu stellen. Sie meinten vielleicht: ohne jede weiteren Spesen, denn die Begründung liegt ja doch eben in dem ausgesprochenen Wunsch, uns von Ihrer Sinnesänderung über den Fall Pöffel zu unterrichten. Wenn Sie aber »noch jetzt behaupten«, daß leichtfertige Polemik statt mit gegründeter (oder mit dem Mittel, das in Berlin »zum Kadi« führt) gegebenenfalls mit dem Revolver beantwortet werden sollte, so beweisen Sie nur, daß das eigentlich Empörende und Anwidernde an Ihrer Stellungnahme im Falle Pöffel (in dem Satz, den wir aus dem Gedächtnis zitieren: »Aber da es einmal geknallt hat, so freue ich mich, daß es geknallt hat«) von Ihnen nicht widerrufen wurde. Wenn Sie sich nun mit dieser Auffassung »nicht in Konflikt mit einem Verlage glaubten, in welchem die Satiren über den ›Polemiker‹ Bekessy erschienen sind«, so gewährt der Hinweis auf die bekannte Tatsache, daß wir gegen den Revolver des Bekessy zwar das Landesgericht, aber niemals den Revolver, zwar die Justiz, aber nie die Todesstrafe empfohlen haben, wohl auch eine Exemplifizierung dessen, was unter einer korrupten Redaktion zu verstehen ist und was unter einer mehr albernen.
Bei der von Ihnen nicht widerrufenen Auffassung, daß leichtfertige Polemik den Tod verdiene, können Sie aber

von Glück sagen, daß Sie so oft mit dem Leben davongekommen sind; wiewohl Sie freilich in dem krassesten Fall: der Hinstellung des alten Liebknecht als eines konjunkturbeflissenen Preßjuden, der, um als solcher unerkannt zu bleiben, feige gegen einen Unschuldigen gehetzt habe, nichts mehr zu riskieren hatten. Auch der Vergleich Ihres dreisten Urteils über den Toten mit einer Briefwendung von Karl Marx über den Kampfgenossen und wie Sie selbst sagen, engsten Freund (der er doch bei analoger Gesinnung nicht hätte sein können), mit einer gelegentlichen Bemerkung, die zu zitieren Sie wohlweislich unterlassen – auch das Unterfangen, solche »Stellungnahme« nicht zu widerrufen, sondern zu übertrumpfen, gehört der Sphäre an, der wir die Kennzeichnung Ihres Entschlusses, über das Werk der Fackel Inventur zu machen, entnommen haben. Diese Kennzeichnung – mit dem Ausdruck Chuzpe – wäre jedoch allzu knapp gegenüber den Problemen wie der Persönlichkeit, um die es sich handelt, und der wir eine noch größere Ausführlichkeit nicht vorenthalten durften, als Sie uns selbst zugewandt hatten. Damit hoffen wir aber auch die von Ihnen mit Recht beanspruchte Einheit, Geschlossenheit und Vollständigkeit für unseren Briefwechsel erst hergestellt zu haben, dessen Veröffentlichung, falls sie in absehbarer Zeit aus inneren Gründen erfolgen sollte, natürlich unverkümmert erfolgen müßte, weil er keine einfache Mitteilung von Tatsachen darstellt, sondern eine urheberrechtlich geschützte Leistung und als solche – namentlich was die Trennung des redaktionellen vom administrativen Teil anlangt – seinen Platz neben Goethes Briefwechsel mit einem Kinde in der literarischen Welt behaupten dürfte. Vor diesem Schicksal könnte ihn keine Rücksicht auf ein Dilemma bewahren, in dem Sie sich nun etwa befinden mögen und das man außerhalb der literarischen Welt Scheißgasse nennt.

Der Verlag der Fackel

DESPERANTO

Neuerlicher Versuch einer Übersetzung aus Harden

So dornig der Pfad auch ist, der bildungshungrige Leser
zum Verständnis dieser merkwürdigen Sprache führt, in der
die geheimsten Zauber von Delphi und Grunewald aufzu-
klingen scheinen, der Übersetzer hat es sich zur Pflicht gemacht, nicht zu erlahmen, sondern die Deutschen durchaus
zu jenem Genuß zu erziehen, auf den sie einen Anspruch
haben: daß sie nämlich verstehen, was sie seit achtzehn Jahrgängen mit so lebhaftem Interesse lesen. Ist es denn nicht
ein unerträglicher Zustand, daß einer die politischen Geschicke Deutschlands lenkt und die politischen Geschicke
Deutschlands ihm aufs Wort parieren, ohne zu wissen, was
das Wort bedeutet? Ist es nicht endlich an der Zeit, dem
anerkannt ersten Publizisten Deutschlands zu der ihm ge-
bührenden Stellung zu verhelfen? Indem es gelingen mag,
seine gedankliche Leistung losgelöst von allen Eigentüm-
lichkeiten formaler Natur dem Publikum zu bieten, wird
auch der gemeine Mann in der Lage sein, die letzte Entscheidung über die sozialen und kulturellen Probleme der
Epoche zu vernehmen, während dem Feinschmecker wieder
die esoterischen Reize einer Sprache offenbar werden sollen, die niemand spricht, so daß er sie genießen und zugleich
in angenehmer Entfernung erkennen wird, wie schwer das
Leben ist. Auch diesmal aber muß der Übersetzer, der sich
für andere plagt, Nachsicht für jene Stellen erbitten, wo un-
überwindbare Hindernisse ihm den eindeutigen Ausdruck
verwehrt oder gar noch größere Verlegenheit bereitet haben. Welches Deutschen Bildung wäre heute so ausgereift,
daß er, namentlich in der Sommerfrische, immer jene Be-
helfe wie Zettelkasten, Brockhaus und so weiter bei der
Hand hat, die nun einmal notwendig sind, um hinter die
eleusinischen Mysterien eines politischen Leitartikels zu kommen? Wahrlich, diese Sprache ist leichter erlernt als verstanden. Sie hat ihre Vorzüge und ihre Nachteile, und sie

ist durch ihre chiffrierende Art, zugleich zu verkürzen und zu verwirren, dem Diplomaten ein quälender Zeitvertreib und dem Privatmann eine angenehme Tortur. Die Desperantosprache bietet wie keine andere die Möglichkeit, sämtliche Nationen auf dem gemeinsamen Boden gegenseitigen Mißverstehens zusammenzuführen. Wenn man zum Beispiel einem Japaner zuriefe: »Schälle täuben«, so würde er es unfehlbar für einen russischen Schlachtruf halten und sich zurückziehen; ein Russe würde sagen, es sei die Bezeichnung für einen hyperboreischen Volksstamm, der bei der Völkerwanderung zurückgeblieben ist; ein Hyperboreer würde glauben, es sei deutsch; und ein Deutscher würde sich die Ohren zuhalten, womit er instinktiv das Richtige träfe, denn der Satz ist nicht nur abscheulich, sondern bedeutet nichts anderes als: »Gerüchte sind trügerisch«. Aber wer kann das sogleich wissen? Wer weiß, was ein Wort bedeutet? Wenn ich nicht einst dem Schöpfer dieser Sprache auf den Kopf zu gesagt hätte, daß der Satz »Strählt die Miauzer«, so viel bedeuten müsse, wie »Streichelt die Katzen!«, noch heute würde man in jenem Dunkel tappen, in dem zwar die Miauzer sehen können, aber nicht die, welche sie strählen sollen. Da diese Sprache heute nur einer ganz und gar beherrscht, so können die andern von Glück sagen, wenn sie ein Zipfelchen des Verständnisses erhaschen. Sie ist ein schweres Kleid von Brokat, das einer gezwungen ist schwitzend über den alltäglichsten Gedanken zu tragen. Diese zu enthüllen und in einem übertrieben alltäglichen Gewand, in dem sie sich wohler fühlen, zu präsentieren, soll nicht zuletzt der Zweck der philologischen Übung sein. Jeder mag aus ihr lernen, wie leicht es ist, eine schwer verständliche Sprache zu sprechen, und daß nur die liebe Not ein so prunkvolles Leben fristet. Freilich ist neben dem Mangel an Humor und Temperament auch eine gewisse Ausdauer und Zähigkeit des Charakters erforderlich. Anfänger, die den Ehrgeiz haben, sich im Desperanto zu vervollkommnen, seien darauf aufmerksam gemacht, daß es nicht genügt, sich einige ausgestopfte Banalitäten anzueignen, sondern daß auch die Erwerbung eines Zungenfehlers unerläßlich ist. Schwerer als das viele Neue, das sie zulernen müssen, wird es ihnen ankommen, in den wichtigsten Augenblicken ihres Lebens auf das »s« zu verzichten, zum Beispiel beim Zeugungakt. Ich warne Neugierige. Der Meister selbst, dem sie nacheifern, ist einmal an einer der größten Schwierigkeiten, die sich ihm bei seinem Neuerungswerk entgegenstellten, gescheitert. Er hatte schon für alle sprachlichen Skrupel, die sich ergaben, einen »Schwichtigunggrund« gefunden, und kein »s«, das nicht etwa der Genitiv mit sich brachte, wurde im Haushalt geduldet. Er war bei dieser asketischen Lebensweise fünfundvierzig Jahre alt geworden, alle Deutschen huldigten ihm, von den Regierungräten abwärts bis zu den Handlunggehilfen, und besonders diese. Da gratulierte ihm sein Dämon zum – Geburttag. Er brach zusammen. Denn das ging wirklich nicht. Nie hat er das Wort geschrieben. Sondern behalf sich mit Abkürzungen wie etwa: »der Tag, an dem der erste Blick ins Sonnenlicht sich jährt«, »die Wiederkehr der Stunde, die den heut zur Mannheit Emporgereckten ins Dasein rief«, und dergleichen. Nie hat er das Wort geschrieben. Es ist die geheime Tragik in seinem Leben . . . Wen nur der Glanz seiner Sprache lockt und nicht ihre Schatten nüchtern, wen ihre Schälle täuben und nicht ihre Stöße schüttern, wen nur ihr Ruch tört und nicht ihr Stank stört, der folge mir getrost durch diesen Deutschungversuch.

| Vor vierzehn Tagen habe ich hier versucht, das vor und nach der Weihnacht des Jahres 1907 im allensteiner Haus des Majors Gustav von Schoenebeck Geschehene mit dem von der Psychopathologie gelieferten Werkzeug abzutasten und dem Menschensinn zum Verständnis des ihm unverständlich Scheinenden zu helfen | In der vorletzten Nummer habe ich mich an dem Fall Schoenebeck, ohne die Quelle des Herrn von Schrenck-Notzing zu nennen, detailmalerisch ergötzt und mich dabei bemüht, das Verständliche unverständlich zu machen |

Ihr evangelisches Bewußtsein ist, auch wenn sie es erst etliche Jahrzehnte nach den Steckkissentagen erworben haben, von mimosiger Empfindsamkeit	Ihr Christentum ist, auch wenn sie erst lange nach der Geburt getauft wurden, von mimosenhafter Empfindlichkeit
Wer je genötigt war, seinen Namen unter ein Gerichtsprotokoll zu setzen, vergißts nicht so bald. Seine Aussage mag noch so einfach sein: . . . was er in lebendiger Rede rasch vorbringt, wird in den altfränkischen Pomp der Gerichtssprache gekleidet... Und in neun von zehn Fällen bleibt der Vernehmende Sieger. Er meints so gut, quält sich so redlich, die Laienrede in sein geliebtes Juristendeutsch zu übertragen . . .	Das Einfache wird verkünstelt. Ein alter Übelstand, über den sich auch die Richter beklagen, wenn sie wieder den schlichten altfränkischen Pomp ihrer Sprache in den byzantinischen Prunk einer deutschen Wochenschrift gekleidet sehen
Soll man dem Geplagten, vor dessen Tür ein Bäckerdutzend Beschuldigter oder Zeugnispflichtiger wartet, das Amtsleben noch mehr bittern?	Soll der geplagte Richter auch noch diesen Satz lesen?
An diese Aussage waren sie fortan gekettet... Die conviction intime der Geschworenen ist an keine Paragraphenvorschrift geknotet . . . Müssen die Zeugen an den Rahmen des Gedächtnisbildes genagelt werden, das freilich frisch ist, oft aber nur die Mängel des flüchtig hinwischenden Impressionismus erkennen läßt? . . . Begreift Ihr wirklich nicht, warum der Arme nicht von dem Glauben loszuhaken ist, die gröbste Form	Folterbräuche der preußischen Strafjustiz und der deutschen Satzbildung

der Klassenjustiz sei im Alltagsgebrauch?

In einem Grenznest, wo die Garnison ein ummauertes Städtchen bildet, hat keiner gemerkt, daß die Frau des Majors vom Stabe ihren Hausschlüssel in der Runde kreisen ließ, mit dem Taschentuch ihren Buhlen Fensterflaggensignale gab, im Schlafzimmer ihnen Mahlzeiten servierte, mit ihnen in Königsberg und in Haffbädern zusammenwohnte, an der Alle in Kattunkleid und Kopftuch Sexualabenteuer suchte	An der Alle hat man nichts gewußt
In Berlin war sie als leicht erraffbare Ware bekannt; hatte die Christgeschenkeinkäuferin vor einzelnen Stundenbesitzern sogar die Namensmaske gelüftet	In Berlin hat man Alles gewußt
Dieser Vorsitzende ähnelt nicht dem ersten Kaiser Ferdinand, von dem Julius Wilhelm Zincgref in seinen »Apophthegmata« erzählt hat: ...	Dieser Vorsitzende verhielt sich zu Kaiser Ferdinand wie eine Melone zu einem Zettelkasten
Der Nation und allem auf der Erdfeste Kribbelnden künden	Der Nation und der Menschheit verkünden
Allmählich verdüsterte sich auf dem Goebenbildnis der Grundton so, daß selbst des Schwärmers frommer Glaube von Skepsis angenagt ward	Mit der Zeit wurden selbst die Anhänger Goebens wankend
Ins Irrenasyl befördern	Ins Irrenhaus sperren
Wenn Madame Antoinette Lust hat, kann sie mit oder schon	Wenn Frau v. Schoenebeck will, kann sie im Herbst oder schon

vor den Schwalben südwärts ziehen	früher nach dem Süden gehen (Was ihr zu gönnen wäre. Anm. d. Übers.)
Frau Antoinette sitzt gemächlich in der Hardenbergstraße und kann sich, wenn's ihr paßt, den Amphibien westlicher Nachtkaffeehäuser gesellen	Herr Maximilian regt sich im Grunewald an solchen Vorstellungen auf, setzt den Frauen mit den Ruten seiner Moral zu und züchtigt die Männer mit den Skorpionen seiner Sprache
Wer bürgt für die Erstattung der wider alle Norm hohen Fahrtkosten?	Fahrtkosten, die normwidrig sind, werden nicht gutgeheißen
Fragt in Alt-Moabit die Gerichtsdiener, wie viele Zeugen täglich pro nihilo bestellt werden	Man frage die Gerichtsdiener in Moabit nach den Zeugen Riedel und Ernst; das verstehen sie sofort
Heuertsensation	Sensation im Juli
Das fünfundsechzigste Haus der Wilhelmstraße	Wilhelmstraße 65
Phili tuschelt den allzu Spottlustigen aus der Gunst	Eulenburg verdrängt Kiderlen
Theobaldus Cunctator	Der Reichskanzler
Der präsidierende Erni	Reichstagspräsident Prinz Ernst zu Hohenlohe
Berni	Bernhard Dernburg
Eine Schicksalsstunde ruft die zwistlos gesammelte Kraft deutscher Menschheit herbei	Die Stunde der Entscheidung verlangt ein einiges Deutschland
Sein Wollen blößen	Seinen Plan enthüllen
Fritzisches Kriegsglück	Preußisches Kriegsglück
Das Adlerland	Preußen
Er muß in den Weg ihres Willens einschwenken	Er gibt ihr nach

Sie vermag ihn vom Ziel seines Wollens abzudrängen	Sie kriegt ihn herum
Vor dem Bilde der mirower Ahnfrau erblassen	Sich vor dem Andenken der Königin Luise schämen
Der Kanalvetter	England
Der heitere King	Eduard VII
Unter dem milden Juliusmond	Im Juli
Der vom Kehlkopfkrebs Getötete	Der an Kehlkopfkrebs Verstorbene
Botschafter an Alfonsens Hof	Botschafter am spanischen Hof
Die Russen zäumten die Zunge nicht so straff	Die Russen waren gesprächiger
Der Gortschakowepigone, der ihr internationales Geschäft leitet	Iswolsky
Das Reich des Tenno	?
Japanische Größensucht	Japanischer Größenwahn
Der Italerkönig	Der König von Italien
Der Schillingsfürst	Hohenlohe
Der Kniephofer	Bismarck
Der Menschenfischer im Koller	Bismarck
Der winzige Sohn des Widukindlandes	Windthorst
Sich mit frevler Hand aus dem Sonnenbezirk jäten	Sich umbringen
Wähnen auch wir noch, jede Entschleierung des aufrecht schreitendenZweizinkentieres müsse der inneren Magdschaft gefährlich werden?	Fürchten auch wir noch von der sexuellen Aufklärung einen Schaden für die seelische Jungfräulichkeit?

254

Ins Schulgehäus darf von der Geschlechtswallstatt kein Windhauch wehen	In der Schule darf von geschlechtlichen Dingen nicht gesprochen werden
Dünkt ihn die Vorstellung, der rotbeinige Herr Adebar hole die Kinder aus einem von Sumpfkröten umquakten Teich und beiße, um den Tag seiner Einkehr zum Fest zu wandeln, die Mama ins Bein, heiliger, ehrwürdiger als die Erkenntnis, daß in dem von Vaters zärtlicher Liebe befruchteten Mutterschoß ein Geschwister erwuchs?	Ist ihm das Storchmärchen sympathischer als die erweisliche Wahrheit der Zeugung?
Dicht vor der Maturität	Kurz vor der Matura
Mehr noch als läßlichen Fehltritt die Heuchelschmach meiden, die alles sittliche Empfinden unaufhaltsam zerbeizt	Wenn's schon einmal geschehen ist, wenigstens aussprechen, was ist
Je ernster ihr Blick sich den Brennpunkt der Gattung heftet, desto schwerer wirds lüderlichem Getuschel, ihr Ohr gegen die Notsignale nahender Jungferngefahr zu täuben	Je mehr man auf die Sache sieht, umso sicherer wird sie bewahrt bleiben, so daß die sexuell Aufgeklärten keinen Schaden und die sexuellen Aufklärer doch ihre Freude dran haben
Vollreifen Mädchen von Verführungfährnis sprechen	Mit erwachsenen Mädchen Alliteration treiben und ihnen im entscheidenden Moment doch das »s« vorenthalten

Wenn die Erinnerung an Herrn Maximilian Harden, die hin und wieder noch durch einen Wirtshausexzeß des Milchhändlers Riedel aufgefrischt wird, verrinnen sollte, wenn es selbst meiner philologischen Mühe nicht gelingen möchte, seine Prosa unsterblich zu machen, so wird sich doch einst ein deutscher Sittenforscher dazu entschließen müssen, das Profil dieses zwischen Staats- und Bettgeheimnissen angestrengten Chiffreurs nachzuzeichnen. Denn daß die deutsche Intelligenz durch ein paar Jahre geglaubt hat, aus einem Zettelkasten spreche eine Pythia und ein Informationsbureau sei ein Janustempel, ist die stärkste aller erweislichen Wahrheiten. Und die lustigste, wie schnell der Glaube in dieser allen Wahrheitssuchern und Nordpolfindern, Luftgauklern und Erdenschwindlern hingegebenen Zeit kaput wird. Wir verstehen eines Tages nicht mehr delphisch; und vor uns steht ein Januspolitiker mit zwei Gesichtern, von denen das eine vorwärts sieht, das andere rückwärts, jenes auf den Hosenlatz der Nation und dieses auf ihren Hintern. Hütet euch vor seinem wissenden Blick, ihr deutschen Soldaten; zeigt ihm die Front nicht und kehrt ihm nicht den Rücken; ihr Goeben und Moltke, habt Acht! Nicht mehr gefährlich ist er, aber zudringlich. Nicht über Krieg und Frieden entscheidet er jetzt, aber über eure Siege und Niederlagen im Bett. Eine Zeit der Geschlechtsparade ist angebrochen: weh dem, der normwidrig adjustiert ist; weh dem, der im Vordertreffen seinen Mann nicht gestellt hat. Pardon wird nicht gegeben. Wer sich den Luxus eines Privat- und Familienlebens gestattet, muß sich auch dessen Kritik gefallen lassen. Und wie's bei Schoenebecks zuging, das zeigt uns nicht nur die öffentliche Berichterstattung über eine geheim durchgeführte Verhandlung. Nein, dort, wo sogar der Reporter verzichtet, dort, wo schon unsere Phantasie diskret wird, eben dort tritt Herr Maximilian Harden dazwischen, duldet keine Heimlichkeiten, dreht die Lampe auf, die's nicht wissen soll, spricht aus, »was ist« und ihn nichts angeht, ruft

Zeugen zur Tat, wälzt ein Protokoll heran und sorgt dafür, daß auch nicht ein Tropfen erweislicher Lustbarkeit verloren gehe. Auf die Frage, ob man im Dunkeln erröten könne, läßt er sich nicht ein, da er weder ein Dunkel zugibt, noch ein Erröten kennt. Was an Tatsachen nicht zu haben ist, ersetzt er durch die Erkenntnisse seiner ausschweifenden Psychologie. Und mit einem Wissen, dem nichts Menschliches fremd, und mit einem Besserwissen, das über alles Menschliche informiert ist, mit dem ganzen Rüstzeug einer neuzeitlichen Bildung, die Juristerei, Philosophie und Medizin und leider auch Pornolalie studiert hat, und mit einem Eifer, der von der Erschaffung der Welt anfängt, die Bibel plündert und Allenstein das Olsztyn der masurischen Polen nennt, um auf die Hauptsache, die sexuellen Gewohnheiten des Herrn v. Goeben zu kommen, bepackt mit Erudition, Information und Sensation wie noch nie: so tritt Herr Maximilian Harden in das Schlafzimmer des Hauses Schoenebeck.

Ein Journalist, der, bevor er die zugkräftigsten Gemeinheiten über einen Toten und über eine Frau losläßt, nicht einmal so viel Takt beweist, mit seinen geographischen und historischen Kenntnissen über eine Provinzstadt zurückzuhalten. Ungescheut, mit einer Indiskretion, die den verborgensten Winkel des Zettelkastens nicht schont, enthüllt er uns, daß die Alle ein Nebenfluß des Pregel ist, und daß dort Marschall Soult 1807 vier Tage vor der Schlacht bei Eylau den russopreußischen Nachtrab schlug. Daß Allenstein 30.000 Einwohner, ein Hochmeisterschloß und eine restaurierte katholische Kirche hat und die Bevölkerung Handel mit Holz, Leinwand und Hopfen treibt. Was das uns angeht, fragen wir, die an solchen Intimitäten nachgerade genug haben und denen das Exhibitionieren mit Baedekerbildung ein Ärgernis ist. Zur Sache! möchten wir rufen, weil wir auf die Beweisführung gespannt sind, wie Herr von G. durch Frau von Sch. zu einem normalen Geschlechtsverkehre veranlaßt wurde. Aber noch ist, nach der geographischen Belästigung, der Speicher des historischen Wissens nicht entleert. G. ist nämlich »Sohn aus der zweiten Ehe eines Gutsbesitzers, der als Sechzigjähriger an Leberkrebs starb«. Die Mutter war fünfunddreißig Jahre alt, als das Kind geboren, oder vielmehr »ihrem Schoß entbunden wurde« (dies nebenbei zur Aufklärung für solche, die noch immer glauben, daß der Storch die preußischen Offiziere bringt). Man sieht, wie wenig man in der Schule gelernt hat und was man alles fürs Leben braucht. Wie der Famulus stehen wir vor dieser faustischen Fülle. Zwar wissen wir jetzt schon viel, doch möchten wir alles wissen. Also: Herr von G. war eine »schwere Zangengeburt«. »Arm und Bein sind rechts um einen Zentimeter kürzer als links.« Ob's genau stimmt, wissen wir freilich nicht, haben aber das Vertrauen. (Wenn's uns der Schoenebeckmesser sagt.) »Als Kind hat er an Masern, Scharlach, Keuchhusten, Skrofulose gelitten und sich einen Leistenbruch zugezogen.« Nun haben wir bisher geglaubt, daß zwar Masern und Scharlach Krankheiten sind, die angezeigt werden müssen, daß aber ein Leistenbruch immerhin zu jenen Privatangelegenheiten gehöre, die der Mensch mit sich selbst auszumachen hat, und zu jenen Leiden, auf die sich das ärztliche Geheimnis eben noch bezieht. Dieser Arzt aber kennt kein Geheimnis, so wenig wie dieser Jurist, dieser Historiker, dieser Geograph, dieser Archäolog, dieser Flugtechniker, dieser Journalist. Er ist durch das Leben des Hauptmanns von G. gezogen, er hat seine Entwicklung mitgemacht, er stand zu Häupten seiner Wiege und zu Füßen seines Bettes, er begleitete ihn in den Burenkrieg, er war dabei, als er verwundet wurde und zwar »an Armen und Händen, an der Hüfte und dem fünften Metakarpalknochen« – kein Wunder, daß er ihm jetzt auch eine Mappierung seiner Sexualpläne vorweist. Er hat seinen Jugendsünden beigewohnt, er kennt seine vorzeitige Männerschwäche. Nichts Menschliches ist ihm fremd, nichts ist ihm, in all den Jahren, in denen er doch mit der Liebenberger Tafelrunde vollauf zu tun hatte, entgangen. Und er weiß auch, daß G. »von seinem auf ihn stürzenden Pferde an Darm und Niere gequetscht« wurde, und daß er hierauf an Malaria und Schwarzwasserfieber erkrankte, bis er nach einer langwierigen Furunkulose 1906 als Batteriechef zum Masurischen Feldartillerieregiment Nr. 73 versetzt wurde. Wann? Vor Weihnachten? Nein »im Advent«. Und endlich lernt er Frau von Schoenebeck kennen. Die hat vom Major Schoenebeck zwei Kinder? Nein, das ist der Mann, »in dessen Umarmung sie zwei Kinder empfangen hat«. Was tut Goeben? Er küßt sie? Aber nein, er »drückt, selig zunächst schon in dem Bewußtsein, lange genährtem Heilandwahn so brünstigen Glauben geweckt zu haben, seine Lippen auf den Mund der Frau, die sich, in der Ohnmacht überquellenden Dankbedürfnisses erfröstelnd in seine Arme gleiten ließ«.

Seitdem Herr Maximilian Harden einmal Wedekinds »Frühlingserwachen« das »Männern der Knaben und Böckeln der Mädchen« genannt hat, wissen wir, daß er eine zwar nicht verständliche, aber deutliche Sprache liebt. Seitdem er einmal gesagt hat, daß in einem andern Drama die Heldin den Helden »an der Wurzel des Paarungstriebes kitzelt«, wissen wir, daß er ein Ding zwar umschreibt, aber beim rechten Namen nennt. Kein Zweifel, er wird uns aus dem Traumleben des Herrn von G., in dem er sich so gut auskennt wie in einem Konversationslexikon, schon erklären, was diesen Kavalleristen bestimmt hat, sich so lange vom Weibe fernzuhalten und lieber »im Sattel den Akkumulator seines Geschlechtstriebes zu entladen«. Herr Harden bedauert, daß den Herrn von G. »keiner je vor schädlichem Mißbrauch des Zeugungorganes gewarnt« hat. Wir bedauern, daß es keinen Strafgesetzparagraphen gibt, der die Weglassung des »s« in einem fremden Körperteil weithin als eine verächtliche Handlung brandmarkt. Wir bedauern, daß es kein literarisches Berufsgericht gibt, das einen Schandpreis der Diskretion einem Journalisten verleiht, dem eine so delikate Umschreibung gelungen ist wie diese: »Der Artillerielieutenant tut wie Onan, Judas zweiter Sohn von Sua, den des Herrn Zorn traf, weil er, statt bei des Bruders Witib zu liegen, seinen Keimsaft in die Erde sickern ließ«. Wir be-

dauern, daß es keine Organisation des Abscheus gibt für den
Fall, daß ein Publizist selbst an jenes Geheimnis geschlechtlicher Betätigung greift, welches bisher der Natur der Sache
nach mit keinem Zeugen geteilt wurde. Aber die neurolo-
gische Obduktion des Herrn v. G. – nein, »des aus kränkeln-
dem Stamm Entsproßten« – ist noch nicht zu Ende. »Ob ihn
je ein Mannesleib reizte?« fragte Herr Harden, den eine
langjährige Erfahrung auf diesem Gebiete auf solche Möglichkeit vorbereitet hat. Endlich ist's heraus. Eine unverbind-
liche Frage. G. war Offizier, und Herrn Harden könnte es
nicht überraschen. G. »hat's geleugnet«. Nun, Harden will's
mindestens dahingestellt sein lassen. »Die besondere Art
seiner Lustvorstellung ließe leicht darauf schließen«. Posi-
tives hat er nicht erfahren können; die Detektivbureaus gegen die Armee zu mobilisieren, lohnt sich nur, wenn außer
dem Vaterland das eigene Wohl gefährdet ist. »Einerlei«,
meint Herr Harden; will die Sache nicht weiter untersuchen
und läßt es beim Rade bewenden. Denn schließlich bietet ja
der selige G. schon durch sein »schmähliches Geheimnis«, um
das Herr Harden weiß, genug Handhabe für einen aufgeregten Moralisten. Und wie erst durch seinen Verkehr mit
der Frau von Schoenebeck! Herr Harden erinnert zu diesem
Punkte an die »Leistungsfähigkeit der Lieutnantszeit«, während hingegen den Hauptmann »häufige Schweißausbrüche
schwächen« und seine Exzesse »sich von Mond zu Mond
mehren«. Herr Harden sagt's nun gradheraus, es handle sich
um »Masturbation«, und »der fast Siebenunddreißigjährige,
der als Batteriechef« – bisher war nur von Akkumulatoren
die Rede – »nach Allenstein versetzt wird, hat als ein Glück-
licher niemals noch den Leib eines Weibes umschlungen«.
Endlich also lernt er Eine kennen. Frühling ist's. Oder mit
einem Wort: »Der Lenz kommt ins Pregelland«. G. denkt,
die könne er haben? Nein, so einfach geht das nicht, sondern:
»In schwüler Mittagsstunde bebrütet, während des Heim-
rittes vom Übungsplatz, die Sonne in Goebens Hirn die
Hoffnung, jetzt, so spät noch, das volle Glück der Mannheit zu erlangen«.

Die Mutter ließ ihn einst – Herr Harden weiß es – im Scherzspiel auf ihrem Rücken reiten. Und Herr Harden weiß, daß sich im Unbewußten des Knaben dieser Eindruck festgesetzt hat. Ob er nun bei der Assoziation dabei war, oder den Hauptmann untersucht, oder gar ein Werk über Psychoanalyse gelesen hat; ob er's vom Hörensagen weiß oder ob es ihm am Ende ein Hofrat und fünf Ärzte aus dem Annoncenteil der ›Zukunft‹ eidlich bestätigt haben – Herr Harden weiß, welche Vorstellung dem Herrn von G. beim Reiten zu schaffen macht. Nun wird es an Frau von Sch. sein, ihn beim Huckepackspiel herumzukriegen. So wird die »männische Willensleistung« ohne Zweifel einmal zustande kommen. Die Frau behauptet aber, ihr eigener Mann »vertiere zum unersättlichen Bullen, der sich Tag vor Tag auf die Kalbe stürzt, zum geilsten Bock, dessen Gier zwischen zwei Sonnen mindestens einen Geschlechtsakt erzwingt«. Unglaublich; und was meint G. dazu? »Doppelt brennt vor dem Schreckbild solcher roh prassenden Übermännlichkeit die Schmach eigenen Unvermögens.« Die Frau will »von dem Lakentyrannen befreit« sein und zugleich »den Kiefertaster des Männchens zu neuem Tatversuch wachkitzeln«. Das heißt, sie will den Major los sein und den Hauptmann herumkriegen. Sie ist selig in dem Gedanken; sie versichert also, »der Rausch der Verheißung habe ihr das Bewußtseinstor überschwemmt«. Soll sie sich denn an ihren gierigen Mann wegwerfen? Oder einfacher gesagt: sollen »ihre nie nach Lust getränkten Sinne, wie dürstende Hunde an besudeltem Rinnsal, sich an unsauberem Born kühlen? Grauen, Ekel, alle Wächter schamhafter Liebe überrennen, rings um die Seelenfeste die Leuchtfeuer löschen und im Dunkel des Ehebettes von dem über dicht verhängten Pupillen Röchelnden in stummer Wonne nehmen, was der Mann zu geben vermag und der Liebste versagen muß?« Trotz solchen Hindernissen – endlich »gelingt, was noch nie gelang: die Mann und Weib zum Gattungdienst nach der Norm der Natur einende Paarung«... Und wo begibt sich das alles? In Allenstein? Nein, so plump ist Herr Harden nicht, den Ort einfach zu verraten. »Im Allestädtchen«, sagt er diskret. Herr von Schoenebeck, hat sie erzählt, habe »ihr die Haut gepardelt«? So etwas kann einem Publizisten, der Sexualklatsch verbreitet, nicht passieren; denn die Beleidigten sind zum Teil tot, zum Teil im Sanatorium. Vielleicht hätte Herr von G. auch nicht den Mut gehabt. Denn er war einer, »der mit dem prahlerisch ausgereckten Geäst seines Wesens doch keinen Bezirk der Mannheit ganz zu decken vermag«. Wie wollte er denn ursprünglich den Major umbringen? Mit Arsenik? »Die schafft er herbei.« Aber da einerseits eine weibliche Arsenik ohne Wirkung bliebe und anderseits auch Frau von Schoenebeck nicht dafür ist, so muß ein anderes Mittel gewählt werden. Er zögert. »Wie am Vaal einst der Stacheldraht, drückt der Hohn des Weibes sich dem Soldaten in die Brustwehrhaut.« Und es geschieht.

Wer das dem Major Schoenebeck vorher gesagt hätte! Wer ihm gesagt hätte, »unter dem Pfühl, an dem noch seines Schweißes Ruch haftet, wärme die Brust seines Weibes den zuckenden Leib Hugos von Goeben und aus dem oft unter Saugküssen erstickten Gewisper der Beiden webe sich die letzte Masche eines Mordplangespinnstes, das in der nächsten Nacht den Hausherrn drosseln solle«! Er hätt's nicht geglaubt. Denn er wußte zwar, wie sie's getrieben hat, kannte sogar aus Briefen »das Hengstgewieher der Angekörten«, aber schlief fest »wie ein Grimbart im Winterkessel«. Er wußte, daß sie es »mit dem graugelben Bombenhugo« halte, aber an Mord hätte er nicht geglaubt. Sie war ihm ein bequemes Lusttierchen, das gibt Herr Harden zu, lobt die Auffassung und läßt das Lied vom braven Mann erklingen, der seinen bunten Rock, seine Kinder und seine Jagd über alles liebt und der sich rackert, während seine Frau auf »Lendenerlebnisse« ausgeht. Herr Harden billigt die sexuelle Indulgenz eines Mannes, von dem er uns vorher schlicht erzählt hat, daß er »mit dem Gelde der Frau behaglich leben und seine Gäste besser bewirten kann als mancher Brigadier«. Und er vertritt auch den männlichen Standpunkt sexueller Kommodität. Hat solch biederer Jägersmann schon ein Lusttierchen im Haus, so benütze er es und hänge sein Geweih unter die Jagdtrophäen. Was des Mannes Recht ist, wird bei der Frau geduldet: aber auch nur, weil der Skandal vermieden und das Geld behalten werden soll. Mit einer unbezahlbaren Geste der Verachtung aber für das »Ewig-Läufische« finden sich die deutschen Männer in solcher Situation zurecht, die ihnen besonders dann bequem ist, wenn sie selbst ein Bedürfnis fühlen. »Kann, wenn ich will, mein Lusttierchen haben.« Dieses Wort, das Herr Harden dem Herrn von Schoenebeck in den Mund legt, ist das tiefste Bekenntnis dieser infamen Sittlichkeit, die den begehrenden Frauen mit Kriminalität und Psychiatrie beikommt, wenn sie sie zufällig nicht für die begehrenden Männer pardonniert hat.

Ich weise es von mir, mich mit dem Meistersinger der bürgerlichen Moral, mit dem Beckmesser ehelicher Potenz, mit dem Höfling der Lakentyrannen und dem Profosen militärischer Normwidrigkeit über erotische Probleme auseinanderzusetzen. Ich werde mit ihm nicht darüber streiten, ob eine Frau wirklich eine »aus dem Bereich der Weibheit Geschiedene« ist, ob sie wirklich »einen Aussatz blößt, den die Winkeldirne noch vor Jedem, den sie nicht wegscheuchen will, bürge«: wenn sie ihrem Geliebten von der Manneskraft seines Vorgängers spricht. Ich werde den geschwollenen Plattheiten dieses Moralphilisters nicht mit dem erotischen A B C begegnen, daß eine Frau in der trotz Herrn Harden wichtigsten Situation ihres Lebens immer nur spricht, was der Mann hören will, und daß die Lustvorstellung des Mannes von seiner ethischen Persönlichkeit ebensowenig determiniert ist, wie von irgendeiner sittlichen Konvention der unbeteiligten Außenwelt. Ich werde Herrn Harden nicht zu beweisen suchen, daß Frau von Schoenebeck in ihren Taten viel weniger den Bereich der Weibheit verließ, als Herr Harden in seinen Worten den Bereich der Mannheit. Ich werde ihm nicht zu beweisen suchen, daß die Lusttierchen eine milliardenmal wichtigere Rolle in der Kultur des menschlichen Geistes gespielt haben als die Bettwanzen, die schließlich nichts weiter geleistet haben, als daß sie dabei waren. Ich werde ihm nicht einmal klar zu machen versuchen, daß auch Herr von G. sich der männlichen Norm endlich nähert, dort, wo er die Frau, die ihm die Liebe beigebracht hat, verrät, weil er nämlich inzwischen erfährt, daß sie auch andern die Liebe beigebracht hat. Und fern sei es von mir, Herrn Harden zu erklären, daß bis dahin jener mit seiner Liebesverlorenheit noch immer mehr Ehre aufgehoben hat, als Herr Harden mit seiner nachschmeckenden Entrüstung. Er hatte, bis er das rechte Weib fand, mehr Phantasie als Herr Harden, und als er es fand, mehr Erlebnis. An all dem, was Herr Harden hier auszusetzen hat, kann eine starke Natur zum Künstler werden. Jener hat wenigstens ein intensives Leben hinter sich und könnte der nachstümpernden Kunst seines Sittenrichters wie Fiesko spotten: Ich habe getan, was du nur maltest!

Denn von dem, was einer genossen hat, scheint Herr Harden zu gut reden zu können. Ich will ihm den Genuß des Redens nicht mißgönnen, ich will nicht in sein Privatleben greifen, das er durch seine publizistische Entrüstung eröffnet hat. Er wende sich den japanischen Niederlagen im russischen Kriege zu und lasse seine Hand von Dingen, von denen er nichts versteht. Sein geschlossener Unstil, lästig genug, wenn er sich an politischen Tatsachen vergreift, wird bei der Behandlung tieferer Lebensprobleme zur Qual, aber nicht zu jener, aus der die Liebessklaven ihre Wonnen schöpfen. Herr Maximilian Harden findet keinen Dank. Nicht bei der Unmoral, gegen die er die sittlichen Gewalten hetzt, und nicht bei den sittlichen Gewalten, denen er die Unmoral allzu lebendig einliefert. Er, der tüchtigste Markthelfer der Moral, hat es erleben müssen, daß ihm der preußische Staatsanwalt den Artikel über den Fall Schoenebeck konfisziert hat. Denn offenbar gibt es in Berlin einen Gerichtsdolmetsch für Delphisch, und der hat, ohne die sittliche Tendenz des Herrn Maximilian Harden zu erfassen, an der Schilderung Anstoß genommen. Mißverständnisse über Mißverständnisse. Ich finde wieder die Schilderung harmloser als die Tendenz. Wenn man den Artikel übersetzt, wird man sehen, daß Herr

Harden die alltäglichsten Vorgänge der Menschheit in ein schiefes Licht zu bringen sucht. Das macht: er sieht die Welt durch ein Schlüsselloch. Man sei aber einmal vorsichtig, lasse den Schlüssel stecken, und man kann sicher sein, daß der Schriftgelehrte draußen seine Weltanschauung verliert.

Es gibt im weiten Umkreis menschlicher Niedrigkeit keine
so niedrige wie die Beschimpfung, die jüngst einem Lebenden durch einen Toten widerfuhr. Mir durch Herrn Maximilian Harden. Wie kam dieser Tote, der verpflichtet wäre
zu schweigen oder über mich nil nisi bene zu sprechen, zur
Gelegenheit? Indem ein anderer gestorben war. Nun hatte
er einen Bundesgenossen der Wehrlosigkeit und konnte
endlich aus der Reserve, die ich ihm auferlegt hatte, heraus-
treten und sich in Wien vernehmlich machen. Alfred von
Berger war gestorben und Herr Harden benützte die Gelegenheit, der Witwe etwas mitzuteilen, was die Wiener
Blätter eine Trauerkundgebung nannten:

Der sorglichste Freund ist von Ihnen gegangen, ein Mann, dessen
ganzes Wesen von edler Menschlichkeit und tiefem Kunstempfinden
durchtränkt war. Nicht viele mag es geben, die ihn so kannten, wie ich,
die ihm in so ernsten seelischen Schwierigkeiten bis ins Innerste sahen,
immer nobel, immer der Mann von natürlichem eingeborenen Ehrgefühl,
und leidlos konnte er die armen Schächer verachten, die
sich erdreisteten, seinen Charakter mit gemeiner Verdächtigung zu bespritzen. Sie, verehrte Frau Baronin, haben ihm
Glück gegeben, Sie waren das sonnige Zentrum seines Erlebens, dafür
müssen wir, die Alfred Berger kannten und deshalb liebten, Ihnen dankbar bleiben. Und das Bewußtsein dessen, was sie ihm waren, ist vielleicht einst auch Ihnen etwas wie Trost.

Das aber war ein schlechter Trost. Das war umso weniger
zartfühlend, als ja Herr Maximilian Harden, der mir fälschlich auch die Schuld an dem Tode des Freiherrn von Berger
gibt, tatsächlich durch mich umgekommen ist und im Hause
des Gehenkten dieser nicht vom Strick sprechen soll. Ich bin
nicht schuld an dem Tode Bergers. Ich hatte für die Talent-
fülle seiner weiten, aber untiefen Persönlichkeit mehr Anerkennung übrig als für ein Untalent, das mit seines Wesens
Nichts in eine pseudonyme Sprache flüchtet und sich nicht
schämt, auf Stelzen zu einem Begräbnis zu gehen und die
Witwe Bergers das sonnige Zentrum seines Erlebens zu

nennen. Ich schätze einen, der immer gewandt zu sprechen wußte, noch immer höher als einen, der diese Anlage dem vertrackten Ehrgeiz opfert, ein fremdsprachiger deutscher Schriftsteller zu sein. Ich habe nicht gewußt, daß Alfred von Berger krank war, als ich ihn wirken sah und dies Wirken für gefährlich hielt; und die Krankheit, die nicht schuld war am Werk, hätte an dem Urteil nichts ändern können. Umso weniger ist das Urteil schuld an der Krankheit und die Behauptung häßlicher, als der Tatbestand, den sie erlügt. Wer aber außer Herrn Harden könnte auch nur zu entscheiden wagen, daß es schon, sagen wir: die durch das Leiden der Physis geschwächte Wollenskraft war, die den Baron Berger in ein Bündnis mit dem schlechtesten Schriftsteller Deutschlands trieb? Herr Harden mußte es wissen. Ich, nie informiert, konnte, was von schlechter Gesundheit kam, schlechter Politik zuschreiben. War Alfred von Berger damals schon krank, so hätte Herr Harden die Ausnützung seines Schwächezustands, nicht ich dessen Verkennung zu bereuen. Ist er, der sein Geschäft stets von der Schwäche des andern, des Partners wie des Gegners, betreiben ließ, einer Reue nicht fähig, so mußte eine letzte Besinnung des Geschmacks ihn von jener Kondolenz zurückhalten. Denn abgesehen vom Sprachlichen: was könnte dem Andenken eines Toten weniger förderlich sein, als daß eben jener die Ehrenrettung besorgt, der ihn kompromittiert hat? Herr Harden hätte, um Berger die letzte Ehre zu erweisen, sich in denkbar weitester Entfernung vom Begräbnis halten müssen. Mit den Toten gebe er es endlich auf, von Bismarck bis Berger wolle er nichts mehr erleben und nichts mehr profitieren, und er reize die Lebendigen nicht! Ich bin imstande, die Grabesruhe, die ich ihm gegönnt habe, zu stören und pietätlos zu werden. Noch ein Wort, und ich schreib' ihm einen Angriff gegen mich in seiner Sprache, daß es ihm diese verschlägt! Er kennt sich ja aus, er hat ja selbst oft gegen Tote sich schlecht benommen, er hat alte Leute – wie sage ich nur gleich – in den Siechstuhl gebettet: er erfreche sich jetzt nicht auch noch, die Toten schützen zu wollen. Dazu ist er nicht berufen. Vor einem Sarg anzuklagen, ziemt nur dem Mut. Der fehlt Herrn Harden, seit er Majestätsbeleidigungen gegen die Sprache begeht. Vor einem Sarge anzuklagen ziemt nur der Überzeugung. Die einzige, die Herr Harden vielleicht hat, ist die, daß sie ihm fehlt. Er weiß es hoffentlich: wie er alles weiß, was er nicht hat. Nur wer sie hat und schon ausgesprochen hat, darf an einem Totenbett sie wiederholen. Es ist eine pathetische Angelegenheit, und der ehrliche Mann darf der Pflicht, »auszusprechen was ist« – wenn er den Tonfall dieser Pflicht nicht dem Lassalle abgeluchst hat – sogar Takt und Geschmack opfern und, indem er mit der Kondolenz die Anklage verbindet, eine Witwe an den erinnern, der den Gatten gekränkt hat. Herr Maximilian Harden ist kein Pathetiker, sondern im Gegenteil: ein Politiker. Herr Harden empfindet nicht Schmerz, sondern im Gegenteil: Rache. Aber eine Rache, die auszuführen er so schwach ist, daß er den Schmerz der andern zu Hilfe rufen muß. Herr Harden kondoliert nicht, sondern im Gegenteil: er freut sich. Denn er hat eine Gelegenheit gefunden, zu zeigen, daß er nicht tot ist, sondern im Gegenteil: gemein. Eine Mezzie. So was kommt nicht wieder. Alle Tage stirbt nicht einer, den ich auch angegriffen habe und zwar wegen desselben Harden. Der Leidtragende ist also nicht tot. Denn die Toten benehmen sich nicht schlecht. Aber die Schlechten, die um ihre Reputation gebracht wurden, lauern auf die Chance, einem Gegner, dem sie mit den ehrenhaften Mitteln des Geistes nicht gewachsen wären und mangels solcher es gar nicht erst probieren wollen, zu beweisen, daß sie noch schäbiger sind, als er behauptet hat. Dabei fallen sie immer wieder in die Grube, in der sie nicht liegen bleiben wollten, und jeder Hieb, zu dem sie ausholen, ist Selbstverstümmelung. So herzlos, so seinen Leichnam schändend, ist manch einer mit sich verfahren, der sich dazu hinreißen ließ, mir zu antworten. Er konnte nur dartun, daß er doch besser als ich imstande war, ihn unmöglich zu machen. Der Schwächling, den man angreift, reduziert sich im Nu auf ein so niedriges Niveau, daß der Angreifer einsehen muß, er habe sich nicht am, sondern im Objekt vergriffen. Ich bereue den Angriff; denn ich muß den Gegner bedauern. Ich habe keinen. Er ist nicht da. Er wird ohne mein Hinzutun schon dadurch geschwächt, daß er sich wehrt. Er erledigt, was ich versäumt habe, und geht aus Selbsterhaltungstrieb zugrunde. Denn es ist der Drang jener, die keine Persönlichkeit haben, sie zu behaupten und so das Gegenteil zu beweisen. Habe ich gesagt, daß es ungeistige Leute seien, so beginnen sie zu schreien; habe ich gesagt, daß sie unwahrhaftig seien, so beginnen sie zu lügen. Wären sie von allem Anfang so deutlich gewesen, ich hätte sie nie enthüllt! Es sind die geborenen Selbstmörder, denen man getrost alles Weitere überlassen kann. Sie leisten Gefolgschaft ihrem Herrscher: dem Feind, und machen Harakiri nach sich selbst. Sie berufen sich schuftiger Weise auf Personen, die mich leiblich überfallen haben. Aber die Täter waren nur volltrunken, die Zuschauer sind von Sinnen. Oder sie sagen, ich handle so, weil ich von ihnen etwas haben wollte. Sie bringen mir die Scham bei, Leute, die solcher Motivierung eines geistigen Entsetzens fähig sind, polemisch angerührt zu haben. Man möchte glauben, sie lieferten durch ihre Antwort meinem Angriff erst das Material. Nein, sie entziehen es ihm; denn wenn ich geahnt hätte, daß sie so dreckig sind, hätte ich mich vielleicht satirisch, gewiß nie polemisch ihnen genähert. Polemik setzt das Format des schlechten Objekts voraus, sie enthüllt das Mißverhältnis zwischen Geltung und Unbedeutung. Aber wenn sie sich schon vor der Polemik so gezeigt hätten wie nachher, so hätte es nie ein Mißverhältnis gegeben und nie eine Geltung. Lehm wird Brei, und selbst jene, die noch nach meinem Angriff glaubten, es sei Odem da, ziehen sich enttäuscht zurück. Herr Maximilian Harden hat heute in Deutschland niemand mehr zu enttäuschen. Er hat eigentlich überhaupt nie jemand enttäuscht außer mir. Wie es kam, daß ich in jungen Jahren nicht kritisch diesem aus einem kleinen Intellekt und einem großen Zettelkasten gespeisten Feind des Geistes gegenüberstand, das hat nichts mit dem Problem der Faszination des Jungen durch den Mann, der

Empfänglichkeit durch die Kraft zu schaffen. Es ist der umgekehrte Fall. Ich war älter und stärker als Herr Harden; ich war nur nicht imstande, es zu wissen. Ich war nicht von einer Gebärde benommen: wie es Weiberart ist, deren Anziehung und Enttäuschung ich immer wieder als Objekt erlebe. Nein, ich habe meinen Inhalt einer fremden Gebärde geliehen: wie es Männerart ist. Es hat Phantasie dazu gehört, den schlechtesten Schriftsteller Deutschlands zu verkennen. Phantasielos sind die, die meine Konsequenz in diesem Punkte vermissen. Und es ist grotesk, sich heute noch gegen einen Vergleich, an dem nur die ledernste Kunstfremdheit festhalten kann, und gegen einen Vorwurf, der die Verleumdung eines alten »Idols« behauptet, wehren zu müssen. Aber auch jene suchen vergebens nach einer Erklärung, die den Unterschied einräumen: die auch meine dürftigsten Anfänge im Wert über eine Reife stellen, welche mir selbst scheinbar imponiert hat, und die einsehen, daß etwas Organisches eingetreten sein müsse, wenn wirklich Faust den Wagner einmal bewundert hat. Die Erklärung ist nur dort schwer, wo selbst das Verständnis für geistige Dinge den Zusammenhang dieser mit den erotischen Dingen verkennt oder leugnet, und wo das Verständnis für erotische Dinge höchstens die Auffassung sexueller Dinge einschließt. Es gehört Mut dazu, vor einer infamen Zeit von solchen Dingen zu sprechen und sich dem ödesten Mißverständnis, zu dem allein sie fähig und bereit ist, auszusetzen. Aber ich würde lieber dieses ertragen, als die Kompromittierung im geistigen Punkt und als den schnöden Zwang, meine Leistung, die – darin bin i c h informiert – im letzten Buchstaben des kleinsten Drucks das Lebenswerk des Herrn Harden auslöscht, auf einen Mißgriff meines Urteils fixiert zu sehen. Ich schlage diesen Mißgriff nicht zur Literatur, sondern zu den Erlebnissen. Denn ich würde alles lieber tun, als mich von dem Fehler freisprechen: dem Weib in allen Formen, wenn es nur zierliche Formen sind, den Vortritt zu lassen. Herr Harden ist, so sehr die Ambition der Bildung und die usurpierte Rüstung der Sprache diesem Eindruck widerstreiten, noch heute anmutig. Ich könnte noch heute an dem operettenhaft frisierten Kopf, wenn Schminke die Krähenfüße einer traurigen publizistischen Tätigkeit verdeckt, Züge wahrnehmen, die sich einem mir willkommenen Frauentypus einverleiben ließen. Aber ich könnte daraus keine Sympathie mehr für ein frauenzimmerhaftes Wesen ableiten, das sich längst in seiner ganzen ungeistigen Häßlichkeit offenbart hat. Meine Toleranz reicht übers Klimakterium, doch Journalisten im gefährlichen Alter interessieren mich nicht. Die sexuelle Scheelsucht und Hintertreppenroutine einer langjährigen Kammerzofe, die viel gesehen und wenig erlebt hat, haben sich inzwischen zu einem so deutlich trüben Charakterbild verdichtet, daß ich solche Eigenschaften zumal dann nicht unbeachtet lassen kann, wenn die Kammerzofe eigentlich ein Kammerdiener ist und dieser eine Wochenschrift herausgibt. Anderseits ist wieder eine Soubrette, die nie der Tragöde war, für den man sie hielt, da sie's noch immer glaubt, eine komische Alte. Noch heute aber hat sie etwas Prickelndes. Ich wollte, der Kopf des Herrn Harden säße nicht auf der Schulter eines Publizisten, der die deutsche Politik aus dem Alkoven des sexuellen Wissens in das Labyrinth des sprachlichen Unvermögens hetzt. Ich wollte, Herr Harden wäre nicht der schlechteste Schriftsteller Deutschlands, aber immer der niedliche Agitator, der sich soeben wieder anschickt, die Herzen der Wiener zu überreden, und der, wenn er will, imstande ist, zu sprechen, wie einem mittelmäßigen Franzosen der achtziger Jahre, der auch eine Französin sein kann, der Schnabel gewachsen war. Noch zaudert er, die »Rotunde«, von der er sprechen will, Rotunde zu nennen: »so heißt ja wohl das Haus, in dem Reinhardt das ›Mirakel‹ aufführt«, schreibt er an einen Wiener Freund. Gewiß heißt es so, für »Rundgebäude« hätte man in Wien kein Gemüt, rotonda wäre auch nicht das richtige, Rotonde hielte man für einen Druckfehler, und so entschließt er sich, rotunde (vgl. Heyses Fremdwörterbuch = rundweg, ohne Umschweife) Rotunde zu schreiben. Es zu sagen, wird ihm leichter fallen. Wenn er oben steht, geht's wie geschmiert; nicht wie geschrieben. Ich wollte, er stünde immer oben und säße nie am Schreibtisch. Stehend spielt er nur die Komödie der Gesinnung, sitzend auch die Komödie des Stils. Da ist er nicht zu halten und wird mit zunehmendem Alter verspielter. Er spielt Versteck mit sich, spielt auf alles an, was es gibt, und gefällt sich in jener »Mumme«, die er noch über die Maske anlegt. Schöne Maske, ich kenne dich nicht mehr. Denn nun wirkt auch jede feminine Regung, die man der Natur des Plauderers gern zugute hält, viel ordinärer, als sie im Grunde ist. Er nimmt, was immer er für lose Scherze mit den Worten treibt, die Positur des Mannes an, der es gewagt hat, und da wird man auf jede Gemeinheit aufmerksam. Wer übersähe denn, daß hinter dem nom de guerre eines Harden zwar ein Hutten steckt, doch hinter diesem die Dame, die die schmutzige Wäsche bei Eulenburgs übernommen hat? Dieser eigentliche Harden aber hat halb gewagt und frisch gewonnen. Man weiß nicht immer, was er weiß, aber ihm rentiert sichs. Man liest, was er gelesen, und hört, was er gehört hat; und kann ihm dennoch nicht folgen. Mit den zwei Seelen in seiner Brust würde man sich zur Not auskennen; aber da sie wie Moritz und Rina sprechen, ist's fatal. Selbst wenn er auf die ernsten seelischen Schwierigkeiten anspielt, bei denen er dem verstorbenen Alfred von Berger bis ins Innerste sehen konnte, kommt man leicht in Gefahr, nicht zu merken, daß er nur die Moltke-Affäre meint. Man müßte ihm sonst bedeuten, daß dem Andenken des Toten durch die Erinnerung an seine damalige Intervention, zwischen dem Handwerk des Herrn Harden und den Interessen eines befreundeten Ehrenmannes, kein Dienst erwiesen wird. Denn Alfred von Berger hat nicht nur die Gelegenheit vorübergehen lassen, einem Spekulanten, der den Namen des Grafen Moltke mit gemeiner Verdächtigung bespritzte, den Verkehr zu kündigen, sondern er hat im Gegenteil ein Feuilleton über ihn geschrieben. Alfred von Berger kann besser geehrt werden, als dadurch, daß ihn Herr Harden noch jetzt in eine politische Freundschaft verwickelt, deren Aufrichtigkeit auf Seite Bergers hoffentlich hinter den Andeutungen des Herrn Harden zurückbleibt, und es wäre gewiß pietätvoller, an die ersten erfolgreichen Hamburger Jahre des Baron Berger zu erinnern, als an dessen Regietätigkeit im Eulenburg-Prozeß. Auch wäre es würdiger, nicht gerade jene Verdienste eines Toten zu berufen, von denen man einen Vorteil gehabt hat, und nicht den Lebenden zu schmähen, dem man nie beweisen könnte, daß er um eines Vorteils willen sie bestritten hat. Herrn Harden ist es aber nicht um eine Ehrung des toten Freiherrn von Berger zu tun, sondern darum, den Vorteil, den ihm die Verbindung gebracht hat, durch den Tod nicht zu verlieren, vielmehr zu befestigen. Dieser Vorteil besteht nun auch darin, endlich aus der ihm von mir auferlegten Reserve herauszutreten und einen tiefgefühlten Schmähbrief an die Witwe Bergers schreiben zu können. So sind die Frauenzimmer. Dieser Herr Harden winkt gegen mich die Autorität des Todes herbei. Doch der Tod, in dessen Schutz zu flüchten die ultima ratio der geborenen Selbstmörder ist, wird eine so schmähliche Bundesgenossenschaft ablehnen. Der Tod hat noch Geheimnisse vor Herrn Harden. Der Tod ist ferner schlicht und nicht maniriert. Der Tod deutet nicht an und umschreibt nicht. Spricht aus, was nicht ist, und spricht doch die Wahrheit. Wagt alles, und sagt mit einer Silbe, was er zu sagen hat. Hätte Herr Harden sich je ins Leben gewagt, um zu sagen, daß ich ein Wicht sei, man könnte es ihm zur Ehre anrechnen, daß seine Wut nicht Halt macht vor irgendeinem Tode. Man könnte noch glauben, er beklage Bergers Tod. So aber beklagt er sich beim Tod, er läuft zu einem Begräbnis davon, wie ein geprügelter Junge, und sagts dem großen Bruder. Unter dem Vorwand, zu kondolieren, belästigt er die Witwe mit seinem Leid. Und rechnet dabei auf das Mitgefühl der Angehörigen der Presse. Mit einigem Erfolg. Sie druckt die Trauerkundgebung; und nur, weil sie mich doch für toter halten muß als Berger und Harden, druckt sie den Satz, auf den es dem Kondolenten ankommt, nicht gesperrt. Vielleicht auch denkt sie, daß die Verdeutlichung die Absicht gefährden und selbst bei den mitfühlenden Lesern die Spekulation auf die Bereitschaft allerpopulärster Gefühle vereiteln könnte. Aber ach, auch so spüren sie, wer der selige Harden ist. Der schlechteste Schriftsteller Deutschlands und ein vorsichtiger Nachbar, der mit der Auferstehung wartet, bis ein anderer gestorben ist.

Wo ich geh' und steh', wimmelt es jetzt von Literarhisto-
rikern, also von Historikern, die in keinem Zusammenhang
mit der Literatur stehen und darum nur Literarhistoriker
heißen. Was soll ich mit den Leuten anfangen? Ich will die,
die es schon sind, verstümmeln und darum die nachfolgen-
den verhindern. Ich will das Handwerk verächtlich machen.
Ich will den Totengräbern zeigen, daß der Henker mehr
Ehre aufhebt. Ich sammle die Fälle und bitte um Unter-
stützung. Stille Kreuzottern zu töten, ist schnöde und der
steirische Landtag zahlt für jede zwölf – (hier will sich mir
eine unerwünschte Ideenassoziation mit Herrn Rudolf Hans
Bartsch ergeben). Ich zahle für jeden Literarhistoriker dreizehn Heller. Man folge mir in die Seminare, aber man scheue
auch die Redaktionen nicht. Gerade dort nisten sie.

*

Wer es aber riskieren will, gar die Konversationslexika auf
Literatur hin anzusehen, kann sich um diese verdient machen.
Ich meide den Anblick von Supplementbänden. Ich fürchte,
daß darin Biographien von Lothar, Müller und Wertheimer
enthalten sind.

*

Einmal habe ich mich dafür interessiert, wann Lawrence
Sterne gestorben sei und wann – da es doch nun einmal der
Fall ist – Max Kalbeck geboren. Ich fand, daß über diesen
genau so viel stand, wie über jenen. Seit damals glaube ich,
daß der Brockhaus, wenn er über die Entfernung der Kassio-
peia von der Erde Auskunft gibt, von einer Clique bedient
ist.

*

Über Jean Paul fand ich die Bemerkung, er sei eigentlich
kein Dichter gewesen, bezeichnend sei ja hiefür, daß er keine

Verse geschrieben habe. Seit damals glaube ich, daß die Sphärenmusik von Charles Weinberger ist und das Buch der Schöpfung von Buchbinder.

*

Einer, der's gut mit mir meint, vermißte meine Biographie. Er teilte mir mit, er habe die Firmen Meyer und Brockhaus darauf aufmerksam gemacht, daß sie von ihren Vertretern am Wiener Platz infam belogen werden, weil die Fackel, wenn schon nicht, wie viele glauben, für den Geist, so doch für das Wiener Geistesleben mehr in Betracht komme, als die Werke des Herrn Dörmann. Die Firmen antworteten, daß sie sich auf ihre Vertreter verlassen müßten, und es blieb dabei, daß die Fackel selbst in der Rubrik »Wiener Zeitungswesen«, dem sogar die ›Pschüttkarikaturen‹ nachgerühmt wurden, fehlte. Zweifelt einer noch, daß ich die persönliche Sache aus anderen Motiven führe als weil sie das beste Beispiel für die allgemeine Unsachlichkeit ist? Glaubt einer noch, daß ich einen besseren Schulfall fände als mich? Mein Lebenslauf fühlt sich nur wohl dabei, wenn er von den Herren Walzel und Hauser nicht durch Beachtung aufgehalten wird. Der Strom mündet ins Meer und mit ihm fließt der Kehricht. Der Kehricht tut so, als ob's ihm der Strom zu danken hätte. Aber es dürfte wohl das Gegenteil der Fall sein.

*

Es werden erst dann bessere Zeiten kommen, wenn das Publikum endlich glauben lernen wird, daß ein Schuster echtere Beziehungen zur Lyrik hat, als eine Schuhfabrik oder gar ein Redakteur. Da solcher Glaube aber nie einreißen wird, so werden nie bessere Zeiten kommen. Also werden noch viele schlechte Lyrik-Anthologien kommen. »Deutsche Lyrik aus Österreich seit Grillparzer« hat einer ausgewählt und eine Berliner Verlagsfirma hat sie herausgegeben, jene, die den vornehmen Entschluß hatte, Speidel zu verlegen,

276

den schlechten Geschmack, ihn von Herrn Wittmann zusammenstellen und von Herrn Benedikt einleiten zu lassen, und noch den traurigen Witz, ihm den Dichter Zifferer nachzusenden. Die deutsche Lyrik aus Österreich aber hat ein anderer Redakteur besorgt. Und so ist es möglich geworden, daß in einer Anthologie österreichischer Lyrik keine einzige der Begabungen vertreten ist, die sich in der Fackel geäußert haben. So ist es möglich geworden, daß in einer lyrischen Anthologie Redakteure vertreten sind. Daß Herr Salten in ein Lyrikbuch gehört, ist noch begreiflich; denn er gehört auch in eine epische, in eine dramatische, in eine satirische und überhaupt in jede bessere kommerzielle Anthologie, ist er doch in der achtfachen Buchführung zuhause wie nur einer. Aber noch von vielen anderen Herren, denen man's bisher nicht zugetraut hätte, wird man mit Staunen erfahren, daß sie's über sich gebracht und für den guten anthologischen Zweck sich zur Lyrik entschlossen haben. Nicht so sehr durch das also, was sie vermeidet, als durch das, was sie bringt, ist diese Anthologie eine gegen die Fackel gerichtete Anthologie. Sonst werden solche Sammelwerke ziemlich unbedenklich zusammengestellt. Hier ist ein Gesichtspunkt, und nicht nur die Dichter, sondern auch der Herausgeber hat ein Profil. Recht erstaunt war ich jedoch, als ich bemerkte, daß Moritz Necker nicht drin ist. Er ist eben doch kein Lyriker. Aber er hat sich wenigstens drüber geäußert. Zum Beispiel: daß die Verleger das Buch »mit vielen Porträts und erlesenem Geschmack ausgestattet haben«. Er dafür bespricht es mit Anerkennung und Stilblüten. Auch meint er, daß sich nunmehr »die deutsche Lyrik in Österreich ebenbürtig neben ihre Brüder im deutschen Reiche stellen darf.« Ich dachte, sie habe dort nur einen und der sei eine Schwester. Kenne sich der Teufel heutzutage mit den Geschlechtern aus! Wer vermöchte einen Literarhistoriker von einem Blaustrumpf zu unterscheiden? Wie Kraut und Rüben in einer Anthologie, liegen heute die Unwerte des Lebens durcheinander, und was man nicht definieren kann, ist eben Lyrik. Das Dichterbuch aus Österreich könnte so bleiben wie es ist: nur mein

Name müßte auf dem Titelblatt stehen. Auch ich habe ja die Handel-Mazzetti und Herrn Bartsch als Lyriker zur Geltung gebracht. Ich würde auch die Proben des Herrn Felix Dörmann nicht scheuen, den Necker – frisch gewagt ist halb gewonnen – den »Schüler Baudelaires« nennt. Auch ich ließe mich bei der Auswahl der österreichischen Dichter »von rein künstlerischen Gesichtspunkten leiten«. Es sollte mir ein Kontoauszug der Betriebsamkeit werden, und ich wette, er gliche aufs Haar der »Deutschen Lyrik aus Österreich seit Grillparzer«. Necker brauchte sich um keinen neuen Waschzettel zu bemühen. Und vor allem ein Satz, den er geschrieben hat, wäre eines buntbewegten Inhalts treffender Ausdruck. Einer von jenen Sätzen, die ewig sind durch die Unbewußtheit dessen, was sie enthalten. Er spricht nämlich von Lyrikern, »die sich schon jeder ihren Platz auf dem Parnaß gesichert haben«. Welch ein Januskopf von einem Satz! Hier hat die Sprache einen Reporter verzaubert, und das Wunder geschah, daß einer, der ausging zu segnen, den stärksten Fluch fand, der eine Horde von Parnaßeinbrechern treffen konnte. Gewiß, sie haben sich schon jeder ihren Platz auf dem Parnaß gesichert. Im Vorverkauf, mit Agio, mit Überredung, mit Rippenstößen, mit Protektion. Weil sie sich angestellt oder weil sie die Billeteure des Parnaß bestochen haben. Oder weil ihr penetrantes Dasein jeden Widerstand hoffnungslos macht.

*

Noch unwirtlicher aber ist's jetzt auf dem Semmering. Nicht wegen der Tuberkeln, aber wegen der Talente. Ein Berliner Verleger ist angekommen und nunmehr sollen die Hotels dort oben den deutsch-österreichischen Anthologien gleichen. Herr Sami Fischer könne keine Stunde mehr am Busen der Natur ruhen, ohne daß ihm die Literatur den ihren hinhält. Zweihundert fein differenzierte Begabungen, die aber voneinander nicht zu unterscheiden sind, haben sich schon jede ihr Zimmer gesichert. Lungern ihm vor der Tür, laufen voran, lauern hinter Bäumen, machen Waldzauber. Führen dem

278

Verleger die Wunder der Natur vor, kopieren den Hahnen-
schrei, um ihn zu wecken, machen ihm das Echo, melken ihn.
Auf den Waldwegen, wo sonst nur Stullenpapiere und Kurszettel vorkamen, liegen jetzt Manuskripte und Kontrakte
herum, und der Semmering, diese idyllische Zuflucht der
Börseaner, ist zur Börse geworden. Das hat der Mann vor
fünfundzwanzig Jahren sich nicht träumen lassen, und wenn
er, nachdenklich wie er ist, die Zeiten vergleicht, mag er
finden, daß zwar die Literatur mehr trägt, aber die Kom-
mittenten der Möbelbranche bessere Manieren hatten. Wie
verkennt mich der anonyme Esel, der mich neulich der Gemeinheit für fähig hielt, dem Manne einen »Vorwurf« daraus zu machen, daß er früher ein anderes Geschäft hatte. Es
war kein Angriff auf die Möbelbranche, die ich für nützlich,
ja für unentbehrlich halte und vor allem für ein ehrlicheres
Geschäft als die Literatur. Ich habe ihr aber den Vorwurf
nicht ersparen können, daß sie ihre Leute nicht halten kann
und daß einer der Ihren und sicherlich der Besten einer sich
auf Romane geworfen hat. Jetzt sieht er, in welche Gesellschaft er geraten ist.

*

Am Sonntag treibt ein L. Hfld. gottlose Dinge. Allen War-
nungen zum Trotz behauptet er:

> Das ganze ist in einem hübschen, fabulierenden Ton erzählt, halb
> poetisch, halb nachdenklich, und namentlich die galanten Erfah-
> rungen des ahnungslosen jungen Königs sind von liebenswürdiger An-
> mut. . . . Kein lauter, übermütiger Humor, sondern einer von der stille-
> ren, nachdenklichen Art, die lächeln macht.   L. Hfld.

Ein anderer gleichen Namens, der sich aber schon L. Fld.
nennt, behauptet wieder, daß der nachdenkliche Blick des
Kainz-Monuments auf dem Totenschädel Yoricks ruht, weil
Kainz den Blick immer nachdenklich auf den Totenschädel
gerichtet gehabt habe. Auch da und dort noch wird Ähnliches gewagt. Selbst von der stillen oder zärtlichen Wiener
Landschaft wird gesprochen. Mit mir werden die Herren

aber nicht fertig werden. Ich werde es dahin bringen, daß man auf jeden, der sich so fein benimmt, mit Fingern zeigt. Wie wenn einer irgendwo in eine stille Landschaft hineingetreten ist und darauf diskret aufmerksam gemacht wird, so wird es künftig sein: Ein Herr wird ersucht, sich ohne Aufsehen zu entfernen, und wenn er noch nach den Gründen fragt und es selbst nicht spürt, wird ihm gesagt werden: »Sie haben etwas Nachdenkliches an sich, die andern Herrschaften beschweren sich.« Und wenn er remonstriert, wird ihm bedeutet werden, daß er von stiller Anmut sei, die lächeln macht, und dann wird er hinausgeworfen. Wir wollen doch sehen, ob wir im Literaturteil nicht die Zimmerreinheit durchsetzen können, die sich im letzten Beisel von selbst versteht!

*

Von Herrn Otto Hauser, einem Übersetzungsbureau, heißt es:

Otto Hauser ist eine Art Kardinal Mezzofanti für die deutsche Literatur, niemand weiß genau zu sagen, wieviel Sprachen er eigentlich beherrscht (einige davon so vollendet, daß er sogar eigene Gedichte in fremden Idiomen wagen durfte), aber nach seinen bisherigen Publikationen und der staunenswerten Leistung seiner Geschichte der Weltliteratur dürften es wohl mehr als zwanzig sein.

Ich möchte bei Hauser nicht übersetzen lassen, finde aber sein Wagnis, eigene Gedichte in fremde Idiome zu übersetzen, sympathisch. Mit den Übersetzern ist's eine eigene Sache. Sie glauben immer, es genüge, wenn sie die andere Sprache können. Darum ist es wirklich nicht viel, wenn Hauser zwanzig Sprachen beherrscht, und wir, die nur deutsch sprechen, können uns dann eben zwanzigmal schwieriger mit ihm verständigen. Was haben wir denn davon, daß Hauser Gedichte des Li-Tai-Po lesen konnte? Übersetzt er sie in eine ihm fremde Sprache, so ist es ein Trugschluß, zu glauben, sie seien nun deutsch geworden, weil sie nicht mehr chinesisch sind. Zwanzig Sprachen zu beherrschen, ist eine traurige

Eigenschaft, die den, der sie besitzt, früh welken macht. Was hat er von seinem Leben, wenn er immer Acht geben muß, daß ihm keine Verwechslung passiert? Unter allen Umständen mag eine solche Gabe den Betroffenen oft in Verlegenheit bringen, weil sich die Passagiere nur zu leicht versucht fühlen, ihn auch nach den Zugsverbindungen zu fragen. Nie jedoch würde es mir in den Sinn kommen, mir von einem athenischen Hotelportier die Odyssee übersetzen zu lassen. Am tragischen Fall Trebitsch hat es sich gezeigt. Zwischen dem Englischen und dem Deutschen war plötzlich jede Verständigung unterbrochen, und wenn wir auch nicht gerade bedauern mußten, daß uns die Kenntnis des dubiosen Herrn Shaw erschwert wurde, so war doch am Deutschen eine unerlaubte Handlung verübt worden. Wozu übersetzen? Es heißt eine Fliege mit zwei Schlägen treffen. Die Herren sollen, wenn sie Courage haben, in Privathäusern Lektionen geben. Mir kann's ja egal sein, was mit dem Portugiesischen geschieht; daß sich mit dem Deutschen nicht spassen läßt, weiß ich zufällig. Wenn sich aber zwanzig Sprachen von Herrn Hauser beherrschen lassen, so geschieht ihnen recht.

*

Aus einer Literaturkritik:

Kein Zweifel, die Novellenfolge bietet ein gutes Diner: die obligate Suppe, diskret, nur ein paar Löffel, ein Glas Sherry darin – ein sanfter Fisch, ein leicht verdauliches Entree, ein sorgsam gebratenes Fleisch mit der Jahreszeit entsprechenden Gemüsen – noch eine Platte Spargel, dann Eis –; aber, wie nach solchen Diners, ist man am Ende des Buches noch hungrig. Es war alles ganz gut, aber es war nichts, wobei man sagen müßte: deliziös! Oder, um d i e s e n p r o s a i s c h e n V e r g l e i c h z u b e e n d e n: Der »Falke« dieser Novellen ist ein ausgestopfter, ein konservierter Falke . . . . Sorrent, das Meer – das ist mit echter Meisterschaft gemalt. Knapp, statt gedankenvoll. Lassen die anderen Erzählungen zuweilen daran denken, daß die Vorwürfe zu ihnen Brosamen von einem reichen Tisch sind – der »kindliche Knabe« ist vollwertige Produktion.

Bitte auch etwas Speisepulver!

*

»Dichtung und Dichter der Zeit. Eine Schilderung der deutschen Literatur der letzten Jahrzehnte« von Albert Soergel. Mit 345 Abbildungen. A. Voigtländers Verlag, Leipzig. »Meiner Braut gewidmet.« – Solche Intimitäten werde ich dem Herrn bald abgewöhnen haben. Daß die Fortpflanzung der Literarhistoriker nicht erwünscht ist und tunlichst erschwert werden soll, habe ich bereits zu verstehen gegeben. Heiratet dennoch einer, so erspare er dem Publikum die Anzeige! Wäre ich ein Weib und fiele auf mich die Wahl, den Sörgel glücklich zu machen, weiß Gott, ich überlegte mir's nach diesem Buch und täte es nicht. Über den Stil ist weiter nichts zu sagen, als daß die Befassung des Herrn Sörgel mit der deutschen Literatur der letzten Jahrzehnte purem Übermut entspringt. Oberflächlich wie ich bin, habe ich nur geblättert. Das tue ich immer und muß bekennen, daß ich mich eigentlich nur in meine eigenen Bücher vertiefen kann und auch nur, solange sie noch nicht erschienen sind. Hotelrechnungen und Literaturgeschichten überfliege ich; und merke doch sogleich, wenn dort etwas zu viel aufgeschrieben ist und hier etwas zu wenig. Und kenne doch den Sörgel weit besser als irgendeiner, der ihn studiert hat. Versenkte ich mich in ihn, so wäre ich bald unten durch; aber wenn ich ihn nur flüchtig berühre, so haben wir beide einen Jux davon. Ich behaupte also infolge oberflächlicher Kenntnis des neunhundert Seiten starken Werkes, daß es im Stil eines Chef de reception geschrieben ist, der aus den kleinen Verhältnissen von Zwickau (Sachsen) ohne Übergang in ein Hotel in Ostende geriet und sich dort einfach nicht auskennt. Er kommandiert mit den Leuten herum, belagert ihnen die Tür, wenn sie nicht auf die Minute die Wochenrechnung zahlen, will sie – in Ostende – eegalganz auf ihren Leumund prüfen und es kommt überhaupt zu peinlichen Weiterungen zwischen Zwickau und dem großen Leben. So scheint mir das Buch geschrieben. Alles was er über die Schönheit der Gegend in Reisebüchern gefunden hat, weiß das Männeken herunterzuschnattern, und ist dabei objektiv. »Nur so kann, meine ich, der Leser die literarischen Geisteskämpfe wirklich noch einmal erleben – als unparteiischer Zuschauer oder als Mitkämpfer auf der einen oder andern Seite: dem Leser ist oft die Wahl gelassen.« Badeabonnements, Eintrittskarten für den Gletscher besorgt die Direktion, Warmwasserheizung, Freiluft- und Liegekuren, photographische Dunkelkammer, eigene Hochwildjagd, feinstes Orchester, Lift, Forellenfischerei im Hause. Wie gewissenhaft und gerecht aber der Sörgel in der Literatur die Werte unterscheidet, beweist er hinreichend. Zum Beispiel: »Eine Zeitlang löste der Name Max Dreyer den Namen Otto Ernst aus. Nicht, daß Otto Ernst später als Dreyer in der Literatur heimisch wurde, mit ähnlichen Werken wie der Rostocker, nein: schon 1888 erschien von dem Hamburger Volksschullehrer Otto Ernst Schmidt ein Band Gedichte, ein Jahr später ein Band Essays... Aber eine Zeitlang zwang das Volksschullehrerdrama ›Flachsmann als Erzieher‹ an das Schauspiel vom ›Probekandidaten‹ zu denken und eins mit dem andern zu vergleichen. Diese Gedankenverknüpfungen schwinden jetzt. Das Bild des Dramatikers Otto Ernst verblaßt, der Plauderer, der Erzähler, der Lyriker gewinnt. Zum Glück.« Über allem aber strahle das »Lächeln eines unbeirrten Optimismus«. Und nicht bloß, weil der Herr Otto Ernst geglaubt hat, »Die Liebe höret nimmer auf« werde im Burgtheater Kassa machen. Von Hermann Bahr »führen manche Fäden« zu dem nur wenig älteren Schnitzler. Aber ich durchschneide sie. Wedekind gegenüber kommt sich natürlich ein Hotelsekretär als Dichter vor. Denn »wenn Wedekinds Personen reden, dann reden sie ein schwulstiges Papierdeutsch, das halb der schlechten Zeitung, halb dem Kolportageroman angehört ... Dieser schwulstige oder stumpfe Stil ist mit daran Schuld, daß Wedekinds Dramen, hintereinander gelesen oder gesehen, bald langweilig werden.« Das schreibt der Mann, der sich »gezwungen« fühlt, Flachsmann als Erzieher mit dem Probekandidaten zu vergleichen und an beide zu denken. Solche Schweinerei ist heute in Deutschland möglich und wird dank ihr selbst und dank den schönen Bildeln, die ihr beigegeben sind, massenhaft unter den deutschen Familien abgesetzt. Vom Herrn Sörgel ist eben zu erfahren, was man über die modernen Dichter und Denker zu sagen hat, denn er hat nicht nur sämtliche Klischees und Waschzettel der letzten Jahrzehnte gelesen, nein, er weiß auch Bescheid, wer bei den Gründungen der Literaturvereine in den achtziger und neunziger Jahren im Gasthaus dabei war und daß eine hochfeine Bowle getrunken wurde. Er weiß Bescheid und tut ihn. Er hat sich sogar ein Porträt des Herrn Felix Holländer verschafft, der Sappermenter! Er weiß auch, daß dem Herrn Hanns Heinz Ewers, dem Commis voyageur ins Transzendente, fünf Seiten gebühren und Peter Altenberg zwei, Herrn Weigand sieben und Heinrich Mann drei, von den »Ausländern, die die deutsche Literatur entscheidend anregten«, d'Annunzio zwei Seiten und Strindberg eine halbe Zeile. Er weiß, daß in eine moderne Literaturgeschichte die delle Grazie und die Böhlau gehören, aber beileibe nicht die Else Lasker-Schüler. Er ist objektiv. Über Peter Altenberg hat er einen Geburtstagsartikel aufgepickt und da gelesen, daß ihn die Wachmänner und Marktweiber in Wien kennen; er gibt nicht die Quelle an, aber er bestreitet es wenigstens nicht. Er hat auch erfahren, es sei Altenbergs Wunsch, »daß die Seele durch ihn an Terrain gewinne«; er nimmt Notiz davon. Er weiß auch auf den ersten Blick, den er selbst auf die erste Seite eines Altenbergschen Buches geworfen hat, daß dort Mandarinenschalen gekaut werden; er erkennt, daß es ein sonderbarer Heiliger sei. Dieser Sörgel schreibt einen einheitlichen Stil, nämlich den Stil von fünfhundert gleichwertigen Literaturreportern, deren Meinungen ihm zugänglich und geläufig wurden. Er ist objektiv. Er kann sich die letzten Jahrzehnte ganz ohne mich denken. Während ich so ungerecht bin, mir die letzten Jahrzehnte ohne den Sörgel nicht denken zu können. Er gehört hinein. Ich würde ihn um keinen Preis totschweigen. Daß ich ihn nenne, wird mir bei der Presse nicht schaden. Würde der Sörgel, dem man Uninformiertheit nicht nachsagen kann, meiner Tätigkeit nur mit einer Silbe gedenken, würde er auch nur mit einem Achselzucken zu verstehen geben, daß er um sie weiß, es hätte dem Weihnachtsgeschäft, das mit seiner Literaturgeschichte gemacht wurde, geschadet und wäre bis zur Ostermesse nicht von Vorteil. So muß sich Sörgel damit begnügen, von mir seine Meinung über Herrn Harden zu beziehen. Wenig genug und auch das in plumpster Fasson. »Eine rätselhafte Natur!« schreibt Sörgel zunächst hin. Mehr wußte er nicht. Da kam ich und löste das Rätsel in nichts auf. Noch nannte Sörgel den Mann einen »Meister der Antithese«, aber er wurde durch die Lektüre meiner Aufsätze unterbrochen, in denen an einem von Gesundheit strotzenden Stil der Bandwurm festgestellt erschien. Sörgel, selbst ein Meister der Antithese, verband nun die höchste Anerkennung, die einer Sprache zuteil werden kann, mit einem Tadel, der die Sprache zur lästigen Rede herabsetzt. Er ist eben objektiv. Natürlich fällt es mir nicht ernstlich ein, die Meinungen, die man mir so jahraus jahrein abschöpft, zu reklamieren. Nicht daß die Leute, deren Lippen noch vom Trunke feucht sind, die Quelle nicht nennen, aber daß sie deren Existenz leugnen möchten, vergiftet die Quelle. Solch ein Sörgel hat immer Recht. (Ich kann beeiden, daß an dieser Stelle der Setzer »Tölpel« gesetzt hat, und ich habe den Druckfehler »Sörgel« daraus gemacht.) Er ist objektiv und konsequent. Denn das Benehmen der Leute mir gegenüber, der ihnen nichts getan hat, ist immer die Antwort darauf, daß ich ihnen etwas tun werde. Herr Harden ist im Buche des Sörgel mit der Feder in der Hand photographiert – aha ein Schriftsteller –, von mir ist nur die Feder übernommen und vom Sörgel gar nur die Hand.

*

Man muß ihr für drei Zitate dankbar sein. Zwei davon bringt Sörgel mit ernster Miene. »Wir sind die Dichter des Niedergangs, des Abends, des Versinkens . . .‹ sagte Verlaine in Paris zu Rudolph Lothar.« Und tief erschüttert über diese ganze Richtung setzt Sörgel schlicht hinzu: »Dichter des Versinkens, Dichter der Décadence!« Im Tone von »Tief gesunken!« Oder wie wenn der Vater in Zwickau dem Sohne vorstellt, was aus ihm noch werden kann. Wenn aber der Rudolph Lothar, zu dem Gottlob viele Leute etwas gesagt haben, nicht Verlaine belästigt und es in einem Blatt des Abends veröffentlicht hätte, wir wären um die ganze Perspektive gekommen. Dagegen ist es dem Tatsachensinn des Autors gelungen, ein Dokument zu entdecken, dessen Komik er zwar nicht versteht, dessen Abdruck aber verdienstlich ist. Es zeigt, aus welchen Hohlräumen anno 87 in Berlin der Vorsatz einer modernen Entwicklung entsprungen ist, wie sinnlos das ganze Geschwätz über Richtungen in der Literatur und wie unerhört etwa die Zumutung ist, die Existenz eines Gerhart Hauptmann auf die damaligen Vereinsbeschlüsse zurückzuführen. Herr Sörgel bringt »zwei Seiten aus dem Protokollheft des Vereins ›Durch‹, Sitzung vom 22. April 1887« in Faksimile. Der verstorbene Leo Berg – der intellektuell gewiß über dem Niveau der Debatte stand – hatte einen Vortrag »über die Begriffe Naturalismus und Idealismus« gehalten:

. . Aus der Debatte, welche zahlreiche willkürliche und dem Sprachgebrauch entgegengesetzte Definitionen hervorbrachte, rangen sich schließlich etwa folgende Anschauungen empor, die von Wille, Lenz, Türk und wesentlich auch Münzer vertreten wurden:
1. Idealismus ist eine Richtung der künstlerischen Phantasie, welche die Natur nicht, wie sie i s t, darstellt, sondern wie sie irgend einem Ideal gemäß sein s o l l t e ; (Anstandsideale der alten Griechen, des höfischen Rittertums, des modernen Salons).
2. Naturalismus ist die entgegengesetzte Geschmacksrichtung, welche die Natur darstellen will, wie sie i s t, dabei aber in tendenziöse Färbung verfällt und mit Vorliebe das auswählt, was n i c h t so ist, wie es sein s o l l t e, also das ästhetisch und moralisch Beleidigende.
3. Realismus ist diejenige Geschmacksrichtung, welche die Natur darstellen will, wie sie ist, und dabei nicht in Übertreibung verfällt. Der Realist weiß, daß die Wahrheit allein frei macht; sein Ideal ist daher Wahrhaftigkeit in der Darstellung. Durch die objektive Betrachtung der gesellschaftlichen Verhältnisse wird ferner der moderne Realist in eine Gemütsverfassung geraten, welche ihn über die Stoffe seiner Darstellung eine eigentümliche Beleuchtung ausgießen läßt (Gerechtigkeitsgefühl und

Erbarmen). Der Realismus ist also ideal, aber nicht idealistisch; er stellt ideal dar, aber nicht Ideale.

Bruno Wille.

Wenn der Referent einer Berufungsverhandlung über die Weltschöpfung den Standpunkt Gottes zu erläutern hätte, er könnte es auch nicht übersichtlicher tun. Man machte sich anno 87 über die Kunst Gedanken. Aber es waren weder die bis dahin schon gedachten noch die eigenen. Dagegen spürt auch ein Sörgel den Humor dessen, was ungefähr um jene Zeit über Herrn Dörmann ernsthaft soll geschrieben worden sein:

Die Wollenskraft, im Durst nach Sensationen zerspellt, hat eine Mischung mit dem potenzierten Kohäsionsbedürfnis eingegangen zu raffinierter Geschlechtlichkeit . . . . Die sensationale Verdampfung der lebendigen Schwingungseindrücke auf dem Schwingungsskelett entspricht deutlich der Langsamkeit der psychophysischen Tätigkeit.

Vielleicht hat indes Herr Sörgel, der so viel Ernstes nicht humoristisch nimmt, hier eine Parodie ernst genommen. Jedenfalls könnte – in Lob oder Tadel – auch nicht annähernd Ähnliches heute über das Libretto des »Walzertraums« gesagt werden. Woraus man ersehen mag, daß sich die Zeiten ändern und wir mit ihnen, und nur die Literarhistoriker nicht.

*

»Der Dichter muß fähig sein, mit leicht hingaukelnder Phantasie . . .«

verlangt der Professor Oskar Walzel. Aber das ist nur die übliche Verwechslung der Dichtkunst mit der Literaturgeschichte.

»Da ist ebensoviel ungewollte Naivität wie frische Keckheit der Erfindung.«

Nie beim Dichter, immer bei der Literaturgeschichte!

»Frei schaltet die Phantasie mit den widerspruchsvollen Stücken der Überlieferung.«

Doch nicht bei einem Dichter, sondern bei der Literaturgeschichte!

»Vom schweren rotgoldenen Haar und der weißen hohen Stirn bis hinab zu den Füßen, die zart gegliedert waren wie ihre Hände, steht die Göttin in jeder ihrer Bewegungen scharf umrissen vor dem Leser.«

Muß ein sauberer Kitsch sein, diese Novelle, wie geschaffen für die Literaturgeschichte.

*

Aus einem Aufsatz des Herrn Professors August Sauer über einen ganzen Viehwagen von Literaturgeschichten:

. . . Die Urteile im einzelnen sind mitunter ungerecht, so wenn Brentano . . . . jede künstlerische Zucht abgesprochen, d a g e g e n J e a n P a u l zum siebenten Klassiker emporgeschraubt wird.
. . . Von Fritz Stavenhagen, Charlotte Niese, Otto Ernst . . Theodor Suse . . . Maria Hirsch u. a. werden sehr anschauliche Charakterbilder entworfen.
. . . Neben dem Herausgeber begegnen uns in Stefan Milow, Marie Eugenie delle Grazie und Otto Hauser, die jenen Gegenden entstammen, Namen von gutem Klang.
. . . Die höchst subjektiven barocken Aphorismen Baudelaires werden dadurch kaum genießbarer.
. . . Unsere Schule kann nur gewinnen, wenn die Schüler nicht bloß mit den Meistern der Vergangenheit, sondern auch mit den großen Geistern der Gegenwart vertraut gemacht werden und ihr von den dazu berufenen Lehrern ein vorläufiger Standpunkt zu den brennenden Fragen unserer Zeit gegeben wird.

*

Dem verstorbenen Schweizer Dichter J. V. Widmann sind in Wien zwei dicke publizistische Tränen nachgeweint worden. Den Herren Max Kalbeck und Anton Bettelheim war er gestorben. Sie veröffentlichen Briefe und Erinnerungen und ihnen schließt sich Necker an, indem er schreibt:

Die Freunde des liebenswürdigen Dichters der ›Maikäferkomödie‹ konnten sein Andenken nach seinem unerwartet schnellen Tode am 7. November v. J. nicht besser als durch die Veröffentlichung einiger seiner Privatbriefe ehren . . . Man darf voraussagen, daß Widmanns Briefe, einmal gesammelt, sein schönstes Buch bilden werden. Wenn ich nun auch die zwei einzigen Briefe mitteile, die ich von Widmann besitze, so glaube ich, daß sich dies durch den Inhalt selbst rechtfertigen wird.

Auch ich schließe mich an und glaube, daß in der Briefsammlung ein Schreiben nicht wird fehlen dürfen, dessen Publikation sich gleichfalls schon jetzt durch den Inhalt selbst rechtfertigt. Es ist nicht an mich gerichtet, kann deshalb umso bequemer vom Neuen Wiener Tagblatt abgedruckt werden. Es wird aber vor allem die Wiener Korrespondenten Widmanns selbst interessieren, und da nur sie die Vorgeschichte dieses Schreibens kennen dürften, so möchte ich die Herren, die um das Andenken des Schweizer Dichters bemüht sind, um Aufklärung über die folgende Angelegenheit bitten. Widmann, der schon darum ein Dichter war, weil er die Gabe hatte, sich im Bekenntnis seiner Irrtümer zu verjüngen, und der Otto Weininger in vier Essays für ein Feuilleton Abbitte geleistet hat, hatte in seinem ›Berner Bund‹ vom 5. Februar 1911 einen Aufsatz über »Heine und die Folgen« veröffentlicht. Diese in Nr. 317/318 der Fackel zitierte Besprechung enthielt viele Sätze, die Anerkennung bezeigten und fast etwas wie die schamvolle Dankbarkeit des journalistisch gebundenen Künstlers, welcher einem begegnet war, der um Freiheit und Bedingtheit weiß. Merkwürdig widersprachen solchen Zugeständnissen abfällige Wendungen über mein literarisches Vorleben und die offenbare Desorientiertheit, die freudig erstaunt annahm: daß hier, wie's häufig vorkomme, ein ehemaliger Bandit sich als Polizist hervorragend bewähre, daß in »Heine und die Folgen« einer, der selbst das Handwerk betrieben und »vielen trefflichen Männern Österreichs« Unrecht getan habe, nun auf einmal sich zum Richter der üblen Zunft mache, und daß »der als satirischer Denker und schlagfertiger Stilist immer mehr zur Geltung gelangende österreichische Schriftsteller Karl Kraus sich in ehrlichen Stunden – oder wenigstens Minuten – gewiß selbst eingestehen wird, daß auch er als Redakteur usw.«. »Man mag also über Kraus denken, wie man will und kann«, schloß Widmann, »diese seine Broschüre ist eine Leistung u. s. w.«. Ich erwiderte:

Man mag über Kraus denken, wie man will und kann – wenn man denken könnte, würde man schon anders wollen –, das eine muß er

sagen: Herr J. V. Widmann hat hier ein rechtschaffenes Bekenntnis abgelegt, das – ein gutes Pendant zu der letzthin zitierten Berliner Meinung – ihm die Ungunst der Feuilletonbuben zuziehen wird. Aber es
würde ihm wahrlich nicht gelingen, nachzuweisen, daß ich vom Banditen
zum Polizisten avanciert bin und in Erkenntnis meiner »journalistischen
Sünden« mich plötzlich und zur allgemeinen Überraschung als Bekämpfer
des Journalismus zu etablieren begonnen habe. Ich kann ruhig sagen,
daß ich noch keine einzige »ehrliche Stunde« gehabt habe, in der ich mir
etwas eingestehen mußte, z. B. ich sei »in den Mitteln sensationeller Tagesschriftstellerei bisher so gar nicht wählerisch« gewesen. Ich ahne nicht,
mit wem Herr Widmann mich verwechselt, und ich glaube ernstlich, daß
er erst durch den verlegerischen Begleitzettel auf mich aufmerksam geworden ist. Den trefflichen Österreicher nenne er mir, dem ich Unrecht
tat. Was ich zu bereuen habe, sind Überschätzungen. Den »schadenfrohen, gassenbubenhaften Wortwitz« Heines weise er mir nach. Einen
einzigen Witz, der nicht ein Blutstropfen wäre! Als ob sich Witz gegen
Heine wenden könnte, wenn er Witz von seinem Witze wäre! Als ob
das Vergnügen, das die Wiener Kaffeehaussippe an ihm hat, ein Beweis
wäre für die Gemeinheit seiner Herkunft. Ich glaube, mit dem Satz:
»Man mag über Kraus denken, wie man will« muß heute jede Anerkennung beginnen, die die Würde mir spendet. So viel Seiten dreihundert-
sechzehn Nummern der Fackel haben, so oft habe ich den Satz schon gehört, und immer war eine andere Leistung von dem weiten Gebiet aus-
genommen, worin man gegen mich sein durfte. Je nach den Beziehungen,
Gewohnheiten und Vorurteilen der vorsichtigen, einschränkenden und
zugebenden Herren. Wenn ich diese Dennochs summierte, und nicht schon
größenwahnsinnig wäre, ich würde es unfehlbar werden.

Als ich nun kürzlich in Innsbruck eine Vorlesung hielt, war
auch Carl Dallago aus Riva anwesend. Der machte mir eine
Postkarte zum Geschenk. Und erzählte deren Vorgeschichte.
Ihn hatte – es gibt unter zehntausend Schreibern, wenn's
hoch kommt, einen, aber der eine findet sich dann: der einen
Glauben durchhält, und der bereit ist, sich Feinde zu machen,
um einem Andern Freunde zu werben: – ihn also hatte die
Meinung Widmanns und hatte meine Antwort verdrossen.
Er schätzte beide, glaubte aber nur den einen aufklären zu
müssen. Auf ein ausführliches Schreiben erhielt er nach
längerer Zeit erst – wenige Monate vor dem Tode Widmanns – die Antwort:

290

Bern, 11. Juli 1911

Sehr geehrter und lieber Herr!
Mein Schweigen auf Ihren Kraus-Brief hatte keinen andern Grund, als
daß ich, mit Anwandlungen körperlicher Schwäche fortwährend
kämpfend und doch täglich meine anstrengende Berufsarbeit erfüllend,
zu einer Alles erklärenden ausführlichen Antwort nicht Zeit und
Kraft fand. Meine 70 Jahre machen sich halt geltend. Nur das Eine will
ich anführen, daß ich über Kraus von Wien aus einseitig
orientiert war. In seinem Kampf gegen Harden und Konsorten stehe
ich ganz auf seiner Seite.
– – – Mit freundlichem Gruß und Dank für die herzlichen Worte Ihres
Briefes vom 9. Juli
Ihr – leider – alter
J. V. Widmann

Und nun soll sich der freiwillig melden, der's getan hat. Ich
fixiere scharf den Kalbeck und auch den Bettelheim. Er soll
sich melden – sonst bleibt mir die ganze Klasse hier!

Herr Rudolf Hans Bartsch, der Liebling, dessen Roman-
fortsetzungen zu lesen mir dringend empfohlen wird – ich
tu's aber nicht –, hat kürzlich ein Buch »Der letzte Student«
bei Aschinger oder Ullstein in Berlin erscheinen lassen. Durch
Zusendung und liebenswürdigen Brief des Verlegers sollte
ich, der wahrlich schon bessere Autoren als Herrn Bartsch
nicht gelesen hat, für das Büchlein interessiert werden. Ich
ließ es wieder zurückgehen, finde aber mein nun einmal an-
geregtes Interesse durch eine andere Zusendung, die mir der
Herausgeber der Zeitschrift ›Über den Wassern‹, Herr
Dr. Johannes Eckardt macht, vollauf befriedigt. Der Artikel
heißt: »Die Wandlungen des Herrn Rudolf Hans Bartsch,
1905–1913« und die wesentlichen Stellen lauten:

Vor wenigen Tagen erschien ein billiges Bändchen: Rudolf Hans Bartschs
Roman »Der letzte Student«. Der Dichter . . . . erzählt selbst, daß
»Der letzte Student« als sein erster Roman anonym im Jahre 1905 mit
dem Titel »Als Österreich zerfiel . . . 1848« (bei C. W. Stern)
erschienen war . . . . Der Autor deutet in seinem Vorwort eine Veränderung an; er schreibt: »In dem Buche habe ich nur die allzu redseligen
und die ungerechten, gehässigen Meinungsäußerungen meiner jüngeren Tage getilgt.« Wir werden erweisen, daß dieser Satz irre-
führt . . . . Gewiß, R. H. Bartsch bemüht sich, Typen dieser 1848-Bewe-
gung festzuhalten; er hat mit richtiger historischer Einsicht die nötige
Auslese getroffen. Interessant ist nun, daß »Der letzte Student« einen
Typus dieser Bewegung nicht mehr kennt, den der Roman »Als Österreich zerfiel« sehr eingehend schilderte und den auch eine Stelle des
»Vorwortes« als für die Bewegung von charakteristischer Bedeutung darstellt – den Typus des Redakteurs, des jüdischen Redakteurs. Dieser Typus des jüdischen Redakteurs spielt in der 1848-Be-
wegung eine hervorragende Rolle. Die Juden haben diese Revolution
stark begünstigt; sie standen in den ersten Reihen der kämpfenden
akademischen Jugend. Sie haben andererseits damals, als die Presse frei
wurde, diese Waffe sofort für sich in Beschlag genommen. . . . Und diesen »Zeitungshirschele« hat R. H. Bartsch radikal aus
seinem ersten Romane »Als Österreich zerfiel... 1848«
gestrichen. . . . . In dem Romane tritt als charakterisierende Episoden-
figur auch ein Buchbindergeselle auf, der heimlich seinen Groll in Versen
austollt und seine Ideale in Poesien verlebendigt. Im »letzten Studenten« ist das Bild dieses sympathischen Idealisten um wesentliche Züge

geändert worden. Der Judenhaß des begeisterten Gesellen, dessen Eltern durch jüdischen Wucher ruiniert worden waren, wurde beseitigt, die bezüglichen Stellen wurden gestrichen .... Um nur ja an ein gewisses Judentum nicht anzustoßen, wird »das Schachertalent«, von dem einmal die Rede ist, in »das Kriechertum« geändert, wird die »damals hierin unglaublich freche Presse« von ihren schändenden Beiwörtern befreit und zur »Presse« schlechtweg gemacht; es ist nicht mehr von »feigen Journalisten«, sondern nur mehr allgemein von »feigen Patronen« die Rede usw. Die Gesinnung aus dem Jahre 1905 tritt am klarsten aus den scharfen Debatteworten hervor, die in der ersten Fassung der Hauptmann dem »Zeitungshirschele« zuschleudert. Wir haben allen Grund, gerade in diesem Hauptmann den Dichter selbst zu sehen, seine Worte für die Überzeugungen R. H. Bartsch's anzusprechen. »‒‒‒ Ihre Gier nach den Rost- und Mottengütern, ihre Geschäfte und Profite und vor allem ihre Lüsternheit auf unsern herben Boden pflanzen und fortwährend dabei rufen: Wir sind die Euren! Was, Herr Hirsch? Und haltet dabei eure Brandfackeln in den Krügen versteckt wie eure Vorväter, als sie Schlafende überfielen! All denen, die eure perfiden Heuchelblätter lesen, werdet ihr in fünfzig Jahren die Meinung eingespritzt haben, das Thermometer menschlichen Glückes steige und falle mit dem Kurszettel .... Mir brennen die Schläfen, wenn ich daran denke! Ihr seid die Schmarotzermistel an der deutschen Eiche ... Erst schmückt ihr sie beinahe, dann bedeckt ihr sie und sie trägt zuletzt Mistellaub anstatt ihres eigenen und stirbt ab .... Ein großer Gott helfe uns von euch! ...« Man wird ohne weiters zugeben, daß mit diesen Sätzen ein Judentypus, eine Judenpresse, eine Judenliteratur gekennzeichnet wurde, die wie schlechte Pilze im gesunden Boden wuchern und jenes Judentum in Mißachtung mitreißen, vor dem man Achtung zu haben verpflichtet wäre. Man bedauert, daß dieser Judentyp die Macht der Öffentlichkeit durch die Macht seiner Presse eroberte; und man versteht, daß ein Erfolg oft nur von diesen Tyrannen abhängt. ... Man darf mit Recht bedauern, daß sich die von jenem Judentyp freie Öffentlichkeit des Romanes nicht annahm. Aber noch schmerzlicher muß man feststellen, daß ein begabter Dichter mit jenem Judentyp Kompromisse schloß, daß ein R. H. Bartsch sich nicht scheute, aus seinem Romane »Als Österreich zerfiel!« das Buch »Der letzte Student« zu machen .... Für die starke deutsche Literatur aber bedeutet dieses Sichausliefern an jene Machthaber ein trauriges Kapitel. Man versteht jetzt einen tieferen Sinn aus dem Zitate der »Neuen Freien Presse« (Wien): »Der Richter Bartsch und der unbestrittene Publikumsgünstling waren aber keineswegs zur selben Stunde geboren« ‒ und schämt sich, die Anzeige einer solchen Geburt melden zu müssen.

Warum sollte man sich schämen, da sich Herr Bartsch nicht geschämt hat? Die Enttäuschung ist kaum verständlich. Schwammerl drüber! Ich habe immer gesagt, daß Zwölf aus der Steiermark auf ein Dutzend gehen, und ich weiß, daß der arische Typus sich vom semitischen nur durch die Fähigkeit unterscheidet, sich zu assimilieren. Ehe ich einen Heimatkünstler anerkenne, warte ich immer, bis er jourfähig ist, um ihn zu mißachten. Späterhin bleibt nur noch die Frage offen, ob die ihm zugewachsene Kultusgemeinde die Bekehrung auch dann verträgt, wenn ihr das geistige Vorleben des Herrn in vollem Umfang bekannt wird. Zum Glück können Tatsachen, die für sich selbst sprechen, einem Autor nicht schaden, wenn sie auch durch die Fackel sprechen. Und überhaupt: Gesinnung nennt das Gesindel nur jene, zu der Herr Bartsch sich bekehrt hat; es merkt nicht, daß sie fehlt, aber es sieht, daß sie nicht mehr fehlt. Einer hat sich geläutert, und dieselbe schmalzpolitische Überzeugung, die jetzt für den armen Gerhart Hauptmann brodelt, wird Lippen fett machen, die von einem guten gediegenen Bartschroman zu erzählen wissen.

Inzwischen haben auch die ›Süddeutschen Monatshefte‹ in einem Protest des Hirsch unter dem Titel »Meine Ermordung durch Rudolf Hans Bartsch« den prächtigen Fall behandelt. Freilich erfährt man nicht, wer für den rekurrierenden Hirsch, der sich über den anonymen Mut des Bartsch von 1905 lustig macht, das Wort führt. Auch werden die kräftigsten Stellen, deren Unterschlagung dem Bartsch von 1913 zur Last fällt, vom unbekannten Ankläger so gut vermieden wie vom bekannten Bartsch. Gleichwohl ist die Anklage wirksam genug formuliert und durch neues Material unterstützt. Hirsch ruft:

. . . . ich hab es ausgerechnet: es fehlen rund fünfundsiebzig Seiten Ullsteintype. Es ist wie ein Carlos ohne Posa, wie der Kaufmann von Venedig ohne Shylock, wie Faust ohne Mephistopheles! Ich sehe ab von allem Persönlichen. Aber ich finde kein Wort, züchtigend genug, für den, der so mit seinem eigenen Werk umspringt: aus einem Buch eine Hauptperson, den Gegenspieler, ohne jede Rücksicht auf Stimmung, Zeitfarbe,

Zusammenhang, Aufbau einfach herauszubrechen unter dem heuchlerischen Vorwand »in dem Buche habe ich nur die allzu redseligen und die ungerechten, gehässigen Meinungsäußerungen meiner jüngeren Tage getilgt«. Bin ich vielleicht eine Meinungsäußerung? . . Natürlich bin ich zu tief mit der Grundanlage verflochten, als daß ich nicht fast auf jeder dritten Seite auftauchte: alles kann er nicht streichen! Wissen Sie, wie er sich hilft? Oh, es ist heiter: er teilt mich auf wie die Türkei! er verteilt meine Repliken gemütlich an die anderen Personen, unbekümmert, ob sie in ihrem Munde denselben Sinn, dieselbe Farbe, dieselbe treibende Kraft haben . . ich bin »ein Student«, »einer«, »ein anderer«, »ein Mann«, »eine Stimme« . . . . Aber es ist Bartsch gleichgültig, ob sein Erstlingswerk himmelschreiend verstümmelt ist, ob Szenen fallen, die er heute nie mehr schreiben könnte, und wenn er die Götter auf den Knien darum bäte, ob ganze Szenen ihre Beleuchtung, ihren dramatischen Sinn verlieren: es gibt kein Glied, das er seinen Kindern nicht abhackte, nur um sie im Krüppelhaus Ullstein unterzubringen . . . . Er streicht die Biographie des antisemitischen Buchbinders, – die Geschichte eines jungen Menschenlebens auf eine halbe Seite zusammengepreßt . . . . In der Urfassung sind die Wiener »Unfähige«; in der neuen »ewig Unmündige«; vielleicht werden sie in der nächsten »ein unsäglich begabtes Volk mit einem gewissen Mangel an Selbständigkeit«. Nun fehlt dem Wiener nicht mehr »die feine Grazie des Umgangs« und die »geistvolle Anmut« . . . . und gefallen ist der Satz: »Die Kunst duldet er: aus einer Art Scham. Sollte sie aber von ihm leben, sie müßte verschmachten«. Man nähert sich an, man ist nicht mehr so unzufrieden miteinander; m a n s c h o n t W i e n, u m n i c h t i n d e n V e r d a c h t z u k o m m e n, e i n L e s e r d e r › F a c k e l ‹ z u s e i n . . . Gottschalk sagt auch nicht mehr zu seinem besoffenen Vater »Pfui Teufel«, sondern ganz höflich »Laß mich«! Ich aber sage nicht »Laß mich«, sondern grob und deutlich »Pfui Teufel«, und ich glaube, ich bin nicht der einzige, der so sagt.

Ich aber glaube, daß die Mehrzahl sagt: »Warum nicht, recht hat er«.

Herr Rudolf Hans Bartsch selbst sagt es. Und so hat man den Eindruck, daß die Ankläger des Herrn Bartsch hinter der Vehemenz, mit der er gegen sich vorgeht, weit zurückbleiben. Es sollte bewiesen werden, daß jener Bartsch, der ehedem die Presse verachtet hat, sie jetzt schont. Und er geht her und verehrt sie! Schreibt der Neuen Freien einen Brief als »in Dankbarkeit und Verehrung Ihr ergebener«. Der Entschluß, die Karikatur des jüdischen Journalisten zu beseitigen, sei ihm »aus dem Herzen gekommen«. Das steht zwar nur in dem Begleitbrief, den Herr Bartsch der Neuen Freien Presse mit seiner Erwiderung geschickt hat, aber sie tut ihm den Tort an und druckt auch den Begleitbrief. Herr Bartsch, der jetzt reinen Herzens das verworfenste Exemplar der Hirsch-Presse verehrt, scheint nicht so sehr die Verpflichtung zu fühlen, sich gegen die Angreifer wegen der Streichung zu verteidigen, als sich vor der Hirsch-Presse wegen der Erschaffung des Hirsch zu entschuldigen. Er habe die Figur gestrichen,

weil ich sie für eine gehässige Karikatur ohne künstlerischen Wert halte, die ihre Entstehung dem theoretischen Antisemitismus eines j u n g e n M e n s c h e n verdankt, d e r n o c h k e i n e n J u d e n p e r s ö n l i c h k a n n t e. (Die Figur entstand in dem p o l i t i s c h b e w e g t e n Jahre 1897 nach der Lektüre des großen Werkes von C h a m b e r l a i n.)

Wie das politisch bewegte Jahr 1897, in dem Deutsche und Tschechen um die Sprachenverordnungen rauften, den Antisemitismus des Herrn Bartsch befruchten konnte, bleibt ein psychologisches Rätsel. Dagegen ist der Hinweis auf die Verführung durch die Lektüre Chamberlains so rührend, daß man solche Schwäche getrost als eine der Grundlagen des 20. Jahrhunderts auffassen kann. Umso rührender, als Chamberlains Werk 1 8 9 9 e r s c h i e n, also seine Schatten auf Bartsch vorauswarf, der ihm verfallen war, bevor noch die Möglichkeit bestand, es kennen zu lernen. Hier wirkte in positiver Richtung ein so starkes Vorurteil wie gegen die Juden. Was die Erklärung anlangt, daß er damals noch ein junger Mensch war, der noch keinen Juden persönlich kannte, so verdient sie, wiewohl man doch schon als ganz junger Mensch Juden persönlich kennen lernen kann, darum besonders hervorgehoben zu werden, weil sie dartut, mit welcher Phantasie die Natur diesen Romanschriftsteller begabt hat. Man kann ihm aufs Wort glauben, daß er bis zur Niederschrift seines Buches im Jahre 1897, ja bis 1905, als er mit seinem Verleger in Verbindung trat, keinen Juden persönlich kannte, und daß er, als er dann nach und nach auch die Rezensenten kennen lernte, einsah, daß die Juden zu jenen Persönlichkeiten gehören, die bei näherer Bekannt-

schaft gewinnen. Endlich, als er erkannte, daß man bei ihrer
näheren Bekanntschaft auch gewinnt, mag er sich entschlossen
haben, die »feigen Journalisten« nur mehr »feige Patrone«
zu nennen. Diesen schreibt er nun:

Weiteres betone ich, daß keiner der Ehrabschneider, welche mir feiges
Handeln zum Vorwurf machen, mich persönlich kennt; ich hoffe,
daß er dann solche Vorwürfe nie erhoben hätte.

Wie kann aber Herr Bartsch von jenen, die ihn nicht persönlich kennen, mehr Gerechtigkeit verlangen, als er in der
Zeit von 1897 bis 1905 für die Juden übrig hatte? Und wer
hat ihm denn persönliche Feigheit vorgeworfen? Herr
Bartsch irrt. Es ist selbst von der ihm feindlichsten Seite nicht
behauptet worden, daß er sich nicht traut, nachts allein durch
einen Wald voller Wölfe zu gehen. Es ist nur behauptet
worden, daß er sich mit den Hirschen nichts anfangen will.
Es ist nicht behauptet worden, daß er sich nicht traut, jeden
seiner Angreifer zum Duell herauszufordern und mit der
Waffe in der Hand etc. Es ist nur behauptet worden, daß er
lieber den Journalisten eine Ehrenerklärung gibt und daß
ihm die Romane, die sie ihm abnehmen, und die Feuilletons, die sie über ihn schreiben, und die Auflagen, zu denen
ihr Publikum ihm verhilft, viel Spaß machen, Man kann im
bürgerlichen Leben der mutigste Mann sein und dennoch in
der Literatur Wert auf gute Verbindungen legen. Herr Bartsch
verrät, daß er jetzt »an zwei Werken arbeite«, die »an Mächten Kritik üben«, deren jede sein »Lebensschicksal zerstören
kann, was das Judentum nie vermöchte«. Herr Bartsch überschätzt den Einfluß jener zwei Mächte auf den Büchermarkt.
Die zwei Werke, an denen er arbeitet, wird die dritte Macht
überschätzen, und das ist die Hauptsache. Herr Bartsch, dem
es gewiß nicht schaden wird, wenn er sich für ein Opfer der
»Klerikalen« hält, verwickelt sich aber in einen Widerspruch,
wenn er einerseits von der Macht dieses Feindes schwärmt
und anderseits behauptet, die Angriffe seien »in einer Reihe
von Zeitschriften – zumeist in kleineren Parteiblättern – erfolgt«. Die Angriffe sind außer in einer konservativen Re-

297

vue und in den größten Parteiblättern auch in den ›Süddeutschen Monatsheften‹ erfolgt. Herr Bartsch hat die Anklage in dieser Zeitschrift gelesen, ihr, nur ihr gilt seine Erwiderung, die den Titel führt: »Mein Mord an Herrn Hirsch«, aber er verzichtet, stillschweigend, auf jeden Versuch, hier einen klerikalen Ursprung nachzuweisen. Er verteidigt sich gegen den einen, indem er vorgibt, ein anderer habe ihn angegriffen, und beruft sich auf das Urteil »aller anständigen Deutschen«. Er teilt sich selbst auf wie den Hirsch. Er ist in hohem Grade opferfähig. Er arbeitet jetzt gegen zwei Mächte. Er wird vermutlich am Militarismus und am Klerikalismus Kritik üben. Er wird aber nie sagen können, daß er bis dahin keinen Offizier persönlich gekannt habe. Denn er war selbst einer. Er war zuerst Hauptmann und schreibt erst später gegen den Militarismus. So gehört sich's. Nicht aber so, daß man zuerst gegen den Journalismus schreibt und dann Journalist wird.

(Gabor Steiner kontra Hermann Bahr.) Nach über einjähriger Dauer ist gestern nachmittag beim Zivillandesgerichte unter dem Vorsitz des Oberlandesgerichtsrates Kauer ein Prozeß zu Ende gegangen, den der seinerzeitige Direktor des Ronacher Gabor Steiner durch Dr. Heinrich M. gegen den Schriftsteller Hermann Bahr auf Rückzahlung eines Betrages von 7000 K erhoben hatte. Im Jahre 1909 hatte Direktor Gabor Steiner für das Ronachertheater bei Bahr eine Revue bestellt, die dieser auch fertigstellte. Die Revue, welche den Namen »Die Reise nach Eipeldau« trug, hatte zahlreiche politische Anspielungen enthalten. Die Revue wurde von der Polizei verboten, und auch die Statthalterei bestätigte das Verbot, so daß die Aufführung unterblieb. Nun hatte Hermann Bahr bei Ablieferung des Szenariums sich einen Tantiemenvorschuß von 7000 K bedungen, der ihm bei Ablieferung des Buches auch bezahlt worden war. In der Klage wurde nun geltend gemacht, daß der Kläger einen Werkvertrag abgeschlossen habe, daß er jedoch das Werk nicht aufführen konnte, da es einen wesentlichen Mangel hatte, und daher der Kläger berechtigt sei, den auf die Tantiemen gegebenen Vorschuß zurückzuverlangen. Dr. T. hatte für den Beklagten eingewendet, daß der Vorschuß von 7000 K eine Sicherstellung für die gelieferte Arbeit war, ohne die der Beklagte als erst-

(Das Geld. Von Hermann Bahr.) Ich konnte schon als Kind Geld nicht leiden. Es gab damals noch die großen, schweren, dicken, abgegriffenen alten Vierkreuzerstücke, Batzen genannt, mir graute, sie zu berühren, weil sie so schmierig waren, mich ekelte, wie vor widerlichen schleimigen Tieren, Kröten oder Würmern, und ich rieb mir immer voll Angst und Haß die Finger von der Besudelung wieder rein. Man lachte mich aus und ich bemühte mich selbst gegen das Gefühl, ich sagte mir selber vor, daß es albern wäre; jetzt weiß ich erst, wie recht das Kind empfand.

Später dann, bei den ersten Blicken ins Leben der Menschen, erkannte ich gleich, daß Taten oder Werke, um des Geldes willen getan, nichtswürdig sind und daß sich entmenscht, wer etwas um des Geldes willen tut. Doch ließ ich mir damals und lange noch einreden, es müßten Taten oder Werke zu finden sein, die ich um ihretwillen oder um meinetwillen tun könnte und die mir aber dennoch, obwohl also nicht durch das Geld hervorgerufen, nebenbei Geld einbringen könnten. Es dauerte lange, bis auch dieser Selbstbetrug durchschaut war und ich sah, daß das Geld auch eine zurückwirkende Kraft hat: es spritzt sein Gift weit ins Vergangene zurück und auch reinen Herzens gewollte, um ihrer klassiger Schriftsteller sich nicht zu einer Arbeit für das Varieté hergegeben hätte. Herr Bahr habe schon bei Abfassung der Revue, die einen politischen Charakter haben sollte, vorausgesehen, daß Zensurschwierigkeiten entstehen könnten, und wäre es Sache des Direktors gewesen, durch eventuelle Abänderungen das Verbot der Aufführung hintanzuhalten. Der Senat zog zunächst Erkundigungen darüber ein, ob einzelne Szenen oder das Werk in seiner Gesamtheit verboten wurde. Inzwischen war der Krach in Venedig gekommen und Direktor Gabor Steiner, der in Konkurs gekommen war, nach Amerika geflüchtet . . . .

Im Zuge des Prozesses ließ nun das Gericht einen Sachverständigenbeweis über »Die Reise nach Eipeldau« und deren Eignung als Bühnenwerk zu. Als Sachverständige wurden Professor R.F. Arnold und Regierungsrat Dr. Glossy vernommen. Beide Sachverständige gaben bei der am 25. Juni durchgeführten Verhandlung zu, daß das Stück zur Aufführung geeignet sei, und bei einer solchen als Werk der Literatur in höherem Sinne wohl von keinem der beiden Teile gemeinten Revue der Text nur die Folie für die musikalischen, szenischen und schauspielerischen Zutaten darstelle. Während nun Prof. Arnold den Text mit Rücksicht auf die zu deutlichen politischen Anspielungen für langweilig und einen Theatererfolg für zweifelhaft

selbst willen vollbrachte Taten oder Werke werden entehrt, wenn sie, noch so spät, Geld berührt.

Dies macht unsere Zeit so grauenhaft: wer Brot backt, Recht spricht, Kranke heilt, der Krieger, der Künstler, der König, was immer einer auch ist und tut, keiner meint das, was er ist und tut, sondern er meint das Geld, das es ihm bringt; der Bäcker meint nicht das Brot, der Richter nicht das Recht, der Arzt nicht den Kranken, und nicht den Krieg und nicht die Kunst und nicht die Krone, es ist ihnen allen nicht um das zu tun, was sie tun, sondern alles, was sie tun, tun sie nur um des Geldes willen und was immer sie tun, sie meinen alle damit nur immer das Geld. Das Brot aber, das mit solchen nach Geld ungeduldigen Händen gebacken wird, spürt, daß es nicht zum Brot, sondern zum Geld gebacken wird, und so wird das Brot zu Gelde und schmeckt nach Gelde. Und unsere ganze Welt spürt, daß sie bloß zum Geld betrieben wird, und unsere ganze Welt schmeckt überall nach dem Gelde.

Der Bäcker ist wenigstens aufrichtig: er gesteht sich ein, daß er beim Backen nicht das Brot meint, sondern das Geld, daß Geld gebacken wird, nicht Brot. Schlimmer stehts mit dem Richter und mit dem Arzt: die geben nicht zu, daß auch sie nur das Geld meinen und daß das Recht und der Kranke nur Mittel zum Zwecke sind, zum Gelde . . . . Wenn sie erklärte, meinte Regierungsrat Glossy, daß gerade die politischen Anspielungen b e l e b e n d gewirkt hätten und einen Erfolg selbst der routinierteste Theaterfachmann wohl nie voraussehen und auch hier nicht in Abrede stellen könne . . . Nach dem Gutachten erklärte der Senat die Verhandlung für geschlossen und behielt sich die Ausfertigung des Urteils im schriftlichen Wege vor, verfügte jedoch nach einigen Tagen die Wiedereröffnung der Verhandlung, um über den Inhalt d e r in B a y - r e u t h g e t r o f f e n e n A b m a - c h u n g e n die Parteien zu vernehmen. Bei der nunmehr durchgeführten Verhandlung gab H e r - m a n n B a h r als P a r t e i an, G a b o r S t e i n e r s e i e i g e n s n a c h B a y r e u t h g e k o m m e n, u m d e n W i d e r s t a n d z u ü b e r w i n d e n, den er in der Korrespondenz d e n V o r s c h l ä - g e n S t e i n e r s w e g e n e i n e r R e v u e e n t g e g e n g e s e t z t habe. Er habe, wie schon vorher schriftlich, auch bei der mündlichen Unterredung betont, unsere Polizei werde dieses aus Frankreich stammende, sich mit der Karikierung aktueller politischer Verhältnisse befassende Genre überhaupt nicht zulassen. Nur damit erkläre es sich auch, daß das Stück zur Gänze verboten worden sei. Denn das Stück enthalte auch Szenen, deren Streichung nicht anders zu verstehen sei. Er habe auch Steiner darauf aufmerksam gemacht, daß e r e i n e A r b e i t d i e - s e r A r t n i e m a l s g e l e i s t e t

Geld genug hätten, ohne erst Recht sprechen oder Kranke heilen zu müssen, wie viele würden dann auch nur noch einen Tag lang fortfahren, Recht zu sprechen und Kranke zu heilen? Aber auch diese, wenn sie gleich von sich sagen dürfen, daß sie nicht um des Geldes willen Recht sprechen und Kranke heilen, bewirken doch heute damit Geld, und wenn ihr Tun auch nicht auf Geld zielt, e r z i e l t e s d o c h G e l d, ihr Tun geht nicht auf Geld aus, aber auch ihr Tun kommt aufs Geld hinaus; w a s e i n e r a u c h b e g i n n e n u n d w i e e r s i c h d a z u v e r h a l t e n m a g, e s w i r d i m m e r h e u t e n i c h t s a l s G e l d g e m a c h t, es kommt nichts zustande als Geld. Der reinlichste ist heute verhältnismäßig noch der B ö r s e n m e n s c h, der unmittelbar am Gelde selbst hantiert; e r h e u c h e l t w e n i g s t e n s s i c h u n d d e n a n d e r e n n i c h t s v o r. In m e i n e r J u g e n d w a r' s m i r u n e r t r ä g l i c h, b e z a h l t z u w e r d e n. I c h w ü n s c h t e m i r, s o v i e l G e l d z u h a b e n, daß ich unentgeltlich arbeiten könnte. . . . Es ist das natürliche Gefühl des u n v e r d o r b e n e n M e n s c h e n, daß er nach seiner Kraft leisten, nach seinem Bedürfnis empfangen, a b e r n i c h t d a - f ü r, d a ß e r l e i s t e t, e m p f a n - g e n, n i c h t u m z u e m p f a n - g e n, l e i s t e n w i l l. Der Gedanke, für eine Tat oder e i n W e r k e n t l o h n t z u w e r d e n, v e r l e i d e t i h m j e d e T a t u n d j e d e s W e r k; der Gedanke, daß er damit bezahlt wird, verleidet habe, insbesondere noch nie für Musik geschrieben habe, daß er das Varieté nicht besuche und nicht wisse, ob ihm das Genre gelingen werde. Steiner drang jedoch in ihn und erklärte, ihn für die Zeitversäumnis durch Zahlung eines Garantiebetrages vollauf zu entschädigen und jedes Risiko zu übernehmen. Das Interesse an der Erzielung einer Aufführung werde Bahr trotz des Vertrages darin finden, daß dann die Tantieme den Garantiebetrag sehr reichlich übersteigen wird.

Der Gerichtshof wies die Klage mit der Begründung ab, daß der Usus nach der Aussage des Sachverständigen Dr. Glossy zugunsten Bahrs spreche. . . . Überdies gebe Bahr die Verhandlungen mit Steiner so wieder, daß dieser ein Risiko sowohl des Gelingens als auch bezüglich der Zensurschwierigkeiten des bestellten Werkes ausdrücklich auf sich genommen habe. Übrigens mußte Steiner schon aus dem ihm in Bayreuth von Bahr vorgelesenen Szenarium, nach dessen Kenntnisnahme er die erste Hälfte des Garantiebetrages zahlte, den ganzen Inhalt des Stückes erkennen, und es drücke sich in dieser Zahlung eine Genehmigung aus, da das Stück mit dem Szenarium im Wesentlichen übereinstimme.

ihm, was er empfängt . . . . . Ich zöge vor, wir trieben es offen und der Reichskanzler müßte nach jedem diplomatischen Sieg, der Pfarrer gleich nach der Predigt, der Dichter, wie der Vorhang fällt, selber mit dem Klingelbeutel absammeln gehen, damit kein Zweifel bliebe, wofür heute gesiegt, gepredigt und gedichtet wird.

Jede Tat, jedes Werk, von wem immer und welcher Art immer, wird heute auf den Markt gebracht und endet mit Geld. Nichts bleibt davon als eine Ziffer. Und diese Ziffer bestimmt den Wert der Tat, des Werks, von wem immer und welcher Art immer.... Was hilfts, wenn einer sich noch so reinen Willens gelobt, nichts um Geld zu tun? Was er tut, verwandelt sich ihm in der Hand doch immer wieder zu Geld und nichts als Geld bleibt schließlich davon zurück. . . .

. . . . Das Geld ist der Antichrist und so lange wir den Fluch des Geldes nicht zerreißen, können wir nicht zu Menschen werden und all unsere Sehnsucht bleibt Wahn. Dies hat mir mein Leben erbracht, anderen mag andere Wahrheit erwachsen, meine bleibt: Entscheide dich und wähle Geld oder Gott!

In allen Bahr-Feuilletons wird nebst der Versicherung, daß
er längst in Erfurt gewesen sei, wenn man ihn noch in Weimar glaubte, dem Herrn aus Linz nachgerühmt, daß er immer Wien beschworen habe, »sich auf sich selbst zu besin-
nen«. Das hat es bekanntlich bis zur Selbstvergessenheit getan und allerorten stinkt's durch die Zeiten. Und in allen
Redaktionen sitzen Schmierer und schmieren durch, von und
für Bahr. Die Zuckerkandl, das kunstgewerblich reifste Pro-
dukt der wienerischen Selbstbesinnung, hat, gesteht sie, ihm
ursprünglich bloß einen Strauß gelber Nelken schicken wollen statt eines Geburtstagsfeuilletons, aber leider hat sie
doch, wie das so kommt, das Feuilleton geschickt. Ihr Chef-
redakteur – der leibliche Bruder – habe darauf bestanden.
Sie mußte. »Denn es gibt im Zeitungsgetriebe Gewißheiten,
die nur mit den unfehlbaren Berechnungen der Planeten-
bahnen vergleichbar sind«. Es mußte sein. Und zwar so:
Bahr liebt die gelbe Nelke und steckt sie aus, um anderen
Menschen zu begegnen, die auch die gelbe Nelke lieben.
Daran will er sie erkennen: sie »müssen aus derselben Gegend sein wie seine Seele ist«, also aus der Gegend zwischen
Linz und Kolomea. »Ich könnte ihnen ja nichts sagen, weil
die Seelen nicht reden, aber wir würden uns verneigen und
uns die Nelken reichen.« Darum sind damals, als Bahr diese
Worte schrieb, »wir, die ein großes gemeinsames Erleben
verband, alle eine Zeitlang im Zeichen der gelben Nelke
gestanden«, und haben uns programmgemäß vor einander
verneigt. Das große gemeinsame Erleben, das die Zuckerkandl und den Bahr verband, war hauptsächlich das Glück,
gleichzeitig auf Olbrichschen Stühlen sitzen zu können, das
heißt, es nicht nur zu können, sondern auch zu vermögen.
Ferner die Kolo Mosersche Quadratur des böhmischen Kul-
turzirkels zu erleben und vor der Hoffmannschen Apollo-
kerzen-Auslage stehen zu dürfen. Diese Möglichkeiten verdankt die Zuckerkandl der »größten, wunderbarsten Le-
benserneuerung«, deren Vorbereiter eben Bahr war. Darum

verbindet sie mit ihm nicht nur ein Erleben, sondern auch ein Erinnern, und sie preist ihn als einen Erwecker und Erlöser, wie es ihres Erinnerns keinen zuvor gegeben hat. Dem Mann, der so lange in unerlaubten kritischen Beziehungen zur Volkstheaterkasse stand, gebühre das Verdienst, den Begriff »Kunst« von dem Begriff »Markt« getrennt und »es zum erstenmale ausgesprochen zu haben, daß es vor allem nur sittliche Probleme gebe«. Er war »der Prophet höherer Lebenssehnsucht«. Ver sacrum. »Wenn es auch keiner idealen Erhebung jemals gegönnt ist, in Reinheit zu bestehen« – so muß doch zugegeben werden, daß noch nie ein schmutzigerer Frühling ins Land gekommen ist, als der, dem Herr Bahr auf die Beine geholfen hat, noch nie eine verkommenere Jugend sich breitgemacht und nie eine Revolution flinker sich zu Geschäften bekehrt hat. Der Erlöser badet heute mit Librettisten am Lido; die sprachverbrecherische Ambition der unverbrauchten Kommis bricht in alle Spalten ein; der kunstgewerbliche Flecktyphus grassiert in allen Häusern; und die Zuckerkandl fragt: »W i e s o dem Publikum erklären, daß die Maler, Bildhauer, Architekten jetzt Sessel, Kästen, Lampen, Stoffe, Gläser machen wollten?« »Dieses Problem zu lösen, hielt Bahr für das wichtigste und für das schwerste.« Es ist ihm gelungen. Mit Hilfe der Zuckerkandl. »Sie müssen mir helfen. Ich? Ja! Sie haben einen Salon . . . . Denn es muß etwas geschehen, sonst geht alles wieder verloren, was wir errungen haben.« So ist es gekommen, daß in den Wiener Kaffeehäusern die Messer, die die Leute nicht mehr in den Mund stecken, in die Taschen gesteckt werden. Bahr hatte nämlich erklärt, er brauche einen Schreibtisch, welcher zum Kahlenberg passe, auf den er von seinem Fenster die Aussicht habe. »So hat er damals die Stil-Affinitäten erfühlt, welche zwischen der ersten Bürgerkunst der dreißiger Jahre und dem s i c h e n t w i c k e l t e n Stil des zwanzigsten Jahrhunderts tatsächlich vorhanden sind.« Darum grüßt – »im Zeichen der gelben Nelke« – die Zuckerkandl »den mitschöpferischen Erwecker der Edelkunst, die in diesem Jahrhundert, von Österreich ausstrahlend, den

Weltgedanken zu erobern im Begriffe ist«, vergißt aber, daß die Olbrich-Villa in St. Veit derzeit auch unter dem Selbstkostenpreis nicht anzubringen wäre. Da im Zusammenhang mit Herrn Bahr so viel von der »Sehnsucht unserer Tage« die Rede ist und unter den Genossen einer Zeit, die außer der Sehnsucht nach Versorgung, Ausverkauf, Verbindungen und Mezzie überhaupt keine Sehnsucht kennt, oder höchstens eine, die so dürftig ist, daß man ihr mit dem Plural Sehnsuchten beispringen muß – so ist es offenbar, daß die großen Worte jetzt am liebsten als Entschädigung für die kleinen Werte mitgenommen werden. Die jungen Reporter, denen ein ungeheurer Schatz von Adjektiven in den Schoß fiel, spielen auf Teilung und es kommt keinem dieser Glückspilze einer sprachlichen Gründerepoche darauf an, von Herrn Bahr, ihrer aller Agenten, auszusagen, was ehedem für Mozart zu viel gewesen wäre. Ihm seien, versichert einer, »köstlich helle, heitere Rhythmen, hold gaukelnde Gebilde, Klänge göttlich leichten Lachens« zugeströmt. Er sei übrigens »durch und durch ein Deutscher aus dem Holze der Luther, Schiller, Wagner«. Er »hätte ein Zentrum für die Deutschen werden können, wie es Tolstoi den Russen war; eine Repräsentation der Nation, eine Art von Herold und Priester zugleich«. Der Unterschied zwischen Tolstoi und Bahr dürfte nun vor allem darin zu suchen sein, daß die Russen sich nie dafür interessiert haben, wie Tolstoi rasiert ausgesehen hätte. In Bahrs Romanen aber »singt die Natur in brausenden Klängen« und »recken sich Gram und Wunsch zu den Sternen«. Was die Lustspiele betrifft, steht man »ergriffen und beseligt vor diesem Reichtum an Aufrichtigkeit, Seelenadel, Weisheit, Treffsicherheit, vor dieser Parade von Glanz des Geistes und Genie des Gefühls«. So rede er unter anderm auch »von Briefen, die nicht befördert werden, von Hofräten, die krank werden, weil eine Tür quietscht, die niemand schmieren will, von österreichischem Leid und von europäischer Sehnsucht«. Es bleibt grammatisch unentschieden, ob Bahr von der quietschenden Tür oder von den kranken Hofräten bemängelt, daß sie niemand schmieren will. Immerhin, dereinst wird man »in diesen glühenden, wilden und weisen Büchern blättern und wird von einem großen Staunen ergriffen sein«. Nämlich darüber, daß im Jahre 1913 ein talentierter, aber skrupelloser Plauderer, der schlechte Nachtreferate in Bücher gestopft hat, ein Umwerter aller Unwerte und Pfadfinder aller Mittelmäßigkeit, von den nachstrebenden Schmöcken der »Wegweiser und Wahrsager kommender Welten« genannt werden konnte, ohne daß die Kühe aufhörten Milch zu geben und ohne daß den Redaktionen die Fenster eingeschlagen wurden. Vor allem aber wird es ein Staunen sein, daß man damals den Trebitsch so wenig gewürdigt hat, eines jener Talente, denen Bahr den Weg gewiesen hatte, indem er frühzeitig erkannte, daß, auch abgesehen von Shaw, Deutsch von Siegfried Trebitsch sein Geld wert sei. Trebitsch kann nicht umhin, dafür öffentlich zu danken und Bahr eine Erscheinung zu nennen, die »sich zur Persönlichkeit gerundet hat«. Hätten wir ihn nicht, wären wir »an Güter verarmt«. Denn er sei ein »durch Temperament und wahrer Beziehung zur Kunst Verpflichteter« und habe auf Hofmannsthal, Roller und Reinhardt »alle die Augen gelenkt, die helfen können, wenn sie nur erst sehen«. Aber schließlich durch die Grammatik allein wird man nicht glücklich. Wichtiger sind eine gesunde Verdauung und gute Verbindungen. Der Wegweiser hat sie. Der »Concordia«, die ihn Meister nannte, dankt er erschüttert und schreibt: »Aber eins dürfen Sie mir glauben: An unserer ›Concordia‹ hänge ich, unserer ›Concordia‹ will ich immer die Treue bewahren . . . . Ich stehe für Sie stets bereit und Sie können mir keine größere Freude machen, als wenn Sie sich meiner Bereitschaft bedienen . . . Ich erinnere mich gern der Zeit, wo ich in Ihrer Verwaltung saß . . .« Und ich mich noch lieber der Zeit, da der Erlöser, sich der Schauspieler erbarmend, die Worte schrieb: »Sie brauchen Kleider, Handschuhe und Hüte, und sollen auf den Concordiaball, sonst werden sie schlecht rezensiert.« (2. Februar 1895.) Er hat es, ehe er fünfzig wurde, vorgezogen, die Schauspieler – jene, die es von Berufs wegen sind – preiszugeben, um sich bei den Leuten, die er als Erpresser erkannte, eine gute Rezension zu sichern.

Gegen eine Vorlesung in Graz, die erst auf den 12. Januar
angesetzt ist, wird schon jetzt – natürlich nicht durch das
gedruckte, sondern durch das gesprochene Wort – von der
dortigen Presse in dankenswerter Weise Stimmung gemacht.
Die Konzertbureaux haben bereits den Kartenverkauf abgelehnt, eines mit ausdrücklicher Berufung auf einen Wink,
den es bekommen habe. Der Saal ist noch nicht abgetrieben.
Ein dortiger Herr, der schon einen roten Kopf hat, bevor
noch von mir die Rede ist, und der in Feuilletons zu beweisen sucht, daß er viel von mir hält, besonders in jenen, wo
nicht von mir die Rede ist, wäre sehr zufrieden, wenn ein
unvorhergesehener Ziegelstein mich rechtzeitig zu einer Absage zwänge. Denn anders dürfte die von Interessenten aus-
gegebene Losung, daß ich diesmal nicht nach Graz gelangen
dürfe, kaum zu erfüllen sein.

Gewaltiger Zusammenhang

.... Zwischen Konfuzius und Lao-tse, Buddha und Kalidasa, Mose und
David, Homer und Aeschylos laufen ununterbrochen die Funken hin und her und blitzen über zwei Jahrtausende christlicher Zeit-
rechnung hinüber mit völlig unverminderter Kraft, lichtspendend und
wärmezeugend, bis in unser eigenstes Zeitalter hinein. Und wahrscheinlich gab es nie ein Zeitalter, das derartig die Summe zu ziehen ver-
mochte wie dieses unser heutiges. Dadurch haben wir einen Herrschafts-
bereich von nie gesehener, ja niemals geahnter Ausdehnung.

Was ist denn los?

Ein Buch wie dieses läßt es uns fühlen. Es imponiert ja zunächst durch
seine immense Mannigfaltigkeit, durch die Fülle seiner Anregungen und
Einzelbelehrungen, durch die Legion seiner scharf widereinander profi-
lierten Charakterköpfe, durch die Fruchtbarkeit des Widerspruches, zu
dem es uns von Seite zu Seite aufspornend reizt. Aber gerade darum sei
hier vor allem das Einheitliche betont, das solch ein Werk für uns um-
faßt; der gewaltige Zusammenhang, der von der ersten zur
letzten Seite magisch-rieselnd sich erstreckt; und die hieraus
quellende geistig-ethische Macht, die die Lektüre eines solchen Buches

zu einem derart fruchtbaren Erlebnis zu gestalten vermag, wie sie sonst fast nur solchen Werken eignet, die selber dem Reiche der Dichtkunst angehören.   F. S–s.

Herr Busse hat eine Literaturgeschichte geschrieben und Herr Servaes hat sie besprochen. Und darum dieser Aufruhr in der Natur.

Wie kommt das nur?

Die Halbmonatsschrift › L a c e r b a ‹ (Florenz, I. Jahrgang, Heft 2) bringt eine Übersetzung von Aphorismen aus »Sprüche und Widersprüche« und »Pro domo et mundo«, die recht gut zu sein scheint. Immerhin ist es auch gut, daß als letzter der vierunddreißig Aphorismen – gemäß der Vereinbarung – dieser übersetzt wurde:

Tradurre un'opera di lingua in un'altra lingua significa mandare uno oltre il confine, levargli la sua pelle, e fargli indossare dipoi il costume del paese.

Und erfreulich ist, daß man auch in Italien versteht, daß:
Il parlamentarismo è l'accasermamento della prostituzione politica.
In dem gleichen Heft steht ein Aufsatz »Giorgio Brandes. Una Stroncatura« (von Tavolato), dessen Anfang auch dem Nichtitaliener gut klingen dürfte:

In tutta la sua vita il mezzano letterario Giorgio Morris Cohen Brandes non ha fatto altro che mangiar libri e cacar recensioni.

In › La Voce ‹, einer Florentiner Wochenschrift (V. Nr. 7) hat die »Libreria della Voce« der deutschen Literatur eine Rubrik eingeräumt: »Opere die Carlo Kraus«. Das ist nur deshalb auffallend, weil in Florenz vermutlich niemand diese Opere kauft und weil es in Wien keinem Buchhändler einfiele, sie zu annoncieren, und in München, wo sie verlegt sind, keinem, sie in ein Schaufenster zu stellen. Nun wird von der betroffenen Seite auf nichts mehr gepfiffen als auf solche Ehren, aber das italienische Kuriosum muß doch verzeichnet werden, zu Zwecken der Selbstberäucherung, die be-

309

kanntlich darin besteht, daß man vor Stummen sagt, irgendwo sei geredet worden. Aber es ist weit über alle Bedürfnisse der Eitelkeit hinaus notwendig, zu erwähnen, daß in einem italienischen Blatt – wieder in der ›Voce‹ – eine Revue deutscher Revuen erschien, in der es heißt:

.... e poi – Die Fackel di Karl Kraus.
Mi è cosa gratissima poter segnalare ancora una volta questa rivista e quest'uomo all' attenzione degli italiani intelligenti. Più si legge Karl Kraus e più bisogna convincersi che egli è uno dei maggiori stilisti tedeschi di tutti i tempi. Non gli domandate la ragione dei suoi amori e dei suoi odi: badate allo stile. E troverete la sua lingua tanto avvincente che il contenuto materiale, l'aneddotico delle sue satire va perdendo, durante la lettura, importanza e sapore originali; resta, puro godimento, la perfezione della forma e le idee. – Riparlerô di Kraus nella Voce. i. t.

Wie kommt das nur, wie erklärt sich das in dieser Welt der Verbindungen, wofern sie es dem Besprochenen glauben sollte, daß er nie ein Heft nach Florenz geschickt und von der dort erscheinenden Literatur keine Ahnung hatte? Und warum muß es notiert werden? Nur weil wir in Berlin ein sogenanntes ›Literarisches Echo‹ haben, welches auch eine Revue der Revuen hält und wohl die schamloseste Fälschung einer Statistik vorstellt, die je gewagt wurde. Das Totschweigen, das die Kritik ausübt, wenn sie sich nicht anders helfen kann, ist ein heiliges Recht der Notwehr. Die Mißgeburten, die die Erkenntnis eines verpfuschten Lebens zu dem verzweifelten Ausweg geführt hat, öffentlich zu meinen, werden von mir bloß getadelt, weil sie Mißgeburten sind, also dort gepackt, wo sie nichts dafür können. Daraus aber, daß sie sich gegen mich wehren, indem sie kuschen, mache ich ihnen den geringsten Vorwurf. Ich wollte, ich könnte mir's bei ihnen richten, daß durch weitere vierzehn Jahre über mich geschwiegen wird. Wie aber Druckerschwärze zu Schlechtigkeit verleitet, zeigt erst eine Redaktion, die sich das scheinbar harmloseste Amt vorbehalten hat: einfach zu registrieren, was es in der Literatur gibt. Da, müßte man glauben, kann es doch zu keiner Lumperei kommen. Schön, die Konversationslexika werden von Journalisten bedient und lassen sich von denen sagen, wem man die Ehre erweisen soll, für die Welt geboren zu sein. Aber was sagt man zu einer Statistik, die auf die Frage: Weißt du wieviel Sterne stehen, die Antwort hat: Der Sirius paßt uns nicht? Zu einem Echo, das sich den Schall aussucht, auf den es zurückkommt? Das ist mir eine nette Physik! Wie denn, wenn das Fremdwörterbuch das Wort »Echo« ausließe, weil es ihm nicht sympathisch ist? Aber nein, da steht: es war eine Nymphe, die der Gram unerwiderter Liebe zu dem eitlen Narzissus bis zu einem Hauch verzehrte, dem nur noch eine erwidernde Stimme blieb. Ach, sie ging dann nach Berlin und hat sich dort so über mich gegiftet, daß ihr kein Ton mehr blieb. Dagegen, wenn in der ›Grazer Tagespost‹ eine Notiz über Herrn Bartsch erscheint, was sich doch eigentlich von selbst versteht – ruft sie's zurück. Nichts entgeht dieser Nymphe; nur alles, was mit mir zusammenhängt. Kein fremder Beitrag der Fackel – zur Zeit, da sie noch solche hatte –, kein Liliencron oder Wedekind, kein Strindberg oder Przybyszewski ward je an der Stelle verzeichnet, wo jeder launige Reporter auf Verewigung rechnen darf. Meine Nestroy-Feier, die – nicht als literarische Leistung, nur als kritisches Beispiel – jeden weiteren Festartikel als Abklatsch erscheinen ließ, den Dichter zur Auferstehung gebracht und seinen Historikern, die es in Dankbriefen bekundeten, Aug und Ohr geöffnet hat, wurde verschwiegen und was der Stenograph der Neuen Freien Presse in einem Theaterblatt plauderte, zitiert. Das dreihundertste Heft der Fackel – mit den Beiträgen der ersten Menschen Deutschlands – mußte immerhin für eine Revue der Revuen verlockender sein als die Tatsache, daß im Neuen Wiener Journal der Nachdruck eines Waschzettels über die Kritik einer Besprechung der gesammelten Rezensionen eines Journalisten erschienen ist. Echo widerstand. So daß man fast fürchten könnte, der Gram unerwiderter Liebe zu dieser Nymphe könnte einen Narzissus verzehren. Aber dem bleibt noch immer eine Stimme, um das Echo zu ersuchen, es möge ihn gern haben. Er ist eitel; ihm genügt sein Spiegelbild, er kann den Widerhall entbehren. Und ihm bleibt die Hoff-

nung, daß die kommenden Literarhistoriker – falls die kommenden Hebammen es nicht vorziehen, die Früchte abzu-
treiben – sich zwar nicht aus dem Literarischen Echo über die
Fackel, wohl aber aus der Fackel über das Literarische Echo
Bescheid holen werden. Denn obschon ich keine Statistik
führe, wird man mir doch nicht nachsagen können, daß ich
ein Fälscher bin. Und wiewohl es mir nicht gegeben ist, auszusprechen was ist – im Grunewald ist auch ein feines Echo –,
so wird man mir doch das Zeugnis nicht vorenthalten können, daß ich immer gesagt habe, wie's ist. Sollte es aber der
Nymphe Echo nicht passen, so werde ich ihr eins auf die
Pappen geben, daß sie überhaupt keinen Hauch mehr her-
vorbringen wird.

Eine Reminiszenz

Nur damit die denkwürdige Tatsache nicht verloren gehe,
daß die Wiener Presse sich 1913 an etwas erinnern mußte,
was ihr 1905 zu vergessen gelang, sei das Folgende reprodu-
ziert:

›Fremdenblatt‹:

. . . . Nicht zum erstenmal. Denn schon vor etlichen Jahren hat Karl
Kraus dieses Werk vor einem Kreis geladener Zuschauer auf die Szene
gebracht . . . .
. . . . wie vor Jahren, bei der ersten (besseren) Aufführung . . . .

›Wiener Allgemeine Zeitung‹:

. . . Wedekinds infernalische Komödie ist schon einmal in Wien vor
geladenen Gästen gespielt worden. In einer Vorstellung, die Karl Kraus
zu danken war. Damals ging es nicht Arm in Arm mit einem verehrungs-
würdigen Publikum, gegen die Zensur. Sondern für Wedekind gegen
ein verachtungswürdiges Publikum. Die gestrige Vorstellung, an tiefen
Eindrücken ärmer als die seinerzeitige im Intimen Theater, war durchaus respektabel, gut, wirksam. Aber die »Büchse der Pandora« braucht
eine Darstellung, so fern allem Theater-Üblichen, wie das Werk fern
allem Literarisch-Üblichen ist . . . .

›Arbeiter-Zeitung‹:

312

. . . . Zu dem Eifer der Behörde gesellte sich das feierliche Tamtam, mit dem die Vorstellung seit Wochen eingeleitet wurde. Wir erinnern uns der schlichten ersten Wiener Aufführung, die man Karl Kraus zu danken hatte. Damals gab es nicht soviel Kulturtat, dafür die Tat einer erkannten und erfüllten Pflicht gegen einen Dichter, zu dem sich zu bekennen, dem zu dienen damals noch Mut erforderte. Damals war das Publikum auch nicht gekommen, um dabei gewesen zu sein wie beim Künstlertee irgend eines Wohltätigkeitsvereines, sondern damals kamen Verehrer des Dichters, willig, sein Wort auf sich wirken zu lassen. Damals spürte man die Gewalt dieses scheinbar harmlosen Dialogs, damals ward das Grauen dieser Tragödie gefühlt, der Hohn ihrer Satire verstanden, das Herzleid ihrer Liebe empfunden. Und so war jene alte Aufführung weitaus besser als diese neue, trotz Frau Eysoldt und trotz Friedrich Kayßler (Alwa Schön), weil sie durch Darsteller und Hörer dem Dichter und seinem Werke näher stand . . . .

›Zeit‹:

. . . . Freilich, die ganze Fülle der Humore und Bekenntnisse müßte von anderen Schauspielern hervorgeholt werden; der geistige Gehalt der Dichtung kam unvergleichlich stärker in jener Vorstellung heraus, die der Wiener Schriftsteller Karl Kraus vor manchen Jahren veranstaltete . . . .

Herr Zw. in der ›Abendpost‹ ist diskret:

. . . . Das erfolgreiche Gastspiel der Damen Eysoldt und Fehdmer sowie Herrn Kayßlers schuf die Möglichkeit, in der n i c h t m e h r n e u e n Form einer Vorstellung vor geladenen Gästen die Fortsetzung von Wedekinds »Erdgeist«, in der der Dichter den Lebensgang seiner Heldin Lulu zum Abschlusse bringt, w i e d e r e i n m a l aufzuführen . . . .

Ich bin auch diskret und will nicht verraten, wie Herr Zw. vollständig heißt. Es ist ein bekannter Historiker, der sich da um die Vergangenheit herumdrückt, um zur Gegenwart zu kommen.
Die Kollegen in der ›Neuen Freien Presse‹ und im ›Extrablatt‹ sind so verschwiegen, daß man ihnen nicht einmal etwas anmerkt. Was das Werk selbst betrifft, so scheinen die meisten offenbar wirklich von nichts zu wissen. Im allgemeinen bestehen Zweifel, ob Wedekind durch die Vorführung des Lasters abschrecken oder diesem huldigen wollte. Manche sind dagegen, daß »die Kanalgitter von den Senk-

gruben einer hemmungslosen Sexualität gehoben« werden, in welcher Absicht immer es geschehe. Der Sexualtrieb wird fast überall verrissen.

Dichterfeier

Bei dieser Gelegenheit soll nicht ungesagt bleiben, daß die Neue Wiener Bühne, in deren Räumen sich das Ereignis abspielte, Dichter-Matineen veranstaltet. Da werden sie denn alle gefeiert. Zum Beispiel Rilke, der ja das Wiener Theaterpublikum besonders interessiert. Jede Persönlichkeit findet ihren Conferencier. Zu Nietzsche gehört Ewald, auch ein Abgründiger. Zu allen aber paßt Friedell, Vertreter jenes Antiphilisteriums, das aus einer heute schon recht populären Aversion gegen den »Ernst des Lebens« Beethoven anulken könnte, weil er schwerhörig ist, und Homer Maikäfer ins Bett legt, weil er zuweilen schläft. Sein an Stammtischen wirksamer Humor, dessen Niederschrift sich doch schwieriger anläßt, als man ursprünglich geglaubt hatte, könnte viel zur Veredlung der Kneipzeitungen eines philologischen Seminars helfen, strebt aber vom Kolleg zum Kabarett empor und ist die beste Kreuzung einer guten Laune, die in Alt-Heidelberg Moos angesetzt hat, und einer Geschicklichkeit, die dem Wiener Nachtgeschäft zustatten kommt. Der Mann dürfte bei Professor Marcell Salzer belegt und in Kuno Fischers Singspielhalle gearbeitet haben. Ein durchaus schätzenswerter literarischer Habitus. In öffentlichen Lokalen etwas polternd, aber gewiß kein Spielverderber. Bei solchen Übergängen von Gedankentiefe zur Ausgelassenheit, an solchen Stationen zwischen dem Ethischen des Bernard Shaw und dem Dionysischen des Rössler verweilt die renovierte Wiener Gemütlichkeit am liebsten und der neue Dreh, der dem alten Drahrertum zu Hilfe kam, schafft neue Lieblinge. Wenn dann noch die Zuckerkandl ihren kulturellen Segen gibt und, eine Spinne der Fremdworte, einen ausgewachsenen Humoristen in ihre Netze fängt, in-

dem sie ihn durch seine Konferenzen Intellektualität heran-
züchten und sich aus der Schule der Nervendressur Elemente
holen läßt, welche seiner Kunst, den Geisteswillen dieser
Zeit mit aphoristischer Schärfe zu projizieren, etwas Ab-
ruptes geben, wobei seine Ausführungen sich gleichsam
organisch aus den philosophischen Werten eines Weltgan-
zen in ihrer logischen Kontinuität entwickeln und er einen
Extrakt von sich gibt, der den Chok der Empfindsamkeiten
und gleichzeitig die Erkenntnis der auseinanderliegendsten
Zusammenhänge verdichtet, und wenn die Dame dann noch
die Geistesgegenwart hat, den schlichten Satz zu schreiben:
»Im Anfang war Friedell« – so ist alles in schönster Ordnung. Die Zuckerkandl nennt es: das »Alles ist da-Lächeln«,
wenn Friedell auftritt. Sie hat Recht, und es muß alles, was
da ist, zugegeben werden. Neidlos und unerbittlich. Ohne
Rücksicht darauf, daß es ein Herzenswunsch des Humoristen
ist, mich zu erzürnen, und eben deshalb. Denn unter der
scherzhaften Vorspiegelung, sich durch einen »Angriff in der
Fackel« bei der Presse nützen zu wollen, wollen solche Lustig-
macher tatsächlich nichts anderes, sie sind Streber unter dem
Vorwand es zu sein, und es ist deshalb notwendig, dem
Typus, dem heute nichts ernst ist als hinter der Tarnkappe
des Nichternstgenommenseinwollens der Erfolg, justament
den Gefallen zu erweisen. Das Glück, eine fremde Karriere
zu machen, soll nie gescheut, sondern immer versucht werden; ich stelle jeden dorthin, wohin er gehört, denn es mag
erträglich sein, daß Wedekind, wie Herr Friedell meint,
nur ein steckengebliebenes Genie ist, aber es wäre unerträglich, wenn auch die Talente stecken blieben. Ehrfurcht haben
sie nur vor den Vorteilen, die ihren Talenten gebühren, und
da Herr Friedell der intelligenteste Vertreter einer Spielart
ist, die ganz genau weiß, wann sie wieder nüchtern zu sein
hat, so eignet er sich sehr wohl dazu, daß an ihm ihre Züge
agnosziert werden. Den unerwünschten Anlaß aber bietet
der Einfall der Neuen Wiener Bühne, Wedekind in einer
Matinee zu feiern und ihn durch Herrn Friedell anulken zu
lassen. Die Lebensnot, die ihn ehedem gezwungen hat, seine

Gedichte in Kabaretts vorzutragen, scheint ihn auf Shake-spearisch noch heute zu seltsamen Schlafgesellen zu bringen. Aber kein Spaß, durch den Herr Friedell sich je um die Abende unserer Tage verdient gemacht hat, gibt ihm die Berechtigung, einem Wedekind auf die Schulter zu klopfen, und wenngleich er sicher der lustigste Kommentar ist, den man heute zu einer Weinkarte finden wird, zehnmal besser als der Roda Roda, so ist er doch beiweitem nicht der Mann, der Zufriedenheit das Grauen vor Wedekind auszureden. Wo es zwischen der Gotteswelt und der erotischen eines Dichters nicht stimmt, das zu untersuchen erfordert einen andächtigeren Geist als den des Schalks, der davon lebt, daß man ihm nichts übel nehmen wird, und den die eigene Problematik, die ja in der Humorproduktion einen billigen Ausgleich gefunden hat, darauf anweist, in jedem Größeren einen Zwitter zu erkennen. Mit allem Nachdruck muß aber die Zimmerunreinheit der Idee festgestellt werden, eine Wedekind-Feier mit einer Entwertung eröffnen zu lassen und eine literarhistorische Objektivität zu bewähren, um die man einen Theaterdirektor nicht gebeten hat. Die Ent-schuldigung, daß Herr Direktor Geyer von der Friedell-schen Weltanschauung überrascht wurde, wäre hinfällig. Er hätte den Vorredner unterbrechen, desavouieren und, ein Reformator wie er ist, die Vertreibung des Hanswursts von der Neuen Wiener Bühne besorgen müssen. Wenn anders es ihm wirklich darum zu tun war, die Wirkung der Wede-kind-Feier ungetrübt zu lassen, und wenn er schon unter-lassen hatte, das Manuskript abzufordern. Die Vielseitig-keit des Friedellschen Könnens und die höchst unziemlichen Bonmots der Schiller-Ehrung hätten ihm zu bedenken geben müssen, daß die Platte nicht zwielichtundurchlässig sei. Der Plan des Herrn Friedell, auf dessen Gelingen er stolz ist: dem Philister Mut gegen Wedekind zu machen, mußte dem Direktor, der sein Podium hergab, in irgendeiner Form ruch-bar werden, und nicht zuletzt mußte ihm die Dankbarkeit gegen den Autor des »Erdgeist«, der ihm eben noch das Theater gefüllt hatte, einen würdigeren Festredner empfeh-

316

len. Wedekind verfügt ja nicht über allzu viele Theater, die ihm dankbar sein müssen, und er hat die Zensur hauptsächlich als die Ausrede der Direktoren zu fürchten, die ihn nicht annehmen. Sie könnten noch weiter gehen und an seiner Stelle einen Humoristen auftreten lassen, der dem Publikum versichert, es habe nichts verloren. Das fehlte noch zur Ordinärheit des Bühnengeschäfts, daß die Theater, die einen Dramatiker nicht aufführen, dafür die Kritik beistellen und, statt seine Stücke vor die Rezensenten zu bringen, ihn in eigener Regie verreißen. Es gehört ein guter Magen dazu, sich vorzustellen, daß die lustige Person bei offenem Vorhang und zur Einführung in die nun folgende Feier Wedekind einen Knockabout nennt. Wenn das Geschäftstheater des Herrn Weisse den Dichter ins Foyer geladen hat, so hat es wenigstens die Distanz zwischen der verdienenden Schande, die sich am Herd wärmen darf, und der Ehre, die im Vorzimmer eine Bettelsuppe kriegt, ehrlich markiert. Ein Literaturtheater, das einen Dichter in die gute Stube lockt, um ihn anzupöbeln, hat ausgespielt.

Ein Witz

Durch die Witzpresse wird kolportiert, daß die von der Fackel angeregte Sammlung für Else Lasker-Schüler »11 Kronen ergeben« habe. Wenn es wahr wäre, gäb's keinen Grund, witzig zu sein, und trauriger als um die Dichterin stünde es um das deutsche Publikum. Der Witz ist durch die Geschmacklosigkeit einer Berliner Zeitung entstanden, welche die Summe von elf Mark, die ihr für die Sammlung übermittelt wurde, mit einigen pompösen Zeilen besonders ausgewiesen hat, statt den Empfang den Spendern brieflich zu bestätigen. Tatsächlich beträgt das Ergebnis der Sammlung bis zum ersten März 4660 Kronen. Eine Summe, die freilich noch immer nicht hoch genug ist, um das deutsch lesende Publikum von der Verpflichtung zur Scham loszukaufen.

Peter Altenberg

(Vor- und Nachwort zum Abdruck von Skizzen)

Ein neues Buch von Peter Altenberg gehört zu jenen seltenen Mitteilungen der Menschenseele, die man ja doch nur hinter dem Rücken der Zeit weitergibt. Sie sieht und hört es nicht und nur darum nimmt sie es nicht übel. Diese von Gott autorisierte Übersetzung des Menschen in die Sprache wird – eine Empfänglichkeit späterer Welten vorausgesetzt – noch zu Menschen sprechen, wenn fast alles, was heute gedruckt wird, nicht mehr mit freiem Auge wahrnehmbar sein wird. Ehren, die die Zeit verleiht, wären imstande, diesen Dichter in die Nähe jenes Kunstwerkertums zu bringen, das seine Popularität exklusiv betätigt und in der Geschlossenheit seiner Leere die Naturfülle verachtet. Es ist seit Jean Paul wieder der erste Fall, daß an einer Anderthalbnatur eben das als Minus erscheint, was den Halben zum Erfassen fehlt, und sie ist so reich, daß man wohl aus dem, was sie nicht hat, ein Dutzend Wiener Dichter machen könnte, aber aus dem, was sie ist, keinen einzigen. In Zeiten, wo nur der Genius vom allgemeinen Stimmrecht ausgeschlossen ist, hat er es ja schwer, sich bemerklich zu machen; zumal, wenn er die Tracht eines Nichtstuers wählt, dessen Horizont scheinbar nicht über eine Hotelterrasse hinausreicht. Aber er, der Genius, ist gottseidank der Intelligenz nicht Rechenschaft schuldig, auf welchem Weg er den Zusammenhang so entfernter Dinge erfahren hat wie eines Dienstmädchens und der Ewigkeit. Dafür läßt er sich gern literarhistorisch bedauern. Denn es ist schade um ihn, daß er nicht darüber hinausgekommen ist, in einer Skizze alles zu sagen, was ein Mensch und die Sprache einander zu sagen haben. Es ist schade, daß einer von einer Landpartie so viel mitbringt und andere vom weiten Land, ja sogar vom weiten Griechenland so leer zurückkamen.

*

Daß dieser Dichter Zeitgenosse ist, mag allen Spott rechtfertigen. Aber der reicht nicht an den Humor hinan, mit dem
das Erlebnis solcher Unvereinbarkeit den Dichter selbst be-
gnadet hat. Dieses beste Gelächter aufzubewahren, das
Wesentlichste einer Menschlichkeit, deren Falstaffgewand
ein gewendetes Martyrium war, über Geschriebenes fortzu-
führen und von der anekdotischen Plattheit zu säubern, die
jetzt durch Jours und Kabaretts die einträgliche Runde
macht, wird einst keine leichte Pflicht sein. Etwa erleichtert
durch die Erinnerung: wie man das lebendigste Herz einer
Zeit dem Publikum zugänglich gemacht hat, in welchem
Winkel der Unterhaltung und in welchem Abtritt der Publizität, und wie man so gar nicht die Verpflichtung fühlte, die
Würdelosigkeit des Genies für ehrwürdig zu halten und ihr
eben jene Obhut zu gewähren, die sie selbst verschmäht hat.
Und vergesse, an wem es sein wird, zu erinnern, auch jenes
Neue Wiener Journal nicht, das als erstes in der Lage war,
die schwere Erkrankung des Dichters zu melden, und hierauf als einziges, den Faschingsulk eines Münchner Kretins
nachzudrucken:

> Für mein neuestes Buch eigen-
> ster Originalität suche ich einen
> Leser
> Offerten mit Honoraransprü-
> chen unter » Nur ein
> Viertelstündchen bei
> P. A.« an die Expedition.

Die Denkbarkeit und Druckfähigkeit solcher Auffassungen
ist einem Peter Altenberg nie zum Problem geworden. Die
Leidensgeschichte eines Dichters ist die Leidensgeschichte
der Menschheit. Aber ich weiß, daß die jetzt in täglichen
Fortsetzungen erscheint.

(›Zeit im Bild‹.) In der heute erscheinenden Nummer 14 der Wochenschrift ›Zeit im Bild‹ beginnt der Roman »Das Glück der Edith
Hilge« von Otto Soyka. Wohl selten ist eine Erzählung mit größerer
Spannung erwartet worden; denn dieser Roman gibt seinen Lesern
ein Rätsel auf, dessen Lösung ein Vermögen bringen kann. Wir
rekapitulieren: Der Roman gibt die Schilderung einer Mordtat, der
Mörder wird aber vom Verfasser nicht genannt. Der
Schuldige bleibt unerkannt. Verschiedene Personen geraten in den Verdacht, den Mord begangen zu haben. Die Leser sollen nach den im
Roman gegebenen Indizien selbst entscheiden und den Nachweis erbringen, wer als der wirkliche Mörder anzusehen ist. Der Leser muß
aber sein Urteil auch begründen, indem er auseinandersetzt, auf welche
Verdachtsgründe sein Urteil gestützt ist. Dafür sind Preise im
Gesamtbetrage von 100.000 Mark ausgesetzt. Die beste Lösung allein
bringt 50.000 Mk. ein, die zweite 20.000 Mk., die dritte 10.000 Mk., die
vierte 5000 Mk., bis herab zu 10 Trostpreisen von je 1000 Mark.
Es läßt sich leicht denken, daß dieser Roman förmlich »zerrissen«
wird; jeder wird in dieser mysteriösen Geschichte mit seinem Scharfsinn
spüren wollen, die Juristen zumal und auch die freiwilligen »Kriminal-
studenten«. Aber der Roman gibt durchaus kein juristisches Rätsel auf,
und wer psychologisch begabt ist und ein gefälliges Darstellungstalent
hat, der kann sich den Preis verdienen. Preise, wohlgemerkt, die
das Vielfache unserer größten literarischen Preise
(des Schiller-Preises, des Raimund-Preises u. a.) betra-
gen! Es winkt ein Häusel im Grünen, eine große Reise ist nah, schöne
weite Welten tun sich auf! Jeder wird sich so, nach seinen Wünschen, in
einen wunderbaren Traum einwiegen. Aber du, armes, geplagtes Preisgericht! Berge von Büchern und Briefen erwarten dich. Bis Ende Juli
läuft der Roman, im Januar wird die Entscheidung fallen. Nun heißt
es: die Sinne schärfen. Mit dem Zeigefinger am Mund Schweigen
gebietend, steht (auf dem Titelbild) eine schwarze Frau vor dem roten
Vorhang, der die Leiche deckt. Wer hat die Tat begangen? Das ist
jetzt die Frage....

Der Autor dieser Dichtung ist, wie ich gern glaube, mit
jenem jungen Schriftsteller, dessen Name durch einige Beiträge in der Fackel bekannt wurde, weder identisch noch ver-
wandt. Der Herausgeber der Fackel, die schon einige Talente
an den Journalismus abgeliefert hat, würde, so bereitwillig
er organische Irrtümer als Folge eines glücklichen Mangels
an psychologischer Fähigkeit einbekennt, immerhin freudig

berührt sein, wenn hier die Verwahrung von einer der beteiligten Seiten unterstützt und die belletristische Züchtung
deutscher Polizeihunde in keinen Zusammenhang mit seinem Vorleben gebracht würde. So spannend die Tätigkeit
eines Romanautors immer sein muß – das Problem: Wer ist
das? auszugenießen ist ein Vergnügen, das wir der Schriftstellerei nicht verdanken wollen. Wenn ein Soyka-Preis
schon das Vielfache eines Raimund-Preises beträgt, so muß
das geistige Verdienst, mit ehrlichen Maßen gemessen, immerhin zu einem Teilchen beteiligt sein. Denn wir wollen
nicht, daß Dichternamen in die Reklame einer illustrierten
G. m. b. H. eingespannt werden, zumal nicht die der Rai-
mund und Schiller, wenngleich deren Einkünfte kaum einen
Trostpreis übersteigen mochten und auch nicht annähernd
an das beglaubigte Bankdepot heranreichten, das jetzt einem
Roman Leser wirbt und mit dem heute papierene Verdachtsgründe belohnt werden, während ehedem dem Manne, der
den großen Räuber lebendig lieferte, höchstens mit tausend
Louisdors geholfen werden konnte. Ein so diskreter Zug es
auch sein mag, daß der Verfasser den Namen des Mörders
nicht nennt, wir möchten doch um den größten Preis der
Welt nicht mit einer Literatur verbunden sein, die man erst
so recht genießt, wenn ein Häusel im Grünen winkt.
In einem Blatt nun, welches der geistigen Entwicklung das
Ziel gesteckt hat, den Mörder zu finden, in Text und Bild
vorgeführt zu werden, ist eine besondere Ehre. Ich bin ab-
gehärtet und an die schmierigsten Zumutungen deutscher
Zeitschriften gewöhnt, aber ich glaube, das Bewußtsein, der
ehrliche Finder des Mörders zu sein, ja den preisgekrönten
Mord selber begangen zu haben, könnte nicht ärger drücken
als das Gefühl, in ›Zeit im Bild‹ unter die »berühmten oder
interessanten Zeitgenossen« aufgenommen zu sein. Sie hat
mich, sagt die Redaktion, wie jeden solchen, »der in die
Reichweite ihrer künstlerischen Arbeit gerät«, abkonterfeien
lassen. Dagegen ist nichts zu machen, und es sollte wohl
Riechweite heißen. Der Herr Blix, den der Simplicissimus
abwechselnd das Andenken an Wilke veröden und den le-

benden Gulbransson verdünnen läßt, will gesehen haben, wie ich bei der Münchner Vorlesung mit beiden Händen redete, was mir doch schwerlich je gelingen könnte, da ich immer mindestens eine brauche, um das Buch zu halten, von dem ich abhängig bin, selbst wenn ich es auswendig weiß. Die Eigenart des Herrn Blix, in der Mitte jedes Gesichtes eine Gurke und am Rand einen Henkel zu sehen, scheint sich auch nicht mit meinen Geburtsfehlern zu decken.

Da ich aber auch keinen Zwicker trage und kein Kandelaber neben mir stand, so vermute ich, daß der Meister mich überhaupt nicht gesehen, sondern auf Grund falscher Informationen und Gerüchte oder vermöge einer Personenverwechslung porträtiert hat. Meine Eitelkeit, die sich nicht auf meinen Leib bezieht, würde sich gern in einer Mißgeburt erkennen, wenn sie in ihr den Geist des Zeichners erkennte, und ich bin stolz auf das Zeugnis eines Kokoschka, weil die Wahrheit des entstellenden Genies über der Anatomie steht und weil vor der Kunst die Wirklichkeit nur eine optische Täuschung ist. Gegen die Mittelmäßigkeit, die nicht trifft, und vor der Mittelmäßigkeit, die es anschaut, müßte das Recht am eigenen Körper statuiert werden, mindestens aber gelte die Befugnis, eine Illustration, die nicht übertreibt, sondern erfindet und nichts weiter bedeutet als die Verbreitung einer falschen Nachricht über meine Ohren, durch die photographische Entgegnung des Sachverhalts zu berichtigen.

Warum soll die zeichnerische Reportage das Recht auf die Lüge voraus haben? Eine kleine Nase darf zum Knopf, eine große zum Rüssel werden: das wird dem Handwerk zugestanden. Aber wenn der Meister unter den Rüssel den Namen dessen setzt, der die kleinere Nase hat, so läuft er Gefahr, ein Lügner genannt zu werden. Warum soll der Schutz, der gegen die verbale Fälschung aufgerichtet ist, der eindringlicheren Methode gegenüber versagen? Ich für meine Nase habe schon keine Lust, das Recht des Karikaturisten an allem, was in Erscheinung tritt, auf die Talentlosigkeit auszudehnen, umsoweniger auf die Verlogenheit, und ich sperre in meiner Instanz jeden, der mir eine zu lange Nase dreht, in die Lücke des Gesetzes, das die Beleidigung straft und die Belästigung frei gibt.

Was ist aber das Übel, manche Lüge ungestraft zu sehen, neben der Gefahr, daß jede Meinung erlaubt ist? Was ist die Wehrlosigkeit vor der zeichnerischen Unbegabung neben der Vogelfreiheit vor dem Text des Analphabeten? Daß die Meinungsfreiheit eine Errungenschaft des Liberalismus ist, sollte nie vergessen lassen, daß sie auch der Rotz der Kultur ist. Ich bin gegen Rotz empfindlich. Wenn's auf mich ankommt, ist es mir hundertmal angenehmer, daß die ersten Schriftsteller Deutschlands, die mir in München mit ziemlicher Ausdauer zugehört haben, nie einen Ton über mich verlautbaren werden, als daß ein Dummkopf sich an mir vergreife. Ich finde es ja ganz in Ordnung, daß in der Stadt, in der ich verlegt bin, keine Buchhandlung meine Bücher ausstellt, aber es ist mir – die Rotzbuben mögen meine Empfindlichkeit entschuldigen – recht peinlich, daß in der Stadt, deren Revuen mich ehedem um Beiträge und um Hilfe gegen Herrn Harden angefleht haben, sich kein Finger rührt, um einen anonymen Schmierer zurechtzuweisen, der mir eine innere Verwandtschaft mit Herrn Harden nachsagt. Die Totschweigerei der Wiener Presse ist von allem was sie tut das reinste. Das Verhalten der deutschen Literatur deckt sich mit ihres Wesens Schmutz. Es ist einfach ein Plan der Verheimlichung, der mit der Sicherheit arbeitet, daß die lokalen Anlässe mein Werk den entfernten Lesern unwegsam machen, und – wohl wissend, daß sein Wert in der Entrückung vom Stoff liege – davon für die deutsche Aktualität abschöpft. So ist es möglich, daß einem Publikum, welches kaum meinen Namen erfährt, von einem Literatentum, das meine Arbeit kennt, Leistungen vorgesetzt werden, die vom unterrichteten Leser sogleich als miserable Kopie erkannt werden müßten. So ist es möglich, daß jene publizistische Form in Schwang gekommen ist, die, ohne inneren Auftrag geübt, wohl den gröbsten Unfug bedeutet, dessen die Überschreitung der Bürgersitte fähig ist: die polemische Glosse. Der schlechte Lyriker ist ein Dilettant, der schlechte Satiriker auch noch ein Lump. Der schlechte Lyriker kann nie so zur Last werden, wie der schlechte Satiriker, dessen Überhandnehmen durch das gemeinste Bedürfnis und den gemeinsten Betrieb garantiert ist. Hätte der satirische Pöbel, der jetzt allerorten emporwächst, auch nur einen Funken Ehrgefühls, er hätte für meine Unterdrückung gesorgt, ohne sie zu seiner Ausbreitung zu benützen. Ärger, als wenn die Zimmermaler einem Rembrandt den Markt versperrten, hat dieser Fluch die Anschauung verdorben, so daß das Original

324

sich nicht mehr hinaustraut, weil es zur Verachtung zurecht-
kommen könnte, der die Kopisten glücklich entgangen sind.
Unmöglich wäre es auch, durch die Mauer literarischer Schäbigkeit, die das deutsche Geistesleben umfriedet, zu jenen
vorzudringen, die Dank wüßten, und das Erstaunen einzel-
ner, die dort die Fackel kennen lernen und so lange geglaubt
hatten, sie sei ein Frankfurter Skandalblatt: das Entsetzen
dieser Einzelnen, weil ein Ring von kritischer Tücke und
verlegerischer Gleichgültigkeit ihnen so viele Jahre die Bekanntschaft mit einem, der in deutscher Sprache schreibt, verwehrt hat, dieses jetzt öfter hörbare »Wie kommt das? Warum haben wir davon nichts gewußt?« klagt jene am schwersten an, die mich mit einem Schein von Anhängerschaft zu
umgeben wußten, um sich die Tat zu ersparen. Sie wird von
mir nicht mehr begehrt. Aber daß zu hunderttausend deutschen Lesern, die ein illustriertes Blatt kaufen, weil dort
Preise auf den Kopf eines Mörders ausgesetzt sind, die
Meinung eines bösartigen Reporters dringt, das ist noch zu
erreichen, und wird von jenen gebilligt, deren Verehrer-
briefe meinen Kasten sprengen und die längst das Schweigen über mich als der Tapferkeit besseres Teil erkannt haben. Dort wo der Mörder nicht genannt wird und der Plauderer das Pseudonym »Bold« führt, können sie jetzt das ab-
schließende Urteil über mich erfahren:

.... ihn unterscheidet von Kerr außerdem, zu seinem Vorteil, sein
überaus reiner g e p f l e g t e r Stil, und dasselbe gilt von seinem Deutsch
im Gegensatz zu dem Deutsch, das Harden in den letzten Jahren schreibt.
Aber wenn man Kraus rühmen will, wird man sonst auch nichts weiter
sagen können, als dies: er schreibt ein gutes, k l a r e s   f l ü s s i g e s
D e u t s c h. Das ist ungeheuer viel, wird man sagen. Aber gewiß! N u r,
n i c h t   w a h r, m a n   h ä t t e   L u s t, in diesem guten Deutsch e i n m a l
e t w a s   g e s a g t   zu hören; e i n e n   e i g e n e n   G e d a n k e n, d e r   a b e r,
weil er ein eigener Gedanke ist, ein e i g e n e s   G e w a n d hat, eine von
ihm selbst, w e n n   n i c h t   e n t d e c k t e, so doch unmittelbar gesehene
T a t s a c h e, die e b e n   a u c h durch die ganz eigenartige sprachliche
Wiedergabe etwas von der neu entdeckten Seite oder Beziehung sehen
ließe .... Haben Kerr und Harden uns e t w a s   v e r w ö h n t, so ist
es das P e c h von Karl Kraus, daß gerade auch durch diesen Gegensatz
sein gutes Deutsch, wenn wir es erst ein paarmal gelesen haben, uns

leer vorkommt. Das ist auch die Ursache, weshalb Kraus tatsächlich selbst in dem nächsten Umkreis seiner Heimatstadt so gut wie keine Wirksamkeit entfaltet hat. Da er nun immerhin sah, daß ein großes Maß an Wirksamkeit eines der Kriterien echter Journalistik ist, da er anderweitig sah, daß sie ihm fehlt, wurde er Feind der Journalistik. So fand er die einzige pikante Wendung seiner Schriftstellerlaufbahn: er bekämpft außer Harden und der Wiener Neuen Freien Presse auch Heinrich Heine als den Begründer des impressionistischen Stils in der Tagesschriftstellerei. Gegenüber all den andern glaubte er nun, im Ewigkeitsstil zu schreiben, weil er die Wirksamkeit für den Tag durch sein gutes Deutsch nicht erlangen konnte. Aber man ist noch kein Philosoph, wenn man nur in Allgemeinheiten spricht und denkt, Gedanken anderer in ein hübsches plattes Deutsch, in sogenannte Aphorismenart so übersetzt, daß alle Ecken und Kanten der ursprünglichen Gedanken abgeschliffen scheinen, um, im Gegensatz zur Wirksamkeit, für die Ewigkeit zu sein; es kann auch die Wirksamkeit sein für die Minute oder Viertelstunde, während deren man in Kraus' Zeitschrift oder in den Bänden seiner noch immer nicht abgeschlossenen Werke blättert.

Nun ja, man wird schon sehen, wohin die Preßfreiheit führt. Die Enkel erst werden diese fortschrittliche Einrichtung preisen, die es ermöglicht hat, Meinungen, bei deren Geruch ein Hund die Wut bekäme, unmittelbar und ohne die Gefahr der Auspeitschung in hunderttausend Gehirne überzuleiten. Gibt es eine bessere Zeugenschaft gegen diese Zeit als ihre Verteidiger? Als daß die Gegner, die sie mir stellt, solches Kaliber haben? Der Wunsch, mich anzugreifen, bringt einen mittelwüchsigen Schwachsinn so von Kräften, daß er sich im Objekt vergreift und mich mit einem andern verwechselt. Von mir müßte doch von rechtswegen gesagt werden, daß ich ein unklares, schwerflüssiges Deutsch schreibe, daß ich eigene, aber platte Gedanken durch künstliche Ansetzung von Ecken und Kanten in sogenannter Aphorismenart produziere. Denn im letzten Grunde soll, namentlich für den intelligenten Trottel, der draufkommt, jeder Gedanke eine Banalität sein, und Stil ist hinterdrein nur eine Umschreibung. Was ist das für ein Stil, wenn der Mann mit den fünf Sinnen erst nach fünffacher Lektüre sagen kann, er sei auch der Ansicht? Dieser Zustand müßte als ungesund verworfen werden, und das ist der Punkt, aus dem ich dem Verstand widerstehe. Aber finde sich einer im Gehirn der Subjekte zurecht, die den Drang oder die Aufgabe haben, mich anzugreifen, und da sie es mit Überzeugung nicht können, eben einen ganz andern angreifen, was ja dem Leser schließlich egal ist. Sie bedienen sich aus dem ungeheuren Vorrat des Hasses, den meine bloße Existenz durch die bloße Unfähigkeit, Verbindungen einzugehen, gesammelt hat. Naturgemäß kann er nur von einer Gegnerschaft der Masse ausgeschöpft werden, weil ein ebenbürtiges Pathos in dem luftleeren Leben nicht wachsen könnte, um es zu verteidigen. Blind wie die Masse muß der Haß sein, der sich nie auf vorhandene Eigenschaften bezieht, sondern sie nur herbeiwünscht und, um sie zu treffen, erfindet. So ist es möglich, daß er in Bild und Schrift Behauptungen aufstellt, gegen die kein Widerspruch nötig wäre, wenn das Objekt nicht zufällig meinen Namen hätte. Oft müssen sie nicht erst weit suchen gehen, um die zum Angriff passende Häßlichkeit zu finden: sie geben dem Popanz ihre eigenen Züge, was ihnen, da sie die meinen mir abgenommen haben, wie ein gerechter Ausgleich erscheint, und indem sie sich in mir angreifen, zugleich wie die Sühne, die der Wahn ihrer Haßliebe verlangt. Und nun denke man: diese Zeit hat Maschinen, um ihre Unregelmäßigkeit auszuleben. In allen Vorzeiten wurde durch das Gerücht mehr Wahrheit in Umlauf gesetzt als heute durch die Presse. Und es ist modernster Unsinn der Entwicklungspolitik, daß sie die Kunst gegen die harmonische Rückständigkeit schützen will, anstatt gegen die Zweideutigkeit. Jeden Augenblick wird für einen modernen Künstler, den ein Philister abstrus gefunden hat, die Enquetetrommel gerührt. Als ob es das Unglück der Kunst wäre, daß sie vom Hausverstand geflohen wird: er erkennt den Sachverhalt und beweist seinen Respekt, indem er sich an die Stirne greift. Nichts frommt dem Geist besser als der Widerstand, der die Gefahr spürt. Wenn mir nichts weiter geschähe, als daß die journalistisch geschulte Leserschaft mich als unverständlich, unverdaulich und widerwärtig ablehnt, ich ließ mir's gut gehen. Ich würde keine Zeile an die Klage wenden, daß mir solche Reaktion nicht paßt. Ich würde mich nicht dem Vorwurf der Kleinlichkeit aussetzen und dem Anschein, daß ich es nur pro domo auf die freie Meinungsäußerung abgesehen habe. Wenn die Kunstpolitiker, anstatt Zukunftswerte zu effektuieren, ihnen die Auswirkung sichern wollten, hätten sie nicht auf Anerkennung, sondern auf Respekt zu dringen und dort einzugreifen, wo sich der Hausverstand behaglich niederläßt, wo er sein Unverständnis mit der Frechheit verkleidet: er verstehe es und verdaue es und die Fackel sei auch dort, wo sie nicht zufällig von einem Trottel spricht, in einem klaren flüssigen Deutsch geschrieben. Sie müßten mich gegen das höchste Kompliment schützen, das eine Menschensorte zu vergeben hat, deren Beruf es ist, Tatsachen schmackhaft zu machen. Gegen die bewußte Fälschung, die darauf abzielt, einem in Deutschland verbreiteten Gerücht, die Fackel sei Literatur, durch die Beruhigung zu begegnen, sie sei als Reiselektüre zu wenig spannend. Auf einen Tadler kommen dort draußen zehn Verteidiger. Gegen die Gebärde, mit der das Zeitungsgeschäft sich seines Todfeindes entledigt, indem es ihn nicht amüsant genug findet, kann es keinen Protest geben. Denn was da die Feder führt, ist vereint in der Brüderschaft des Hasses. Jeder spürt, daß den andern nicht Kritik, sondern Notwehr leitet. Sie müßten aufhören, zu sein, wenn sie zugeben könnten, daß ein Leben, wie es hinter der Fackel lebt, von ihnen nicht verstanden werden darf. Wenn sie mich angreifen, so gilt es ihnen. Denn je mehr sie mich angreifen, desto schwächer werden sie, und nur die Schwäche, die noch zunehmen kann, erhält sie. Es ist jene verzweifelte Spielart, die ich so oft erlebt habe: einer ruft ein unartikuliertes Schimpfwort und stellt bloß dadurch, daß er auf mich zeigt, die Verbindung mit mir her, die von ihm doch wollüstig ersehnte Verbindung. Leute, die auf jüngere Leute als Männer wirken, haben so sich mir im Haß mühelos ergeben. Sie wiederholen unaufhörlich dieselben Schimpfwörter, an deren kritischen Ernst sie natürlich selbst zuallerletzt glaubten, wenn für einen Augenblick die verhängnisvolle Schwäche der Besinnung wiche, deren sie ehedem in der Stellung zu mir fähig waren. Der Grund des Ausbruches ist nie, daß sie von mir nichts halten, sondern immer, daß ich von ihnen nichts halte. Ist es denkbar, daß solche Naturen noch eine Gefolgschaft haben, die verehrend zwischen mir und ihnen schwebt? Es ist das Einverständnis jener verräterischen Nullität, die auf den Sack schlägt und sich selber meint. So habe ich es allzeit erfahren, am häufigsten in Berlin, wo die irdischen Reste eines teuren Verblichenen sich noch manchmal gegen mich zu erheben versuchen und wo ich gelegentlich eine Leichenschändung vornehmen könnte, wie sie neopathetische Hinterbliebene noch nicht erlebt haben.

Denn ich brenne vor Verlangen, den Reizen, die der Tag mir bietet, zu entfliehen und einmal dem geistigen Deutschland in den Rachen zu schauen. Die vielen Sekten, die der Mangel an Religion verbindet, ob sie nun ihr Nichts in die Politik oder in die Psychologie retten, ob sie nachdenkliche oder tänzerische Gewohnheiten haben, ob sie Glossen abschreiben oder Gedichte, auf meinem Papier zu versammeln. Ihnen zu sagen, daß wir uns nur hier treffen und berühren. In der Fülle der Gesichte nur die eine Hohnfalte nachzuweisen, die wie ein breiter Strich durch Gottes Rechnung allem Wachstum abwehrt. Jene, die Mut haben, weil sie keine Ehrfurcht haben, das Gruseln zu lehren! Der Tölpel hat recht, es war ein Entschluß, ich bin nur aus Unfähigkeit, für die Zeit zu wirken, ihr Feind geworden, und darum, weil ich nicht als ein Verliebter konnt' kürzen diese fein beredten Tage, war ich gewillt ein Bösewicht zu werden, und feind den eitlen Freuden dieser Tage. Ich nun, in dieser schlaffen Friedenszeit, weiß keine Lust, die Zeit mir zu vertreiben, als meinen Schatten in der Sonne spähn und meine eigne Mißgestalt erörtern. Nun möchte ich, entstellt von einem Zeichner, so um dies schöne Ebenmaß verkürzt, daß Hunde bellen, hink' ich wo vorbei – auch noch alle diese Hunde auf einen Platz treiben und in einer einzigen Schlinge erfassen. Überhaupt der Zeit ins Bild schlagen. Hierauf mich dem Preisgericht stellen: Man suche nicht länger – der Mörder bin ich!

DIE NEUE ART DES SCHIMPFENS

In einem Aufsatz »Über eine neue Art des Schimpfens« sagt der Professor der Literaturgeschichte Dr. Richard M. Meyer in Berlin, der die Literatur in Dekaden eingeteilt hat:

. . . . Maximilian Harden, wenn ich nicht irre, hat auch hier bahnbrechend gewirkt . . . Bei einem Konflikt mit einer Zeitung, die ihn unzweifelhaft verleumdet hatte, genügte es ihm nicht, sie »Dirne« zu nennen – er mußte diese Bezeichnung noch durch die ekelhaftesten Einzelheiten verdeutlichen. Das hat nicht nur bei seinem in aller erbittertsten Feindschaft treuesten Schüler Karl Kraus in Wien Schule gemacht. Die beliebtesten Scheltwörter ›Eunuch‹ und ›Metze‹ werden stimmungsvoll ausgemalt und so zwei Götzen unserer Zeit zugleich gedient – jenen beiden, die Götzen sowohl primitiver als raffinierter Roheit sind: dem Sinnenkitzel und dem Zerstörungsdrang. Ich muß mich in diesem Punkt als durchaus altmodisch bekennen. Ich glaube durchs Leben zu kommen, ohne gewisse Worte auszusprechen oder auszuschreiben; und ich halte es für das berechtigte Privileg des gebildeten, ja des anständigen Menschen, auf schmutzige Ausdrücke ebenso zu verzichten wie auf schmutzige Handlungen – soweit wenigstens, wie ihnen eine freie Wahl bleibt; der Prüderie in wissenschaftlichen Fragen soll damit selbstverständlich nicht das Wort geredet werden. . . .

Gewiß nicht. Was aber die neue Art des Schimpfens anlangt, so glaube ich nicht, daß man mir in den dreizehn Jahrgängen der Fackel einen Fall wird nachweisen können, wo ich das Wort »Dirne« als Schimpfwort gebraucht hätte und nicht als die Bezeichnung eines erstrebenswerten Zustandes. Wo ich das Wort selbst gebraucht hätte und nicht vielmehr zitiert, um die engstirnige Terminologie einer Gesellschaft zu brandmarken, die zu mesquin ist, um den mesquinen Ton eines Wortes zu fühlen, weil sie zu feig ist, um dafür das Wort Hure zu setzen. Was die neue Art des Schimpfens anlangt, so glaube ich nicht, daß man mir in den dreizehn Jahrgängen der Fackel einen Fall nachweisen wird, wo ich die Dirne nicht der Verachtung entrissen und nicht sofort dem Haß als Hure präsentiert habe. Wo ich je anders als mit Wucherzinsen der Verachtung dem Gesellen heimgezahlt habe, der das Wort als einen schmutzigen Ausdruck nicht deshalb auffaßte, weil es den Schmutz seiner Gesinnung trug, sondern weil er das davon bezeichnete Leben für ein schmutziges hielt, für eines, an dem er sich seine Finger, seine Notdurft, seine ganze ekelhafte Leiblichkeit und Moralität abwischen durfte, um als Bürger oder Professor der Literaturgeschichte rein dazustehen. Was die neue Art des Schimpfens anlangt, so glaube ich nicht, daß man mir in den dreizehn Jahrgängen der Fackel einen Fall nachweisen wird, wo ich einer Zeitung die Ehre erwiesen hätte, sie eine Dirne zu nennen, es sei denn, daß ich an meine Geringschätzung einer Zeitung absichtlich und ausdrücklich das Maß der Geringschätzung angelegt habe, das ein Literaturprofessor für eine Dirne hat und nicht für eine Zeitung. Denn da ein solcher nichts so sehr verachtet wie eine Dirne und vor nichts so viel Respekt hat wie vor einer Zeitung, so konnte ich, um mich ihm verständlich zu machen, keinen anderen Vergleich wählen und ich hätte weiß Gott wie viel darum gegeben, daß es auch mir gegönnt gewesen wäre, eine Dirne zu verachten, um sie einmal aus tiefstem Herzen eine Zeitung nennen zu können! Was aber die neue Art des Schimpfens anlangt, so möchte ich mich fast zu der Behauptung versteigen, daß man mir in den dreizehn Jahrgängen der Fackel auch keinen Fall nachweisen wird, wo ich den Herren der Gesellschaft im Verhältnis zu den Dirnen einen andern Schwächezustand als den geistigen und moralischen zum Vorwurf gemacht, kurzum wo ich das Wort »Eunuch« als Schimpfwort gebraucht hätte und nicht als die Bezeichnung eines erstrebenswerten Zustandes. Eines erstrebenswerten Zustandes für Männer, welche die Dirnen, nur deshalb verachten, weil sie im Gegensatz zu den Dirnen, welche wenigstens Weiber sind, alles Mögliche sind, nur keine Männer. Für Kerle, die zu Unrecht einen Bart tragen und mit den Attrappen der Männlichkeit über ihre wahre Beschaffenheit den Betrachter zu täuschen wissen. Mit diesen Verkehrshindernissen sich dem Geist in den Weg stellen und durch solchen Schabernack einer mehr ornamentalen oder koloristischen als in den Vorzügen des Kerls begründeten Wirkung die wahre Männlichkeit um den Kredit betrügen. Auch wird man mich in dreizehn Jahrgängen nicht dabei betreten haben, daß ich einen Götzen unserer Zeit anders bediente als dadurch, daß ich eine primitive oder raffinierte Roheit gegen ihn selbst betätigt habe. Den Sinnenkitzel der Literaturprofessoren zu erregen, darauf hatte ich's nie abgesehen. Aber dem Zerstörungsdrang habe ich nicht gedient, sondern ihn aus eigener Machtvollkommenheit gegen jene Individuen, Typen, Berufe, Klassen kommandiert, die mich ein Grund dafür dünkten, daß sich die Sonne manchmal schwerer entschließt zu erscheinen als ein Tagblatt! Ich leugne nicht, daß ich, um die kosmischen Dinge wieder flott zu machen, namentlich in der letzten Zeit der Kastrierung gewisser Erwerbskreise das Wort gesprochen habe. Die ewigen Gewalten, die ich mir vollständig erhalten will, verstehen mich. Es mag ein sonderbarer Zusammenhang sein, daß von mir, der nie das Wort Eunuch als Tadel über die Lippen gebracht hat, gerade jetzt es behauptet wird, wo ich der Sache erst Geschmack abgewinne und einen Zustand, der mir als das ehrlichste Eingeständnis eines unnützen Lebens Respekt einflößt, auf den Hochschulen als obligat einführen möchte. Wäre mein Vorschlag durchgeführt und ich verhöhnte hinterdrein den Eunuchen, ich wäre kein Mann, und nichts würde ich für ignobler halten, als die Verspottung des Opfers einer Prozedur, zu der ich selbst zugeredet habe. Ich schimpfe nicht, ich verstümmle! Nicht um ein Schimpfwort kann es sich handeln, wo eine ernste Sache auf dem Spiele steht. Ein Literaturprofessor kommt zweifelsohne ganz gut durchs Leben, ohne gewisse Worte auszusprechen oder auszuschreiben. Aber er würde gewiß noch besser durchs Leben kommen, wenn er auch von andern Verpflichtungen befreit wäre, deren Ausübung andere Leute in seinen Augen ehrlos macht. Lassen wir doch den Streit um Worte. Worte sind oft wichtiger als Dinge, und was weiß ein Mann, den schon die Lebensfremdheit von den Dingen trennt und der sich berufsmäßig mit Literatur zu befassen hat, von der Bedeutung der Worte! Gewisse Worte auszusprechen oder auszuschreiben, hat mich noch keine irdische Rücksicht verhindern können, denn gewisse Worte sind mir immer sogar wichtiger gewesen als gewisse Leute; und wären sie so banal wie diese, so abgegriffen wie sie, die sie nur abgreifen können: der Künstler belebt sie und er vermag darin mehr als der Schöpfer, der ja einen Professor der Literaturgeschichte ein für allemal erschaffen hat und beim besten Willen nicht imstande wäre, ihn so anzublasen, daß er neues Leben gewänne, was doch mir an den hoffnungslosesten Fällen noch immer gelungen ist. Glaubt einer wirklich, daß ich dies mit Schimpfwörtern zuwegebrächte? Könnte ich einen Professor der Literaturgeschichte dadurch in die Literaturgeschichte bringen, daß ich ihn kurzweg einen Eunuchen nenne? Freilich wäre ich selbst dazu fähig, indem ich das Wort so belebe, daß auch der Betroffene seine Freude dran hat. Denn das kann ich. Ich mache aus Schimpfwörtern Schimpfworte. Was aber die neue Art des Schimpfens anlangt, so wäre sie die älteste, wenn sie sich ohne Atem einfach der Wörter bediente, die ihr jener zum Vorwurf macht, und wenn der Angriff auf dem Niveau erfolgte, auf dem der Beleidigte lebt oder der mittelmäßige Zeuge der Beleidigung. Sie ist aber so durchaus original, daß sie sogar darauf verzichtet, ihn Richard Moses Meyer zu nennen, weil diese Lesart schon zu Pharaos Zeiten in Berlin beliebt war und weil es wirklich nichts gegen Moses beweist, daß ein Berliner Literaturprofessor nicht so heißen will und deshalb die Kastrierung seines Vornamens befürwortet, während er für die Erhaltung seines Zunamens in dessen vollständiger Banalität mit Recht besorgt ist. Aber der Verfolgungswahn, der einen guten Vornamen preisgibt, um angesichts seines Zunamens vor den Abkürzern zu zittern, könnte mich wohl verleiten, mit dem Richard Moses M. nach Gebühr zu verfahren, mit ihm, der selbst kein Mitleid gehabt hat, als ihn die Literaturgeschichte anflehte, sie lieber ganz als in Dekaden verschnitten zu mißbrauchen. Wir sind seit damals bedenklich im Rückstand. Dieser R. Moses M. hat, da dreizehn Jahrgänge mehr als eine Dekade sind, die Fackel gänzlich ignoriert, und weiß von ihr nicht mehr, als was ihm einige beleidigte Schmierer zugetragen haben, oder was von einer dunklen Feindesmacht übrig bleibt, wenn ein Gerücht von ihr zu der aller Potenz instinktiv ausweichenden Professur dringt. Dieser R. M. M. weiß, daß dort »geschimpft« wird, und denkt sich, es werde wohl auch das Schimpfwort »Eunuch« gebraucht werden. Dieser M. M. weiß, daß es bei Herrn Harden, dem selbst er in zwanzig Jahrgängen der ›Zukunft‹ keinen neuen Gedanken, kein geborenes Wort nachweisen wird, vorgekommen ist, und er hat wohl gehört, daß in Wien »so ein ähnliches Blatt« wie die ›Zukunft‹ erscheine. Denn von dieser vergleichenden Wissenschaft, die ohne Vergleich urteilt, wird mich nichts mehr befreien. Ich kann in jedem Monat dreitausend Sätze schreiben, deren letzter das Lebenswerk eines Leitartiklers sprengt und verschwinden macht – zur Berliner Universität dringe ich nicht vor. Ich kann im Urteil derer, die Literatur lesen können, über die Höhe emporwachsen, auf der ein Toter dissertationsreif ist: ich werde es doch immer wieder erleben, daß ein Mensch, der für die Ignorierung lebender Literaturwerte vom Staat bezahlt wird, und noch lange ehe ich ihn dafür beschimpfe, behaupten wird, ich sei ein Schimpfer und ein Wasserfall sei der treueste Schüler eines Water-Closets. In der Literatur ist es dem Fach nicht gegeben, die Fachleute zu interessieren; aber wenn es schon darauf verzichten muß, ihnen bessere Ansichten beizubringen, so sieht es sich auch vor der Aufgabe unvermögend, ihnen zu besseren Manieren zuzureden. Es möchte ignoriert werden; das leiden sie nicht. Sie müssen, unverantwortlicher als die Reporter, berichten, was sie mit halbem Ohr aufgeschnappt haben. Ich werde ihm noch die Hälfte nehmen, diesem M.! In ihren Literaturgeschichten haben solche Individuen, die sogar den Beruf des Journalisten verfehlt haben, den Drang der Informiertheit und nennen mich unter den Wiener »Kritikern«, in der Reihe der lächerlichsten Beispiele. Ein gewisser Eduard Engel, der im Jahr einen ungebührlichen Papierverbrauch für literarhistorische Zwecke hat, erdreistet sich der Gnade,

eine Korrespondenzkarte, ursprünglich an Herrn Friedrich
S. Krauß adressiert, mit darübergeschriebenem »Carl«, an
mich zu richten, er habe »gehört«, daß ich einmal Herrn
Hardens Stil »besprochen« habe, er arbeite gerade über
Harden, ich möge ihm leihweise »den Artikel« überlassen.
Ein sogenannter Arnold in Wien, unbekannten Aufenthalts
als Levysohn, ersucht mich, ich möge ihm irgendeinen Behelf
für eine Arbeit über Herrn Hofmannsthal liefern. Ich frage
mich, ob ich darum Nächte durchwacht, Felsen hinwegge-
räumt habe, darum gegen alle Instinkte der Menschheit
rebellisch geworden bin, daß ich zuletzt der Dienstmann sei
für das niedrige Bedürfnis der Literarhistoriker. Diese Spe-
diteure der Unsterblichkeit werden sich verflucht wundern,
wenn der, den sie nicht aufladen wollten, sie auf seinem
Rücken hinübernimmt, um sie zum unbeschreiblichen Gau-
dium der herumstehenden Generationen hinplumpsen zu
lassen! Denn ich teile die Literatur nicht nach Dekaden, sondern nach Dummköpfen ein, und ich lasse keinen entwischen,
dem es gepaßt hätte, hienieden ein auskömmliches Leben zu
führen, um dann vergessen zu werden. Ich lese, was einer,
der beim Schwätzen so besonnen ist, daß er »gewisse Worte
nicht ausspricht«, in den deutschen Revuen ablagert, um dann
daraus Geschichte zu machen. Ich lasse mir die ekelhaftesten
Einzelheiten einer salonfähigen Sprache nicht entgehen. Ich
bin nicht um den Genuß der Definitionen gekommen, die
einer vom Witz gab, der weniger Witz hat, als alle, die
keinen haben, zusammen. Nicht um den Genuß des Nach-
weises, daß Speidel ein geringerer Schriftsteller war als
Kürnberger, weil dieser leicht produziert und jener um jedes
Satzes willen gelitten habe. Und jetzt habe ich es mich nicht
verdrießen lassen, zu lesen, wie einer, der mich lesend nie
begriffen hätte, sich registrierend an mir vergreift und mich
in eine falsche Dekade schiebt, wo er unter den »Erschei-
nungsformen der literarischen Pathologia sexualis« den
Trieb feststellt, sexuelle Bezeichnungen als Schimpfwörter
zu verwenden. Was soll man da machen? Eine neue Art des
Schimpfens wäre es zwar nicht. Aber es gibt noch ältere und

bessere Arten. Und wenn sich das Gerücht, welches an der Berliner Universität Vorlesungen hält, bewahrheiten sollte und wenn ich wirklich ein Schimpfer bin, so bin ich einer, der das Geschlecht als eine so wenig schimpfliche Einrichtung der Natur erkannt hat, daß er seinen Bedarf an Schimpfwörtern geflissentlich außerhalb dieses Gebietes deckt, dagegen – an dreizehn Jahrgängen wird man es nachweisen können – nie gezögert hat, sich aus dem unermeßlichen Vorrat, den die Sprache bietet, zu bedienen, und einen Trottel so laut und überzeugend einen Trottel zu nennen, daß das Echo ihn weitergibt, das Gerücht ihn vergrößert, sämtliche Trottel, die in einer Dekade Platz haben, sich in ihm getroffen fühlen, so daß alle für einen und einer für alle steht und die Literaturgeschichte sich schließlich genötigt sieht, der gigantischen Erscheinung eines Riesentrottels ein besonderes Säkulum einzuräumen!

Der von mir kastrierte Richard Moses Meyer, der aber auch
bis dahin nicht sehr kräftig war, behandelt das Kapitel »Literarische Kunst« in dem Werke »Das Jahr 1913, ein Gesamtbild der Kulturentwicklung«, welches von führenden Geistern der Zeit geschrieben, jedem Gebildeten ein unentbehr-
licher Führer in der verwirrenden Mannigfaltigkeit unserer
Kultur – kusch. Unter den führenden Geistern also, die sich
da zusammenfinden, um Marksteine zu beriechen, fällt außer
den Herren Goldscheid (Soziologie), Ewald (Philosophie),
Strzygowski (Kunstforschung) und Gregori (Theaterwesen)
auch der Richard Moses M. auf. Er schreibt:

Im übrigen muß ich gerade für die Überproduktion an Essays und
Aphorismenbüchern auf meine regelmäßigen Berichte im ›Literarischen
Echo‹ verweisen, in denen ich neben der Besprechung des I n h a l t s, die
natürlich den Hauptgesichtspunkt bilden mußte, d o c h   i m m e r   a u c h
auf die Entwicklung der F o r m eingegangen bin. Sie setzt ja glücklicherweise immer noch einige persönliche Geistesbetätigung voraus,
während der Aphorismus bei Grossisten wie Karl Kraus rein manuelle
Kurbelbewegung geworden ist: man nimmt einen vorhandenen Spruch
und dreht ihn um, bis etwas herausfällt, was wie eine Paradoxie aus-
sieht. So entsteht ein Buch, das nach der kritischen Einsicht eines Herrn
Ehrenstein schlechtweg vollkommen ist. (Über K. Kraus: »Pro domo et
mundo«: Alb. Ehrenstein, Zeitgeist. 18. Jan. 1912 »Dies Buch ist für
mich die Vollkommenheit.«)

Ich weiß nicht, ob der R. Moses M. in seinen regelmäßigen
Berichten im ›Literarischen Echo‹ neben der Besprechung
des Inhalts, die natürlich den Hauptgesichtspunkt bilden
mußte, doch immer auch auf die Entwicklung der Form eingegangen ist. Bei meiner unregelmäßigen Lebensweise be-
obachte ich einzig die Einteilung, daß ich die regelmäßigen
Berichte des R. M. M. im ›Literarischen Echo‹ und dieses
als ganzes nicht lese. Wenn er auf den Inhalt von Aphorismen eingegangen ist und sich dabei auch die Form nicht entgehen ließ, so ist das sehr schön von ihm. Anstatt Gott auf
den Knien zu danken, daß er ihn in einer Zeit leben läßt,
die schamlose Klugschwätzer in Salon und Seminar duldet

und nicht in den Abort verweist, wird er noch keck und verlangt Beachtung für seine früheren Besprechungen. Dieser
M. M. wagt viel. Er scheint zu wissen, daß ich imstande bin,
ihn durch Vorlesung meines Essays über ihn dem Gelächter
von hundert deutschen Vortragssälen preiszugeben, und
spielt ein Prävenire, von dem er sich ausrechnen kann, daß
ich es einholen werde. Ich gebe dem M. einen Vorsprung
der Intelligenz, indem ich ihm erlaube, sie in zwanzig Besprechungen an»Pro domo et mundo« auszulassen: ich wette,
daß ich ihn fange. Aber dann will ich ihn ergänzen, damit
er's mit mir aufnehmen könne. Es ist nicht zu überbieten.
Man möchte glauben, daß selbst ein Unikum an Schalheit
wie dieser Meyer, wenn er von mir spricht und von der Form
des Aphorismus sagt:»Sie setzt ja glücklicherweise immer
noch einige persönliche Geistesbetätigung voraus«, es zu
meinen Gunsten wenden müsse. Denn so schamlos kann man
sich heute doch nur noch die von mir verwirrte Hysterie, die
zwischen Schwärmerei und hinfallender Krankheit torkelt,
vorstellen, daß sie meine Arbeiten in Gegensatz zu»persönlicher Geistesbetätigung« bringen könnte. Man weiß ja, sie
meint's nicht so und wird mich morgen wieder als einen
Genius ansprechen. Aber daß ein Literaturprofessor, der in
seinem Vollbart schon graue Fäden hat, so unter dem Druck
seiner Ranküne handeln kann, daß er nicht totschweigt, sondern den Mund aufmacht, um meine Leistung als mecha-
nischen Schwindel und mich als»Grossisten« zu entlarven,
ist selbst mir zu bunt, an dessen Nerven sich doch die ganze
Welt vergreift, aus Ohnmacht, sich an meinem Werk zu
rächen. So desorientiert kann doch selbst dieser M. Meyer
nicht sein, daß er unbeschadet des Wunsches, mich als Grossisten zu sehen, nicht längst vom Hörensagen wissen sollte,
daß mein geringstes Detail seine ganze Manneskraft, ja die
Lebensarbeit sämtlicher führenden Geister aufwiegt, die zum
»Gesamtbild der Kulturentwicklung« schon durch ihr Dasein
beitragen. Der R. M. Meyer soll doch nicht so tun, als ob nur
eine vereinzelte Kritik meinen Aphorismen einen so hohen
Rang zugewiesen hätte. Er weiß ganz genau, daß es die An-

sicht sämtlicher Leute ist, die heute auch nur mit einem
Schimmer von Urteil in literarischen Revuen auftauchen,
und, was viel mehr ist, die Ansicht derjenigen, die sie nicht
aussprechen dürfen. Die Kritik über »Pro domo et mundo«
ist nicht das Beste, nicht das mir Angenehmste, was »ein
Herr Ehrenstein« geschrieben hat. Aber dieser hat auch Gedichte geschrieben und der von einer kleinen Rache zer-
marterte Berliner Seminarkopf, sonst von nichts als vom
Gefühl seines Nichts ausgefüllt, kann nichts als in einer
äußerlich auf Fortdauer angelegten Drucksorte Autoren, die
er für langlebiger hält als sich, beschmieren. Das wollen sie
alle, die Journalisten, denen durch eine lächerliche Vertei-
lung der kritischen Gewalt es ermöglicht ist, in Literaturgeschichten, Jahrbüchern und Lexicis den Dreck abzulagern,
der den Zeitungen zuviel wird. Sie haben aber ihre Rechnung ohne mich gemacht, der jede dieser Unflätigkeiten gut
aufhebt und die Razzia auf Literarhistoriker mit umso grö-
ßerem Schwung fortsetzen wird, je länger die durch die
Reizungen des Tages verschuldete Pause dauert. Ich will
ihnen schon einen Geschmack für persönliche Geistesbetätigung beibringen, damit sie sie künftig doch lieber mir als
dem Aphoristiker Blumenthal zusprechen! Ich möchte, um
mir Arbeit zu ersparen – man glaube es endlich, daß ich
glücklich wäre, wenn mir die Welt ein Jahr Schonzeit für
sie gönnte –, ich möchte diesen Zeitgenossen den Rat geben,
sich freiwillig aus dem Seminar in den Abort zurückzu-
ziehen, wo sie unkontrolliert machen können, was sie wollen.
Denn sie sollen sich nur ja nicht damit belügen, daß die Bla-
mierungen ihres Treibens auf 1913 und auf Wien beschränkt
bleiben. Ich kann die Verbreitung der Fackel in Deutschland
und dort, wo Deutsche wohnen, nicht hindern. Was ich tue,
muß ein Richard M. Meyer auf Schritt und Tritt spüren,
während ich von seinem Benehmen nichts erführe, wenn
nicht Briefe von deutschen Lesern mich über die Kulturentwicklung auf dem Laufenden hielten. Der Meyer – der
ganz kleine, im Gegensatz zum großen Meyer, der aber
auch nicht besser beraten ist – hält mich für einen Gauner.

Ich erfuhr es erst aus der folgenden Anzeige, die aus
»Oetzsch bei Leipzig, 6. November 1913«, an mich ergangen
ist:

. . . . Sie haben sich zwar Zuschriften in der Fackel verbeten, ich glaube
es aber auch vor Ihnen verantworten zu können, daß ich Sie von der
Be- bzw. Mißhandlung Ihres Künstlertums durch Richard M. Meyer in
einem soeben erschienenen Werke, »Das Jahr 1913, ein Gesamtbild der
Kulturentwicklung« betitelt, in Kenntnis setze. Zu diesem Sammelwerk
hat R. M. Meyer das Kapitel »Literarische Kunst« geliefert, das ich um
der darin enthaltenen »Beurteilung« Ihres Aphorismenbandes »Pro
domo et mundo« willen Ihnen zuschicke. Ich sehe den Zerfallsprozeß
noch nicht so weit vorgeschritten, daß man den Kampf gegen die Fäul-
nisbrut aufgeben müßte.
Gestatten Sie mir nur noch, Ihnen herzlichst zu danken für Ihre Hilfe
im Kampfe um die geistige Selbstbehauptung. Kierkegaard, der letzte
große religiöse Genius, und Sie halten mich wach in einer dumpfen
Welt. In einer Stadt von über ½ Million Menschen sind nicht so viel
Stimmen, laut genug, Sie hierher zu rufen. Leider bin ich zu arm, um
nach Dresden zu Ihrer Vorlesung zu kommen. Doch bin ich voll Dankes,
daß mir die ›Fackel‹ zugänglich ist. In Ehrerbietung . . . .

Ich habe mir Zuschriften verbeten, weil auf tausend Zumutungen des Irrsinns nur eine kommt, die beweist, daß
Zeitgenossen auch Menschen sein können. Dieser da mag
unbesorgt sein. Ich werde auch in Leipzig die Kastrierung
des Richard Moses Meyer vornehmen.

Ein Klagelied

Der von mir, ich kann und will es nicht leugnen, gewiß persönlich und an der empfindlichsten Stelle angegriffene und schwer verletzte Richard Moses Meyer hat – freilich ehe er das letzte Heft der Fackel zu Gesicht bekommen hatte, wo ich ihm also neuerlich an den Leib rückte – im ›Kunstwart‹ den folgenden Klagelaut ausgestoßen:

.... Gewiß, – wie jede redliche Arbeit von denen, die ihren Sinn nicht verstehn, immer verachtet worden ist, so hat auf uns der große Karl Kraus in Wien – ich habe es seit heute morgen schriftlich, daß das nächste Jahrhundert nach ihm heißen wird – das Wort gemünzt, Literaturgeschichtschreibung sei Unfähigkeit zum Journalismus; ein Wort so originell wie es seine Aussprüche fast alle sind, denn es ist ja nur eine Variation der Wendung von den Journalisten als Leuten, die ihren Beruf verfehlt haben ....

M. scheint also einen Brief gekriegt zu haben. Natürlich hat er vollkommen recht mit der Behauptung, daß ich nur bereits vorhandene Aussprüche variiere. Nie war dies mehr der Fall als in dem Wort über die Literarhistoriker. Diese haben – ich wollte wirklich nur variieren – sogar den Beruf zum Journalisten verfehlt, und indem ich es sagte, wiewohl es auch ohne das Bismarckwort bestehen kann, profitierte der Witz von dem Wissen um dieses Wort. Die Assoziation, die sich bei der Wendung »Unfähigkeit zum Journalismus« einstellt, lautet, um es dem M. ganz begreiflich zu machen: »Journalismus = Unfähigkeit zu«. Als ich den gekränkten Tadel des M. las, freute ich mich, wie richtig er den Zusammenhang erfaßt hatte. Aber ich wußte noch nicht, woher er's wußte. Erst als ich jüngst in Berlin, eben dort, wo der Richard Moses Meyer seine Professur betreibt, mit seiner Kastrierung einen starken Achtungserfolg erzielte – die Leute wollten noch mehr haben und es dürfte selten noch vorgekommen sein, daß man nach einer Kastrierung viermal gerufen wird –, erst im Vorlesen also entdeckte ich hocherfreut eine

Stelle, in der ich den vom M. zitierten Aphorismus gleichsam kommentiert hatte. Daß Literaturgeschichte die Unfähigkeit zum Journalismus sei, hätte ihn so im allgemeinen vielleicht gar nicht alteriert. Aber eben im Zusammenhang mit ihm selbst hatte ich geschrieben:

.... was sie mit halbem Ohr aufgeschnappt haben. Ich werde ihm noch die Hälfte nehmen, diesem M.! In ihren Literaturgeschichten haben solche Individuen, die sogar den Beruf des Journalisten verfehlt haben, den Drang ....

Hier stehts also ganz ausdrücklich, und man sieht, daß ich wirklich bei der Betrachtung der Literarhistoriker vom Bismarckwort gar nicht loskomme, wiewohl doch dieses auf die Journalisten und nicht auf die Literarhistoriker geht. Der Meyer hat recht. Aber er reize mich nicht, im Büchmann nachzusehen. Er kann nicht wissen, wieviel Zitate es gibt, die ich noch für ihn herrichten kann. Er selbst, der Meyer, ist ja auch schon vorhanden, in hunderttausend Exemplaren; was wäre er, wenn ich ihn mir nicht schmackhaft machte? Seitdem es ihn gibt, ist das Leben furchtbar monoton geworden. Es wäre rein nicht auszuhalten, wenn ich nicht auch auf der Welt wäre und mir nicht zum Leibspruch das bereits vorhandene Wort: Variatio delectat gewählt hätte. Aber – bitte – diesmal nicht weiter sagen! Ich bin ganz unselbständig. Alles, was einem andern einfällt, ist imstande, mir wieder einzufallen. Und es ist kein Ende. Am besten, man fängt sich mit mir nichts an – wie die Leute sagen, die den Beruf haben, den die Journalisten verfehlt haben, deren Beruf die Literarhistoriker verfehlt haben.

Ein Kulturdokument

Welche kaum vorstellbaren Möglichkeiten das Sudelgewerbe bietet, zeigt die Affäre, die sich an die Sammlung für Else Lasker-Schüler geknüpft hat. Ist es ausdenkbar, daß in derselben Stunde, in der ich am Schreibtisch saß, um die Lüge zu zerstören, einer in Berlin, der dem Fall doch näher wohnt, am Schreibtisch saß, sie zu unterstreichen? Am 17. November erschien in der Fackel eine Notiz, die jetzt wiederholt werden muß, um bei den Schuldigen die Scham zu wecken und bei den Zeugen das Gefühl für die Schamlosigkeit:

Zu meinem psychoanalytischen Abenteuer sei mitgeteilt, daß nicht nur in dummen Witzblättern – in nichtwissenschaftlichen –, sondern auch in der ›Zeitschrift des Schutzverbandes deutscher Schriftsteller‹, lange nach der Aufklärung durch die Fackel, die Notiz fortwucherte: ›Für Else Lasker-Schüler hatte ein Komitee von klangvollen Namen (Pauline Fürstin zu Wied, Helene Fürstin Soutzo, Selma Lagerlöf, Karin Michaelis, Richard Dehmel, Karl Kraus, Adolf Loos, Peter Nansen, Prof. Walter Otto und Arnold Schönberg) einen Aufruf erlassen. Das Ergebnis waren 11 Mark 5 Pf. Man wird diese Ziffer als ein Kulturdokument nicht vergessen dürfen.‹ – Der Aufruf war zuerst auf dem Umschlag von Nr. 366/67 der Fackel erschienen und ging von da in die Tagespresse außerhalb Wiens über. Sechs Wochen später ergab die Sammlung 4660 Kronen und in Nr. 370/71 wurde mitgeteilt, daß der Scherz durch die Tölpelhaftigkeit einer Berliner Zeitung entstanden war, welche die Summe von 11 Mark, die ihr übermittelt wurde, besonders und auffällig ausgewiesen hat, anstatt den Empfang den Spendern brieflich zu bestätigen und stillschweigend die Summe der Sammelstelle (Prof. Otto) zu überweisen. Drei Monate später – viel dürfte wohl nicht mehr hinzugekommen sein – taucht die Notiz im Fachblatt der Schriftsteller auf. Es weiß somit von der Existenz der Fackel genau so viel wie das im gleichen Verlag erscheinende ›Literarische Echo‹. Das deutsche Publikum, das die Wortführer dieser Fachjournalistik füttert, hat sich ja im Fall Lasker-Schüler nicht sehr angestrengt. Aber Ziffern, die sich berichtigen lassen, sind immerhin noch bessere Kulturdokumente als Zeitschriften, die die Wahrheit durch die Lüge berichtigen.

Am 15. November erschien im ›Geistigen Eigentum‹ (Zeitschrift für Literatur und Pressewesen, Organ des Deutschen Schriftsteller-Verbandes, des Journalisten- und Schriftsteller-Vereins Urheberschutz, sowie des Deutschen Schriftstellerinnen-Bundes, mit der Beilage ›Der Bunte Abend‹: Organ der Vortrags-Vereinigung Deutscher Künstler, Charlottenburg, X. Jahrgang, Heft 4) diese Notiz:

Ein Kulturdokument. In einer Schriftstellerzeitung findet sich folgende Mitteilung: »Für Else Lasker-Schüler hatte ein Komitee von klangvollen Namen einen Aufruf erlassen. Das Ergebnis waren

11.05 Mark. Man wird diese Ziffer als ein Kulturdokument nicht vergessen dürfen.« – »Das ist«, so schreibt dazu der ›Türmer‹, »in der Tat ein Kulturdokument, aber in einem etwas anderen Sinne, als die Veröffentlicher meinen. Es zeugt: 1. Wie vollkommen gleichgültig die Gesamtheit des Volkes diesen Kaffeehausberühmtheiten gegenübersteht, die einem als Kulturbildner aufgeschwatzt werden sollen. Daß diese die »maßgebende Kritik« darstellenden Herrschaften zwar sehr freigebig mit Lorbeer, aber um so knauseriger mit ihrem Geldbeutel sind. Denn wenn die kritischen Lobhudler der Lasker-Schüler sich auch nur mit bescheidenen Gaben an der Spende beteiligt hätten, wäre ein anderes Ergebnis zustande gekommen. 2. In noch höherem Maße, als für die kritischen Lobredner, gilt das eben Gesagte für die Unterzeichner des Aufrufs. Es ist ja wunderbar bequem, andern Geldopfer als Kulturpflicht hinzustellen, sich selber aber mit einer Namensunterschrift zu begnügen, durch die man noch der eigenen Eitelkeit frönt. – Endlich aber offenbart sich hier aufs schroffste, welch roher und grober Unfug es ist, die Öffentlichkeit mit Dingen zu belästigen, die sie nichts angehen. Die Schriftstellerorganisationen sollten es sich zur Aufgabe machen, alle derartigen unwürdigen Betteleien unmöglich zu machen, statt sie noch zu unterstützen; denn nichts kann den Stand so schwer schädigen, wie diese Almosengesuche an die Allgemeinheit, die dadurch nicht besser werden, daß sie in hochmütigem Tone vorgetragen werden.« Diese Ausführungen des ›Türmer‹ können wir Wort für Wort unterschreiben; sie decken sich zum Teil mit unseren Ausführungen über den »geschminkten Stil«. Wir müssen uns dagegen wehren, daß uns Autoren, die ihre Talentlosigkeit mit krausen Worten aufputzen, die kein Mensch zu verstehen vermag, als Genies aufgeschwatzt werden. Der Vorgang zeigt auch, daß das deutsche Volk, das sich noch immer für Schiller, Goethe, Lessing, Uhland, Kleist, Heine begeistert, von den modernen Kaffeehausdichtern nichts wissen will. Das zeugt von dem gesunden Urteil des deutschen Volkes, das im übrigen nicht nötig hat, gerade bei dieser Gelegenheit seine Freigebigkeit und Opferwilligkeit zu dokumentieren. Diese Opferwilligkeit hat es hundertfach bei großen würdigen Aufgaben bewiesen. Hier hat es eine Forderung abgelehnt, die gar nichts mit der Kunst und nichts mit den Interessen des deutschen Volkes zu tun hat, und die auch literarische Kreise ganz richtig als unwürdige Bettelei empfunden haben.

Was den ›Türmer‹ betrifft, der ehedem nach einem Tauschexemplar der Fackel ausgelugt hatte, so habe ich das seine wegen Langweile zurückgeschickt. Daß er auch frech sein kann, habe ich bei flüchtigem Gähnen nie bemerkt. Er ist eine der allerdümmsten deutschen Revuen und es ist natürlich ganz gleichgültig, wie er und seine »literarischen Kreise« über Else Lasker-Schüler denken. Es ist auch gleichgültig, daß er sich über die 11 Mark, die er einem witzigen Schmock geglaubt hat, seine Gedanken macht. Da ein anderes Ergebnis zustandegekommen ist, so sind seine Betrachtungen darüber, daß ein anderes Ergebnis zustandegekommen wäre, wenn die Lobhudler mehr gespendet hätten, überholt. Aber für die Bemerkung, daß es wunderbar bequem sei, »sich selber mit einer Namensunterschrift zu begnügen, durch die man noch der eigenen Eitelkeit frönt«, muß er eins auf die Gosche bekommen. Er kann ja noch immer nicht wissen, ob und wieviel die Unterzeichner gespendet haben, es ist auch nicht nötig, es ihm auf die Nase zu binden, aber mit jenen Spenden, die ich für ein Lügenmaul bereit habe, bin ich gar nicht knauserig, sondern sehr freigebig, das kann er mir glauben. Von dieser Opferwilligkeit lasse ich gern auch etwas dem Fachblatt zukommen, das nicht anders kann, als die Ausführungen des ›Türmer‹ Wort für Wort zu unterschreiben. Schreiben kann es nicht, aber eine Lüge unterschreibt es gern und einen Aufruf für einen Dichter unterzeichnet es prinzipiell nicht. Es ist ja auch hier wieder ganz gleichgültig, wie solche Knechte über eine Lasker-Schüler denken und ob ein Wisch, der im ›Bunten Abend‹ Verse von Kaffeeschwestern bringt, einen Dichter unter die Kaffeehausdichter rechnet. Aber die unvergängliche Dreckigkeit, die in dem Glauben warm wird, daß das deutsche Volk seine Künstler verhungern läßt, es darin bestärkt und ganz gewiß entsetzt sein wird, zu erfahren, daß dies nicht einmal der Fall ist und daß für Else Lasker-Schüler fast 5000 Mark zustandegekommen sind – die ist schon kein »Kulturdokument«, sondern ein Fibelstück. Von solchem Pöbel, der die Interessen der deutschen Schriftsteller und Schriftstellerinnen schützt, ist nicht zu erwarten, daß er eine Lüge freiwillig berichtigt, und es wäre schade um die Mühe, ihn zur Berichtigung zu zwingen. Es genügt, daß der Fall als eine Aussage

über den Stand deutscher Sitte und deutschen Geistes von
1913 aufbewahrt wird. Was hier vorliegt, ist Deutschlands
geistiges Eigentum. Was hier beiliegt, ist Deutschlands bun-
ter Abend.

Übereinstimmungen

Es gibt auch erfreuliche Übereinstimmungen. An dem Tage
(17. November), an dem mein Satz im Druck erschien:

> . . . . Nur so kann er, was nicht vorhanden ist, behaupten: sein Ich.
> Helden und Heilige darfs nicht geben, weil sonst am Ende der Schleim
> lebensüberdrüssig würde. Das Weibmaterial, das in einer Zerfallszeit
> nicht mehr imstande ist, Anmut zu bilden, fliegt in der Welt herum und
> taugt eben noch dazu, sich am Mann zu rächen. Das Weib analysiert den
> Mann, die Intelligenz den Geist, immer sie, weil sie nicht ist wie er.
> Und ihre Rache heißt: er sei wie sie.

erschien von Altenberg um 6 Uhr abends der Satz:

> Jeder Mensch rächt sich an dem anderen für das, was an ihm u n z u -
> l ä n g l i c h e r ist! Der Dicke an dem D ü n n e n, der Rohe an dem
> S a n f t e n, der Langnasige an dem S t u m p f n a s i g e n, der Krumm-
> rückige an dem G e r a d r ü c k i g e n! Und die Frau?! Die rächt sich
> ü b e r h a u p t. An dem Mann, daß sie e i n e F r a u ist!

Und noch erfreulichere Übereinstimmungen. An dem Tage
(17. November), an dem ich den schwachen Versuch machte,
die Individualität eines Adjektivkünstlers nachzuzeichnen,
erschien um 6 Uhr abends ein leidenschaftlicher, taumeln-
der, lodernder, prasselnder, pittoresker und plastischer Un-
band von Adjektiven, gegen den meine Persiflage ein
Schmarren ist und in dessen lärmendem, leuchtendem, glü-
hendem, flammendem, monumentalem und musivischem
Tumult eben noch zu erkennen war, daß vor Richard Dehmel
noch nie » Menschliches, Allzumenschliches mit einer so grim-
mig ehrlichen Gebärde und nackten Offenheit« geschildert
worden ist (so unbedingt, so schrankenlos und mit einer solchen Trunkenheit des Bekennens, Enthüllens, Verstehens
etc.) und daß bei Dehmel »dieselbe scheue Redlichkeit des

347

Sagens« ist wie bei Hans Sachs (die scheu und sorgsam wache, behütende, ratende, mahnende Männlichkeit, die fast etwas Mütterliches hat und immer etwas Greisenhaftes, einen Zug von klugem und resigniertem Über-den-Dingen-Stehen etc.). Freuen wir uns, daß es solche Übereinstimmungen und überhaupt so bunte Dinge noch gibt. Und täglich um 6 Uhr abends. Und gleich unter den Sätzen eines Altenberg. Und zwischen Berchtold und dem Wolf aus Gersthof. Und überhaupt.

WARNUNG VOR DER UNSTERBLICHKEIT

(Zu einer Peter Altenberg-Vorlesung)

Es ist unmöglich, einen um die Unsterblichkeit zu bringen. Denn dort, wo es gelingt, war sie ohnedies nicht zu haben. Es müssen aber auch solche Fälle betrachtet werden, welche sich die Unsterblichkeit, die ihnen nicht erreichbar ist, nicht entreißen lassen wollen. Solche gibt es. Sie stehen zwischen den Großen und den Kleinen und sind vermöge des Scheins auf den ihr Dasein gerichtet ist, leicht imstande, die Zeitgenossenschaft zu täuschen und sich eine Würdigkeit beizulegen, auf die die ehrlichen Handlanger des Tages freiwillig verzichten. Wenn es einmal gelungen sein wird, dem Publikum beizubringen, daß die Kunst nicht das Geringste mit den Bedürfnissen der Unterhaltung und Belehrung zu schaffen habe, so wird man es auch nicht mehr dafür tadeln dürfen, daß es die Handlanger für die Unbilden der Nachwelt so reich entschädigt. Was sollte denn ein deutscher Prosaist mit einem jüdischen Agenten zu schaffen haben, und warum sollte dieser hienieden nicht besser aufgehoben sein als jener? Daß nützliche Autoren, Erzähler und Plauderer, deren Beruf zufällig etwas mit der Verwendung des Alphabets zu tun hat, sich selbst so hoch einschätzen wie ein schlecht beratenes Publikum es tut, darf auf keinen Fall geglaubt werden. Aber das Wohlleben ist ihnen mit Rücksicht darauf zu gönnen, daß die Nachwelt keine Villen und Automobile zu vergeben hat. Gefährlicher sind jene, denen die finanzielle Entschädigung nicht genügt und deren Miene die Zuversicht ausdrückt, daß ihr Wirken mit ihrer Leiblichkeit noch nicht beschlossen sein werde. Weiß der Himmel, woher sie ihren Anspruch ableiten, da sie ihn doch vom Himmel nicht ableiten können. Aber vielleicht waren sie die ersten, die von Gnaden einer literarischen Mode lebten, die ersten, die auf einem sogenannten Niveau standen, und in schlechten Zeiten werden solche immer mit den Modellen und den Originalen verwechselt. Das Nachleben dieser Talente ist der Irrtum einer, wenn's hoch kommt, zweier Generationen, und wenn man näher hinhorcht, so ist es immer nur eine Überlieferung, nie ein Erlebnis, was sie mit den Späteren verbindet. Mit Heine wird eine Welt, der es gelingt, sich von der liberalen Maul- und Klauenseuche zu befreien, umso schonungsloser verfahren, je länger man seinen Geist hat anstehen lassen. Umso weniger wird es dann aber den Geistern derer, die heute noch vor Theatervorhängen erscheinen, gelingen können, die Welt an eine Verpflichtung ihnen gegenüber zu erinnern. Die Vorstellung, daß man nach fünfzig Jahren die Namen der Herren Hofmannsthal und Schnitzler mit Ehrfurcht nennen sollte, hat an und für sich etwas, was den Respekt schon heute bedeutend herabsetzt. Zum Lachkrampf aber steigert sie sich, wenn man bedenkt, daß die Unsterblichkeit nicht nur Register, sondern auch Inhalt hat. Denn man kann sich zwar recht wohl vorstellen, daß die Entwicklung menschlicher Dinge in einem bestimmten Stadium den Namen Peter Altenberg führt und daß ohne dieses Glied alles Folgende undenkbar wäre. Aber das Dasein der Herren Hofmannsthal und Schnitzler mit irgendetwas metaphysisch zu verbinden, stelle ich mir als eine anstrengende Aufgabe vor. Es ist dem Genius eigentümlich, daß man ihn spürt, ohne von ihm zu wissen. Das Wissen tritt hinzu und kann nie die Dimension des Wirkens ausfüllen. Bei den Werken des sterblichen Geistes ist es umgekehrt: man weiß immer mehr von ihm als man spürt. Und es wäre technisch denkbar, den Herren Schnitzler und Hofmannsthal die Unsterblichkeit zu sichern, indem man auch die kommenden Zeitungsgeschlechter verpflichtet, täglich eine Notiz über den »Professor Bernhardi« oder über »Jedermann« zu drucken und zu lesen. Es ist aber sehr wichtig, auf solche Unsterbliche acht zu haben, um sie beizeiten vor Enttäuschungen zu bewahren und auf jenes Gebiet lukrativer Erfolge zu verweisen, wo sich anspruchslosere Verdiener vor der Welt gütlich tun, gehalten von einer Zeitgenossenschaft mit beschränkter Haftung. Mit den metaphysischen Verbindungen spießt es sich, und wenn Herr Wassermann den Versuch macht, noch den Librettisten Hofmannsthal für die Ewigkeit zu retten, so sehe er zu, daß man den Künstler Wassermann nicht für den Tag reklamiere. Und nichts scheint mir übler angebracht als die Einrede jener Relativkritiker, die mir sagen, Schnitzler sei doch immerhin. Dieses Immerhin ist eben jener gefährliche Schein, der die Enthüllungen um wohlgezählte zwanzig Jahre verzögert. Warum sollen wir Zeit verlieren? Warum sollen wir es nicht heute schon so gut haben wie die Geschlechter, die, um den Unterschied zwischen einem Anatol und einem Auernheimer befragt, sich auf ernstere Probleme berufen dürften. Wer nicht an Überlieferungen klebt, kann sich schon jetzt den Genuß dieses Standpunktes verschaffen. Selbst solche, die nicht mit mir der Ansicht sind, daß der Roman das Versteck jener ist, die nichts zu sagen haben, und darum die Ausflucht jener, die alles sagen müssen. Selbst solche, die wirklich nicht glauben wollen, daß ein Satz von Peter Altenberg eben darum einen Wiener Roman aufwiegt, weil es eben nur ein Satz ist. Man folge meinem Beispiel und lese eine Schnitzler'sche »Fortsetzung« im Aprilheft der Berliner ›Rundschau‹. Ich zwar weiß vorher, daß alles Werk, das in Fortsetzungen erscheint, nichts außer diesem Modus mit der göttlichen Schöpfung gemein hat, und ich gehe mit gutem Mißtrauen Novellen aus dem Wege, welche schon im Titel – »Frau Beate und ihr Sohn« – jene Anhörungsfähigkeit verraten, die mir das Romanschreiben als eine Sache der Entschließung verdächtig macht. Aber gerade ich, der Vorurteile lieber schluckt als Austern, bin oft von Reue über mein enthaltsames Schlemmerdasein ergriffen, und ergreife dann einen Roman. Wissend, daß man überall anfangen kann, ohne etwas zu verlieren oder zu gewinnen, beginne ich in der Mitte, und das Ergebnis ist immer, daß ich mir über meine Reue Vorwürfe mache. Und mir sage: Was nützt es, in Gegenwart einer Zeit zu sprechen, der diese Dinge eingehen! Und mich frage: ob denn ein Krieg grausamer ist als eine Duldsamkeit, die die Gehirne mit solchem Kleister verkleben läßt und eine Industrie fördert, die es besorgt. Gewiß, Schnitzler ist immerhin. Aber was sind dann die Andern, wenn er die Frau Beate, nachdem er auf zehn Seiten beglaubigt hat, daß etwas in ihr vorgehe, auf die folgende Art zu folgendem Resultat gelangen läßt:

Mitternacht mußte vorüber sein. Sie war müde und überwach zugleich. Was tun? Was half alles Überlegen, alles Erinnern, alles Träumen, was alles Fürchten und Hoffen? Hoffen? Wo gab es noch eine Hoffnung für sie? Wieder trat sie zum Fenster hin und verschloß sorgfältig die Läden. Auch von hier aus schimmerts in die Nacht hinaus, in meine Nacht, dachte sie flüchtig. Sie versperrte die Türe, die auf den Gang führte, dann nach alter vorsichtiger Gewohnheit öffnete sie die Türe zu dem kleinen Salon, um einen Blick hineinzuwerfen. Erschrocken fuhr sie zurück. Im Halbdunkel, aufrecht in der Mitte des Zimmers stehend, gewahrte sie eine männliche Gestalt. »Wer ist da?« rief sie. Die Gestalt bewegte sich heran, Beate erkannte Fritz. »Was fällt Ihnen ein?« sagte sie. Er aber stürzte auf sie zu und ergriff ihre beiden Hände. Beate entzog sie ihm: »Sie sind ja nicht bei sich.« »Verzeihen Sie, gnädige Frau«, flüsterte er, »aber ich . . . ich weiß nicht mehr, was ich tun soll.« »Das ist sehr einfach«, erwiderte Beate, »schlafen gehen.« Er schüttelte den Kopf. »Gehen Sie, gehen Sie doch«, sagte sie, ging in ihr Zimmer zurück und wollte die Tür hinter sich schließen. Da fühlte sie sich leise und etwas ungeschickt am Halse berührt. Sie zuckte zusammen, wandte sich unwillkürlich wieder um, streckte den Arm aus, wie um Fritz zurückzustoßen, er aber faßte ihre Hand und drückte sie an die Lippen. »Aber Fritz«, sagte sie milder, als es ihre Absicht gewesen war. – »Ich werde ja verrückt«, flüsterte er. Sie lächelte. »Ich glaube, Sie sind es schon.« – »Ich hätte hier die ganze Nacht gewacht«, flüsterte er weiter, »ich habe ja nicht geahnt, daß Sie diese Türe noch öffnen werden. Ich wollte nur hier sein, gnädige Frau, hier in Ihrer Nähe.« »Jetzt gehen Sie aber sofort in Ihr Zimmer. Ja, wollen Sie? Oder Sie machen mich wirklich böse.« – Er hatte ihre beiden Hände an seine Lippen geführt. »Ich bitte Sie, gnädige Frau.« – »Machen Sie keine Dummheiten, Fritz! Es ist genug! Lassen Sie meine Hände los. So. Und nun gehen Sie.« Er hatte ihre Hände sinken lassen und sie fühlte den warmen Hauch seines Mundes um ihre Wangen. »Ich werde verrückt. Ich bin ja schon neulich in dem Zimmer hier gewesen.« – »Wie?« – »Ja, die halbe Nacht, bis es beinahe Licht geworden ist. Ich kann nichts dafür. Ich möchte immer in Ihrer Nähe sein.« – »Reden Sie nicht so dummes Zeug.« Er stammelte wieder: »Ich bitte Sie, gnädige Frau Beate – Beate – Beate.« – »Nun ist's aber genug. Sie sind ja wirklich – was fällt Ihnen denn ein? Soll ich rufen? Aber um Gottes Willen! Denken Sie doch – Hugo!« – »Hugo ist nicht zu Haus. Es hört uns niemand.« Ganz flüchtig zuckte wieder ein brennender Schmerz in ihr auf. Dann ward sie plötzlich mit

Beschämung und Schreck inne, daß sie über Hugos Fernsein froh war. Sie fühlte Fritzens warme Lippen an den ihren, und eine Sehnsucht stieg in ihr auf, wie sie sie noch niemals, auch in längst vergangenen Zeiten nicht, empfunden zu haben glaubte. Wer kann es mir übel nehmen? dachte sie. Wem bin ich Rechenschaft schuldig? Und mit verlangenden Armen zog sie den glühenden Buben an sich.   (Schluß folgt.)

Und dazu dient dieselbe Sprache, die – vergessen wir es nie – den wundervoll knappen Ausdruck ermöglicht hat: Kellner zahlen! Oder eben: »Schluß folgt«.

Die Stimmen mehren sich, welche auf eine Klarstellung der kunstgewerblichen Talente, die durch zwei Jahrzehnte für Künstler gehalten wurden, unter Zuerkennung aller Erfolgsrechte dringen, sozusagen auf die Verleihung der Taxe mit Nachsicht der Ehrenlegion. Im »Jahrbuch für die geistige Bewegung« 1910 (Verlag der Blätter für die Kunst) finde ich jetzt eine Arbeit (»Das Bild Georges«) von Friedrich Gundolf, dem Shakespeare-Übersetzer, in der mit einer erfreulichen Erledigung des Ästheten Borchardt die folgenden Sätze über Herrn Hugo von Hofmannsthal verknüpft sind:

Hofmannsthal ist der Dichter der Bezüge, Eindrücke, Reaktionen, der Former des Geformten, der Seher des Gesehenen. . . .
Der Schöpfer, nicht nur der Wegbereiter, ist George. In George und nur in ihm ist das ursprüngliche Feuer, dort entzündete der Wiener die Kandelaber, womit er seine schätzereichen, spiegelhellen Säle beleuchtete, während George damit eine ungefüge Erde durchglühen und fruchtbar lockernd erwärmen mußte. Was George von den Franzosen lernte, ist handwerkliches, was Hofmannsthal von George empfing, ist die seelische Substanz selbst, die ihn aus dem geschmackvollsten und reifsten Epigonen Goethes – der war er noch in Gestern – zum ersten dichterischen Verbreiter des neuen Geistes machte. Nicht gleichzeitig mit Georges ersten Konzeptionen ist Der Tod des Tizian, Der Tor und der Tod und die große Lyrik Hofmannsthals geworden, sondern eingestandenermaßen durch sie entzündet. Hofmannsthals klangliche Süße darf man freilich bei dem nicht suchen, der nur »ein Dröhnen der heiligen Stimme« ist, auch nicht jene holde Gewohnheit und Gewandtheit des Umbildens oder Vielgestaltigkeit der Gattungen (dabei muß man nicht einmal so flach wie Borchardt es tut die Vielseitigkeit einer Kunstübung mit Fülle des Gehalts verwechseln) . . . .
Ihm (George) gegenüber Hofmannsthal: Herr über die Mittel und

353

Möglichkeiten, aber an keine gebunden, unverantwortlich schaltend mit den gelockerten und ausgebreiteten Gütern der Zonen und Zeiten, Seelen und Kulturen, ein beflügelter Merkur botenlaufend zwischen Himmel, Erde und Hölle – und nirgends daheim, mit glücklichen Organen alles herausfühlend, was durch ihn schön und schöner werden kann und ihn selber verschöne, »nichts für sich in der Natur unternehmend, sondern sich in allen Stücken nur auf bereits Vorhandenes einlassend«. So erklärt Goethe »das Würzhafte gewisser Stauden, die zu den Parasiten gehören, aus der Steigerung der Säfte, da sie nicht nach dem gewöhnlichen Lauf mit einem roh irdischen, sondern mit einem bereits gebildeten ihren Anfang machen«. Niemals festgelegt, stets bereit zur Wahl, zu »Mischung und Entmischung«, Proteus der Bildung, geschickt sich in alles zu verwandeln, ohne irgend etwas unentrinnbar zu sein, von jedem zu nehmen, ohne ihm schuldig zu werden, jedem zu geben, ohne zu opfern, sich allem und alles sich zuzueignen, an jede Bezauberung glaubend und jeder Entzauberung gewiß, macht er aus jeder augenblicklichen Not eine dauernde Tugend, saugt wurzellos aus allem Nahrung, jeder Schönheit und Süße bedürftig und in der Sehnsucht ihrer Spiegelung fähig, im Schwelgen nur von der einen Angst geplagt, daß irgend etwas ihm entgehen könnte, irgendein Reiz ihn nicht träfe, irgendein Besitz einem andren zufalle, irgendein Wissen ihm verborgen bleibe. Darum pocht er an allen Pforten, lauert an allen Höhlen, zittert jedem Schauer nach und flüchtet kainhaft unter dem Fluch des horror vacui, und lechzt die ganze Außenwelt zu sich heran, begierig nach immer andren Stoffen, Kleidern, Leibern, Betäubungen, Entzückungen, um nur nicht allein sein zu müssen mit dem Ich oder zu entdecken, daß da kein Ich ist. In immer glühenderen Metaphern, gequälteren Fragen, trostloseren Antworten wandelt er von Gestern bis zum Ödipus dies eine Problem ab: wie werde ich ein All, wenn ich kein Ich bin? »Wir besitzen unser Selbst nicht, von außen weht es uns an«, »Unser selbst ist eine Metapher«, »Wir sind nicht mehr als ein Taubenschlag«, »Charaktere im Drama sind nichts als kontrapunktische Notwendigkeiten«, »Meine Menschen sind nichts als das Lackmuspapier, das rot oder blau reagiert«. Das ist sein Weltgefühl, daß der Mensch nur ein Schnittpunkt von Lebenslinien, nichts an sich ist. Von der dumpfen Wonne, daß alles uns durchschreitet, und von der noch dumpferen Trauer, daß nichts unser ist, ja daß wir nichts sind, es sei denn ein wesenloser Knäuel von Beziehungen, sind all seine Sätze und Sänge voll, dies ist sein Ethos: ihm entnimmt er seine trunkensten Ausweitungen, seine höchstgreifenden Gesichte, aus ihm kommt die hoffnungslose Lähme, die nicht tun nur dulden kann, die Empfänglichkeit, die nicht gebären kann, die Betäubung, die bis ins Ruchlose des Zynismus führt, weil es keine Werte gibt, wo es kein Ich gibt, die Sorglosigkeit sich allem preiszugeben, weil kein Ich dabei zerstört oder verloren werden kann, die stete Angst, den Sinn

und die Fülle des Daseins zu versäumen. So hat er, ohne eine Not und Richte in sich selbst, sich mehr und mehr der nächsten Bezauberung dargeboten, mit den Jahren weiter abgerückt von der Mitte, durch Erfolge selbst verlockt, sich mit immer Zufälligerem und Nichtigerem begattet, zersetzt und erschöpft, die mißbrauchten Organe des Dichtens bis zum Krampf aufgepeitscht, bis zum Taumel betäubt. Umsonst sucht er jetzt das Leben von außen hereinzuleiten, das von innen nimmer quellen will. Die Zeit seines ἱερὸς γαμος, der Morgenschauer einer frisch erschlossnen Welt, der selige Beginnerblick auf eine unverbrauchte Erbschaft ist vorüber für ihn, und er erkennt selbst schmerzlich, daß »Schnellsein nicht zum Laufen hilft«.
So sieht es mit der konkreten Erfüllung aus, mit der Borchardt George zurechtweisen will. Übrigens wird er wohl jetzt selbst nicht mehr frivol genug sein, den heutigen Hofmannsthal der Dialekt-Komödien und Operetten-Texte der deutschen Jugend als Meister und Vorbild zu preisen.

Nur darin weiche ich von der Anschauung Gundolfs ab, daß mir ein Weib, welches sich mit immer Zufälligerem und Nichtigerem begattet, seine Organe keineswegs zu mißbrauchen scheint, jedoch ein Dichter auch durch die Gleichstellung mit einem Weibe, das von seinen Organen den weisesten Gebrauch macht, entwurzelt wird. Aber es verläuft hier und dort alles, wie die Natur will, und ein weiblicher Dichter bringt sich so wenig herunter wie ein Weib. Der Mann, dem man die Wahllosigkeit einer empfangenden Psyche nachsagen kann, vermag wie das Weib nur soziale Einbuße zu erleiden, aber nicht das in Gefahr zu bringen, was man bei ihm mit Unrecht Persönlichkeit nennt. Auf dem Abweg, den die Natur gewiesen hat, gibt es keine Verirrung. Solches Dichten werde aber nicht mit dem weiblichen Sexualakt verglichen, sondern besser mit dem Surrogat hiefür, das von den schreibenden Weibern beliebt wird. Denn die holde Passivität des Weibes leitet die Werke ein, welche des Mannes sind. Die vertrackte Passivität des weiblichen Mannes aber ist wie die Aktivität des männlichen Weibes: sie vermag die Werke gleich beizustellen. Das Weib hat die Persönlichkeit des Nicht-ich: sie ist ein All, in d e m sie kein Ich ist. Beschränken wir das Bild auf das soziale Moment, welches das »Fallen« einer Frau sichtbar macht, so ist das Urteil gegen den Dichter Hofmannsthal gerechter als gegen jede Frau. So verlockend es nun wäre, im Zusammenhang mit einer verlorenen Schönen von einem älteren Femininum zu sprechen, das ihr Unterstand gab – es soll nicht geschehen. Denn dieser Hermann Bahr hat sich längst aller Verantwortung entzogen und trägt, wiewohl er vorgibt, erst fünfzig Jahre alt zu sein, jene matronenhafte Schlichtheit, die mit dem ganzen Vorleben versöhnt, das diese fünfzig Jahre ausfüllt, und der man den Übergang in ein älteres Fach ohneweiters glaubt. Der Sultan Fortschritt hält jetzt einen Harem von Suffragetten, und dort Eunuch zu sein, ist ein schöner Beruf, wenngleich er auf die Dauer seinen Mann auch nicht nährt. Was dann folgt, ist unbestimmt. Aber ewig unbefriedigt wie alle diese Ich-losen Individualitäten, deren Rudel Wiener Literatur heißt, bleiben wir mit unserem Wunsche, daß die, die so viel schon mitgemacht haben, endlich einmal auch etwas erleben mögen. So sollen sie wenigstens mit ihrem Schein dem Licht nicht länger im Wege stehn!

ANMERKUNGEN
BIBLIOGRAPHISCHE NOTIZ

Anmerkungen

Der Band »Literatur und Lüge« erschien in der ursprünglichen Fassung am 1. Februar 1929. Karl Kraus hatte ihn *Heinrich Fischer gewidmet.* Das Buch enthielt nur Arbeiten, die vor dem Ersten Weltkrieg entstanden waren. Da der Autor es ausdrücklich als »Literatur und Lüge, 1. Band« bezeichnete, bestand zweifellos die Absicht, weitere Bände des gleichen Titels – oder wenigstens einen – folgen zu lassen. Aus diesem Grunde ist die Zusammenstellung eines zweiten Bandes »Literatur und Lüge«, der Aufsätze aus den Jahren 1914 bis 1935 umfassen soll, für später geplant.

In der vorliegenden Ausgabe mußte eine Arbeit – »Die Staackmänner« – fortgelassen werden, da die optische Pointe einer Photographie des Schriftstellers Otto Ernst als »Strandläufer von Sylt« technisch nicht reproduzierbar war. Aus der gleichen Notwendigkeit wurde in dem Stück »Ein guterhaltener Fünfziger« die Photographie Hermann Bahrs, mit wallendem Bart und Bademantel, eliminiert.

Der Herausgeber hat in den Band eine in der früheren Ausgabe nicht enthaltene Satire »Briefwechsel mit der Literarischen Welt« aufgenommen, die 1930 in der Fackel erschien. Die Einreihung dieser Arbeit erfolgte auch deshalb, weil einer heute uninformierten Leserschaft die sachlichen, geistigen und seelischen Hintergründe einer erst jetzt – zwanzig Jahre nach dem Tode von Karl Kraus – laut werdenden Polemik gegen die große und reine Menschlichkeit des Satirikers gezeigt werden sollten. Der in dem »Briefwechsel mit der Literarischen Welt« erwähnte »Fall Kerr« ist nicht der in diesem Buch enthaltene; die betreffenden Stellen beziehen sich auf die in der »Fackel« zitierten Kriegsgedichte Alfred Kerrs und auf die daraus entstandene Polemik.

Wie bei allen früheren Bänden hat Herr Dr. Oskar Samek auf das sorgfältigste die Korrekturen gelesen; ihm gebührt besonderer Dank. Außerdem möchte der Herausgeber auch Frau Gertrud Jahn danken, die beim Lesen der Korrekturen wesentlich beteiligt war.

Die Photographie auf Seite 323 wurde dem Buch von Werner Kraft, *Karl Kraus* – Beiträge zum Verständnis seines Werkes, Otto Müller Verlag, Salzburg, mit freundlicher Erlaubnis des Verlages entnommen.

Bibliographische Notiz

Die Aufsätze dieses Buches sind zu den folgenden Zeiten erschienen: Die Büchse der Pandora: Mai 1905 – Notizen: Juni 1906, Juni 1907 – Die Maisonne eines Septemberlebens: Oktober 1906, Dezember 1906 – Ihre Freundschaft mit Ibsen: April 1907 – Der Bulldogg: Juli 1907 – Literatur: März 1909 – Aus dem Papierkorb: Oktober 1909 – Der alte Tepp: April 1908 – Girardi und Kainz: Mai 1908 – Aus der Branche: Dezember 1911 – Notizen: Dezember 1911, Juni 1912 – Übersetzung aus Harden: April 1908, Mai 1908 – Der Patriot: Dezember 1908 – Harden-Lexikon: Oktober 1908 – Seine Antwort: Juni 1908 – Notizen: Juli 1911, September 1911 – Der Freiherr: November 1910 – Schnitzler-Feier: Juni 1912 – Notizen: Mai 1913, September 1913, Oktober 1913, Juni 1913 – Der Fall Kerr: März 1911, April 1911, Mai 1911, Juli 1911 – Briefwechsel mit der »Literarischen Welt«: September 1930 – Desperanto: September 1910 – Schoenebeckmesser: Juli 1910 – Wenn wir Toten erwachen: Oktober 1912 – Razzia auf Literarhistoriker: Januar 1912 – Einer aus der Steiermark: Juli 1913 – Ein gut erhaltener Fünfziger: September 1913 – Bahr-Feier: September 1913 – Notizen: Dezember 1912, März 1913 – Wer ist der Mörder?: Mai 1913 – Die neue Art des Schimpfens: Dezember 1911 – Zum Gesamtbild der Kulturentwicklung: November 1913 – Notizen: Dezember 1913 – Warnung vor der Unsterblichkeit: Mai 1913.